SCHULDELOOS BLOED

Van Elizabeth Corley zijn verschenen:

Doodsnood
Schuldeloos bloed

ELIZABETH CORLEY

SCHULDELOOS BLOED

UITGEVERIJ LUITINGH

Oorspronkelijke titel: *Innocent Blood*
Vertaling: Gerrit Nicolai
Omslagontwerp: Michael de Wee / Groovy Ways
Omslagfotografie: Getty Images

ISBN 978 90 245 2235 4
NUR 305

www.boekenwereld.com

Voor Jane en Neil,
Ik houd van jullie.
Familie is belangrijk.

PROLOOG

SEPTEMBER, HEDEN

Met een diepe zucht schoof hij naar achteren op zijn stoffige zitplaats in de laatste trein van Londen naar Harlden. Het was alsof hij die zucht zijn hele leven al onderdrukte. Andrew Fenwick was aan het eind van zijn Latijn, zowel lichamelijk als emotioneel. Eigenlijk wilde hij maar één ding, zijn hoofd achteroverleggen en zijn ogen sluiten, maar hij kon het niet. Niet omdat de vettige bekleding hem ervan weerhield, maar zijn geweten. Deze avond had hij eindelijk de oplossing gevonden van een misdrijf, waar langer dan twee decennia niemand meer naar omgekeken had. Maar in plaats van opgetogen te zijn over dit succes, zag hij zich voor het grootste dilemma in zijn carrière geplaatst.

Als gevolg van wat hij nu wist, hield hij het lot van een goed mens in handen en hoewel het volkomen helder was wat hem als politieman te doen stond, was het deze keer volkomen in strijd met zijn gevoel voor rechtvaardigheid. Het onverwachte conflict vrat aan hem, het gaf hem het gevoel dat hij te oud werd voor zijn werk. Hij sloot zijn ogen en probeerde rustig na te denken over zijn dilemma, maar dat ging niet. Het was een last die hij alleen moest dragen, niets ter wereld kon die van hem afnemen. Hij had geen andere keus dan een besluit te nemen dat beslissend was voor iemands toekomst, en dat binnen het tijdsbestek van zijn reis naar huis.

Hij knipperde met zijn ogen om wakker te blijven en zijn blik viel op zijn handen, die losjes op zijn dijbenen lagen. Eventjes stelde hij zich voor dat hij de vrijheid van die man in zijn linkerhand hield en in zijn rechter het oordeel dat de maatschappij over hem zou vellen als de waarheid bekend werd. De onthulling ervan zou een doorbraak voor zijn carrière betekenen, op een moment dat hij in aanmerking kwam voor promotie, ondanks een opvallend gebrek aan steun van het hogere kader. De vingers van zijn rechterhand begonnen onwillekeurig om te krullen, alsof hij die promotie zó uit de bedompte lucht kon plukken. Toen hij besefte hoe futiel die gedachte was, kneep hij zijn vuisten dicht en ontspande ze toen langzaam weer. Het probleem was er nog steeds en zijn besluit zou van doorslaggevend belang voor zijn leven zijn.

De trein begon rammelend vaart te maken, slingerde over de wissels, flitste de stations voorbij die al gesloten waren voor de nacht en voerde hem naar het moment in de toekomst waarop het besluit genomen en het lot bezegeld was. Hij staarde voor zich uit en probeerde te zien hoe die beslissing zou uitvallen, maar dat was een zinloze manier om de tijd door te komen; hij minachtte zichzelf erom.

Hij had zichzelf altijd beschouwd als iemand die moeilijke beslissingen kon nemen, het was zelfs een van zijn sterkste punten, vond hij, maar nu hij werkelijk op de proef werd gesteld, realiseerde hij zich dat hij geen Salomo was. Dus nam hij zijn toevlucht tot een bekende remedie als zijn geest leeg was en niet mee wilde werken: hij pakte een notitieblok en een pen. Boven aan een leeg vel papier schreef hij de vraag op die, sinds hij de waarheid had ontdekt, door zijn hoofd maalde als een kinderraadseltje zonder antwoord: *Wanneer is een moordenaar geen moordenaar?*

Het waren confronterende woorden. De misdaad die hij had opgelost was per slot van rekening een moord, niet een of ander licht vergrijp. Met een hoorbaar gegrom van frustratie scheurde hij het papier uit zijn notitieblok, maakte er een prop van en stopte hem in zijn zak, zodat zijn gedachten niet bij de rommel op de grond van de coupé terecht zouden komen. Zijn horloge tikte de laatste minuten van de dag weg en het was al na middernacht, toen hij een nieuw vel papier gladstreek en zich concentreerde.

Hij schreef de naam van de man op – zijn ware naam. Toen deelde hij de pagina met een verticale streep in tweeën. Aan de ene kant maakte hij een lijst met de harde feiten van zijn schuld; aan de andere kant schreef hij de argumenten ter verdediging op. Deze waren zo sterk, dat hij meer papier nodig had. Daarna bekeek hij zijn werk en stelde zich voor dat hij zowel rechter als jury was. Er waren zoveel redenen voor een mild oordeel, maar hij had het recht niet om te oordelen. Kon hij al zijn jaren van toegewijde, gewetensvolle wetshandhaving verloochenen, omdat hij bij deze gelegenheid niet kon vertrouwen op de genadigheid van de wet? Traag ging zijn pen over het maagdelijk wit van het papier en bezoedelde hij het met zijn gedachten. Nog trager zelfs, begon zijn besluit zich te ontvouwen. En uiteindelijk kwam hij op zijn bestemming aan.

DEEL EEN

SEPTEMBER 1982

Op de dag dat zijn ouders hem voor het laatst in leven zagen, ging Paul Hill op zijn nieuwe fiets van huis. Trots beweerde hij, dat hij er zelf voor gespaard had. Het was de eerste dag van het schooljaar. Hij was veertien, maar hij leek pas twaalf, en dat feit had de afgelopen zomer zo aan zijn toch al wankele zelfvertrouwen geknaagd, dat er van zijn gewoonlijke bravoure weinig overgebleven was. Maar het was voldoende om hem door de eerste schooldag heen te slepen, ondanks de afgunstige reacties op zijn fiets en het gegrinnik achter zijn rug, wat hij pretendeerde niet te horen.

In zijn eentje verliet hij het schoolterrein. Zijn vroegere vrienden waren er onder het roepen van hatelijke opmerkingen vandoor gegaan. Hij had toch geen zin om met hen mee te gaan, hield hij zichzelf voor, toen hij op zijn fiets de heuvel af reed. Hij streek met een glimlach van plezier die snel weer vervloog over het ingewikkelde versnellingsmechanisme en ging rechtop op het zadel zitten. Voordat hij bij de weg kwam, remde hij plotseling. Hij was vergeten dat hij met iemand had afgesproken, ondanks alle moeite die hij had moeten doen om voor zijn leraren en zijn ouders een zorgvuldig bouwwerk van leugens te construeren, als excuus dat hij de koorrepetitie moest missen, maar desondanks te laat thuis zou zijn. Die afspraken, die begonnen waren als een heerlijk opwindend geheim, waren inmiddels een bron van grote angst. Hij wilde dat ze zouden stoppen, maar ook dat maakte hem bang. Zonder dat het een bewust besluit was, keerde hij zijn fiets om en begon naar huis te trappen, steeds sneller naarmate hij dichterbij kwam.

Thuis zou hij zeggen dat hij buikpijn had. Zijn moeder zou er weer een enorm drama van maken en hem direct naar bed sturen, en zijn vader zou zeggen dat hij een watje was, maar dat had hij ervoor over. Als hij het werkelijk goed speelde, kon hij misschien zelfs een paar dagen van school thuisblijven.

Hij stak door via de korte route die hij meestal nam, toen een bekende rode auto hem inhaalde en bij de parkeerplaats verderop stopte. Gehoorzaam minderde hij vaart en zag de chauffeur zijn raampje naar beneden draaien.

'Waar ga jij naartoe, Paul?'

'Naar huis.' Vandaag was hij niet in de stemming voor een ommetje.

'Maar we hadden een afspraak. Ik stond op je te wachten.'

'Ik wil niet. Vandaag niet.'

'Kom op, het is nog vroeg; niemand mist je.'

'Ik heb huiswerk en een extra leesopgave.' Hij schoof zijn rugzak tussen zijn schouderbladen en wilde de man niet aankijken.

'Mooie fiets is dat.'

Paul gromde iets wat leek op 'Ja, nou?'

'Hij heeft vast een heleboel geld gekost.'

Dat herinnerde Paul eraan hoe hij het geld had verdiend en dat gaf hem een akelig gevoel vanbinnen.

'Ga weg.'

'Doe niet zo onaardig. We zijn toch vrienden? Vrienden zijn aardig voor elkaar.'

Paul sloot zijn ogen, opende ze toen weer en bleef koppig naar de grond onder zijn wielen staan kijken. Hij had geen echte vrienden, niet meer, en dat was allemaal de schuld van deze man.

'Ik wil je nooit meer zien.'

De man lachte smalend, alsof Paul een slechte grap had gemaakt.

'Doe niet zo idioot, natuurlijk wel; je kunt er nu niet mee ophouden.'

Hij rilde bij die woorden.

'Maar ik wil niet.' Hij dwong zichzelf verdrietig te kijken, die blik deed het altijd goed bij zijn moeder.

'Hoor eens, Paul,' zei de man met een vastberadener klank in zijn stem, 'het is niet zo dat je ergens anders heen kunt. Ik ben de beste vriend die je hebt. Ik heb ons geheim nooit aan iemand verteld, of iemand die foto's laten zien, toch? Want vrienden verraden elkaar niet.'

'Ik heb pijn in mijn buik.'

'Ach, nee toch?' De man stapte langzaam uit de auto alsof hij zich nergens druk om maakte. Hij keek even naar de verlaten straat, liep

naar de achterkant van de stationcar en deed het portier open.

'Maar...' Paul voelde nu echt tranen in zijn ogen komen. 'Ik wil dit niet meer.'

'Gooi je fiets erin, toe dan.'

De man glimlachte. Het was het eerste vriendelijke gezicht dat Paul zag sinds hij van huis was weggegaan. Schoorvoetend sleepte hij de fiets over het grind en liet hem door de man in de auto tillen. Toen hij de deken zag, deed hij onwillekeurig een stap naar achteren, maar de man legde met een bemoedigend gebaar zijn hand op Pauls schouder en hij glimlachte weer op die bepaalde manier, die hem het gevoel moest geven dat hij heel bijzonder was.

'Vandaag mag je voorin zitten, in ieder geval het eerste stukje. Stap in. Er ligt chocola in het handschoenenvakje. Onderweg praten we wel verder.'

En nu het besluit voor hem genomen was, praatte Paul ook, bijna non-stop. In de auto voelde hij zich niet zo akelig; die was bekend en hoewel hij inmiddels een hekel had aan wat hij ging doen, was hij er niet meer zo bang voor. Hij vertelde de man over de lelijke dingen die zijn vrienden tegen hem zeiden, de scheldnamen die ze hem gaven en hoe hij had geprobeerd uit te leggen dat ze het helemaal bij het verkeerde eind hadden.

'Heb je hun over mij verteld?'

Paul schudde zijn hoofd.

'En hebben zij mijn naam ooit genoemd?' De man stelde deze vragen heel terloops, maar Paul was voorzichtig met zijn antwoorden.

'Nee, nooit.' Hij nam een hap chocola, zodat hij niets meer kon zeggen. De man klopte hem op zijn knie.

'Maak je geen zorgen, dat breng ik allemaal wel in orde. Maar nu wordt het tijd dat je achterin gaat zitten.'

Vijftien minuten later hield Paul zichzelf voor dat hij niet bang was, ook al duurde de rit langer dan gewoonlijk en werd hij misselijk van de stank van de uitlaatgassen. Hij klemde zijn rugzak tegen zijn borst en liet zich wegglijden in een vertrouwde fantasiewereld, waarin hij flink was, en lang, en vooral heel populair. Aldus getroost viel hij in slaap.

1

JUNI, HEDEN

Castleview Terrace was heel handig tegen een overblijfsel van de oeroude stadsmuur van Harlden aangebouwd. De huizen waren ontworpen in de stijl van de vroegere aalmoezenierswoningen, van zacht natuursteen met decoratieve patronen van baksteen. Ieder huisje had iets eigens, maar niet zodanig dat het afbreuk deed aan de harmonieuze, halfronde opstelling in de beschutting van de Normandische stenen vestingmuur.

De donkerblauwe voordeur van het laatste huis in de rij glansde in het zonlicht. Terracotta plantenpotten vol alyssum, lobelia's en rode geraniums flankeerden de stoep en gaven het huis een vrouwelijke uitstraling, wat in tegenspraak was met het feit dat er een man alleen woonde. Hij nam deze mooie morgen te baat om de randen van zijn volmaakt groene gazonnetje bij te knippen en ging vakkundig met de schaar om het houten hekwerk heen, dat zijn terrein afpaalde. Een roos begon het houtwerk in bezit te nemen. Haar witte bloemen vermengden zich met die van de rode kamperfoelie en vervulden de lucht met een gastvrije geur voor de terloopse voorbijganger.

'Goedemorgen, majoor Maidment.'

De man keek op en knikte de postbode toe.

'Goedemorgen, George.'

'Alleen een rekening vandaag.' George reikte hem dienstwillig de brief over het hek aan.

'Hoe gaat het met je vrouw? Weer helemaal beter, hoop ik?'

'Zo gezond als een vis, majoor. Ik moest u nog bedanken voor de bloemen.'

'Graag gedaan.'

Maidment zwaaide de postbode na en ging naar binnen om een kop koffie voor zichzelf te zetten. Hij schonk halfvolle melk in een pannetje. Wat zonde toch, dat hij de volle variant uit Cornwall, die hij als jongen al zo lekker had gevonden, niet meer mocht hebben. Gek eigenlijk, dat hij zijn best deed om dit solitaire bestaan te rekken, maar zijn huisarts zat in het complot en het leek hem onbeleefd om diens beste bedoelingen in de wind te slaan. Hij stond zijn kop-en-schotel af te spoelen toen de telefoon ging.

'Maidment.'

'Ha, majoor, u bent thuis.'

Met een gelaten gezicht trok hij een stoel dichter bij de telefoon en zette een kussen in zijn rug.

'Juffrouw Pennysmith, hoe gaat het met u?'

Dit was niet zomaar een vraag. Nu zou ze tot in detail haar kwalen gaan bespreken, wist hij, uitgezonderd die van vrouwelijke aard, die te delicaat waren. Na tien minuten kwam juffrouw Pennysmith eindelijk op de reden van haar telefoontje.

'Zou ik mogen vragen of ik morgen met u mee kan rijden naar de kerk?'

'Natuurlijk,' zei hij weinig enthousiast. 'Ik ben om negen uur bij u.'

'Nou, eigenlijk wilde ik vragen of u iets eerder kunt komen. Ik heb twee lampjes die vervangen moeten worden en ik kan er niet bij.'

Hij sprak af dat hij om halfnegen bij haar zou zijn.

Moeiteloos doodde hij tot twee uur de tijd met het klaarmaken, opeten en opruimen van de lunch, hoewel zijn ogen even wazig werden toen hij het ene bord afdroogde, een dierbaar overblijfsel van het eetservies dat een huwelijkscadeau was geweest. Dan moest hij onvermijdelijk aan Hilary denken, ook al waren er sinds haar dood bijna drie jaren verstreken. Op het laatst was hij dankbaar geweest dat ze haar laatste adem uitblies. Een lijdensweg zoals zij had moeten doorstaan, kon niet anders dan door de duivel zelf zijn uitgevonden. Hij miste haar rustige gezelschap en haar belangstelling voor alle kleine dingen die hij op een dag meemaakte ontzettend. Er was een leegte ontstaan, die bij tijd en wijle haast ondraaglijk was.

Hij riep zichzelf tot de orde. Hier schoot hij niets mee op, hij werd er sentimenteel van. De middagen van de weekends waren het ergste. Hij overwoog een wandeling om het kasteel te maken en daarna naar de rivier te lopen. Het was zaterdag en het zou er wel druk zijn, maar daar was niets aan te doen. Het alternatief was te gaan golfen, maar hij wilde de keren dat hij ging spelen beperken, om zichzelf te bewijzen dat hij niet afhankelijk was van de club en alles waar deze voor stond. Bovendien dronk hij nogal eens te veel als hij erheen ging en hij moest daarna nog wel de rit terug naar huis maken.

Toen Maidment de volgende ochtend zijn slappe deukhoed opzette en controleerde of zijn snor wel netjes bijgeknipt was, ging de bel. Hij zette de hoed weer af en hing hem zorgvuldig terug aan de haak, voordat hij opendeed.

'Lieve help!' riep hij en hij sloeg toen beschaamd zijn hand voor zijn mond. 'Neemt u me niet kwalijk, maar...'

'Ik weet het, ik lijk als twee druppels water op hem. Hij zou alleen een stuk ouder zijn dan ik nu.'

De vriendelijke jongeman stak zijn hand uit en Maidment schudde hem automatisch.

'Luke Chalfont, hoe maakt u het?'

'Wat kan ik voor u doen, meneer Chalfont?'

'Ik ben gespecialiseerd in energiebesparing. Nu weet ik wel dat de mensen zich daar in juni meestal het hoofd niet over breken, maar ik ben ervan overtuigd dat nadenkende mensen zoals u beseffen, dat het altijd beter is om de zaken op orde te hebben en goed voorbereid te zijn.'

De ogen van de man dwaalden even af alsof hij de hal in zich opnam, maar hij keerde snel terug met zijn aandacht. Hij had een aalgladde babbel en het duurde even voor Maidment in de gaten had dat het gewoon een colporteur was, die hem een ander energiebedrijf wilde aansmeren.

'Neemt u me niet kwalijk, meneer Chalfont, maar toen u aanbelde stond ik op het punt om weg te gaan en ik stel geen belang in de diensten van uw bedrijf.'

'Dat snap ik volkomen. Maar ik heb een kleine map bij me, waarin de feiten op een rijtje zijn gezet en ook een prijsvergelijking met andere bedrijven is opgenomen. Mag ik die misschien bij u achterlaten, zodat u het op uw gemak kunt doornemen? Mocht u wel geïnteresseerd zijn, dan kunt u mij bellen.' Hij overhandigde hem een visitekaartje.

De colporteur vertrok opgewekt wuivend en toen Maidment het dubbele slot van zijn voordeur dichtdraaide, liep hij net het pad van de buren op.

Juffrouw Pennysmith was een jong ogende, levenslustige vrouw van zevenenzestig, hoewel ze de laatste tijd behoorlijk gebukt ging onder een beginnende artritis. Maar ze was optimistisch van aard en geloofde in de genezende kracht van het gebed en een positieve levenshouding. Ze leefde, om het met Jane Austen te zeggen, in behoeftige omstandigheden, sinds het pensioenfonds, dat haar vanaf de pensioengerechtigde leeftijd een inkomen had moeten uitkeren, bijna op de fles ging. Ze had haar huis moeten verkopen om een kapitaaltje te hebben om van te leven en kon zich alleen nog een appartement met één slaapkamer veroorloven, in een buurt waar ze vroeger haar neus voor zou hebben opgetrokken.

Voor de kerk had ze een bloemetjesjurk in roze en groen uitgekozen, waarvan ze vond dat hij haar flatteerde en die bij haar rossig zilveren permanent paste. Op de tafel stonden vers gezette koffie en zelfgebakken scones, met kraakheldere linnen servetten ernaast. In de kamer hing een aangename bakgeur, vermengd met lavendel van de schoonmaak van gisteren. Als ze de kerk niet had gehad, zou het leven nog zwaarder voor haar zijn geweest, maar ze werd door vrienden bijgestaan, die haar uitnodigden voor maaltijden waar toch altijd te veel van overbleef en voor gezamenlijke uitstapjes. Haar bijdrage daarvoor was gereduceerd, omdat er achter haar rug om afspraken over waren gemaakt (waar ze boos over zou zijn geweest, had ze het geweten).

De majoor stond stipt op tijd en keurig in de houding bij haar op de stoep.

'Majoor Maidment! Heeft u soms trek in koffie en een scone?'

'Ik denk dat ik eerst even de lampjes ga vervangen, juffrouw Pennysmith.'

'O, maakt u zich daar maar niet druk om. Gisteren, vlak nadat ik u had gebeld, heeft iemand anders het al voor me gedaan. We zijn ruimschoots op tijd.'

Maidment gaf de voorkeur aan beleefdheid boven vrije meningsuiting en volgde zijn gastvrouw zonder commentaar naar de zitkamer. Wat een mal mens was ze toch, met die kleinemeisjesjurk; dat paste toch niet bij iemand van haar leeftijd. Maar in het verse gebak en de schoonmaakgeur herkende hij iets van zijn eigen eenzaamheid, dus liet hij het gekwebbel maar over zich heen komen en trok hij zijn gezicht in een aimabele plooi, terwijl hij zich de uitstekende koffie en de scone goed liet smaken.

Na de kerk wimpelde hij haar uitnodiging om bij haar te komen lunchen af en ging zijn gebruikelijke wandeling naar de gemeentelijke begraafplaats maken, waar Hilary lag. Onderweg kocht hij verse bloemen, hoewel hij nog altijd bezwaar had tegen de openstelling van de winkels op zondag, en probeerde minutenlang gefrustreerd de witte chrysanten en roze lelies tot een mooi bosje te schikken. Zijn ogen werden alweer vochtig bij de gedachte aan de onrechtvaardigheid van het leven. Hilary was tien jaar jonger geweest dan hij, kerngezond en monter, tot aan die plotselinge, schokkende ziekte. Zij zou veel beter met de rouwverwerking zijn omgegaan; hij had daar moeten liggen. Hij had eerder moeten gaan.

Onmiddellijk voelde Maidment zich schuldig over zoveel egoïsme en gaf zichzelf een standje, omdat hij haar zijn verdriet toewenste. God had er een bedoeling mee dat hij hem in leven hield; God alleen wist dat hij zonden genoeg had begaan om voor te boeten voordat zijn ziel werd geoordeeld. Misschien was dat de reden waarom hij er nog steeds was, hoewel hij wel inzag dat de goede werken die hij in zijn nadagen deed, de zonden in zijn leven op geen enkele wijze zouden kunnen goedmaken. De gedachte aan de hel joeg hem ontzettende angst aan en opeens veranderde de begraafplaats in een akelig oord. Gekastijd en angstig liep hij naar zijn auto en reed gedecideerd naar de golfclub, om daar te proberen zijn geweten met een uitstekende wijn en de afleiding van vrolijk gezelschap het zwijgen op te leggen.

2

'Dit is nu al de tweede identieke beroving deze maand.'

'Laat eens zien.' Bob Cooper gaf het rapport door aan inspecteur Nightingale, die net terug was van een cursus in Bramshill en zich zeer bewust was van haar nieuwe rang. 'Een oplichter, en een goede ook. Hoe krijgt hij die oudjes zover dat ze hem vertrouwen?'

'Met veel geduld,' legde Cooper uit. 'Hij doet karweitjes voor hen en vraagt er nooit iets voor. Hij bouwt een tijdlang een vertrouwensband met hen op en dan, huppekee, gaat hij ervandoor met al hun waardevolle spulletjes.'

'Wat staat er over hem in de computer?'

Cooper gaf haar een uitdraai uit het landelijke recherchedatasysteem. 'Heel wat. Hij werkt al twee jaar het hele land af. Hij pleegt nooit meer dan drie tot vijf berovingen in één district. Het was slechts een kwestie van tijd tot hij Sussex aandeed.'

'Is dit het computersignalement? Lieve help, hij lijkt precies op...'

'Lord Lucan. Ik weet het. Maar niemand heeft hem nog te pakken gekregen.'

'Dat komt doordat al die incidenten zijn afgehandeld als lichte vergrijpen – ze komen nooit bij ons terecht – maar als hij zo doorgaat, hebben we een kans om hem in de kraag te vatten, voordat hij verder trekt. Waarom ga jij er niet achteraan, in plaats van het over te laten aan de gewone politie? Ik zal zijn signalement in de plaatselijke kranten laten afdrukken en informatie laten verspreiden op plaatsen waar senioren vaak komen.'

Nightingale ging op de rand van zijn bureau zitten en zwaaide afwezig met een van haar lange benen, wat bij een andere vrouw uitdagend zou overkomen. Cooper vond het bizar dat de aantrekkelijkste vrouw op het politiebureau van Harlden ook de afstandelijkste was.

Ze had geen idee welk effect haar uiterlijk op anderen had, en ook niet dat het overgrote deel van de rechercheurs haar een eigengereid, omhooggevallen mens vond. Cooper keerde met zijn gedachten terug naar het inbraakrapport voor hem en de voorstellen van zijn nieuwe leidinggevende.

‘Het lijkt me nogal veel werk voor twee lichte vergrijpen.’

‘Ik noem het stelen van voorwerpen met een grote emotionele waarde in iemands leven, om ze vervolgens te verpatsen, geen licht vergrijp. Laten we die hufter in zijn kraag grijpen, voor hij nog meer kwaad aanricht.’

Cooper, die zich terechtgewezen voelde, pakte zijn sleuteltjes. Even later parkeerde hij voor een slecht onderhouden appartementencomplex en ging via de trap naar de vierde etage, omdat de lift niet werkte. Een geüniformeerde agente met roze wangen van de julihitte, begroette hem bij de deur.

‘Ze zit binnen ontzettend te huilen. Ik heb nog niet veel uit haar kunnen krijgen, maar ik hoop dat de sherry een handje helpt.’

Cooper stapte het halletje binnen en deinsde terug voor de lawine van chintz. Drie verschillende patroontjes botsten op elkaar in hun eis om aandacht. In de volle zitkamer was het nog veel erger; daar werd hij letterlijk besprongen door frutsels en franje. Hij hield zelf van beige en tweed en had even tijd nodig om zich te herstellen, hoewel de goed geconserveerde dame tussen de kussens met dikke pioenrozen, niet in een gemoedstoestand verkeerde om zijn ongemak op te merken.

‘Ik ben brigadier Cooper van de recherche Harlden, juffrouw Pennysmith.’

Ze bette haar ogen, maar knapte zichtbaar op van de aanwezigheid van een manspersoon, ook al was het zo’n bescheiden iemand als Cooper. Bij een pot thee ontlokte hij haar het bekende verhaal. Ze was beroofd van alles wat waarde had: wat lijfsieraden, haar enige waardevolle ring, die ze van haar moeder had geërfd, haar vaders medailles en wat zilveren fotolijstjes met portretten, die ze meer miste dan de lijstjes zelf. Er was bijna tweehonderd pond aan contant geld verdwenen, het resultaat van een jaar zorgvuldig sparen voor een vakantie waar ze ontzettend naar verlangde. De opbrengst van de diefstal bedroeg bij lange na geen duizend pond, maar zij was beroofd van meer dan haar bezittingen.

‘En het was nog wel zo’n aardige jongeman,’ snufte ze de opkomende tranen weg. Ze nam een slokje thee.

Haar signalement klopte met dat van de dief, die Cooper de bijnaam Lucky had gegeven. Deze had juffrouw Pennysmith drie weken geleden voor het eerst bezocht en haar een fictieve nieuwe gasleverancier aangesmeerd. De dag daarop was hij teruggekeerd, had het contract verscheurd en onder tranen opgebiecht dat het een verschrikkelijk slechte deal was; ze had het papier nooit moeten ondertekenen.

Bij een kopje thee en een koekje verklaarde hij, dat hij een zoontje had dat ziek was en dat hij de behandeling in een privékliniek moest betalen. Met de provisie op de contracten kon hij de genezing van zijn zoon bekostigen en hoefde het kind geen onvolwaardig, ziek leven te leiden. Zij had hem overgehaald wat contant geld van haar aan te nemen, in ruil voor het verrichten van kleine klusjes bij haar thuis. In een paar weken tijd was hij kind aan huis, bijna een vertrouwde vriend.

Cooper schudde gefrustreerd zijn hoofd. In die periode had 'Lucky' haar dagelijkse routine leren kennen. De vorige avond had hij zich toegang tot het huis verschaft met behulp van een gekopieerde sleutel, die hij brutaal genoeg ook nog had achtergelaten nadat hij haar had beroofd. Juffrouw Pennysmith voelde zich dom en verraden.

'Kunnen wij iemand voor u bellen? Een familielid?'

'Ik heb een neef die in Hongkong werkt en mijn zuster woont in Schotland, maar het heeft geen zin om iemand van hen te bellen.'

Ze haalden haar ertoe over het gezelschap te accepteren van een buurvrouw, die ze voorheen had geprobeerd te mijden. Toen Cooper wegging, hoorde hij de vrouw een preek aanheffen, 'Je moet nooit vreemde mensen vertrouwen', wat hem overbodig leek, want hij betwijfelde sterk of juffrouw Pennysmith dat ooit nog zou doen.

De zondag daarop parkeerde majoor Maidment om negen uur precies voor de flat van juffrouw Pennysmith. Terwijl hij wachtte tot de deur openging, repeteerde hij zijn excuus dat hij niet in staat zou zijn samen met haar te lunchen, maar toen er werd opengedaan, was hij volstrekt niet voorbereid op het make-uploze, gespannen gezicht dat over een pas aangebrachte veiligheidsketting keek. Haar ogen waren een en al verwarring.

'Jeremy, wat kom je doen?' Ze voelde met een beverige hand aan de onverzorgde warboel van roze en witte krullen.

'Het is zondag, juffrouw Pennysmith. We moeten naar de kerk. Margaret, wat is er met je gebeurd?'

Zijn bezorgde vraag bracht een stortvloed aan tranen teweeg. Een tijdje later, de kerk was totaal vergeten, voegde hij de fragmenten van haar verhaal samen tot een enigszins coherent geheel. Hij was hoogst verontwaardigd en voelde het verlangen in zich opkomen actie te ondernemen, maar die gevoelens waren niet van zijn gezicht af te lezen.

'Waarom ga je niet een paar dagen bij je zuster in Schotland logeren? Daar is het prachtig in deze tijd van het jaar.'

'Ik denk niet dat ze me hartelijk zal verwelkomen. Zij en haar man leiden een druk leven.'

'Onzin. Als ze hoort wat er gebeurd is, zal ze je zeker willen helpen.'

'Dat betwijfel ik.' Ze snoof luidruchtig. '"Drie is te veel", zegt Mary altijd.'

Maidment begreep het wel. Hij zag voor zich hoe Margaret in Perth aan de ontbijttafel zat te flirten, terwijl haar zus zich verbeet en haar zwager zijn gêne wegslikte met een kop koffie. Maar ze kon niet in dit flatje blijven kniezen, bang om één voet buiten de deur te zetten.

'Laat mij maar met haar praten. Ik leg haar wel uit wat je hebt doorgemaakt.'

Hij trok zich terug in de hal om te bellen. Het was een erg lang gesprek, maar toen hij terugkwam, glimlachte hij.

'Dat is geregeld. Ze ziet uit naar je komst. Ik zorg wel voor je treinkaartje en ik zal haar bellen om te zeggen hoe laat je aankomt. Goed, ik weet wel dat het een beetje vroeg is, maar ik denk dat we allebei aan een glaasje sherry toe zijn.'

Tijdens de avondmis werden er speciale gebeden voor juffrouw Pennysmith opgezegd en de majoor werd bestookt met vragen. Hij deed extra zijn best om iedere alleenstaande vrouw in de gemeente op het hart te drukken toch vooral heel goed op te passen.

De kwestie bleef door zijn hoofd spoken, tot hij de week daarop in de rij stond om postzegels te kopen. Toen hij bij de balie het aanplakbiljet van de politie zag, kreeg hij een schok. Hij vergat zijn boodschap helemaal en ging linea recta naar huis.

'Bob, ik heb ene majoor Maidment aan de telefoon. Hij wil de rechercheur spreken die belast is met het onderzoek in de zaak-Pennysmith. Heeft misschien nuttige informatie, zegt hij.' De brigadier die de telefoon had aangenomen, verbond hem door.

'Met brigadier Cooper. Hoe kan ik u van dienst zijn?'

'U spreekt met Jeremy Maidment, Briar Cottage, Castleview Terrace, Harlden. Ik geloof dat ik de man die mejuffrouw Pennysmith heeft beroofd, heb ontmoet. Hij was drie weken geleden bij mij aan de deur.'

'Aha. En sindsdien heeft u hem zeker niet meer gezien?'

'Nee, maar hij heeft een visitekaartje achtergelaten. Ik vroeg me af of ik hem moet laten komen, zodat jullie hem kunnen inrekenen.'

Cooper onderdrukte een lachje. Wie had er ooit gehoord van een dief die naam en adres achterliet?

'Fantastisch idee, meneer. Doet u dat maar en belt u me terug met het tijdstip van de afspraak.'

Hij zat zijn maatje George Wicklow net zijn nieuwste grap te vertellen, toen de receptie belde.

'Majoor Maidment staat hier beneden. Hij zegt dat hij morgenochtend, om negen uur precies, een afspraak met de dief heeft gemaakt en graag de strategie met u wil doornemen.'

Toen Cooper bij de slonzige verhoorruimte op de begane grond aankwam, die ze voor de binnenlopers bewaarden, had hij zijn gezicht weer in de plooi. Maidment stond op zijn gemak met zijn rug naar het raam gekeerd. Hij was korter dan Cooper en ook kilo's lichter, ondanks zijn brede schouders in de onberispelijke blazer. Zijn gezicht was verweerd door de tropische zon en zijn rossige huid contrasteerde sterk met zijn zandkleurige witte haar en snor, en zijn lichtblauwe ogen.

Zijn handdruk was stevig, maar niet dominerend. Hij had een met de hand getekende plattegrond van zijn woning op de tafel tussen hen in gelegd, waarop hij de toegangen had gemarkeerd. Voordat Cooper zijn mond open kon doen, tikte hij erop.

'Ik had gedacht aan drie man boven, twee in de achtertuin, drie in burger buiten en twee bij mij beneden.'

Cooper zag de schaal van de tekening en had al snel bekeken dat ze dan over elkaar heen zouden buitelen.

'Een interessant voorstel, majoor, maar met zoveel agenten zouden we de aandacht trekken. Ik denk dat we ons, laten we zeggen, iets verdekter moeten opstellen.' Hij was best trots op zijn subtiele bewoordingen.

Ze spraken af dat tegen halfacht vier agenten, plus Cooper, in en rond het huis hun posities zouden innemen.

'Weet u wel zeker dat u ongewapend komt, brigadier?' zei de majoor teleurgesteld.

'Ja, meneer. Er is geen reden om een gewapend arrestatieteam op te roepen. Bij alle misdrijven die hij eerder heeft gepleegd is geen melding gemaakt van een wapen en bij de inbraken is niemand gewond geraakt.'

'Hm, je kunt niet voorzichtig genoeg zijn. Je denkt dat ze ongevaarlijk zijn en dan, pang! beginnen ze te schieten en ben je een goeie kerel kwijt.' Zijn ogen staarden even terug in een verleden, waar Cooper geen weet van had. 'Maar het is uw operatie. Ik zal de leidinggevende niet voor de voeten lopen. Dan zie ik u en uw mannen morgenochtend om halfacht precies.'

Terwijl hij die avond naar een niet-overtuigende documentaire over de Falklandoorlog zat te kijken, opende hij het foedraal waar hij zijn dienstrevolver in bewaarde en maakte het wapen zorgvuldig schoon. Hij laadde het met zes kogels en negeerde de sceptische stem van Hilary in zijn hoofd. Het duurde even voor hij had besloten waar hij het wapen zou verstoppen. Hij koos ten slotte voor de broodtrommel. Mocht die rotzak de benen willen nemen, zou hij waarschijnlijk voor de keukendeur kiezen in plaats van de voordeur. Hij zou ervoor zorgen dat die op slot zat. Als die crimineel iets wilde flikken, dan was hij er klaar voor, jawel.

Hij sliep goed, zoals altijd vlak voor een missie. Geen enkele vijand die hij had omgelegd drukte zwaar op zijn geweten. Als hij al nachtmerries had, en gelukkig waren dat er maar weinig, dan kwam dat door de herinnering aan zijn persoonlijke misstappen en die ene grote zonde. Maar deze zoele julinacht sliep de majoor de slaap des rechtvaardigen.

Het vogelkoor wekte hem vroeg en hij was al vóór zes uur gedoucht, geschoren en aangekleed. Zijn schoenen waren gepoetst als een spiegel en zijn broek keurig geperst. Het vooruitzicht weer eens wat actie mee te maken, wond hem op. Hij hielp de politie bij de arrestatie van een seriemisdadiger en het gevoel dat hij aan iets zinvols meewerkte, was een stimulans.

Die brigadier Cooper kwam solide over, hoewel hij niet van elleboogstukken hield, en dat geruite Prince of Wales jasje paste niet bij zijn postuur. Maar hij was al oud voor een politieman, waardoor Maidment extra vertrouwen in hem had, ondanks zijn sjofele kleding.

Zijns ondanks begon hij zich toch zorgen te maken over de opzet van de actie. De revolver lag waar hij hem had achtergelaten – geolied, gereinigd en geladen. Hij testte uit hoe hij in de zak van zijn colbert paste, maar natuurlijk was hij veel te groot en hij had geen holster meer, dus legde hij hem maar weer terug in de broodtrommel. Eindelijk had hij het gevoel dat hij er klaar voor was.

Cooper keek kritisch naar het team dat hij had meegekregen. De twee geüniformeerde agenten, Perkins en Lee, waren prima – hij had al eerder met hen samengewerkt en wist dat hij op hen kon rekenen. Maar met de twee rechercheurs in burger die buiten zouden staan, was hij minder content. Inspecteur Partridge was een veteraan met een drankprobleem, wat alleen een geheim was gebleven voor de commissaris van bureau Harlden. Brigadier Rike was een uitstekende politieman geweest, tot hij vorig jaar bij een steekincident betrokken raakte. Hij was pas twee maanden weer aan het werk en had voornamelijk veilig achter een bureau gezeten.

De Uitvoerende Dienst ging er blijkbaar van uit dat het om een aanhouding met weinig risico ging, waarmee ze hun werkrapporten zonder al te veel inspanning konden opvijzelen. Het ging immers om een oplichter die in het verleden geen geweld had gebruikt. Ondanks dat zag Rike lijkbleek, dus liet Cooper hem het steegje achter de tuinen van de rijtjeshuizen bewaken.

Hij zag de rechercheur een groene overall van de plantsoenendienst en een geel reflecterend jack aantrekken en vervolgens met een kruiwagen en bezem naar de achtertuin van Maidment lopen. Partridge kreeg de opdracht iets verderop aan de voorkant in een geparkeerde auto te blijven zitten. Daar vouwde hij de krant van die dag open en deed prompt alsof hij in slaap viel; Cooper hoopte althans dat het toneel was.

De majoor wachtte hem binnen op, onberispelijk gekleed in een colbert en een stropdas, hoewel het op die vroege morgen al warm was. Hij maakte een kalme indruk, maar Cooper voelde wel een zekere spanning om hem heen hangen en dat baarde hem enige zorgen. Hij zat niet te wachten op een staaltje van burgerlijke heldhaftigheid.

Cooper, Perkins en Lee kregen een vers gezet kopje koffie en wachtten af. Er werd niet over koetjes en kalfjes gepraat, zo zat Maidment niet in elkaar, en Cooper had het nooit aangeleerd. Kort na achten verdwenen de twee geüniformeerde dienders – agent Perkins ging naar boven, Lee ging naar de eetkamer – terwijl Cooper het toilet beneden binnenglipte en op het neergelaten toiletdeksel ging zitten. Hij hoorde Maidment de kopjes afwassen en opbergen. Rike en Partridge meldden zich via de radioverbinding en hij constateerde opgelucht dat ze wakker klonken.

Om halfnegen kondigde Partridge via de radio de komst van Chalfont aan, een paar tellen later gevolgd door het gerinkel van de deurbel. Cooper hoorde stemmen, die luid klonken in het kleine huis.

'Ha, meneer Chalfont, komt u binnen. U bent aan de vroege kant.'

'Ik laat een potentiële klant niet graag wachten.'

'Hebt u trek in een kopje koffie? Ik ben net aan het zetten.'

'Ik dacht al dat ik zoiets rook, maar doet u voor mij geen moeite.'

Het plan was dat Maidment de voordeur dicht zou doen en afsluiten, Chalfont zou voorgaan naar de zitkamer, om zich daarna in de keuken terug te trekken, onder het voorwendsel dat hij koffie ging inschenken. Vervolgens zou Cooper met steun van de twee agenten in uniform de verdachte, die zat te wachten tot Maidment terugkwam, arresteren.

Jammer genoeg liep het anders dan gepland, zoals Cooper later in zijn verslag zou memoreren. In plaats van te gaan zitten, liep Chalfont achter de majoor aan de keuken in.

'Alstublieft, dit doe ik wel hoor, maak het u gemakkelijk.'

'Geen punt. Ik moet toch naar de installaties kijken. Waar heeft u de boiler?'

Stilte. Cooper keek vanaf zijn troon omhoog en zag de boiler hangen.

'Aha.' Maidment raakte hoorbaar in de war. 'Ik ben hier pas naartoe verhuisd. Even nadenken, het is...'

'Geeft niet, ik vind hem wel. Ik ben een expert. Ik wed dat hij in het toilet zit.'

De deur ging al open voordat Cooper zich kon verschuilen. Eén moment staarden de twee mannen elkaar aan, toen kwam Cooper bij zijn positieven en sprak ferm: 'Politie! U bent aangehou...'

Toen kreeg hij een stomp, waardoor de lucht uit zijn longen geslagen werd en hij dubbel klapte. Hijgend hoorde hij dat er in het smalle gangetje werd geworsteld en toen hij opkeek, zag hij Lee pijnlijk op zijn achterste vallen. Bonkend kwam Perkins de trap afrennen. Hij botste tegen Cooper op, die net door de gang strompelde. Perkins struikelde en viel bijna. Cooper drong zich langs hem heen de keuken in en kwam net op tijd om te zien dat Chalfont opnieuw een stomp uitdeelde, ditmaal op de neus van Maidment. Het bloed spoot eruit en kwam op de colbertjes van beide mannen terecht. Maar in plaats van opzij te gaan, ging Maidment recht voor zijn aanvaller staan en plaatste een rechtse directe op de kaak van Chalfont.

Met veel moeite kwam Cooper overeind en rende op Chalfont af, maar de man pakte een broodmes en begon er woest mee voor zijn neus te zwaaien. Inspecteur Partridge stond op de afgesloten voordeur te bonken, terwijl Rike met een wit weggetrokken gezicht aan de andere kant van het keukenraam stond. Perkins en Lee stonden achter Cooper in het halletje.

'Zullen we allemaal even tot bedaren komen?' bracht Cooper met moeite uit. Zijn maag leek in brand te staan. 'Rustig aan – Luke, nietwaar? Er staan hier vijf agenten en er zijn er nog meer onderweg. Het heeft geen zin om de zaak erger te maken door te dreigen. Leg dat mes weg.'

Zowel hij als Maidment bevond zich binnen het bereik van het mes. Cooper beval Perkins uit de keuken te blijven, in de hoop dat hij genoeg verstand bezat om te gehoorzamen. Hij hoorde dat Lee de voordeur opende, maar het numerieke overwicht leverde niets op, omdat het keukentje te klein was. In de plotselinge stilte stonden Maidment, Cooper en Chalfont elkaar achterdochtig op te nemen.

'Ik ga niet naar de gevangenis.' Chalfonts stem trilde paniekerig.

'Wie had het over de gevangenis? Laten we geen overhaaste conclusies trekken. Maar het gezwaai met dat mes doet er geen goed aan. Leg dat ding neer, knul.'

'Ik ben geen knul meer. Denk je soms dat ik achterlijk ben?' Cooper hoorde de hysterie groeien en zag tot zijn bezorgdheid dat de hand van Chalfont begon te beven. 'Ik neem de benen en je houdt me niet tegen. Doe die deur open.'

Chalfont draaide zich naar Maidment om en wees met het mes. Toen draaide hij zich weer om naar Cooper, die het gewaagd had dichterbij te komen.

'Blijf uit mijn buurt!'

Op het moment dat de twee mannen tegenover elkaar stonden, deed Maidment de broodtrommel open, pakte een vuurwapen en wees ermee op de borst van Chalfont.

'Jij gaat helemaal nergens heen, jochie.'

Chalfonts mond viel open en Cooper merkte dat dat bij hemzelf ook het geval was.

'Doe die revolver weg, majoor. Dat helpt ons niet verder.'

Hij staarde naar de twee gewapende mannen en vroeg zich af wie gevaarlijker leek. Chalfont trilde over zijn hele lijf en deinsde achteruit, terwijl Maidment kalm bleef, afgezien van een zenuwtrekje bij zijn ooghoek. Cooper kreeg het akelige vermoeden dat hij er wel zin in had.

'Maakt u zich geen zorgen, brigadier, ik heb de situatie onder controle. Ik laat die hufter niet gaan na wat hij juffrouw Pennysmith heeft aangedaan.'

Bij deze woorden deinsde Chalfont nog verder terug en had niet in de gaten hoe dicht hij Cooper genaderd was. Zijn aandacht was alleen nog maar op de man met de revolver gericht. Cooper deed een uitval naar het mes en sloot zijn hand om de pols van de man. Chalfont draaide zich bliksemsnel om en stootte zijn elleboog fel in Coopers toch al pijnlijke maag. Zijn greep verslapte en Chalfont zwaaide het mes omhoog naar de hals van Cooper.

Toen klonk er een oorverdovende knal. Er kwam een verbijsterde trek op het gezicht van Chalfont. Toen begon hij te schreeuwen. Hij liet het mes vallen en greep naar zijn dijbeen om het helderrode, slagaderlijke bloed te stoppen, dat over de keukenkastjes en de muren gutste en een plas op de vloer vormde.

Maidment schopte het mes weg en trok een theedoek uit de la. Hij begon deskundig de wond dicht te drukken. Chalfont schreeuwde nog harder.

'Houd dit erop, brigadier Cooper, dan bel ik een ambulance.'

'Eerst de revolver, meneer.'

Cooper stak zijn hand uit en pakte het wapen behoedzaam tussen duim en wijsvinger aan, wikkelde er een lap omheen en gaf het aan Perkins.

'De ambulance is al onderweg, meneer,' zei de agent, 'en extra mannen.' Perkins keek bezorgd naar de groter wordende plas bloed.

'Dat kompres is nu al doorweekt,' merkte Maidment, nog altijd onnatuurlijk kalm, op.

Hij pakte nog een schoongewassen theedoek en bracht hem zelf om het dijbeen aan. Chalfont gaf een gil en viel flauw.

'Dat is maar het beste. De stakker zou helse pijn hebben gehad. In ieder geval weet hij nu van niets tot hij veilig in het ziekenhuis ligt.'

Hij zei het zonder een spoortje emotie. Cooper en Perkins wisselden verbijsterde blikken. Cooper schraapte zijn keel.

'Majoor, hebt u een vergunning voor dat vuurwapen?'

'Een vergunning? Eh...' Maidment krabde met zijn vrije hand aan zijn kin. 'Moet ik die hebben dan? Het is mijn dienstrevolver, ik heb hem al jaren. Nooit één moment bij stilgestaan. Nee, die ik heb ik niet, denk ik.'

'U had hem moeten waarschuwen, meneer!' siste Perkins.

Traag drong de realiteit tot Cooper door. Hij liet zijn schouders zakken en zag voor het eerst de rode spetters op zijn broekspijpen. Dot wordt witheet, dacht hij, en even wenste hij dat hij op dit moment bij haar thuis zat met een kopje thee. Maar hij dwong zichzelf op te staan en de majoor aan te kijken.

'Jeremy Maidment, ik arresteer u op verdenking van poging tot moord. U bent niet verplicht...' begon hij.

'Poging tot moord? Lieve hemel, brigadier, hij stond maar twee meter bij me vandaan. Ik wilde hem ontwapenen en dat is me gelukt. Als ik hem had willen doden, dan kan ik u verzekeren, dat ik...'

'... iets te zeggen, maar...'

'Brigadier! Hoort u me niet? Ik heb iemand ontwapend die u de keel wilde doorsnijden. Ik begrijp wel dat u zich zorgen maakt omdat ik geen wapenvergunning heb, maar suggereren dat ik heb geprobeerd iemand om te brengen is klinkklare onzin.'

Cooper maakte zijn tekst, waarin hij hem op zijn rechten wees, af en voelde het bloed naar zijn hoofd stijgen, tot hij net zo rood was als Maidment zelf. Hij was sterk in de verleiding om de situatie uit te leggen, zich te verontschuldigen zelfs, maar dat zou bijzonder onverstandig zijn. In plaats daarvan wachtten ze in stilte de komst van de hulptroepen af.

Tien minuten later hielp agent Lee de nog altijd sprakeloze Maidment op de achterbank van een wachtende politieauto plaats te nemen, terwijl Cooper toekeek hoe het ambulancepersoneel Chalfont op een brancard vastgespte en hem vervolgens met hoge snelheid en loeiende sirene afvoerde. De shock die hem had overvallen op het moment dat Chalfont het mes pakte, maakte langzaam plaats voor een gevoel van rampspoed dat op zijn toch al pijnlijke maag bleef liggen. Hij had het verprutst. De routineuze aanhouding was op een levensbedreigend incident uitgelopen, met als gevolg dat er een man lag dood te bloeden en hij gedwongen was een steunpilaar van de samenleving te arresteren. Hij zou door het stof moeten gaan, maar intussen had hij belangrijker zorgen aan zijn hoofd.

Brigadier Rike stond zwaar inhalerend met een sigaret tegen de keukenmuur geleund. Afgezien van de rook, hing er ook een lucht van vers braaksel.

'Gaat het een beetje?'

Rike knikte en nam opnieuw een stevige trek. Cooper zag zijn hand trillen.

'De achterdeur zat op slot. Ik kon er niet in.'

'Geeft niet. Het was al vol genoeg in de keuken en hij had de benen kunnen nemen. Jij moest alleen de uitgang bewaken.'

Rike knikte, maar kon Cooper niet aankijken.

'Laten we gaan.' Cooper wreef over zijn gezicht. Hij zag er ouder uit dan de vijftig jaren die hij telde.

'Wat wilt u dat ik zeg?' Rike was niet van zijn plaats gekomen.

'Pardon?'

'Wat zullen we zeggen? Voor wie gaan we – voor Chalfont of voor Maidment? Ik neem aan dat we alle schuld bij Chalfont kunnen leggen; dat hij de majoor besprong en hem dwong zich te verdedigen. Hij moet zich wel verantwoorden voor het feit dat hij geen wapenvergunning heeft, maar dat is een lichte overtreding.'

Het drong tot Cooper door waar Rike naartoe wilde en hij stak zijn hand op. 'Niets meer zeggen, Richard. We gaan voor de waarheid. Er zal een onderzoek worden ingesteld en dat wordt bloeden, maar jij hoeft alleen maar een verklaring af te leggen waarin je exact uitlegt wat je hebt gezien.'

Rike staarde hem aan alsof hij niet goed bij zijn hoofd was, maar hield zijn mond zoals hem was opgedragen en volgde hem naar de auto.

Maidment bracht een nacht in de cel door en werd de dag daarop vrijgelaten, na een telefoontje van een woedende korpschef Harper-Brown. Deze nam Cooper zwaar onder vuur, omdat hij hem meteen in hechtenis had genomen. Cooper had nog niet opgehangen, of hij werd boven bij commissaris Quinlan van het bureau Harlden ontboden.

Quinlan nodigde hem niet uit om te gaan zitten.

'Wat een afgang, verdorie nog aan toe!' Quinlan vloekte zelden en het gebruik van deze milde krachtterm had een buitenproportionele uitwerking op Cooper. Hij voelde zich ontzettend beroerd en staarde naar zijn schoenen. 'Hoe haal je het in je hoofd om zo weinig mensen mee te nemen?'

'Ik geloof niet dat meer mankracht enig verschil zou hebben gemaakt, meneer. En we hadden geen enkele aanwijzing dat Maidment een vuurwapen zou trekken.'

Quinlan staarde hem hoofdschuddend aan.

'De aanhouding van Maidment is slecht aangepakt. We mogen van geluk spreken dat hij niet het type man is dat een klacht tegen ons indient.'

'Heeft hij dat niet gedaan?'

'Nee. Maar ik had wel een zeer ontstemde korpschef aan de lijn. Heb je de kranten al gezien?' Dat was een retorische vraag. 'Zelfs zonder een klacht zullen we een hoop negatieve aandacht van de pers krijgen. Harper-Brown wil absoluut dat er een onderzoek wordt ingesteld.'

'O, nee toch.' Cooper kreeg slappe knieën. Hij keek zeker erg zielig, want Quinlan had met hem te doen.

'Het onderzoek wordt door een ander korps gedaan en in stilte; dat is een slimme zet. Mocht hij onder druk komen te staan, kan hij altijd zeggen dat er al een onderzoek loopt en door dat onderzoek door mensen van buiten ons korps te laten uitvoeren, demonstreert hij tegelijkertijd zijn onpartijdigheid.'

'En wat doe ik in die tussentijd, meneer?'

'Je verslagen uittikken en ervoor zorgen dat je team volledig meewerkt. En ik wil dat je op geen enkele manier bij de zaak-Maidment betrokken bent. Dat kan Nightingale afhandelen. Jammer dat je haar niet bij de arrestatie hebt ingeschakeld.'

'Ja, meneer.'

Die gedachte was ook bij Cooper zelf opgekomen, maar het leek een routineklus, althans, dat had hij zichzelf voorgehouden. Maar in zijn achterhoofd verdacht hij zichzelf er ook van dat hij de eer voor zichzelf had willen houden, hem niet had willen delen met die pas aangestelde inspecteur, ook al was hij een van haar weinige fans.

Na wat misschien wel de afschuwelijkste ochtend uit zijn hele politieloopbaan was, trok Cooper zich in de kantine terug en zocht troost in het slechtste voedsel dat maar mogelijk was.

'Fish-and-chips met honingcake en custard toe. Hoe staat het met je dieet, Bob?'

Nightingale stond aan zijn tafeltje met een dienblad vol eten, en hij wist gewoon dat hij zich daardoor nog slechter zou gaan voelen.

'Vind je het goed als ik bij je kom zitten?'

Nee, hij vond het niet goed, maar hij wees met zijn mes naar de lege stoel tegenover hem. Toen dacht hij aan zijn manieren en hij keek even naar haar bord. Heel veel groen spul, dat had hij al gedacht. Kijk toch eens, ze blaakte van gezondheid. Hij vroeg zich af met wie ze tegenwoordig omging. Er gingen geruchten dat het Andrew Fenwick was, maar eigenlijk geloofde hij dat niet.

Terwijl ze zaten te eten, verwachtte hij dat ze over het debacle Maidment zou beginnen. Hij had zijn verdediging al klaar, maar zij praatte gewoon over een film die ze de vorige avond had gezien. Uiteindelijk zei hij: 'Je zou verdorie een film kunnen maken over mijn leven op dit moment.'

'Ik heb het gehoord. Wil je erover praten?'

Hij deed zijn mond open om nee te zeggen, maar merkte dat hij in plaats daarvan de voorgaande zesendertig uur herbeleefde. Ze luisterde zonder hem te onderbreken. Er kwam een vel op zijn custardpudding.

'Volgens mij heb je niets verkeerd gedaan, Bob. Misschien had je een agent in de keuken kunnen zetten, maar wat had dat voor zin gehad? Dan zou Chalfont hém hebben bedreigd. Wat wordt het voor een onderzoek?'

‘Intern.’

‘Je had het slechter kunnen treffen. Je beschermengel doet erg zijn best.’

Ze glimlachte hem bemoedigend toe, terwijl hij zijn laatste frietje naar binnen werkte en er verwoed op kauwde, ondanks het feit dat het ijskoud was. Hij wilde absoluut niet getroost worden.

‘Ik zit zwaar in de penarie, geloof mij maar. Harper-Brown ruikt bloed...’

‘Hè, ongelukkig geformuleerd. Quinlan is nu woedend, maar hij is wel eerlijk. Hij zal je heus niet als zondebok laten behandelen.’

Cooper schudde alleen maar zijn hoofd, nam een lepel dik geworden custard en liet hem toen vol walging vallen.

‘Quinlan heeft er niets over te zeggen, hè? In de pers wordt mijn vonnis al geveld. De korpsleiding staat zo onder druk om “er iets aan te doen”, dat ik nu al rijp ben voor de slacht. Let maar op, ik mag van geluk spreken als ik ontsnap met behoud van mijn baan.’

‘En daarom dacht je, dan vreet ik me eerst maar dood.’ Ze lachte om de angel uit haar woorden te halen en Cooper probeerde mee te lachen. Ondanks zijn vaste voornemen somber te zijn, liet Nightingale hem in een positieve uitkomst geloven en dat sprankje hoop maakte het leven wat minder somber.

3

Andrew Fenwick stond naar de doordringend geurende mengeling van aarde en vergane bladeren aan zijn voeten te staren en bracht zijn emoties onder controle. De nauwgezet opgegraven botfragmenten werden ten slotte in bakken van hard plastic gelegd, die eigenlijk op een archeologische vindplaats leken thuis te horen. De overblijfselen waren zo klein, dat een lijkenzak overbodig was. De plaats van het graf greep hem sterk aan, ondanks al die jaren waarin hij afstandelijkheid had geoefend.

'Een jongen of een meisje?'

'Dat is nog niet met zekerheid te zeggen. Ik moet eerst mijn analyse voltooien, maar afgaand op het bekken denk ik dat het een jongen is.' De antropoloog van het forensisch instituut klonk niet geïrriteerd, hoewel het een erg voorbarige vraag was.

Fenwick kende hem alleen van reputatie; naar verluidt was hij een buitengewoon goede hoogleraar, luisterend naar de doodgewone naam Grey. Hij was uit Londen gekomen om bij te springen, nu de enige expert uit Sussex op vakantie was.

'Leeftijd?'

'Aan de staat van de tanden te zien zou ik zeggen ongeveer twaalf of dertien jaar, maar u weet natuurlijk dat u me daar in dit stadium niet op moet vastpinnen.'

Fenwicks eigen zoon Chris was bijna negen.

'Maar het is niet Sam Bowyer,' stelde Fenwick vast. Je hoefde geen medische studie te hebben doorlopen om die conclusie te kunnen trekken. Hij zei het ook alleen maar om iets van de treurigheid weg te nemen die hem, sinds hij de kinderschedel die ochtend voor het eerst had gezien, naar de keel was gevlogen en die achter zijn ogen brandde.

'Wie?'

Fenwick keek Grey verbaasd aan. Sam Bowyers verdwijning was al dagenlang in het nieuws, maar misschien had het alleen plaatselijk voor opschudding gezorgd. Sam was elf jaar, kwam uit een goed gezin, maar hij was de schrik van de school. Op maandag was hij voor het laatst gezien, toen hij in de trein naar Brighton stapte, op een tijdstip dat hij in de aula van zijn school had moeten zitten. Dat was vier dagen geleden en sindsdien was hij niet meer gesignaleerd, ondanks intensief speurwerk van het politiekorps van Brighton.

'Laat maar. Kunt u zeggen hoe lang dit lichaam in de grond heeft gelegen?'

'Minstens twee jaar, maar eerlijk gezegd kan het ook veel langer zijn. Moet u horen, de beste manier om vooruitgang te boeken is de verslagen van vermiste personen te controleren, zodra ik u de informatie over het gebit heb opgestuurd. Ik heb erg weinig materiaal om mee te werken; het lichaam is tot op het bot vergaan en er zijn met het blote oog geen tekenen van verwonding op de resten waar te nemen.'

'Hebt u alles opgegraven?'

'Het meeste, niet alles. Ik mis nog wat kleine voetbotjes.' Grey stond op en trok met een knappend geluid zijn handschoenen uit. 'U heeft binnen vierentwintig uur een voorlopig verslag van me; de details gaan veel langer duren. Mocht ik iets van belang vinden, dan zorg ik dat u meteen op de hoogte wordt gesteld.'

Na een korte handdruk liep de man tussen de bomen door naar zijn zwarte BMW, die op de smalle weg boven hen geparkeerd stond. Hij liep zijn mobiele telefoon in te toetsen, ogenschijnlijk onbewogen door de inhoud van de steriele, plastic containers. Fenwick keek hem na en bleef zonder dat er een noodzaak toe was, op de plek rondhangen. Hij had nog geen zin om terug te keren naar de herrie en de afleiding op het hoofdkwartier in Burgess Hill.

Om hem heen kamden de in witte pakken geklede mannen van de technische recherche het hele gebied minutieus uit en hadden wellicht zo hun eigen gedachten over de reden waarom hij zoveel tijd en geld stak in een onderzoek op de plaats van een misdaad, die door het verstrijken van de tijd en invloeden van de jaargetijden was aangetast. Maar het kon hem niet schelen wat zij ervan vonden, of wat zijn baas zou zeggen als hij de rekening gepresenteerd kreeg.

Toen hij aan het hoofdkwartier dacht, kwam er een trek vol walging om zijn mond. Al zijn goede bedoelingen ten spijt, ergerde hij zich groen en geel aan het geklets en de infantiele grappen in de kamer van het rechercheteam. Er kwam geen eind aan het gekscherende gedoe en de ene lompe opmerking of flauwe mop volgde op de andere. Hij kon er niet om lachen. Relax, maande hij zichzelf, toen hij de heuvel afliep naar de bedding van een riviertje dat tussen laag struikgewas stroomde. Het kwam door zijn eigen inbreng dat er zo'n luchtige werksfeer hing; dat was het resultaat van zijn experiment met 'persoonlijk' leiderschap. Het was hem zo geadviseerd, maar het werkte niet. Hoe kon hij zich voordoen als iemand die hij niet was, ook al kwam het zijn carrière ten goede?

Ze beschouwden hem niet als een van hen, dat was nooit zo geweest en hij wilde dat ook niet. Hij had zijn positie als hoofdinspecteur ook zonder dat leuke extraatje bereikt en het irriteerde hem, dat er nu van hem werd verwacht dat hij 'goeie maatjes' met zijn team werd en zich 'meer als mens' jegens zijn team zou opstellen. Na al die maanden kon hij zich de woorden tijdens zijn functioneringsgesprek aan het eind van het jaar nog goed herinneren en zonder het te merken kwam er een minachtende trek om zijn mond. *Zich opstellen.* Maar hij wist toch uit wiens stompzinnige koker dat kwam.

Zijn nieuwe superieur, de regionale korpschef, Harper-Brown, legde helaas op alle slakken zout bij de beoordeling van zijn wijze van functioneren. In de jaren dat Fenwick onder commissaris Quinlan werkte, was dit punt nauwelijks aan de orde gekomen en hij was dan ook niet voorbereid geweest op de briljante ontleding van zijn persoonlijkheid tijdens het zogenaamde functioneringsgesprek met Harper-Brown. Als hij aan dat gesprek terugdacht, begon zijn gezicht van verontwaardiging te branden.

Hij had maar met een half oor en zijn bekende, veelbetekenende glimlach, zo van, 'oké, jij moet je zegje zeggen, ik moet het aanhoren, dus schiet een beetje op', naar de inleidende monoloog van H-B geluisterd. Jammer genoeg dacht de korpsleider er anders over. Na tien minuten, toen hij nog steeds op zijn praatstoel zat, probeerde Fenwick zich te excuseren en weg te gaan.

'Heb je nog een bespreking, Andrew? Zeg die dan af. Het was niet verstandig van je, om zo dicht op je functioneringsgesprek een andere afspraak te plannen. We zijn zeker nog wel een uurtje bezig.'

Fenwick was zó geschokt dat hij er niet op kon reageren en begon voor het eerst goed te luisteren. De complimenten aanvaardde hij uiteraard als vanzelfsprekend. Hij wist dat zijn oplossingspercentage uitstekend was en dat hij andere mensen ertoe inspireerde hun best te doen; hij was integer, hij zette zijn mensen tot hard werken en het behalen van resultaten aan. Natuurlijk deed hij dat, dat was zijn taak. Het was in zijn ogen niet relevant of hij hen wel of niet 'onder zijn hoede' nam, zelfs al zou hij een 'buitengewoon goede voorbeeldfunctie' kunnen vervullen. Nou en? Degenen met voldoende initiatief om iets te willen leren, deden dat ook, en de anderen verdienden het niet. Bovendien wilden de harde werkers voor hem blijven werken en in de anderen stelde hij geen belang. Dus schoof hij de woorden van H-B terzijde, sloeg zijn benen over elkaar en hield zijn mond. Hoe minder hij zei, dacht hij, hoe sneller dat rotgesprek voorbij was.

En als hij zich daaraan had gehouden was het misschien niet tot een meningsverschil gekomen, maar hoe had hij dán dat geleuter van de korpschef moeten aanhoren?

'Probeer je successen eens wat meer te vieren, Andrew.' Dat klonk als zo'n frase uit een van de lesboeken over management die hij in zijn boekenkast had staan.

'Wat bedoelt u? Als wij een goede arrestatie hebben verricht, neem ik hen mee naar de pub en ik declareer mijn rondjes niet als onkosten, zoals sommigen dat doen.'

'Ja, maar je blijft er niet hangen, hè?'

'Gelooft u mij maar, als ze een paar slokken ophebben is het laatste wat mijn team wil dat de baas hen in de nek loopt te hijgen en goede maatjes met hen wil zijn. Ik blijf altijd een paar uurtjes, maar daarna zijn ze liever op zichzelf; dat zou ik tenminste wel hebben.'

'Een bezoekje aan de kroeg is nauwelijks een gepaste manier om iets te vieren, nietwaar? Die constante behoefte aan alcohol als onderdeel van teambuilding is schadelijk voor de morele kracht van het korps en slecht voor ons imago bij het publiek.'

Fenwick kon zijn oren niet geloven. Hij begon zijn baas uit te leggen waarom hij het bij het verkeerde eind had en dat had hij niet moeten doen.

'Meneer!'

Een technisch rechercheur stond met iets te zwaaien. Fenwick holde de heuvel weer op en lette daarbij niet op de pijnscheut in zijn knie. Hij was blij dat hij niet buiten adem bovenkwam. Het geregelde joggen loonde blijkbaar de moeite; misschien was het de sleur toch waard.

'Wat hebben jullie gevonden?'

'Een sleutel. Hij zat tussen de rommel uit het graf. Er zit ook nog een soort label aan.'

Fenwick tuurde ernaar, maar dat stukje metaal betekende natuurlijk niets. Het zou dagen in beslag nemen om te achterhalen waar de sleutel van gemaakt was en daarna een lijst te maken van de sleutelmakers. Maar de ontdekking deed hem plezier; het was een rechtvaardiging voor zijn vasthoudendheid om de grond in en rond het graf nauwkeurig te onderzoeken.

'Uitstekend,' zei hij en hij vatte weer wat moed.

Hij had vertrouwen en respect voor het forensisch lab van Sussex en hoopte echt dat die sleutel van belang zou zijn. De vooruitgang in de forensische wetenschap fascineerde hem. Het was een aanvulling op zijn eigen fundamentele benadering van het speurwerk: het geloof dat gedetailleerd, rigoureus onderzoek mettertijd vruchten zou afwerpen. Maar hij moest toegeven dat de meeste andere aspecten van het moderne politiewerk hem verveelden. Die obsessie met de nieuwste theorieën op het gebied van management; het regionale en nationale beleid; de noodzaak een statisticus te zijn, alleen om te voldoen aan de niet-aflatende honger naar analyses; hadden die ooit één veroordeling extra opgeleverd? Dat antwoord kon op de achterkant van een briefkaart, dacht hij. Nee, op een postzegel.

Zijn probleem was dat hij dertien jaar lang niet had willen kijken naar wat er tegenwoordig voor nodig was om hoger op de ladder te komen. Hij was er helemaal van uitgegaan dat zijn drang om misdaden op te lossen wel voldoende zou zijn. Daar kwam bij dat hij nauwelijks over zijn carrière had nagedacht. Zijn huwelijk, de komst van twee kinderen vlak na elkaar, de ziekte van zijn vrouw en vervolgens haar langzame aftakeling hadden betekend dat er geen ruimte was voor ambitie. Toen Monique verleden jaar uiteindelijk overleed, was dat voor haar een gezegende bevrijding geweest en ontzettend belangrijk voor de kinderen, omdat ze daarna op een normale manier konden rouwen en verdergaan. Maar dat hij zichzelf ertoe had moeten dwingen de apparatuur die haar in leven hield uit te laten zetten, was een van de moeilijkste beslissingen geweest die hij ooit had moeten nemen. De impact die dát op hem had gehad, was veel verwoestender dan hij ooit voor mogelijk had gehouden.

In het begin was hij gewoon doodop geweest. Daarna was hij volledig in beslag genomen door de jacht op een seriemoordenaar – een buitengewoon gecompliceerd en levensgevaarlijk geval. Maar toen hij de moordenaar eenmaal achter de tralies had, was het verdriet, dat hij onwillekeurig op afstand had gehouden, over hem heen gespoeld. Toch had niemand, zelfs degenen die hem het meest nastonden, er iets van gemerkt. De wanhoop en de razernij hadden hem bijna overweldigd en dat zou waarschijnlijk ook zijn gebeurd als hij de kinderen niet had gehad, die hem meer dan ooit nodig hadden. Hen kon hij niet in de steek laten. Toen de vorige herfst overging in de winter had hij zich meer dan drie maanden in zichzelf teruggetrokken, terwijl hij zich in zijn uiterlijke leven heen en weer had laten slingeren tussen extreme betrokkenheid bij zijn kinderen en veel te hard werken.

Hoe lang hij die semivegetatieve toestand zou hebben volgehouden was niet te zeggen, maar hij was met een ruk in de werkelijkheid teruggekeerd door het aanbod van overplaatsing naar het team Zware Delicten in de regio West Sussex. Daarmee kwam hij rechtstreeks onder het bevel van korpschef Harper-Brown te staan. Een promotie was het in feite niet – zijn rang bleef dezelfde – maar aangezien zijn voorganger op die post commissaris was geweest, was het van meet af aan duidelijk dat er een promotie voor hem in zat als hij successen boekte.

Eerst had Fenwick die kans afgeslagen met het argument dat hij de gevolgen voor zijn gezin niet kon overzien, maar zijn vroegere baas, commissaris Quinlan, had dat niet geaccepteerd. Hij had hem uit het bureau meegetroond naar een pub ergens op het platteland van Sussex, waar ze niet herkend zouden worden, en ervoor gezorgd dat ze dronken werden. Eenmaal aangeschoten had Fenwick zijn masker laten vallen. En toen hij eenmaal begon te praten, kwam alles naar boven. Quinlan, plotseling volkomen nuchter en verstandig, had hem zonder onderbrekingen uit laten praten – hij was geen sentimentele man, maar wat hij hoorde greep hem heel erg aan.

'Je moet die kans pakken, Andrew. Je zit in een sleur en die wordt alleen maar erger; je bent te goed om je daaraan over te geven. Ik herinner me nog dat je voor het eerst in Harlden kwam werken. Jij was zó ambitieus en het kon je niet schelen dat het te merken was. En je was nog verdomd goed ook, de beste rechercheur met wie ik ooit heb samengewerkt. Maar er komt een moment in iemands carrière waarin goed zijn in het oplossen van misdaden niet meer voldoende is; dat weet ik zelfs, hoewel ik de helft van al die managementrimram die ze ons door de strot douwen, verfoei.'

'Maar ik heb die ambitie niet meer. Dat zeg ik toch, ik zie het niet zitten. Ik ben alleen nog maar een faça..., faça..., een schijnvertoning.'

'Je wilt nog steeds winnen; ik zie het iedere dag aan je. Je geeft om gerechtigheid en je bent de meest volhardende man die ik ken. Kijk maar naar je werk in de zaak-Smith.'

Quinlan refereerde aan zijn arrestatie van een seriemoordenaar in het jaar daarvoor, die hem een aanbeveling had opgeleverd. 'Je hebt een griezelig sterke intuïtie. Ik weet dat je een hekel aan dat woord hebt, maar daar komt het wel op neer, of je het leuk vindt of niet.'

Fenwick was te bezopen om ertegen in te gaan. Diep vanbinnen wist hij dat hij een zeldzame gave bezat, die even ongrijpbaar als waardevol was. Hij kon ogenschijnlijk nutteloze stukjes informatie in zijn geest opslaan, die in zijn onderbewuste bleven gisten en waardoor willekeurige combinaties ontstonden, tot er als het ware uit het niets ideeën bij hem opkwamen die een onderzoek met een ruk zomaar in de een of andere richting stuurden. Die ideeën waren flinterdun. Als hij zich er te sterk of te snel op concentreerde, verdwenen ze. Dus had hij door de jaren heen geleerd zijn redenaties niet met anderen te delen, maar ze helemaal zelf uit te werken. Als die ideeën ten slotte vorm aannamen waren ze niet altijd samenhangend, soms was het gewoon een gevoel, of anders een flard van een droom die bleef hangen als hij wakker werd, maar hij had geleerd ze volhardend naar buiten te lokken, hoe ongrijpbaar ze ook waren.

Terwijl hij de terugkeer naar zijn nieuwe verantwoordelijkheden bij het team Zware Delicten nog even uitstelde, dacht hij nog eens na over dat gesprek en hoopte dat Quinlan gelijk had, dat hij inderdaad de persoonlijke kwaliteiten voor die taak bezat. Hij zou al zijn kunde nodig hebben om de moordenaar van de jongen in het graf op de heuvel te vinden. In gevallen die zo oud waren als deze, had je meer nodig dan geluk en goed politiewerk om tot resultaten te komen.

Voor hem vloog schreeuwend en kakelend een geschrokken mannetjesfazant op, alsof hij uit zijn dekking was gejaagd en zich in de vuurlinie van geweren bevond, maar het jachtseizoen begon pas over een maand. Nadat de vogel met zware wiekslagen tussen de bomen was verdwenen, werd het nog stiller in het bos. De naaldbomen, de zilverachtige berken met hun griezelig oplichtende bast en de enorme beuken stonden roerloos om hem heen. Aan de overkant van de beek staken de ontblote, verstrengelde wortels van omgewaaide coniferen als een bleke bal omhoog en benadrukten de sombere sfeer. Ze waren vorig jaar tijdens een storm ontworteld en de lukraak ontstane lege plekken werden nu overwoekerd door vingerhoedskruid en brandnetels.

Even voelde hij zich schuldig dat hij zo druk bezig was met zijn carrière. Maar toen kwam het macabere gevoel van opwinding terug dat hij vanmorgen op weg hiernaartoe had gevoeld. Misschien was deze ontdekking de doorbraak die hij nodig had bij dit onderzoek, dat alle invalshoeken die hij had uitgeprobeerd leek te trotseren. Na maanden zonder een sprankje licht in de zaak had het vertrekkend hoofd van het rechercheteam Zware Delicten het onderzoek met een mengeling van opluchting en tegenzin aan Fenwick overgedragen.

'Het is een rotklus, Andrew,' had hij gezegd. 'We zijn nog helemaal nergens, en niet omdat we niet alles hebben geprobeerd. We kregen uit Amerika een sterke tip dat in ons district een geraffineerd pedofielennetwerk opereert. Ze hadden in Florida een Brit gearresteerd, die zijn mond heeft opengedaan in ruil voor strafvermindering. Voordat hij naar de vs verhuisde, maakte hij deel uit van een uitgebreide organisatie in Sussex, die al geruime tijd actief is. De enige naam die hij kon opgeven was Joseph Watkins en hem hebben ze inderdaad via een van de pornosites die ze hadden geïnfiltreerd, kunnen traceren.

Maar toen we het huis van Watkins doorzochten, was zijn computer schoon. Vraag me niet hoe hij wist dat we in aantocht waren. We hebben hem laten schaduwen – het heeft ons verdomme een fortuin gekost – maar dat moest ik na een maand stopzetten. Hij heeft zich al die tijd voorbeeldig gedragen, ik kon hem nergens op betrappen.'

Ook wanneer andere onderzoeken voorrang hadden, hield Fenwick voor dit onderzoek met de codenaam 'Koorknaap' een klein team achter de hand. Het was geen populaire klus; de mensen die ermee bezig waren, beschouwden het als een verloren zaak; zij die er niet mee bezig waren, maakten er grappen over.

Joseph Watkins was vijfenvijftig, getrouwd en gepensioneerd. Hij had een goed inkomen – en allemaal wit. Men zei dat hij huurling was geweest en daarvóór in het leger had gediend, maar dat was dan ook alles wat ze van hem wisten. Fenwick liet hem en al zijn kennissen in de gaten houden. Geen van de mannen bezocht de locaties in West Sussex waarvan bekend was dat er kinderprostitutie plaatsvond en ze hadden allemaal een respectabele achtergrond. Desondanks weigerde Fenwick het op te geven. Na een maand had hij zijn lijst met namen teruggebracht tot Watkins en één andere man, Alec Ball. Er was eigenlijk niets verdachts aan het doen en laten van Ball, maar iedereen in het team was het erover eens dat hij er verdacht uitzag. Ze mochten hem niet en waren erop tegen het observeren stop te zetten. In de weken daarna hadden ze een lijst gemaakt van plaatsen waar Watkins en Ball allebei kwamen – hoewel nooit samen – waaronder een club in Burgess Hill en, tot zijn verrassing, de golfclub in Harlden; The Downs.

Aangezien hij alleen verdenkingen had en onvoldoende aanwijzingen om huiszoekingsbevelen aan te vragen, concentreerde hij zich op het bijhouden van hun activiteiten. Het was moeizaam werk, maar Fenwick kon geduld oefenen als het moest en de taakeenheid Zware Delicten was groot genoeg om zijn semiformele werk ook te doen.

Gelijktijdig liet hij anderen van zijn team de dossiers van vermiste personen met elkaar vergelijken en vervolgens alle zaken in verband met seksueel misbruik van blanke jongens tussen negen en vijftien jaar, doornemen. Tot nog toe waren de namen van beide mannen geen enkele keer opgedoken.

Toen was Sam Bowyer verdwenen, waardoor de theoretische kant van het werk meteen weer urgent werd, hoewel men in de voorbije vier dagen het hele graafschap zonder succes had uitgekamd op zoek naar de jongen.

Nadat hij had gezien hoe de overblijfselen van het kind werden weggehaald en zich opgelucht had gerealiseerd dat het Sam Bowyer niet was, vroeg Fenwick zich af welk ondeugend snoetje op die verouderde schoolfoto's in de dossiers van vermiste personen de schedel had bekleed, die nu op weg was naar een mortuarium in Londen, om in de zoektocht naar gerechtigheid opgemeten en onderzocht te worden.

Fenwick bukte zich en pakte een handjevol aarde, dat hij tot een bal fijnkneep in zijn handpalm. Het was licht en rul, een oppervlakkige huid op de kalkachtige ondergrond die de bodem van de North Downs vormde. Hij opende zijn hand en verstrooide de aarde als op een graf en wreef zijn handen schoon. Hij zuchtte diep en dacht aan de jongen die hier was achtergelaten en weggerot in een graf zonder gedenksteen, wiens ouders in een vacuüm rouwden, en misschien tegen beter weten in hoopten dat hij nog leefde. Als hij het gebit in de goed bewaard gebleven kaak aan de hand van een dossier van een vermist persoon kon identificeren, zou hij hun hoop moeten vernietigen. Hij voelde de zwaarmoedigheid terugkomen en besloot dat het tijd werd deze plek te verlaten.

Hij liep langzaam en in gedachten verzonken de heuvel op en zag de groene Peugeot niet, die achter zijn auto tot stilstand kwam; hij werd dan ook verrast door de stem die van dichtbij zijn naam riep.

'Hoofdinspecteur Fenwick!'

Hij draaide zich om en zag Blake Bowyer, de vader van Sam, naast de Peugeot staan. Zijn vrouw zat met de veiligheidsriem om in de auto en had haar raampje naar beneden gedraaid om hen te kunnen verstaan. Bowyers gelaat was getekend door het ondraaglijke leed, dat hij toch te dragen had. De lijnen in zijn slecht geschoren gezicht waren diepe groeven geworden, vooral rond de mond, en hij had zulke donkere kringen onder zijn ogen, dat het leek alsof iemand hem twee blauwe ogen had geslagen. Maar het verdriet op zijn gezicht was nog niets vergeleken met dat van zijn vrouw. Toen Fenwick haar aankeek en de ontzettende angst in haar ogen zag, deinsde hij bijna terug.

De mannen gaven elkaar een hand. Fenwick liep naar de auto toe en legde even vriendelijk zijn hand op de schouder van mevrouw Bowyer.

'Het is Sam niet,' zei hij meteen. Hij vroeg hun niet hoe zij wisten dat er een lijk was gevonden en nam het hen niet kwalijk dat ze hiernaartoe waren gekomen.

'Godzijdank.' Bowyer bleef die woorden maar herhalen, als een mantra, terwijl zijn vrouw stille tranen van opluchting huilde.

Verder had Fenwick geen nieuws voor hen, hij had zijn woorden van medeleven tijdens de eerste kennismaking al opgebruikt en wist niets meer te zeggen. Hij liep naar zijn auto.

4

'Ik ben blij dat die narigheid voor u achter de rug is, brigadier.'

Cooper wilde een stapje achteruit zetten, maar een stevige eikenhouten balk verhinderde dat. Het was al erg genoeg dat hij majoor Maidment bij de Hare and Hounds tegen het lijf liep en nog erger, dat hij een nieuwe pint bier in zijn hand gedrukt kreeg voordat hij nee kon zeggen. Hij stond sinds vijf uur met Dave McPherson, de vertegenwoordiger van de politiebond, in de pub. Deze had hem bijgestaan gedurende het interne onderzoek dat zich wekenlang had voortgesleept. Het waren de allerergste weken van zijn carrière geweest.

Hij voelde zich al licht in het hoofd en wilde nog even naar het toilet gaan, voordat hij naar huis ging. Hij had Dave op drie dubbele whisky's getrakteerd als teken van zijn erkentelijkheid en met hem meegedronken. Door deze overmaat was hij te tipsy en te traag van geest om te bedenken hoe hij zich aan het gezelschap van de majoor kon onttrekken. Bovendien mocht hij zich niet eens in de buurt van de man ophouden. Maidment voelde aan dat hij in verlegenheid was.

'Natuurlijk, u mag er niet over praten, dat begrijp ik volkomen. Ik ben de beschuldigde – vanwege u!' Hij lachte alsof het niet meer was dan een grapje onder elkaar.

Cooper wilde hem zeggen dat hij ernstig in de problemen was. Chalfont, alias Henry Luke Carter, was er bijna geweest. Uit de medische rapporten bleek, dat de kogel een hoofdslagader had geraakt. Alleen prompte eerste hulp en uitstekende medische zorg hadden voorkomen dat de man niet aan een shock door bloedverlies was overleden. Dat Maidment degene was die de eerste hulp had verleend, werd door het Openbaar Ministerie als irrelevant afgedaan; men beschouwde het als een armzalige poging om de oorspronkelijke misdaad te minimaliseren. Tijdens het drinken van zijn biertje bedacht Cooper dat hij nog nooit een onschuldiger man had gearresteerd. Misschien kwam het dan ook door het berouw daarover, dat hij trachtte het gerstenat naar binnen te werken.

'Ik heb een vraag aan u, meneer Cooper. Ik begrijp waarom ze mijn vingerafdrukken hebben genomen, maar dat ze ook een monster uit mijn mond hebben genomen... Deden ze dat voor het DNA?'

'Dat is routine.' Cooper baalde ervan dat het gesprek terugkwam op de zaak. 'Er bestaat een nationale databank van miljoenen mensen, dus u bent niet de enige, majoor. Maar als u onschuldig wordt bevonden...'

'Wannéér, niet als. Ik vind het niet erg, overigens, ik vond het alleen vreemd. En, wat vond u van de Engelsen gisteren? Eenentachtig tegen vijf, nou vraag ik u...'

Cooper slaakte een zucht van verlichting bij die verandering van onderwerp en begon zijn biertje lekker te vinden, maar hij sloeg de uitnodiging af om het komend weekend met Maidment bij de golfclub te gaan lunchen.

'Als dit eenmaal voorbij is, kijk ik er met genoegen naar uit, maar op dit moment... eigenlijk behoor ik niet eens met u te praten.'

'O, ik snap het. Natuurlijk. Maar u bent toch niet degene die mijn zaak in onderzoek heeft? Vanwege alle heisa?'

'Nee.'

'Jammer. U zou het heel grondig hebben gedaan. Zeg me alstublieft dat ze er geen imbeciel op zetten.'

'Inspecteur Nightingale is een van de beste rechercheurs in Harlden. Ik denk dat u onder de indruk zult zijn.'

'Mooi zo. Ik zie ernaar uit kennis met hem te maken.'

Cooper glimlachte. Wat zou Nightingale hiervan genieten.

Toen ze voor de deur stond, viel het haar op hoe keurig het huis in de verf stond. Ook het koperwerk was pas gepoetst. Alles was onberispelijk aan het huis en de tuin. Het zou geen eenvoudige opgave zijn om de majoor te vervolgen. Hij was een type dat de jury zou aanspreken, hoe schuldig hij ook was. Ze was blij dat commissaris Quinlan haar had gevraagd de zaak op zich te nemen, hoe gevoelig deze ook lag. Misschien was het een teken dat zijn vertrouwen in haar groeide, ondanks de problemen van een jaar geleden. Hij ging ervan uit dat zij 'grondig, maar diplomatiek' te werk zou gaan, had hij gezegd. En zij had zich voorgenomen dat ook te doen.

'Ja?'

'Majoor Jeremy Maidment?'

Nightingale had een grotere man verwacht. Ze liet haar legitimatiebewijs zien, maar daar keek hij niet eens naar, zozeer werd hij in beslag genomen door haar uiterlijke verschijning. Haar ogen gingen naar zijn kale kruintje, dat niemand zag, behalve iemand die langer was dan hij, en dat zorgvuldig verborgen werd onder de overvloed aan zilvergrijs, golvend haar eromheen. Ze onderdrukte een glimlach. Bob Cooper had gezegd dat ze het een boeiend gesprek zou vinden. 'Aardige kerel, maar een beetje van de oude stempel, als ik me niet vergis.' Hij vergiste zich niet.

'Ik denk dat u bij de verkeerde hebt aangebeld. En als u iets komt verkopen, ik ben niet geïnteresseerd.'

Hij maakte aanstalten om de deur voor de neus van de lange vrouw dicht te doen. Ze keek hem aan alsof ze al aan elkaar waren voorgesteld! Toen merkte hij dat er een man achter haar stond en hij rechtte zijn schouders, alsof hij een aanval wilde afweren.

'Ik ben inspecteur Nightingale, recherche Harlden. Dit is agent

Watson. Mogen we binnenkomen?'

Hij bekeek haar nog eens van top tot teen en bestudeerde toen nauwlettend haar legitimatie.

'Hm. Goed, maar ik had niet verwacht dat er een...' Hij onderbrak zichzelf abrupt.

Toen ze de hal binnenstapte, zag Nightingale tot haar verrassing een modern stilleven aan de muur hangen. Ze deed een stap dichterbij en zag dat het een origineel stuk was. Haar vader, die haar als tiener had gedwongen mee te gaan naar een veiling, had ooit net zoiets gekocht.

'Vindt u het mooi?'

'Een Peploe, als ik het wel heb? En nog een vroege ook; prachtige kleuren.'

Maidment was zichtbaar verrast. Hij worstelde al met het idee dat er een vrouwelijke rechercheur op de stoep stond en dat ze nog cultureel ontwikkeld was ook, werd hem duidelijk te veel.

'Mijn vrouw verfoeide het. Ze hield absoluut niet van dat abstracte geklodder, zoals zij het noemde.'

'Geklodder is het zeker niet.'

'Dat weet ik. En wat vindt u hiervan?'

Hij wees naar een opzienbarend kunstwerk boven de open haard in de zitkamer.

'Ik weet het niet zeker... Is het een Crosbie?'

'Ja, het is geschilderd door William Crosbie.'

'Het verbaast me dat de verzekering het goedvindt dat u ze open en bloot heeft hangen.'

'O, ik ben niet verzekerd. De premie was belachelijk hoog. En wat heb ik eraan als ik er geen plezier aan mag beleven door ernaar te kijken?'

'Geen wonder dat Luke Chalfont het risico nam voor een tweede keer terug te komen, toen u hem uitnodigde. We weten intussen dat hij behoorlijk deskundig is en relaties onderhield met een aantal helers die goede connecties hebben.'

'Dus hij werkt mee?'

'Laten we zeggen dat de verhoren productief zijn geweest.'

'En ik begrijp dat er nog steeds een onderzoek naar mij loopt?'

Hij had iets strijdlustigs over zich en ze betwijfelde of dat met een mannelijke inspecteur ook het geval zou zijn geweest. Zij maakte eruit op dat hij zich, ondanks zijn zelfverzekerde manier van doen, zorgen maakte over een ophanden zijnde vervolging. Mooi zo.

'Zullen we gaan zitten, majoor?'

Zonder op antwoord te wachten ging ze in de stoel zitten, waarvan zij het idee had dat hij daar zelf graag zat, en pakte haar notitieboekje. De jonge agent die met haar was binnengekomen, bleef onopgemerkt bij de deur van de zitkamer staan.

'Ik wil u eraan herinneren, dat u bij uw arrestatie op uw rechten bent gewezen en dat alles wat u zegt...'

'Ja, ja, dat weet ik allemaal wel! Lieve help, doe toch gewoon uw werk.'

Nadat ze desondanks zijn rechten nogmaals had opgesomd en hem erop had gewezen dat hij er een advocaat bij mocht halen, wat hij ongeduldig wegwuifde, ondervroeg ze hem langer dan een uur en nam zijn oorspronkelijke verklaring uiterst nauwgezet met hem door. Binnen een paar minuten had ze al in de gaten dat hij er moeite mee had haar gezag te aanvaarden. Als ze zijn bescherming nodig zou hebben, zou ze ongetwijfeld een heel andere man voor zich hebben gehad, maar nu was het duidelijk dat hij verbolgen was over het feit dat hij zich aan haar vragen moest onderwerpen. Af en toe kwam haar eigen ergernis over zijn gedrag bijna aan de oppervlakte, maar ze hield zich in en nam zich vast voor hem op zijn eigen woorden te pakken.

Naarmate de ondervraging vorderde, slaagde ze erin kleine inconsequenties te ontdekken in zijn uitspraken, maar hij was zo defensief jegens haar, dat ze niets zinvols uit hem kon trekken. Terwijl ze aandachtig naar zijn antwoorden luisterde, berekende een ander deel van haar hersens hoe ze haar stijl kon aanpassen, zodat hij openhartiger werd. Hij vertrouwde haar niet op grond van haar sekse en na een halfuur besloot ze een oude, vertrouwde krijgslist in te zetten. Ze struikelde een paar keer over haar vragen en bracht toen haar hand naar haar voorhoofd.

'Ach, majoor, wat vervelend nou, ik heb erge hoofdpijn. Mag ik u om een glas water vragen, dan kan ik een aspirientje innemen.'

Hij wist niet goed hoe hij op deze verandering van rol moest reageren.

'Zullen we vandaag dan stoppen en een afspraak maken voor later in de week?'

Dat was wel het laatste wat ze wilde en ze trok spijtig met haar mond.

'O, dolgraag, maar mijn commissaris is een pietje-precies wat deadlines betreft. Hij wordt boos als ik terugkom en mijn werk niet afheb.'

Als ze de schijn wekte dat ze door een man was gestuurd, raakte Maidment er misschien van overtuigd dat de macht wel degelijk in handen van het juiste geslacht lag en nam ze hem de wind uit de zeilen. Het doel heiligt de middelen, hield Nightingale zichzelf voor, en ze meed de ogen van haar collega. Ze kreeg een glas water, daarna een kopje thee en nam gehoorzaam haar medicijn in.

'Ik heb nog maar een paar vragen.' Ze liet duidelijk merken dat zij net zo graag weg wilde als hij haar zag gaan en nu ze op die manier bondgenoten waren geworden, kon ze in een rap tempo het lijstje met verplichte figuren afwerken. Haast onmerkbaar begon hij zich te ontspannen. Op haar vraag hoe hij de avond voor het incident had doorgebracht, vertelde hij dat hij zijn vuurwapen had gepakt, schoongemaakt en geladen en ze wist hem zover te krijgen, dat hij verklaarde hoe lastig hij het had gevonden een besluit te nemen waar hij het zou verstoppen. Ten slotte had hij het in de broodtrommel gelegd, omdat hij het daar het gemakkelijkst kon pakken.

Hoe meer hij zei, hoe meer zij tegen hem in handen kreeg. Tegen de tijd dat hij een tweede pot thee had gezet, had Nightingale bijna met hem te doen. Bijna.

'Maar waarom richtte u op hem en vuurde u geen waarschuwingsschot af?'

'Kindje, hij was gevaarlijk. Ik had weinig keus. Als ik hem had gewaarschuwd, had hij Bob Cooper misschien gedood.'

'Bedreigde hij Bob Coopers leven?'

'Niet met woorden, dat niet, maar hij maakte wel een zeer bedreigende indruk en hij had dat mes in zijn hand.'

'Juist. Ik snap het. En hoe dicht hield hij het mes bij Bob?'

'Ik weet het niet meer precies.' Hij trok denkrimpels in zijn voorhoofd. 'Hij hield het niet stil. Ja, nu weet ik het weer.' Hij sloeg zelfvoldaan op zijn dijbeen. 'Chalfont zwaaide er woest mee in het rond.'

'Dus hij hield het niet dicht tegen hem aan?'

'Nee, dat geloof ik niet.'

'Wat gebeurde er toen?'

'Ik mikte op zijn been en vuurde. Het is pure pech dat ik zijn dijbeenslagader raakte. Twintig jaar geleden zou hij alleen maar een vleeswond hebben gehad, zoals ik had bedoeld.'

'Was u een goede schutter, majoor, destijds in het leger?'

'Een uitstekend schutter!'

Hij straalde. Even kon ze zien waarom zijn vrouw destijds op hem gevallen was en ze glimlachte terug. Toen herinnerde ze zichzelf eraan dat hij bijna een man had omgebracht.

'En hoe goed kunt u nu richten?'

'Niet meer zo goed als destijds, denk ik, dat kan ook niet.'

'Ik merkte wel dat uw hand lichtelijk beefde toen u mij een kopje thee inschonk. Heeft u zich gerealiseerd dat het van invloed zou kunnen zijn op de zuiverheid van uw schot?'

Ze vroeg het zo vriendelijk dat Maidment automatisch knikte (wat ook werd gezien door de agent bij de deur), voor hij de betekenis van haar vraag doorhad. De stilte die hierop viel was geladen met de ergernis van een oude dwaas en de vluchtige schaamte van een jonge toneelspeelster. De stemming was verpest. Zijn gezicht werd gesloten. Nightingale stond op.

'Dank u wel voor uw tijd, majoor Maidment. Misschien moeten we u nog meer vragen stellen, dus verlaat u Harlden alstublieft niet zonder ons ervan in kennis te stellen. En dank u voor de thee. Wij laten onszelf wel uit.'

Hij keek haar na. Met haar zwarte haar, rechte rug en lange benen deed ze hem denken aan een Amerikaans meisje met wie hij een affaire had gehad toen hij in Washington gestationeerd was. Ze was bijna net zo mooi en zeker net zo verraderlijk; Hilary had nooit enige verdenking gekoesterd, maar waarom zou ze ook? Hij was er altijd goed in geweest de misstappen die hij onder invloed van zijn seksuele begeerte als jongere man had begaan, toe te dekken. Met een bezwaard gemoed ruimde hij de theekopjes en de onaangeraakte koekjes op. Wat een dwaas was hij, te vertrouwen op die verleidelijk groene ogen en te luisteren naar de onzin die over haar lippen kwam. Ze waren gemaakt om te kussen, niet om te misleiden.

Zijn herziene verklaring was belastend, maar hij kon haar niet terugnemen en hij zou de volgende dag ongetwijfeld moeten tekenen voor de waarachtigheid van het verslag. Ironisch genoeg was hij een man die door opvoeding en milieu geconditioneerd was om zijn eigen morele code van goed en kwaad te volgen, dus zou hij niet in staat zijn het te ontkennen. Was hij maar wat meer op zijn hoede geweest en had hij zijn mond maar gehouden. Volgens zijn eigen regels gold zwijgen niet als liegen, zeker niet als het om een goede zaak ging. Hij kon net zomin liegen om zijn eigen huid te redden als de waarheid spreken, indien dat inhield dat hij een eed moest breken jegens een vriend of iemand uit de elite-eenheid van mannen met wie hij had gediend.

Geen enkele burger kon ooit de kracht van gedeelde ervaringen begrijpen: trage, doorwaakte nachten, terwijl je tegen de ochtend dood kon zijn; schouder aan schouder vechten in een roes van actie; het begraven van de doden en je ingehouden tranen, die na jaren waren gestold tot een schuldgevoel omdat jij het had overleefd. En vervolgens die heftige momenten van ontspanning als compensatie, wanneer het besef dat je nog leefde de sterkste drug van alle was, een afrodisiacum, dat mannen – al dan niet getrouwd – ertoe dwong hun meest basale lusten te bevredigen op een manier die ze thuis nooit hadden gedurfd.

Hoewel het nog vroeg was, schonk hij een whisky voor zichzelf in en dronk die gestaag op bij de live-uitzending van de cricketwedstrijd op de televisie. Het was een lange wedstrijd en de fles raakte steeds leger naarmate de avond vorderde. Na de wedstrijd volgde een promenadeconcert. De volgende ochtend werd hij in de vroege uurtjes onderuitgezakt in zijn stoel wakker, stijf in al zijn gewrichten.

Het was de eerste keer sinds de begrafenis van Hilary dat hij in zijn eigen huis onder invloed was geraakt en het gevoel van verloedering was bijna net zo erg als de herinnering aan die slinkse vrouwelijke rechercheur. Kreunend in de stilte van zijn kamer kwam hij overeind en begaf zich langzaam naar bed.

5

'O, heerlijk. Ja, daar,' kreunde Nightingale, toen hij met zijn vingers bij een spierknoop in haar schouder kwam en die zachtjes begon te kneden.

'Een zware dag gehad?'

'Gaat wel. Eigenlijk een makkie, maar er was één geval waar ik een nare smaak aan overgehouden heb.' Ze vertelde hem dat commissaris Quinlan steeds meer vertrouwen in haar stelde en dat hij haar daarom met de zaak van de majoor had belast. Toen ze haar gesprek met de majoor schilderde, lachte hij en gaf haar een kus achter in haar nek.

'Daarom ben je ook zo goed. Jij gaat een schitterende carrière tegemoet. Wat ben je toch gewiekst.'

'Nou, dank je wel!' Ze spande haar rug en maakte zich los om op te staan uit het bad.

'Ga nou niet beledigd weg. Je weet best dat het zo is.'

'Dat ik goed ben, of dat ik gewiekst ben?' Zonder hem aan te kijken begon ze zich af te drogen.

'Allebei, dat is een goede combinatie. Over je carrière gesproken, is Bob Cooper al gewend aan je promotie?' De man lag achterover in het hete water en strekte zijn benen uit tot hij met zijn tenen tegen de kranen aan kwam.

'Zo langzamerhand wel. De samenwerking verloopt vlotter, maar volgens mij vond hij de situatie van vorig jaar toch prettiger – alles, bedoel ik.'

'Dat was te voorzien. Laat het niet aan je knagen.' Ze kwam bij de rand van het bad staan en keek met een ernstig gezicht op hem neer. Haar huid was roze en ze rook lekker onder haar witte handdoek. 'Ik meen het, hoor. Je bent een uitstekende rechercheur, maar je bent nog jong en men zal nog wel even rancuneus blijven. Maar je neemt ze wel voor je in. Blijf relaxed en ga niet krampachtig lopen doen.'

Hij trok de stop uit het bad, kwam overeind en sloeg een handdoek om zijn middel.

'En hoe gaat het met jou?' Ze liet de handdoek vallen en sloeg haar armen van achteren om hem heen. 'Ik hoor dat je voor promotie in aanmerking komt.'

Hij haalde slechts zijn schouders op en draaide met tegenzin van haar weg om zijn kleren te pakken.

'Nou, zit het erin? Als iemand het verdient ben jij het wel.'

'Het zou kunnen. Ik heb brede steun, maar er is veel competitie en we moeten het hele traject nog door. De komende maanden hoor ik of het nu gaat gebeuren, of dat ik moet wachten. Het hangt voor een groot deel van de aanbeveling van mijn baas af.'

'En als je promotie krijgt, betekent dat dan dat je weggaat?' vroeg ze met een bestudeerd nietszeggend gezicht.

'Dat weet ik niet. Ik hoop van niet, maar daar heb ik weinig over te zeggen.'

Hij keek haar oplettend aan, maar ze liet niets merken. Die constante zelfbeheersing van haar was verbazingwekkend. Hij zou bij haar naar binnen willen kruipen, zoals zij dat bij hem had gedaan, en haar naar hem willen laten verlangen zoals hij naar haar verlangde, maar hun relatie was gevaarlijk. Als die bekend werd, zou dat schadelijk zijn voor haar carrière en mogelijk ook voor die van hem, hoewel zij zich niet veel van dat risico scheen aan te trekken. Intussen was hij zo aan haar verslingerd geraakt, dat hij zich onmogelijk van haar kon distantiëren, zelfs als hij dat wilde.

'Heb je tijd voor koffie?' vroeg ze terloops, alsof zijn antwoord niets uitmaakte. Hij stopte met het dichtknopen van zijn overhemd en glimlachte naar haar.

'Ach, waarom niet?'

Het huis van Andrew Fenwick stond aan een particuliere weg aan de rand van Harlden, een locatie die eigenlijk niet te betalen was voor een politieman die de verleiding kon weerstaan extra klussen op te knappen. Als hij de erfenis van de broer van zijn moeder niet had gekregen, had hij het zich ook niet kunnen permitteren.

Toen hij op zaterdag terugkeerde van zijn werk, stond de auto van Nightingale voor de garage geparkeerd. Zij zat in de zitkamer op de bank, stevig tussen Chris en Bess ingeklemd. Ze keken naar een tekenfilm. Bess had haar hand op de hare liggen en Chris lag ontspannen met zijn wang tegen haar arm. Toen de deur dichtviel, draaiden drie hoofden zich naar hem om, waar hij om moest glimlachen.

'Ik ben zo beneden. Ik ga me even omkleden,' riep hij.

Toen hij de trap opliep, riep hij vrolijk 'hallo' naar de huishoudster, maar kreeg geen antwoord. Toen hij een schoon overhemd en een spijkerbroek had aangetrokken, ging hij naar de keuken. Daar stond ze zich druk te maken over de aardappelen.

'Hoi. Sorry, we hebben een gast – ik had het je nog willen zeggen,' zei hij.

'Blijft ze het hele weekend?'

'Nee, dat doet ze nooit,' zei hij, beduusd van haar agressiviteit. 'Het ruikt lekker. Wat is het – je zelfgemaakte quiche?'

Alice was niet te vermurwen; hij kreeg alleen een bevestigend knikje. Haar gedrag tegenover Nightingale verbaasde hem. Zij was geen bedreiging voor Alice' imperium en hij begreep niet waarom ze zo gepikeerd was dat Nightingale af en toe op bezoek kwam. Dat was met Pasen begonnen. Ze was tot zijn verbazing ingegaan op een uitnodiging om bij hem en zijn gezin te komen lunchen. Hij had het in een opwelling gedaan, toen het opeens tot hem doordrong dat zij het hele vrije weekend alleen zou zijn, maar hij had er onmiddellijk spijt van gehad.

Alice was bij haar broer op visite geweest, maar bij haar thuiskomst had ze de veel jongere vrouw direct niet gemogen. Helaas hadden de kinderen nog dagenlang over de lunch en over Nightingale gepraat. Achteraf begreep hij, dat de problemen toen begonnen waren en het was er niet beter op geworden.

‘Wil je ook een glas wijn, Alice?’

‘Als u rood drinkt, doe ik mee.’ Nightingale dronk altijd wit.

Hij maakte een fles van beide open; ze kwamen in het weekend toch wel op. Toen hij met een glas sauvignon voor Nightingale naar de zitkamer liep, sprong Bess overeind en sloeg haar armen om zijn middel, waarbij ze bijna de wijn morste. Hij kon zich nog herinneren dat ze net tot aan zijn knieën kwam, maar kijk nu eens, tien jaar al, bijna een jongedame, met eigen meningen en voorkeuren. Ze was ongekunsteld en populair op school, ze was goed in spelletjes en dol op toneelspelen, wat hem af en toe zorgen baarde.

Fenwick kuste haar boven op haar hoofd en ging naast zijn zoon op de armleuning van de bank zitten.

‘Hoi, Chris. Krijg ik nog een zoen?’

Chris bonkte zachtjes met zijn hoofd tegen de heup van zijn vader, zoals een jong dier doet bij zijn zogende moeder. Terwijl Bess lang was voor haar leeftijd, donker en zelfverzekerd, was Chris tenger, blond en pijnlijk verlegen. Hij moest een bril dragen, maar ondanks het voorbeeld van Harry Potter haatte hij zijn bril en zette hij hem alleen op om van het gezeur af te zijn. Het betekende ook dat hij bij het sporten niet goed meekwam en voor in de klas moest zitten. Het ging Fenwick aan het hart dat zijn zoon een buitenbeentje was, maar het was hem een raadsel hoe hij hem op een praktische manier kon helpen.

Maar Chris mocht Nightingale graag. Zij was rustig, had geen poeha en was verbazend geduldig, wat inhield dat ze net zo lang wachtte als nodig was, tot hij klaar was met het voorlezen van een van de boeken die hij had opgekregen om zijn Engels te verbeteren.

‘En, hebben jullie een prettige dag gehad?’ Fenwick wierp de vraag in de groep, voor wie er antwoord op wilde geven.

‘Sst!’

‘Dit is leuk.’

‘Je krijgt er meer uit als het programma voorbij is.’ Nightingale keek hem meelevend aan en hief zwijgend haar glas. Toen het programma afgelopen was, vroeg ze Bess de televisie af te zetten en negeerde de protesten van Chris.

'Als je samen met papa wilt eten is het nu tijd om je handen te gaan wassen.'

Tot zijn verbazing hield Chris zijn mond en liepen beide kinderen gehoorzaam de kamer uit. Toen ze weg waren, verklaarde ze: 'De vorige keer dat ik hier was, zei je dat je hen zo weinig zag. Dus ik heb Alice gevraagd of ze op mochten blijven om samen met jou te eten. Het is per slot van rekening weekend.'

'En vond ze dat goed?' Alice hanteerde een ijzeren regime wat bedtijd betrof.

'Nou...' Nightingale kromp in elkaar, 'laten we zeggen dat wij er met ons drieën in zijn geslaagd haar zover te krijgen.'

'Het eten is klaar!' Doordat Alice riep kon hij niet doorvragen; misschien was het ook wel beter om het niet te weten, dacht hij.

'Het eten is opgeschept. Het staat koud te worden.' Alice liep bij de tafel weg, hoewel Fenwick haar uitnodigde mee te eten, en ging naar boven om naar haar geliefde avondprogramma's te kijken.

Na het eten en een verhaal voor het slapengaan voor de kinderen, namen Fenwick en Nightingale hun wijn mee naar het terras, waar de motten zichzelf te pletter vlogen tegen de buitenlamp. Het was een heerlijke zomeravond, eentje uit een ononderbroken reeks vanaf Pinksteren. De lucht was vervuld van het geluid van sproei-installaties die in de naburige tuinen hun fijne druppeltjes verspreidden, en de geur van kamperfoelie en klimrozen tegen het latwerk. Een paar vogels tsjilpten in een loom avondkoor. Nu het donkerder begon te worden, leek het net een goed verzorgde tuin.

'Hoe gaat het met je? Ik heb je eeuwen niet gezien.' Nightingale ging achterover in de schommelstoel zitten, waar Bess en Chris altijd om vochten. Wat was ze mooi in de schemering. De gedachte overviel Fenwick.

'Met mij gaat het prima; en met jou?'

Ze haalde haar schouders op. Hij kende dat gebaar. Nu hij naar het regionale team Zware Delicten was overgeplaatst, praatte zij nog maar zelden over Harlden, waar ze voorheen samen hadden gewerkt.

'Is er iets? Wil je iets kwijt?' Hij leunde naar voren in zijn stoel en schonk haar nog wat wijn in.

'De gebruikelijke dingen: politiek, papierberg, pietluttigheid.'

'O, je bedoelt de drie p's van politiewerk. Je vergeet er nog een – poengebrek.'

Ze lachte, maar zuchtte toen. 'Je hebt gelijk. Het is niks bijzonders, maar een paar mensen ergeren zich aan mijn promotie.'

'Dat is onvermijdelijk; laat het niet aan je vreten.'

Er trok een schaduw over haar gezicht, alsof zijn woorden een vervelende echo van iets waren.

'Ik weet het, ik moet er niet bij stilstaan. En,' zei ze, in een duidelijke poging om het gesprek op een ander thema te brengen, 'vertel eens wat over je werk bij Zware Delicten. Op het bureau zeggen ze dat je het er erg goed doet.'

'Echt waar? Ik heb het eigenlijk drukker dan ooit. Ik vind het fijn om ergens de leiding over te hebben en als ik wil, kan ik evengoed meewerken aan ingewikkelde operaties, zodat ik me betrokken blijf voelen.'

'Jij hebt altijd ingewikkelde toestanden aangetrokken. Geef mij maar een duidelijk afgebakend leven.' Weer dat sombere gezicht. 'Kun je iets over je werk vertellen? Ik heb behoefte aan afleiding.'

Informatie over operatie Koorknaap was strikt voor ingewijden en Fenwick wilde er liever geen mededelingen over doen, zelfs niet tegen haar. 'Niet veel, maar er is misschien iets wat je zal interesseren. Het staat morgen in de kranten. Van de week is er in The Downs, nog geen vijftien kilometer hiervandaan, een lijk van een jongen gevonden.'

'Waarom weten we daar op het bureau niets van?'

'Omdat we het stil hebben gehouden. Een deel van de heuvel was ingestort. Die bestaat uit kalksteen en de rand was geërodeerd. Toen werklieden bezig waren het puin van een kleine weg op te ruimen, raakte een van de graafmachines van het asfalt en gleed de helling af en botste tegen een boom, die voor een deel werd ontworteld. Daar lag het lijk van de jongen onder.'

'Hoe is dat onder een boom terechtgekomen?'

'Het was maar een kleine boom, een berk. Aan de rand van een bosgebied groeien ze snel. Degene die hem er heeft begraven, heeft er óf een boompje boven geplant, óf het is er uit zichzelf gaan groeien. In ieder geval zouden we het nooit gevonden hebben als de bestuurder van de graafmachine niet zo slecht had opgelet.'

'Een graf. Moord dus?'

Hij knikte.

'Waarom is Harlden dan niet ingelicht?' vroeg ze, onmiddellijk alert.

'Het kan verband houden met een zaak waar de eenheid Zware Delicten al maanden mee bezig is. Wij zijn er het eerst bij gehaald.' Hij staarde haar aan op een manier waaruit duidelijk bleek dat hier niet over gediscussieerd kon worden en, dat moest hij Nightingale nageven, zij liet de kwestie rusten. Fenwick beloonde haar met een stapsgewijs verslag van het werk dat het forensisch team sinds de ontdekking had gedaan.

'Van het lichaam was alleen maar een skelet over, dus het eerste wat ze deden was schatten wanneer de dood was ingetreden en wat de leeftijd en het geslacht van het slachtoffer was – de bekende dingen. Terwijl ze daarmee bezig waren, vroeg ik het lab of ze een dendroloog wilden vragen het hout van de boom die erboven was gegroeid, te analyseren, om het tijdstip waarop hij begraven was zo dicht mogelijk te benaderen – de boom was minstens twintig jaar oud, snap je. Grey, de patholoog-anatoom, heeft in een etmaal uitstekend werk geleverd; hij bevestigde dat de botten afkomstig waren van een jongen in de prepuberteit, waarschijnlijk tussen de tien en dertien jaar. Aan de hand van de analyse van het lab en de datering van de dendroloog hebben we de lijst van vermiste personen uitgekamd, daarom ben ik zo laat terug. De opgegraven schedel was intact en het boven- en ondergebit waren compleet, dus hebben ze de hele morgen gebitsbeschrijvingen zitten vergelijken. Vlak na de lunch hebben ze hem geïdentificeerd. Het was Malcolm Eagleton. Zijn ouders wonen hier nog steeds in de omgeving, dus moest ik hen gaan bezoeken.'

Ze trok een meelevend gezicht. Fenwick nam een slok wijn.

'Wat erg. Hadden ze het al verwacht?' Ondanks zijn zwijgzame, emotieloze manier van doen, vermoedde Nightingale dat Fenwick het net zo verschrikkelijk vond om slecht nieuws aan een familie te moeten overbrengen als iedere andere politieman.

Met een zucht schonk Fenwick nog wat wijn in.

'Ik weet niet of dat kan, verwachten dat je te horen krijgt dat je kind dood is, ook al is het langer dan vijfentwintig jaar geleden. Want zo lang was hij al vermist,' zei hij moeizaam. 'En natuurlijk kwamen ze met vragen aanzetten waar ik geen antwoord op had, onder meer de doodsoorzaak. Op de botten die we gevonden hebben zat geen enkel teken van een verwonding, ook niet op het tongbeen...'

'Dan is hij dus niet gewurgd.'

'Nee. Maar,' zei hij vervolgens met een zware zucht, 'genoeg erover.'

Nightingale wilde er echter niet over ophouden.

'Waarom is jullie team zo geïnteresseerd in een moord van zo lang geleden?'

Dat was een goede vraag; die zou de korpschef beslist ook stellen, als hij vernam hoe oud die zaak al was. Maar Fenwick wilde de leiding niet uit handen geven. Dit regionale team was opgezet om grote, gecompliceerde en gevoelige zaken te rechercheren, niet om oude zaken uit de mottenballen te halen, maar hij moest absoluut zeker weten of er geen verband bestond met operatie Koorknaap. Hij zou H-B verzoeken hem tot het eind van de week de tijd te geven en ging ervan uit dat dat hem wel zou lukken.

'En?'

'Voorwerpen die we bij hem in het graf hebben gevonden, worden nog onderzocht. Tot dat is afgerond wil ik me nog geen oordeel vormen.'

'Hoe lang gaat dat duren?'

'Een week misschien. Vanwaar die belangstelling?'

'Ik wil die zaak natuurlijk graag doen. Het zou mijn eerste kans zijn om een geval van moord te onderzoeken. Ook al is het een oud geval, het zou een goede ervaring voor me zijn.'

'Denk je dan dat Quinlan zo'n zaak aan jou geeft?' Want het was ook niet zo, dat hij hem zelf gemakkelijk uit handen zou geven.

'Als ik hem erom vraag misschien wel... Maar je hebt gelijk; de zaak zal wel naar Blite gaan, zeker als de media erbij betrokken raken. Quinlan houdt me alleen in Harlden zolang ik me gedeisd houd, zegt hij. Maar als ik een voorsprongetje heb en zou weten wat er op ons afkomt, dan zou ik, voordat de zaak naar een ander gaat, alvast een plan van aanpak kunnen uitstippelen dat indruk op hem maakt.'

Bij twee voorgaande gevallen was Nightingale het middelpunt van media-aandacht geweest, die zijn weerga niet kende. Quinlan had gedreigd haar over te plaatsen. Dat ze nog in Harlden zat, zei veel over haar overredingskracht. Ze liet haar schouders hangen, zodat Fenwick zich gedwongen voelde meelevend te glimlachen.

'Goed dan, wacht even.'

Hij liep het huis in en kwam snel terug met een dossier.

'Ik vertrouw erop dat je er met geen woord over spreekt. Dit is het dossier over de dode jongen.'

'Natuurlijk.' Nightingale zat al op het puntje van haar stoel te lezen. 'Malcolm Eagleton. Was twaalf jaar toen hij op 16 augustus 1981 uit het zwembad in Crawley verdween.' Ze keek op. 'Hij woonde in Pease Pottage. Dat is maar een paar kilometer verderop.'

'Kijk eens naar zijn foto.'

Terwijl ze keek zag hij dat ze met haar vingertoppen over de randen streek en haar gezicht kreeg een zachtere trek. Toen beheerste ze zich.

'Wat een mooi kind. Hij doet me aan iemand denken.' Ze wachtte even terwijl ze in haar geheugen zocht. 'Maar misschien is het zo'n typisch gezicht uit Sussex, donker haar, blauwe ogen, lichte huid. Wat een mooie jongen,' herhaalde ze.

'"*Als het bezoek van engelen, kort en stralend; de sterveling te zwak om hen lang te verdragen*",' mompelde Fenwick, terwijl hij in het donker naar de kinderschommels staarde.

Nightingale keek hem verbaasd aan, maar hij was té diep in gedachten om het te merken.

'Waren er eigenlijk aanwijzingen in de tijd dat hij verdween?' vroeg ze, om de stemming te doorbreken.

'Niets concreets; een paar meldingen van zijn verdwijning samen met een man die niemand kon beschrijven.'

'Wat heb je nog meer in het graf gevonden?' Hij keek haar verrast aan. 'Je zei dat het lab nog ergens mee bezig was.'

Hij probeerde een besluit te nemen hoeveel hij haar zou vertellen. Van iedereen vertrouwde hij haar het meest, maar hij was niet goed in het delen van geheimen.

'Een paar dingetjes, die wel iets zouden kunnen opleveren.'

Meer was hij niet bereid te zeggen en ze dronken zwijgend hun wijn op, onder de zachte tonen van Debussy uit de cd-speler binnen. Toen de muziek afgelopen was, belde hij een taxi voor haar.

Het eerste wat hij de maandagochtend daarop deed, was een gesprek met korpschef Harper-Brown aanvragen om tijd te winnen. Zijn team en het lab hadden de klok rond gewerkt om te trachten die 'paar dingetjes' te duiden.

'Ga je gang, Fenwick, je hebt vijf minuten om me te overreden. Daarna heb ik een andere afspraak en als het me niet bevalt, gaat de zaak direct naar Harlden.'

'Wij hebben iets in het graf aangetroffen.' Hij bukte zich en pakte het dossier van Malcolm uit zijn aktetas. 'Hier.'

Hij schoof het over het gepolitoerde mahoniehouten bureau van H-B en tikte op een aantal foto's voorin. Een ervan toonde een stuk van een dijbeen dat uit de grond omhoogstak, en iets onduidelijks, dat gewoon rommel leek, in hetzelfde gat.

'Wat is dit?'

'Een plastic parkeervergunning. Jammer genoeg is die erg aangetast op de plaats waar het laminaat is gebarsten en er is maar een stukje van over, maar kijk eens hier.'

'Het ziet eruit als een logo, maar het is wel heel weinig.'

'Wat je kunt zien is de bovenkant van gestileerde letters, T, D en G. Op de volgende pagina zie je het wapen van golfclub The Downs, alleen de beginletters verstrengeld in een omgekeerde driehoek, met de C onderaan. Het is hun parkeervergunning. We weten ook dat het een oude vergunning is, omdat de club in 1984 een nieuw wapen heeft laten ontwerpen, dus het moet van vóór die tijd zijn.

Er komt nog iets bij.' Hij boog zich voorover en sloeg een pagina voor hem om. 'Verder onderzoek in het gebied leverde dit op.' Hij wachtte niet tot Harper-Brown begon te gissen. 'Een metalen sleutel van een locker.'

'Van het zwembad in Crawley?'

'Nee, daar gaven ze dit soort sleutels niet uit. Kijk, aan één kant staat duidelijk de imprint van de naam van het bedrijf dat ze maakte, en we hebben het kunnen achterhalen. Gelukkig zit het hier in de buurt, hoewel het nu deel uitmaakt van een grotere firma. De oorspronkelijke lijst van cliënten is allang verdwenen, maar we hebben de voormalige eigenaar gevonden en die herinnerde zich een paar van zijn grootste cliënten. Een van hen zat in Harlden – golfclub The Downs.'

'Vandaar dat je verder wilt gaan met je onderzoek in de zaak-Eagleton. Maar is het daar op het moment dat hij werd begraven, terechtgekomen? Je zegt dat je het hebt gevonden bij een breder onderzoek, niet in het graf.'

'Dat kunnen we niet met zekerheid vaststellen, omdat de rupsbanden van de graafmachine een deel van de grond eromheen hebben omgeploegd, maar het lag nog geen meter verderop bij een hoop rommel.'

'Dus jij denkt dat Malcolm ontvoerd en vermoord is door iemand van mijn golfclub.' Harper-Brown speelde handicap negen en was al twintig jaar lid; zijn oom was voorzitter geweest van de club. 'De helft van de kopstukken in Harlden speelt bij die club.'

'Ik begrijp dat het gevoelig ligt en zorgvuldig onderzocht moet worden, maar we hebben de club al in een mogelijk verband gebracht met operatie Koorknaap.' Verrast trok Harper-Brown een wenkbrauw op en Fenwick vervolgde vlug: 'We kunnen het niet negeren, vind ik. De organisator van het pedofielennetwerk in Sussex is zeer gewiekst en glipt volgens de Amerikaanse getuige al minstens tien jaar door de mazen van het net. Wie weet hoe lang dit in feite al aan de gang is? De moord op Malcolm is het enige waar ik op dit moment aan kan werken. Geef me alstublieft één week de tijd om me er volledig op te concentreren.'

De korpschef staarde Fenwick met een ondoorgrondelijk gezicht aan.

'Het is goed.'

De hoofdinspecteur slaakte een onhoorbare zucht van verlichting, maar Harper-Brown was nog niet klaar. 'Ik ga ervan uit dat je het onderzoek uitermate zorgvuldig uitvoert, maar Fenwick...'

Hij voelde de moed al zakken.

'Als je iets ontdekt, verwacht ik dat je het net zo volledig en grondig onderzoekt als in elk ander geval. Er bestaan geen speciale privileges op grond van lidmaatschap van de club. Ben ik duidelijk genoeg?'

Fenwick was té verrast om iets te kunnen zeggen, maar hij knikte begrijpend en moest toegeven, dat tenminste enkele van zijn vooroordelen jegens de korpschef ongegrond bleken te zijn. Misschien moest hij zijn geluk beproeven.

'Er is nog één ding, meneer.' Harper-Brown keek hem bijna welwillend aan en hij vervolgde snel: 'Ik zou graag het terras van de club willen laten opbreken.'

'Nee; belachelijk!'

'Het is aangelegd in de tijd dat Malcolm Eagleton verdween. Wij moeten zijn kleren en eventueel andere eigendommen van hem vinden. Gezien de andere verbanden met de club...'

'Nee, zei ik. Voor zover ik weet, worden er ieder jaar delen van dat terras opgebroken en opnieuw aangelegd, en deze toevalligheid is geen reden om toestemming te geven voor iets wat zo duur en zo ontwrichtend is.'

'Maar...'

'Het antwoord is nee.'

6

Soms vergat hij wel eens hoe fortuinlijk hij was, maar hij hoefde maar op bezoek te gaan in verpleeghuis Mount Ellingham om er weer aan herinnerd te worden. Hij ging er eens per week naartoe en zag er al dagen van tevoren tegen op, waar hij zich achteraf weer schuldig over voelde.

Als een van de nog fitte overlevenden van zijn oude regiment had Maidment informeel de taak gekregen om als verbindingsofficier op te treden tussen alle anderen in de omgeving. Een van hen, Stanley Elthorpe, bracht zijn laatste dagen in een verpleeghuis voor terminale patiënten door. Evenals Maidment was hij weduwnaar en zijn enige zoon was naar Canada geëmigreerd. Zijn kleinkinderen zag hij nooit. Bij zijn vorige bezoek had Maidment tot zijn verbazing gehoord dat Stanley ook een dochter had, van wie hij vervreemd was. Stanley sprak nooit over haar en de majoor voelde dat er animositeit tussen hen bestond.

Maar Stanley lag op sterven en ging nu erg hard achteruit. De kanker die de artsen zeven jaar geleden uitgeroeid meenden te hebben, was teruggekeerd, ditmaal in de longen. Maar de palliatieve zorg nam in ieder geval de ergste pijn van hem weg.

Meteen toen Maidment de ingang door was, overviel de flauwe ziekenhuislucht hem. Erg onaangenaam was het niet, daar letten de verzorgers wel op, maar toch hing er de onvermijdelijke uitwaseming van medicijnen, desinfecterende middelen en ziekenhuismaaltijden in de hoeken en tussen de kussens in de lounge. Hij moest wachten tot de verpleegkundige bij Stanley wegging en keek ondertussen naar een paar waterverfschilderijen met krankzinnige prijskaartjes eraan, waarvan het doel tweeledig was: decoratie én commercie. Hij kon zich niet voorstellen tegen zoiets aan te moeten kijken.

Een loper dempte de geluiden in de gangen, maar zijn kritisch oog vond dat hij vloekte met de paisleybekleding van de stoelen langs de muren. Twee bejaarde dames, een van hen vel over been, zaten naast elkaar in de lounge en hielden in zwijgende verbondenheid elkaars hand vast, tot het onvermijdelijke afscheid. De magere vrouw plukte aan de wol van haar vest en hij kon zien dat ze bezig was er een gat in te trekken. De ander zag het wel, maar zei er niets van, misschien omdat ze besefte dat het kledingstuk de draagster zou overleven en iedere opmerking dienaangaande irrelevant was. Iets te hartelijk wenste hij hun goedemorgen en liep terug naar Stanley.

Zijn oude vriend zat in een stoel naast zijn bed en zag er opgewekter uit dan hij hem in weken had gezien. Als er geen slangetje met infuusvloeistof in de ader op de rug van zijn hand zou zitten, die blauw was van de bloeduitstortingen, zou hij hebben gedacht dat zijn gezondheid verbeterd was.

'Stanley, ouwe reus, wat zie je er goed uit!'

Ze schudden elkaar de hand, waarbij de majoor oplette dat hij niet te hard in die perkamentachtige huid kneep.

'Een kleine remissie, majoor. Het kwam voor ons allemaal als een verrassing. Die arme priester hoopte al dat mijn aanstaande verscheiden een bekering zou opleveren, dus voor hem is het een grote tegenslag.'

Maidment moest een beetje huiveren bij die woorden en verdoezelde zijn onbehagen door een fles Glenfiddich maltwhisky op het zijtafeltje te zetten.

'Had ik dat maar geweten, dan had ik Bells voor je gekocht zoals altijd, maar ik dacht dat dit je laatste fles zou worden.'

Stanley hield wel van galgenhumor. Hij lachte tot hij er bijna in stikte en de twee mannen terugkeerden tot praktische zaken, zoals het halen van een glas water. Hij was nog paars aangelopen, toen hij een tweede whiskyglas uit het kastje naast zijn bed pakte en voor hen beiden twee vingers whisky inschonk.

'Rustig aan, ik moet nog rijden. Ik wil niet nog meer last met de dienders krijgen, dank je feestelijk.'

'Ik heb het gelezen. Je bent een held hier. Er zijn er die om je handtekening zouden willen vragen als ze wisten dat je hier op bezoek bent. De politie laat die zaak toch wel vallen?'

'O, jawel, dat kan niet anders,' maskeerde Maidment zijn voorgevoelens met overtuigende grootspraak. 'Maar ze moeten het hele proces afwerken. Je weet hoe de wet in elkaar zit.'

'Verspilling van onze belastingcenten, als je het mij vraagt. Die rotzak was eropuit je te beroven en die smeris af te maken.' Uit Stans toon was niet op te maken welke van de twee verijdelde misdaden hij afzichtelijker vond.

Met geoefend gemak stuurde Maidment het gesprek vriendelijk van zijn benarde omstandigheden naar veiliger onderwerpen. Na het toegestane bezoekuur hadden ze de cricketwedstrijd, de politiek en de roddels uit het regiment uitputtend behandeld en begon Maidment aan een goed ingestudeerd afscheidsritueel. Het was zorgvuldig gearrangeerd: Stanley gaf op het juiste moment aan dat het tijd werd voor zijn dutje en zijn gast stond dan op om zijn hoed te pakken. Op die manier vermeden ze het gênante moment waarop de bezoeker zo onbeleefd moest zijn te zeggen dat hij wegging.

Maar deze keer sprak Stanley de juiste zin niet uit. Maidment kuchte, trok aan zijn manchetten, ging staan en begon uit het raam te kijken. Maar Stanley bleef in zijn eigen gedachten verdiept. Maidment was op het punt aangekomen dat hij overwoog even op zijn horloge te kijken, toen de ander opeens begon te praten.

'Majoor, je moet naar mijn dochter gaan.' Hij staarde naar zijn dooraderde handen en begon op zo'n manier met het infuus te spelen, dat de majoor een andere kant op moest kijken. 'We hebben elkaar twintig jaar niet meer gesproken. Ik weet dat ze nog leeft, dat heeft de dominee me verteld.'

'Mensen groeien tegenwoordig gemakkelijk uit elkaar...'

'We zijn niet uit elkaar gegroeid. Het was een breuk. We kregen ruzie en we waren daarna verdomme allebei te trots om toe te geven.' Het leek alsof hij duidelijk wilde maken hoe ruw ze uit elkaar waren gegaan. 'Maar de laatste dagen, sinds de remissie inzette, vraag ik me af waarom ik die extra tijd heb gekregen.'

'En wat is het antwoord?'

'Ik denk dat ik een laatste kans heb gekregen om mijn leven op orde te brengen.' Daarbij keek hij de majoor bijna dreigend aan en Maidment ontweek zijn blik.

'Waarom vraag je niet aan de dominee om die taak op zich te nemen? Die kan dat veel beter.'

'Nee. Zij heeft niets met religie, hoewel ze gelovig was, voordat haar geloof gebroken werd. Jij zou de ideale man zijn. Je doet het goed bij de vrouwen. Kijk niet zo, we weten allebei hoe het zit.' Weer die blik. 'Ze woont maar een paar kilometer verderop.'

'Maar waarom ik?'

'Ze heeft respect voor autoriteit en die bezit jij. En je bent welbespraakt. Neem me niet kwalijk, maar ze had het altijd ontzettend hoog in de bol, die schat. Trouwens,' er viel een onheilspellende stilte, 'eigenlijk vind ik dat je het me verschuldigd bent.'

Maidment hoefde niet te vragen waarom. Hij voelde dat hij zwak werd en hij kon toch niet beweren, dat de wens van een man die op sterven lag en die zich met zijn dochter, die hij lang niet had gezien, wilde verzoenen, onredelijk was? Ze woonde nog in de buurt ook. Nee, hij kon Stanleys verzoek niet met goed fatsoen weigeren.

'Ik kan je geen succes garanderen, ouwe jongen.'

'Ik vraag je alleen om het te proberen. Maar zorg ervoor dat ze dit leest.'

Hij stak hem een verzegelde envelop toe. Maidment had in de gaten hoe Stanleys hand trilde en zijn laatste voorbehoud verdween.

'Goed, ik zal het doen.' Hij stak de envelop in zijn zak en Stan liet zich weer naar achteren in zijn stoel zakken, plotseling uitgeput.

'Vertel eens, waarom hebben jullie ruzie gekregen?'

'Daar kan ik beter niet over praten. Als je het niet weet, kom je ook niet in de verleiding partij te trekken. Ze is een harde, die Sarah van mij. Als zij denkt dat je aan mijn kant staat, laat ze niets van je heel. Maar als zij het je wil vertellen, dan vind ik het best.'

'Wat is haar precieze adres?'

'Het staat op de envelop. Dank je wel, Jeremy.' Hij keek op en tot Maidments grote verlegenheid zag hij tranen in zijn ogen.

'Ik zal je bellen om je te laten weten hoe het gegaan is.'

'Goed. Wel, ik geloof dat ik nu toe ben aan mijn dutje. Misschien is het mijn dagelijkse slaapje dat me zo goed doet; dat en een goede whisky!'

Pas die avond keek Maidment naar de envelop. Hij was niet iemand die moeilijke dingen voor zich uitschoof, dus besloot hij de volgende dag dochter Sarah te bezoeken. Toen hij de envelop omdraaide en de naam en het adres zag, moest hij gaan zitten. Eerst dacht hij dat Stanley hem een gemene poets had gebakken, maar wees dat meteen van de hand. Dit was geen grap – zijn vreselijkste nachtmerrie werd werkelijkheid. Het zweet brak hem uit.

'O, mijn god.'

Hij kon nauwelijks ademhalen, toen hij in Stanleys priegelige handschrift las:

Sarah Hill

26, Penton Cross
Woodhampstead
Harlden
Sussex

Die naam en dat adres kende hij. Hij wist zelfs hoe haar gezicht eruitzag. Hij had foto's van haar gezien, jaren ouder geworden door emoties die geen enkele vrouw behoorde te hebben. Hij rispte een half verteerde gebakken schelvis op en spoelde het weg met een flinke slok wijn. Kon hij zijn zonden maar zo gemakkelijk wegspoelen.

Hij was aan zijn belofte en het impliciete dreigement van Stanley gebonden om die vrouw te bezoeken. Maar door dat te doen, werd zijn grote schandvlek opnieuw realiteit. Een minder sterk iemand zou gevloekt en gehuild hebben, maar het was een van de vele ironische dingen in zijn leven dat hij als een flinke kerel geboren was.

Alleen God kon een dergelijke gerechtigheid bedenken.

Het huis stond een beetje van de weg af, alsof het zich wilde verschuilen. Er stond een oude Ford Fiësta op de oprit geparkeerd. Iemand, kinderen waarschijnlijk, had in het stof op de achterruit geschreven: *Niet schoonmaken, grijs is mijn kleur; Angie is op Greg* en nog wat obsceniteiten, waarvan hij deed alsof hij ze niet zag. Waar ooit een tuintje was geweest, nam nu onkruid ieder stukje aarde in beslag en het was onmogelijk te zeggen waar het grindpad ophield en het voormalige gazon begon. De sfeer van moedwillige verwaarlozing en vereenzaming bedrukten de majoor toen hij zijn smetteloze Corsa afsloot en het hekje opende, dat piepend bezwaar maakte tegen de onwelkome indringer.

Hij had zijn bezoek laat in de ochtend gepland, wanneer de mogelijkheid groot was dat ze op haar werk zat, met vriendinnen uit was of boodschappen deed. Dan had hij het excuus gehad de brief door de brievenbus te laten glijden. Maar één blik op het huis zei hem dat deze vrouw geen baan en geen vriendinnen had en niet vaak boodschappen ging doen. Toen hij het pad opliep, althans, wat hij dacht dat het pad was, bewoog even een grijsgroen gordijn voor het raam van de slaapkamer aan de voorkant. Tegen de tijd dat hij bij de voordeur was, zag hij een schaduw achter het matglas en de gedachte schoot door hem heen, dat zij na al die jaren misschien nog steeds wachtte.

De deur werd al opengedaan voor hij kon kloppen, en de uitdrukking op haar gezicht bevestigde zijn vrees. Hij zag een vreselijke mengeling van angst en hoop, en hij meende de woorden 'mijn zoon' haast uit haar open mond te zien komen. Maar vooral haar ogen brachten hem van zijn stuk. Ook al waren ze dof geworden van het jarenlange huilen, het waren onmiskenbaar de ogen van Pauls moeder. Ze moest ooit een schoonheid zijn geweest, maar door verdriet en zelfverwaarlozing was ze ontzettend oud geworden.

'Mevrouw Hill?' Het was een overbodige vraag, maar hij kon geen ander begin bedenken.

Ze staarde hem alleen maar aan, terwijl hij haar de brief toestak. Haar ogen bleven met een verwachtingsvolle blik op zijn gezicht gefixeerd. Het was hartverscheurend. Maar toen zag hij dat de hoop alweer vervloog. Door al die jaren van wachten was ze een expert geworden in het lezen van de gezichten van vreemden, en ze zag op zijn gezicht niets wat aan haar grote verlangen tegemoetkwam.

'Wat wilt u?'

Als er een geest zou praten, zou het zo klinken, dacht hij met een huivering. Even vreesde hij, dat hij alleen al door met haar te praten, zou delen in haar noodlot, maar toen trad zijn gezonde verstand weer op de voorgrond.

'Ik heb een brief voor u.' Toen hij zag dat er weer een sprankje hoop in haar ogen kwam, haastte hij zich te zeggen: 'Niet van... eh... mag ik binnenkomen?'

Hij had helemaal geen zin om op deze hete julidag haar groezelige huis binnen te gaan, maar hij realiseerde zich dat ze misschien de deur voor zijn neus dicht zou doen als hij alleen al de naam van haar vader uitsprak. Sarah Hill draaide zich zonder een woord te zeggen om en liep de korte gang in naar een zitkamer in bruintinten, die de kleur van stof hadden aangenomen. De onwelriekende geur die van haar af kwam als ze zich bewoog, bleef in zijn keel hangen en bezorgde hem een hoestaanval. Toen hij zich hersteld had, veegde hij zijn gezicht af met een smetteloos witte zakdoek die oplichtte als een witte flits in het duister. Ze staarde hem uitdrukkingsloos aan; de doffer wordende schittering in haar ogen was in tegenspraak met al het andere om haar heen.

Achter haar, tegen een wand waar de zeldzame zonnestralen die konden binnensijpelen zijn gezicht verlichtten, was een altaar aan Paul gewijd. Hij was een mooi kind geweest. Een ondeugende glimlach, innemend en zo vrolijk, dat het aanstekelijk zou hebben gewerkt. Een grote portretfoto was in olieverf gereproduceerd, heel populair in de jaren tachtig. Daaronder stond een sporttrofee die zo glad gepoetst was, dat je niet kon zien waarvoor hij hem had gekregen. Er hing een certificaat van deelname aan een zwemgala naast, en een kindertekening, die was ingelijst alsof het een onbetaalbaar kunstwerk was – wat het voor haar ook was. Ze betrapte hem erop dat hij ernaar staarde en hij keek ervan weg.

'U bent op een leeftijd dat u het zich kunt herinneren,' zei ze, alsof deze simpele uitspraak hen van enige conversatie ontsloeg.

'Ik herinner het me nog heel goed.' De oprechtheid in zijn stem had onmiddellijk effect op de vrouw voor hem. Haar versteende trekken smolten en ze glimlachte eventjes.

'Wilt u iets drinken?'

De lucht in huis maakte het al moeilijk voor hem om adem te halen en de gedachte dat er iets uit haar keuken over zijn lippen zou gaan, deed hem kokhalzen. Maar hij had Stanley een belofte gedaan en als hij het vertrouwen van deze vrouw kon winnen, hielp dat wellicht om zijn missie te laten slagen.

'Alleen een glas water, alstublieft. Het is erg warm vandaag.'

Ze bleef even weg, té lang voor zijn gemoedsrust. Paul keek hem aan op een manier alsof hij alles wist en hij moest hard knipperen om zijn ogen droog te houden. Tegen de tijd dat ze terugkwam, zat hij zijn gezicht weer af te vegen en de brief in zijn hand was vochtig van het zweet.

'Wilt u een koekje?'

Dat wilde hij niet, bang dat hij zou stikken in de kruimels.

'Deze brief,' begon hij opnieuw, 'komt van een oude vriend van mij die u kent. Hij wil u graag weerzien.'

Ze keek hem wezenloos aan, terwijl ze een chocoladekoekje at dat bedekt was met witte aanslag.

'Mevrouw Hill, Sarah, de brief is van uw vader. Hij ligt op sterven,' voegde hij eraan toe, want hij zag de afwijzing al op haar gezicht.

'Het verbaast me dat hij nog leeft. Hij betekent niets voor me. Gaat u maar weg.'

'Dat kan ik niet. Niet zonder dit aan u te geven. Ik heb het hem beloofd en ik ben een man van mijn woord. Wij hebben samen in dienst gezeten, weet u. Dat schept een zekere verplichting jegens elkaar.'

'Ik wist meteen dat u soldaat was; ik zag het al toen u uit uw auto stapte. Mijn Paul is nog cadet geweest, toen hij dacht dat hij in het leger wilde. Zou hij een goede soldaat zijn geweest, denkt u?'

'Vast en zeker.' Maidment kon nauwelijks ademhalen in die kleine huiskamer, waar Paul meekeek en van de marteling genoot.

'Mijn Paul zou in alles goed zijn geweest. Hij had zoveel in zich.'

De majoor nam een slokje van het lauwe kraanwater, zodat hij kon praten.

'Ik moet u deze brief geven,' herhaalde hij, nu met nadruk, maar ze weigerde hem aan te pakken. 'Dan laat ik hem wel op het tafeltje liggen.'

'Heeft hij het u verteld?'

'Pardon?'

'Waarom wij ruzie kregen.'

'Nee. Hij zei dat ik dat niet hoefde te weten.'

Ze schaterde het uit, maar het was zo van alle humor ontdaan, dat het pijn deed aan zijn oren.

'Ach, typisch iets voor hem. Maar dat zou u moeten weten.'

Hij haalde hulpeloos zijn schouders op en voelde zich in het nauw gedreven door de felheid van haar blik.

'Het was lang nadat Paul was verdwenen.'

Ze zweeg en dronk bedaard haar koffie op. Niet dat ze het lekker scheen te vinden, maar ze trok ook geen vies gezicht. Het was kenmerkend voor de onverschilligheid in haar hele houding. Hij wachtte.

'De politie was gestopt met naar hem te zoeken, maar dat hebben ze ons natuurlijk nooit verteld. In die dagen hadden ze bij de politie nog geen speciale familierechercheurs, zoals tegenwoordig.'

Ze stond met een ruk, als een robot, op en liep naar een kastje onder een ingebouwde boekenkast, waar ze een zware dossierdoos uittilde.

'Dit is een recent geval.' Ze gaf hem het dossier. 'Een andere jongen. Kijk eens wat een publiciteit en heisa. Fascinerend wat de politie tegenwoordig doet. Dat hadden wij allemaal niet.'

Sarah Hill bukte zich en maakte een tweede deurtje open. Het dossier dat ze hem nu gaf was veel kleiner, nauwelijks een centimeter dik.

'Dit is het dossier van Paul. Ziet u hoe weinig dat is? En de helft bestaat nog uit verwijzingen naar hem in andere onderzoeken. De forensische wetenschap is geweldig vooruitgegaan, in ieder geval wat het vocabulaire betreft. Maar dat helpt de kinderen niet verder.'

Hij kromp ineen bij haar woorden en keek op. Hij verwachtte tranen te zien, maar haar ogen waren droog.

'Volg je veel van die gevallen?'

'Ik volg ze allemaal. De zolder ligt vol met eerdere dossiers. De mappen die hier beneden liggen zijn alleen van dit jaar. Op oudejaarsavond breng ik de dossiers van het oude jaar naar boven en leg ik de nieuwe mappen klaar in de kast.'

'De nieuwe?'

'Natuurlijk. Leeg, klaar voor gebruik. Op 1 januari van elk jaar denk ik aan al die moeders en zing "Auld Lang Syne", alsof de tragedie van toepassing is op anderen, niet op hen. Ik leg de mappen klaar en plak er lege etiketten op. Daarna proost ik op de slachtoffers van het nieuwe jaar en hun ouders. Ik weet niet wie dat zullen zijn en zij weten het ook niet, maar er is nog geen jaar voorbijgegaan dat ik op 31 december een lege map naar boven heb kunnen brengen. Meestal moet ik er zelfs meer kopen. 1992 was een heel slecht jaar. Ik had in juli al geen opslagruimte meer in de kast hier beneden.'

Het drong tot hem door dat ze geestesziek was geworden van verdriet.

'Ik schrijf hun allemaal. In het begin brieven van hoop, omdat ik die zelf heel erg op prijs stelde. Daarna gebeden. Ik heb een hele mooie toegestuurd gekregen. Ze hebben voor mij niets te betekenen, maar misschien helpen ze anderen. En op het laatst schrijf ik condoleances. Ik heb de formulering door de jaren heen verbeterd en ik ben tamelijk tevreden over mijn laatste brief. Wilt u hem zien?'

'Nee, dank u, mevrouw Hill. Ik weet zeker dat hij heel mooi is.'

Hij kreeg er kippenvel van en wilde weg. Hij stond op.

'Wacht! Ik heb u niet verteld wat mijn vader mij en Paul heeft aangedaan. Op een avond kwam hij langs, maanden nadat Paul was verdwenen. Mijn man en ik leefden toen nog samen, nog wel...'

Haar concentratie verslapte door de herinnering aan die gesprekken en hij wachtte. Verdriet en herinneringen kon hij goed begrijpen.

'Hij zei tegen me dat Paul wel dood moest zijn, dat ik moest ophouden met hopen en beginnen met de rouwverwerking. Dat dat goed voor mij zou zijn. Góéd voor mij!' Hij schrok van haar schelle kreet en liet bijna zijn glas water vallen.

'Hij vermoordde Paul met zijn woorden. Ik moest hem de mond snoeren. Met elke zin die hij uitsprak maakte hij Paul dood. Dat kon ik niet toestaan. Ik gaf hem een klap. Hij verdedigde zich niet. Hoe meer klappen ik hem gaf, hoe prettiger hij het scheen te vinden. Uiteindelijk trok mijn man ons uit elkaar. Ik zei dat ze allebei weg moesten gaan, dat ik hen nooit meer wilde zien.'

'En zijn ze weggebleven?' Ondanks alles fascineerde het hem.

'In het begin niet. Het duurde een hele tijd, maar eindelijk kreeg ik hen zover dat ze mij en Paul met rust lieten. En nu komt niemand ons meer storen.'

Hij probeerde niet naar de slonzige vrouw voor hem te staren. Uit de haat, die geboren was uit verdriet, had ze een eigen soort waanzin geschapen.

'Hij ligt op sterven, uw vader.'

'Natuurlijk. Waarom stuurt hij u anders na al die jaren hiernaartoe?'

'Hij wil u zien.'

'Nee. Ik vergeef hem nooit dat hij Paul dood heeft gewenst.'

Toen hij de haat op haar gezicht zag, vreesde hij voor Stanley. Het was beter als zijn oude vriend deze dochter nooit meer zag, dan dat hij gedwongen was de confrontatie met dit gevaarlijke wrak aan te gaan. Maar toch ging hij, loyaal tot het uiterste, tegen haar in.

'Ik denk niet dat uw vader Paul dood wenste. Waarschijnlijk probeerde hij u te helpen én een manier te vinden om met zijn eigen verdriet om te gaan.'

Ze schudde ontkennend haar hoofd, maar hij ging verder, in een poging er het beste uit te halen.

'Ik weet zeker, dat uw vader net zo vertwijfeld hoopte dat Paul levend zou worden teruggevonden als u. Hij kon alleen de hoop niet zo lang vasthouden als u. Hij heeft Paul nooit dood gewenst.'

Sarah Hill bukte en pakte de brief op. Ze woog hem in haar hand, alsof het haar vaders ziel was die op de weegschaal in de Hal des Oordeels lag. Toen scheurde ze hem abrupt doormidden. Het klonk als een pistoolschot in de stilte van de kamer. Ze bleef scheuren, tot de grond bezaaid was met snippertjes papier als confetti. Hij had zijn antwoord.

'Ik kom er zelf wel uit.'

'Wacht!' Ze rende hem achterna toen hij de voordeur opendeed en de frisse lucht inademde. 'U bent een man van de wereld, u hebt ervaring. Vertel eens, denkt u dat hij, mijn Paul, nog in leven is?'

Ze hield hem met haar ogen vast. De smeekbede die er in die blik lag, om iets, wat dan ook dat haar hoop levend hield, maakte hem deemoedig.

'Ja,' zei hij, en zijn maag draaide om in zijn lijf bij die leugen, 'ja dat denk ik wel.'

7

In opdracht van het Openbaar Ministerie en met goedkeuring van Quinlan arresteerde Nightingale Jeremy Maidment op 25 juli om tien uur, op grond van zijn herziene verklaring wegens poging tot moord. Ze nam hem op eigen gezag in voorlopige hechtenis, wetende dat ze tot vier uur die middag de tijd had om voldoende bewijslast te verzamelen, zodat ze Quinlan ertoe kon bewegen hem de volle vierentwintig uur vast te houden. Dat was alle tijd die ze had om een zaak op te bouwen die sterk genoeg was om de rechter-commissaris ervan te overtuigen dat Maidment in de cel thuishoorde en niet op borgtocht vrij mocht komen. Zo wilde het Openbaar Ministerie het, en ze hadden duidelijk te kennen gegeven dat ze op haar en haar team rekenden om het voor elkaar te krijgen.

Dat was geen geringe opdracht. Crimineel leek Maidment in de verste verte niet en hij was niet vluchtgevaarlijk. Hoewel ze heel goed wist dat een mens onschuldig was tot zijn schuld bewezen was en dat hij tot aan het proces, behalve in extreme omstandigheden, recht had op zijn vrijheid, had ze desondanks graag gewild dat de wet de politie wat meer bewegingsruimte bood. Vierentwintig uur was zo weinig tijd, zeker nu Bob Cooper en de rest van het oorspronkelijke arrestatieteam in een onderzoek verwikkeld waren.

Ze moest hun gedetailleerde verklaringen dubbelchecken, het verslag van het ballistisch onderzoek naar de revolver en de kogel nog binnenkrijgen en informatie van Maidments huisarts krijgen over het beven van zijn hand... en dat was nog niet alles. Wat ze niet hoefde te doen was veel tijd aan de majoor zelf besteden, maar omdat hij alleen maar in voorlopige hechtenis zat om haar te helpen bewijzen te verzamelen, of te voorkomen dat hij haar bij het onderzoek hinderde of nog een vergrijp pleegde, moest ze die verplichte figuren uitvoeren. Op dat moment zat iemand van haar kleine team hem opnieuw te verhoren, terwijl zij doorploeterde om haar werk af te ronden.

Ze nam niet op toen de telefoon ging, maar de secretaresse van het team onderbrak haar met een bleek gezicht. 'Het is de korpschef,' zei ze, 'en hij is er bepaald niet blij mee dat hij moet wachten voor hij je aan de telefoon krijgt.'

Nightingale trok een gezicht.

'Verbind hem door – o, en doe de deur dicht, wil je?'

De telefoon ging en ze nam meteen op.

'Inspecteur Nightingale.'

'Dat werd tijd. Neem je je eigen telefoon niet meer op sinds je bent gepromoveerd? Te belangrijk geworden voor die dingen?'

'Nee, meneer, helemaal niet. Maar ik zit tegen een deadline aan en...'

'Laat maar zitten. Wat hoor ik? Heb je majoor Maidment opnieuw gearresteerd? Ik had vorige week nog opdracht gegeven hem op borgtocht vrij te laten. Die man is een steunpilaar van de samenleving.'

Na haar gesprek met Maidment wist ze al dat er sterke gronden waren voor een nieuwe aanhouding wegens poging tot moord. Het was slechts een kwestie van tijd geweest tot de korpschef erachter kwam en haar belde.

'Ik was op de hoogte van de redenen voor de vrijlating van Maidment, meneer, maar er zijn nieuwe bewijzen aan het licht gekomen, waardoor het Openbaar Ministerie hem toch poging tot moord ten laste legt.'

'Belachelijk! Wat voor bewijzen? Die wil ik zien!'

'Het waren mijn bewijzen en ik zal ervoor zorgen dat er een kopie naar u toegestuurd wordt, zodra commissaris Quinlan ze heeft doorgenomen.'

In de daaropvolgende stilte voelde ze dat Harper-Brown razend op haar was, maar toen hij weer begon te praten had zijn stem een normale klank aangenomen – wat haar nog ongeruster maakte.

'Ik verwacht je rapport per direct, inspecteur, en als ik merk dat je op de een of andere manier de tenlastelegging wilt uitbreiden op grond van een misplaatste behoefte om de situatie waarin die belachelijke Cooper zich bevindt te verlichten, kom je ernstig in de problemen.'

Hij verbrak zonder nog iets te zeggen de verbinding. Ze legde zachtjes de hoorn op de haak. Haar hart bonkte, maar ze was heel blij dat haar hand niet beefde en ze de secretaresse met een normale stem kon vragen een kopie van haar verhoor naar de korpschef te e-mailen. Het was een compleet verslag van de ondervraging en het Openbaar Ministerie had haar gefeliciteerd, omdat het zo helder en waardevol was. Ze betwijfelde of Harper-Brown het lef had tegen de officier van justitie in te gaan, maar het zou haar handelingen in zijn ogen niet rechtvaardigen, integendeel, hij zou er alleen maar wrokkiger door worden.

Toen Fenwick later op de ochtend een ontmoeting met Harper-Brown had om nog een keer te proberen het terras van golfclub The Downs, dat in 1981, ten tijde van de verdwijning van Malcolm Eagleton, opnieuw was aangelegd, op te laten breken, was hij niet gewaarschuwd voor de stemming waarin de man verkeerde. Het werd dan ook een frustrerend gesprek. Harper-Brown weigerde opnieuw toestemming te geven en stuurde Fenwick ten slotte zijn kantoor uit.

Achter een smerige, maar sterke bak koffie in de kantine nam Fenwick, nog voor hij terugkeerde naar de eenheid Zware Delicten, de schade op die hij zijn vooruitzichten had toegebracht door zulke harde eisen te stellen. Wat carrièremoord betrof zat hij inmiddels boven de zeven op de schaal van Richter. Structurele schade, economische ontwrichting, mogelijk verlies van levens. De korpschef bezat bepaald geen schokdempende eigenschappen.

Terwijl hij over het drukke parkeerterrein rende, vervloekte Fenwick voor de tweede keer die dag het feit dat hij geen paraplu had meegenomen. De hittegolf die ze tien weken achter elkaar hadden gehad, was zonder waarschuwing afgebroken door een storm die al voor zonsopgang was begonnen en het zag er niet naar uit dat hij zou afnemen. In de dampende beschutting van zijn auto zette hij de airconditioning aan om de beslagen ruiten te laten opdrogen en hing zijn colbert aan een hangertje. Tegen de tijd dat hij aankwam zouden de ergste kreukels wel weg zijn, maar de toestand van zijn broek was hopeloos. Zijn stemming werd er niet beter op.

De oprit van de parkeerplaats stond onder water. Nu de aarde zo hard en droog was geworden en de putten vol zaten met rommel, kon het water nergens naartoe, behalve naar de wegen. De rit naar Burgess Hill duurde wel een uur, het dubbele van de normale tijd, en toen hij eindelijk binnenkwam, lag zijn bureau vol nieuwe rapporten.

Hij zat het laatste rapport te lezen toen Nightingale belde om te vragen of hij iets met haar wilde gaan drinken. Hoewel ze er, wat hem betrof, geen gewoonte van maakten, zagen ze elkaar tegenwoordig in hun vrije tijd wat vaker. Bijna had hij uit principe nee gezegd, want ze hadden elkaar de vrijdag daarvoor al tijdens het avondeten bij hem thuis gezien. Maar het was een dag vol frustratie geweest en hij kon wel wat gezelschap gebruiken, voor hij de kinderen en Alice onder ogen kwam, dus stemde hij in. Ze spraken af bij de Bull and Drum, een aardige dorpskroeg, die uitkeek over een cricketveld en op zijn weg naar huis lag. Ze schonken er bovendien de beste biertjes van het graafschap.

Haar auto stond er nog niet toen hij aan kwam rijden, ze was weer eens te laat. Dat begon een gewoonte te worden en het irriteerde hem. Hij verwachtte stiptheid van mensen, ofschoon hij daar zelf ook niet vaak aan voldeed. Het was zo mogelijk nog harder gaan regenen en hij ging met zijn pint in het bargedeelte zitten, waar een bloemstuk de plaats innam van het vuur in de open haard.

Nightingale was hem een raadsel. Vorig jaar hadden ze bijna een relatie gekregen, maar hij had er een einde aan gemaakt. In de nasleep waren ze geleidelijk aan vrienden geworden; hij corrigeerde zichzelf, ze waren heel goede vrienden geworden. Ze ontmoetten elkaar eens per maand, op zijn hoogst twee keer, soms bij hem thuis, waar haar aanwezigheid een subtiele invloed op zijn kinderen had. Ze meed het zorgvuldig om op wat voor manier dan ook een vervangende moeder te lijken. Ze bood hun vriendschap en een gemakkelijke, niet-veeleisende kameraadschappelijkheid. Ze hielden op een natuurlijke manier van haar, omdat ze niets van hen wilde.

Bess was helemaal weg van Nightingales slanke figuur, haar stijl en haar zachte, glanzende haren, zo heel anders dan haar eigen krullen en haar kinderlijke molligheid. Pasgeleden had hij zelfs nog gezien hoe Chris zich als een kat oprolde en tegen haar aan ging liggen, gewoon tevreden met haar warmte, zonder poespas of contact. Dat was vreemd gedrag voor zijn afstandelijke, moeilijke zoon. Iets van zijn ergernis ebde weg, toen hij toe moest geven hoe gevoelig zij reageerde op hun uitingen van genegenheid.

Wat haar gevoelens voor hem op dit moment betrof, die moest hij zelf peilen. Toen hij haar duidelijk had gemaakt dat hij geen relatie met haar wilde, was ze er nooit meer op teruggekomen. Eigenlijk was zij de afgelopen maanden zelf afstandelijker geworden. Met als gevolg dat hij haar interessant begon te vinden. Hij had er een hekel aan als vrouwen plakkerig werden, een blijvend gevolg van zijn noodlottige huwelijk. Uitingen van afhankelijkheid hadden op hem hetzelfde effect als een kalmeringsmiddel, het doodde alle lust. Toen Nightingale hem haar liefde verklaarde, begon hij zich te verschuilen. Hoe afstandelijker zij werd, hoe aantrekkelijker hij haar vond, maar gelukkig was ze zich daar niet van bewust. Of, dacht hij met een schok, toen hij haar met een klein glas wijn aan zag komen, misschien had ze iemand anders gevonden en kon het haar niet meer schelen. Dat idee stoorde hem.

'Sorry,' zei ze met een gebaar dat hij weer moest gaan zitten, toen hij automatisch beleefd opstond. 'De grote weg uit Harlden, het stuk dat onder het spoor door gaat, staat onder water. Ik moest een heel eind omrijden via de kleine wegen. Deze regen is verschrikkelijk.'

'Je hoeft je eigen drankje niet te betalen.'

'Waarom niet? Het spaart tijd en ik drink witte wijn, dus wist ik dat je nog niet voor me had besteld, omdat hij anders warm zou zijn geworden. Heb ik gelijk?'

Ja, natuurlijk had ze gelijk.

'Heb je honger? Ik heb mijn lunch gemist en ik drink liever niet op een lege maag.'

Hij schudde zijn hoofd. 'Alice heeft wel iets voor me klaarstaan, maar laat mij dan iets te eten voor je bestellen.'

'Ik pieker er niet over.'

Voor hij kon protesteren was ze weg, maar ze kwam na een paar minuten alweer terug met een sandwich met kaas en pickles. Hoe druk het aan een bar ook was, zij werd schijnbaar altijd snel bediend.

'En, heb je een prettige dag gehad?' Zijn eerste zin was altijd dezelfde, aardig en neutraal.

'Vreselijk.' Er zat niemand in hun knusse hoekje, maar toch dempte ze haar stem. 'Het Openbaar Ministerie heeft me benaderd in verband met de majoor. Zijn herziene verklaring biedt nieuwe mogelijkheden tot vervolging, op grond van poging tot moord. Je kunt je voorstellen hoe H-B daarop heeft gereageerd.

Ik vind het wel een beetje ambitieus, maar zij maken de dienst uit. Het wordt een lastige zaak, want hij is een beminnelijke oude man, die de sympathie van het publiek heeft. Alle mensen die we gesproken hebben, geven hoog van hem op. Na de dood van zijn vrouw schijnt hij het huis waarin ze woonden te hebben verkocht en is daarna veel kleiner gaan wonen. De opbrengst heeft hij verdeeld tussen zijn zoon en een aantal liefdadigheidsinstellingen en nu leidt hij een sober leven. Bovendien gaat hij regelmatig naar de kerk, doet aan liefdadigheid, helpt hulpbehoevende mensen en heeft hij goede connecties. Volgens een aantal mensen is de golfclub nog nooit zo efficiënt geleid als in de tijd dat hij secretaris was en hij heeft een uitstekende staat van dienst in het leger. Bepaald niet iemand die je in de beklaagdenbank zou verwachten.

Maar eerlijk gezegd is dat niet relevant; hij heeft op iemand geschoten en hem bijna om het leven gebracht. Chalfont had eraan kunnen bezwijken.' In Nightingales gedempte stem klonk een verontwaardiging door, die alleen een logisch denkend mens kon invoelen.

'Hij is ook gered door de tegenwoordigheid van geest van de majoor.'

'Van zijn eigen kogel,' siste ze.

'Hoe gaat de korpschef ermee om? Hij zal Maidment wel goed kennen.'

'Hij is ontzettend pissig.' Fenwick knipperde verbaasd met zijn ogen bij Nightingales weinig karakteristieke woordkeus. 'Nu zijn poging is mislukt om Maidment vrij te krijgen op basis van een kleiner vergrijp, wil hij er alleen nog op afstand bij betrokken zijn. Hij wil op de hoogte blijven van alle ontwikkelingen met het Openbaar

Ministerie, maar hij heeft overduidelijk te kennen gegeven dat ik er alleen voor sta als het zwaar weer wordt. Ik denk dat het zijn strategie is zich gedeisd te houden en te hopen dat hij niet als karaktergetuige wordt opgeroepen!' Nightingale lachte heel eventjes bij het idee van Harper-Brown in de getuigenbank.

'Ik moet voldoende bewijslast tegen Maidment opbouwen om de rechter-commissaris zover te krijgen hem morgen nog in verzekerde bewaring te houden; als het een geval van poging tot moord wordt, komt er wat het Openbaar Ministerie betreft geen borgtocht.'

'De media zullen er wel bovenop springen.' En hij dacht, maar sprak het niet uit: zeker als jij het onderzoek leidt. Ze hadden tot hun schade ondervonden hoe goed haar gezicht het deed om een enorme oplage te krijgen.

'Oké, maar wat hebben we voor keus? Ik heb mijn taak maar uit te voeren. En hoe zit het met jou?' vroeg ze, om van dit thema, dat blijkbaar erg onaangenaam voor haar was, af te komen. 'Ben je al wat dichter bij het openbaar maken van de zaak-Malcolm?'

Hij vertelde haar over zijn mislukte poging bij de korpschef. Tot zijn verbazing stond ze niet positief, zelfs kritisch tegenover zijn wens om te gaan graven. Hij merkte dat hij zijn standpunt moest verdedigen en dat vond hij niet leuk.

Nightingale stopte het laatste stukje van haar sandwich in haar mond en genoot er zichtbaar van. 'Misschien neem ik er wel een paar van mee; ze zijn lekkerder dan die in de kantine.'

'Ga je weer aan het werk?' Het was al na zevenen.

'Ja. Ik moet morgen voor elkaar zien te krijgen dat hij in voorlopige hechtenis blijft, dus ik heb nog meer werk te doen.'

'Sorry. Als ik dat had geweten had ik een andere kroeg voorgesteld.'

'Nou, toen ik in de gaten kreeg dat ik moest overwerken, heb ik nog geprobeerd je te bellen om op een ander punt af te spreken, maar ik kreeg aldoor je voicemail. Het geeft niet, hoor, ik had wel trek in een hapje eten en de rit heeft mijn hoofd weer helder gemaakt.'

Ze pakte haar handtas, blijkbaar klaar om te vertrekken, zodat Fenwick gedwongen was de rest van zijn bier naar binnen te slaan. Hij had willen voorstellen nog een glas te nemen, maar dat was duidelijk geen optie. Ze verlieten samen de pub, Fenwick in haar kielzog, en hij zag hoe de ogen van alle mannen haar naar de deur volgden. Als zij zich al bewust was van het effect dat ze op hen had, dan gaf ze daar geen blijk van.

8

De volgende morgen schoof Fenwick nog meer rapporten aan de kant en ging een kop koffie halen. Ergens tussen de kapotte koffieautomaat en het personeelsrestaurant raakte hij in gedachten verdiept en ineens was hij bij de hoofdingang beland. Hij had zijn pasje en een briefje van vijf in zijn zak, dus besloot hij naar buiten te gaan om een behoorlijke espresso te nemen. Wilde ik dat eigenlijk aldoor al? vroeg hij zich af, toen hij het gebouw uit liep.

Het regende nog steeds, maar er zat een Italiaans café vlakbij. Op een holletje was hij er binnen twee minuten. Binnen hing een warme, dampige atmosfeer, de koffie was even uitstekend als altijd en nadat hij zijn eerste kopje in één slok achterover had gegooid, nam hij een tweede.

Hoewel de eigenaar zei dat zijn naam Giuseppe was, wist Fenwick dat hij een Pool was en dat zijn broer, die zichzelf nu Leonardo noemde en een expert was met het koffiezetapparaat, had gezeten voor autodiefstal. Maar dat kon hem niet schelen; de man had zijn straf uitgezeten en serveerde nu de beste koffie van Burgess Hill.

'Nog één, hoofdinspecteur?' Giuseppe bleef hem bij zijn rang noemen en hij had het opgegeven hem te vragen ermee op te houden.

'Ik moet eigenlijk terug.'

'Eentje van het huis.' Er stond alweer een kleine witte kop-en-schotel voor hem. 'Met biscotti erbij. U ziet er een beetje magertjes uit, vandaag.'

'*Grazie*, Giuseppe,' zei Fenwick, die inwendig om zichzelf moest lachen, omdat hij het toneelspel meespeelde.

Zijn tijd raakte op. Hij kwam niet erg vooruit met het onderzoek naar Malcolms dood. Zijn team had een ledenlijst van de golfclub in 1981 opgesteld en ze waren gestaag bezig degenen die nog in leven waren te verhoren, tot dusverre zonder succes. Het leek niet te vermijden dat de zaak aan Harlden overgedragen zou worden en dat hij zich weer moest gaan concentreren op de karige bewijzen die hij had verzameld bij het onderzoek naar het Koorknaapnetwerk. Hij at zijn koekje op en dwong zichzelf enigszins ordelijk te denken.

Joseph Watkins had zo op het oog geen stap verkeerd gezet in al die tijd dat ze hem hadden geobserveerd. Zijn kennis, Alec Ball, werd al tien weken in de gaten gehouden en ging zonder ook maar een zweempje argwaan te wekken door het leven. Fenwick pakte zijn notitieboekje, nam een lege bladzij voor zich en dwong zich de weinige details te herinneren die tijdens de laatste observaties waren gemeld.

Alec Ball was zestig jaar; een korte, gedrongen man die een marktkraam met oude boeken, lp's en prullaria runde. Hij zag eruit als een krachtpatser, met zijn kale hoofd en tatoeages, maar volgens de politieverslagen was hij, nadat hij als uitsmijter bij een club in Brighton was gearresteerd voor het toebrengen van zwaar lichamelijk letsel, nooit meer in de problemen geweest. Hij was ontslagen van rechtsvervolging toen de hoofdgetuige en het slachtoffer hun verklaringen introkken. Er zat een luchtje aan, maar het had niets te maken met pooieren of misbruik van jonge jongens.

Joseph Watkins was een gepensioneerde sportcoach, die af en toe nog wel eens inviel. Hij woonde op stand, in een huis dat zijn inkomen te boven ging, samen met zijn vrouw en een volwassen zoon, die er geen blijk van gaf het ouderlijk huis te willen verlaten. Zijn enige dochter had hem kortgeleden een kleinkind geschonken. Tot nog toe heel onschuldig allemaal. Toch onderhielden hij en Alec Ball een onwaarschijnlijk soort vriendschap. Ze gingen zelfs hele weekends samen naar het buitenland, ondanks hun totaal verschillende achtergrond. Joseph was lid van de club in Harlden, hoewel hij geen beste golfer was en zelden speelde.

Het observeren van deze twee mannen kostte handen met geld. En het vinden van mankracht om de observatie vol te houden, legde een zware druk op het team Zware Delicten. Ze zaten al met te weinig mensen nadat Fenwick drie rechercheurs had aangeraden zich te laten overplaatsen, toen bleek dat ze niet aan zijn strikte eisen voldeden. Toch wilde hij het niet opgeven. Als hier in West Sussex een pedofielennetwerk bestond – en de FBI was er op grond van bewijzen van overtuigd dat het bestond – was hij vastbesloten het uit te zoeken. Ball en Watkins vormden zijn enige aanknopingspunt, als hij genoodzaakt werd de zaak-Malcolm Eagleton over te dragen. Aangespoord door de koffie, besloot hij het team dat met Koorknaap bezig was nog een week intact te laten, daarna zou hij moeten beslissen of hij hun verdere werk zou opschorten.

De bel boven de deur rinkelde en er kwam een jongen van ongeveer de leeftijd van Chris binnenhollen. Hij nam een vlaag koude lucht mee. Uiterlijk was hij het tegenovergestelde van Fenwicks zoon: lang, misschien wel zes of zeven kilo zwaarder, en heel donker. Hij had prachtige ogen – over een paar jaar zouden de meisjes ervan zwijmelen. Billy, de zoon van Giuseppe, zat bij Chris in de klas en was in alle opzichten een rouwdouwer. Fenwick staarde naar de rug van de jongen, die zich bukte om de arm van zijn oom te ontwijken en biscotti uit de pot bij de kassa te pikken.

'Hé!' riep zijn vader, die vervolgens toegeeflijk zijn schouders ophaalde en zijn klanten met een glimlach bij de samenzwering betrok. Maar Fenwick merkte het niet op.

De aanblik van de jongen had iets in zijn herinnering wakker geroepen en hij voelde opeens een sterke drang om naar kantoor terug te keren en nog eens naar de dossiers van vermiste personen te kijken. Die liet hij in zijn werkkamer liggen, om hem er continu aan te herinneren, dat er werkelijk slachtoffers vielen ten gevolge van het netwerk met de codenaam Koorknaap; misschien groeide dat aantal wel met elke maand die zonder resultaat verstreek.

'*Arrivederci*, hoofdinspecteur,' riep Leonardo hem na, toen hij de deur opendeed en zijn kraag opzette tegen de regen.

'*A domani*, Leonardo,' riep hij terug en hij rende naar buiten.

Hij zag de groene Peugeot niet staan, tot het te laat was om hem te ontwijken. Blake Bowyer sprong eruit en onderschepte Fenwick voor hij bij de ingang van het bureau was. Zonder op de regen te letten die hen doorweekte, hield hij Fenwick tegen door zijn hand op zijn arm te leggen. Snel haalde hij hem weer weg, toen het tot hem doordrong dat het ongepast was.

'Alstublieft, hoofdinspecteur...' Bowyer keek hem smekend aan of er nieuws was, of er woorden van troost waren, wat dan ook. Er waren al twee weken overheen gegaan sinds Sam was verdwenen.

Fenwick zag dat de auto bij een dubbele gele streep geparkeerd stond.

'Laten we uit de regen gaan zitten,' zei hij en hij liep erheen. In elk geval kon Fenwick op deze manier een boete voorkomen, mocht iemand van de parkeerpolitie het weer trotseren op zoek naar een bekeuring. Nu ze droog zaten, wendde hij zich tot de wanhopige vader.

'Meneer Bowyer, ik heb niet de leiding in het onderzoek naar de zaak van uw zoon, dat weet u. Mijn collega in Brighton werkt er zeer zorgvuldig en met veel inzet aan. Ik heb u opgezocht omdat er eventueel een verband bestaat met een ander lopend onderzoek, dat is alles.'

'En is dat zo?' Bowyer staarde hem aan. Zijn ogen waren zo rood, dat het leek alsof ze zouden gaan bloeden als hij ermee knipperde.

Voordat hij koffie was gaan drinken zou Fenwick nee hebben gezegd, maar het inzicht dat hij had gekregen toen Giuseppes zoon het café binnenholde, maakte dat hij aarzelde. Bowyer had het in de gaten.

'Het is zo, hè? U houdt iets voor me achter.' Hij greep Fenwick bij de arm en kreukelde zijn jasje, dat toch al verfomfaaid was door de regen. Fenwick maakte zachtjes de hand van de man los.

'Dat doe ik niet, meneer Bowyer, werkelijk niet. Mijn onderzoek is zeer gecompliceerd, al jaren oud en er is absoluut geen bewijs dat er een verband bestaat met de verdwijning van uw zoon.' Hij vroeg zich af of de betekenis van wat hij zei tot de man doordrong, maar Bowyer was té kapot om het op te merken.

'Jenny gaat eraan onderdoor,' zei hij. 'Ze eet haast niet meer, ze gaat het huis niet meer uit, voor het geval Sam thuiskomt en... o, god!'

Hij begroef zijn uitgeputte gezicht in zijn handen. 'Ik kan niet met haar praten, maar dat is het enige wat zij doet, de hele tijd erover praten, praten, praten. Hoe het gegaan zou zijn als zij hem naar school had gebracht, als ze hem die ochtend nog een extra kus had gegeven, als ik niet tegen hem had geschreeuwd dat hij de kat niet mocht plagen... Ze gaat maar door. Ze draait alsmaar dat laatste uur dat we met hem samen waren af, op zoek naar een manier waarop we de toekomst misschien hadden kunnen veranderen. Ze beschuldigt ons ervan dat we hem het huis uit hebben laten gaan, ze geeft mij de schuld dat ik hem gewoon heb nagekeken.'

'Heeft u hulp – van de kerk, van vrienden of familie? Ik kan u een goed adres geven voor slachtofferhulp...'

'Wij zijn geen slachtoffers, godverdomme!' Bowyer streek over zijn gezicht; zijn nagels waren tot op het leven afgekloven. 'Wij zijn géén slachtoffers.' Zijn woede zakte even snel als hij opgekomen was en hij voegde eraan toe, met een stem die Fenwick de andere kant op deed kijken, 'nog niet'.

Hij bleef een halfuur bij de man zitten en luisterde alleen maar. Toen er een patrouillewagen langskwam en stopte om hen te laten doorrijden, zwaaide hij met zijn legitimatie voor hun neus en toen het ernaar uitzag dat ze in discussie wilden gaan, zei hij dat ze moesten opdonderen. Dat deden ze. Bowyer had het niet eens in de gaten en onderbrak zijn monoloog nauwelijks. Toen hij klaar was met zijn verhaal, bood Fenwick hem een lift aan naar huis, bezorgd dat hij in die verwarde toestand moest rijden, maar dat sloeg de man af. Hij kon niets anders doen dan hem nakijken toen hij wegreed, het onverschillige verkeer in. In zijn eigen gemoed galmde het verdriet van de man nog na en hij voelde zich schuldig, omdat hij niet in staat was hem te helpen.

Terug op kantoor, niet in de stemming voor zomaar een babbeltje of voor wat voor gezelschap dan ook, haalde Fenwick de foto van Malcolm Eagleton tevoorschijn en hing hem zorgvuldig op het prikbord van kurk, dat de helft van de wand tegenover zijn bureau in beslag nam. Ouderwets, maar zeer effectief. Toen pakte hij een exemplaar van de *Brighton Argus* die hij had bewaard en knipte de foto van Sam Bowyer op de voorpagina uit. Die prikte hij naast die van Malcolm. De gelijkenis was opvallend, ondanks het verschil in haarstijl, omdat er meer dan vijfentwintig jaar tussen zat.

Toen hij achteruitliep om de overeenkomsten in zich op te nemen, kwam Angela Marsh de kamer binnen om zijn dossiers op te halen. Zij was iemand van het civiele personeel, dat ter ondersteuning aan zijn team was toegevoegd. Direct bij haar komst had ze de bijnaam 'Drilpudding' gekregen, waar Fenwick zich enorm aan ergerde. Hij vond het heel erg wreed, gezien haar gelaatskleur en haar omvang, maar zij scheen het nog leuk te vinden ook, dus hield hij zijn mond.

'Neemt u me niet kwalijk, meneer. Ik dacht dat u nog buiten was. Ik kom later wel terug.'

'Nee hoor, ga je gang, je stoort niet.'

Ze pakte de papieren in de losse bundel die hij op de gebruikelijke plek had neergelegd en wilde weer weglopen, toen ze de nieuwe foto's op het bord zag. Ze bleef staan. Fenwick keek op en fronste zijn voorhoofd. Hij knikte, om haar weg te laten gaan, maar ze verroerde zich niet.

'Gek is dat,' zei ze, terwijl ze naar de twee jongens staarde. 'Heel gek.'

'Dank je wel, Angela. Het is in orde zo.'

'Ja.' Ze knikte, maar bleef staan waar ze was.

'Angela!' begon hij, intussen ongeduldig geworden.

'Wat? O, sorry. Het komt zo, nu ik hen daar zie, vraag ik me af waarom u die andere er niet bij hebt gehangen.'

'Waar heb je het over?' vroeg Fenwick geïrriteerd, omdat hij in zijn gedachtegang werd gestoord.

'Die andere jongen. De jongen die na Malcolm verdween. Ik heb hem gisteravond in de map opgeborgen, toen ze klaar waren met die doos.'

Fenwicks armen werden koud en hij kreeg kippenvel, maar niet doordat zijn kleren vochtig waren.

'Haal dat dossier even, Angela, wil je?' sprak hij zachtjes, en hij wachtte.

Ze was binnen een minuut terug.

'U heeft geluk, want ik wilde hem net naar beneden sturen voor het archief. Ik had er niet in mogen neuzen, dat snap ik wel.' Ze keek hem in angstige afwachting aan. Maar toen ze merkte hoe afwezig hij was, ging ze zelfverzekerder verder: 'Ik herinner me die zaak, weet u. Ik zat bij hem op school, een klas hoger dan hij. Ik kende hem natuurlijk niet, ik had hem niet eens opgemerkt, tot hij verdwenen was. Maar hij ging om met een vriendin van mij, Wendy.'

Fenwick luisterde niet. Hij bedankte haar automatisch, en ze ging weg. In de stilte die in zijn kantoor was gevallen, keek hij naar de naam op de omslag van de dossiermap, bladerde erin en haalde er een schoolfoto uit. Zorgvuldig hing hij de foto van de vermiste schooljongen Paul Hill precies tussen die van Malcolm en Sam. Het leek wel alsof hij een ontbrekende schakel had gevonden. Zelfs in de technicolor van de oude film, zélfs in vergelijking met de aantrekkelijkheid van de twee andere jongens, viel Paul Hill op door zijn filmsterachtige schoonheid. Hij combineerde het mooiste van de beide andere: Malcolms bleke huid, Sams meisjesachtige hals en zijn eigen bijzondere ogen, die de toeschouwer leken uit te nodigen tot een onderonsje.

Fenwick ging zitten. Daar was een verband, het kon niet anders. Er was iemand die een voorkeur had voor mooie, preadolescente jongens met bepaalde uiterlijke kenmerken, en als hij die vond, dan verdwenen ze op de een of andere manier. Plotseling maakte hij zich grote zorgen om Sam Bowyer.

'Ik neem de dossiers zelf wel mee, meneer, ik kom erlangs op weg naar huis. Dan kan ik commissaris Quinlan meteen persoonlijk op de hoogte brengen.'

'Wie denk je dat hij op de zaak gaat zetten, Fenwick? Inspecteur Blite, stel ik me zo voor, maar ik wil het graag zeker weten. Kun jij het hem voorstellen?'

Er viel een korte stilte.

'Dat zou best lastig kunnen zijn. Ik heb begrepen dat in de komende drie weken twee belangrijke zaken van hem voor de rechter komen, plus vier lopende onderzoeken, waaronder een steekpartij met dodelijke afloop, afgelopen zaterdag.'

'Je bent goed op de hoogte voor iemand die langer dan zes maanden vertrokken is. Nee, dit is een perfect geval voor Blite.'

'Wat dacht u van inspecteur Nightingale, meneer?' stelde Fenwick voor.

'Die is veel te onervaren.' Harper-Brown schudde afwijzend zijn hoofd. 'Het is tenslotte een moord, al is het een oude.'

Fenwick deed zijn mond open om hem tegen te spreken, maar de korpschef pakte een stapeltje papieren, ten teken dat hij kon gaan. Toen legde hij ze abrupt weer neer en zette de leesbril met halfronde glazen, die hij op het puntje van zijn neus had staan, af.

'Fenwick, heel even nog. Ik ben behoorlijk onder de indruk van de manier waarop jij je nieuwe rol tot dusverre hebt opgepakt.'

'Dank u, meneer.'

'Maar, en ik bedoel dit opbouwend, je moet ervoor oppassen dat je je voorkeur voor bepaalde rechercheurs niet te veel laat blijken.'

'Meneer?'

'Moet ik het voor je spellen?'

'Ik ben bang van wel, want ik heb geen idee waar u op doelt.'

Harper-Brown keek hem geïrriteerd aan.

'Goed dan. Een voorbeeld. Louise Nightingale. De suggestie wordt gewekt dat je haar al voortrok toen je nog in Harlden zat, en dat dát mede de reden is waarom zij zo snel tot inspecteur is gepromoveerd.'

'Dat is onzin! Ik geef mensen geen voorkeursbehandeling, dat heb ik ook nooit gedaan. Als ze geprezen worden of kansen krijgen, dan gebeurt dat op grond van het goede werk dat ze leveren en omdat ik hen vertrouw. Bovendien...'

'Bespaar me je verhaal, Andrew. Ik heb er geen mening over of het klopt wat er gezegd wordt, ik herhaal het alleen voor je eigen bestwil.'

'Ik zal eraan denken, meneer.'

'Doe dat en wees vooral voorzichtig aan wie je in je nieuwe rol de voorkeur geeft. Het is niet goed om een reputatie op te bouwen in de zin van... laten we zeggen, positieve seksuele discriminatie. Dat was het.'

Fenwick slaagde erin zijn mond te houden tot hij in zijn eigen kantoor was en de deur had dichtgedaan. Daar gooide hij er een serie krachttermen uit, waar zijn moeder hem, ongeacht zijn leeftijd, een draai om de oren voor zou hebben gegeven. Tot twintig tellen had geen zin, er was meer voor nodig om tot bedaren te komen. Twee koppen koffie later liep hij op hoge poten de rechercheursruimte binnen en het was voor iedereen die hem kende duidelijk te merken dat hij een slecht humeur had. Drie leden van het team zaten achter hun bureau en bogen zich opeens alle drie over hun dossiers, alsof het fascinerend leesvoer was.

'Waar is Alison?'

Brigadier Alison Reynolds was het hoofd van het onderzoeksteam in operatie Koorknaap. Zij was een veteraan in het korps. Ze had twintig jaar ervaring bij de zedenpolitie en de centrale recherche, tot ze werd overgeplaatst naar de eenheid Zware Delicten. Er gingen geruchten dat ze met drie katten leefde, haar op haar tanden had en afwijzend stond tegenover mannelijke avances, voldoende om achter haar rug om tot lesbienne te worden verklaard. Fenwick wist zeker dat ze dat niet was. Hij wist namelijk dat ze tot voor kort getrouwd was geweest en een zoon van twaalf had. Dat had hij toevallig ontdekt tijdens een van die zeldzame keren dat hij Bess van school had opgehaald. Alison had hem gezien en James aan hem voorgesteld, en een man in een rolstoel, die ze voorstelde als haar vader. Sindsdien waren ze nooit meer op de ontmoeting teruggekomen en hadden ook geen nadere belangstelling voor elkaars gezinnen getoond. Maar Fenwick had wat rondgevraagd en vernomen dat haar man een jaar geleden bij haar was weggegaan en dat zij kostwinner was.

'Hier ben ik,' klonk haar stem vanachter een dossierkast.

'Heb je even?'

Ze volgde hem zonder iets te zeggen naar zijn kantoor. Een kletskous was ze niet. Fenwick had in Reynolds een goede vervangster gevonden voor de ijverige Cooper met zijn gezonde verstand, en hij had er het volste vertrouwen in dat zij de juiste persoon was om de observatie van Ball en Watkins te leiden, wat de korpschef ook over vrouwen te zeggen had.

'Doe de deur dicht en ga zitten.'

'Ik hoor dat de zaak-Eagleton naar Harlden gaat.'

'Ik vrees van wel; we hebben ons uiterste best gedaan, maar er is geen duidelijk verband met operatie Koorknaap. Maar ik heb een andere vermiste jongen gevonden, die heel veel op Malcolm Eagleton lijkt: Paul Hill. Hij hangt op het prikbord achter je. Jammer genoeg kan ik geen verband leggen tussen hem en Malcolm of een van onze verdachten, dus hebben we er niets aan. Is er de afgelopen tijd bij het observeren nog iets interessants boven water gekomen?'

'Ball is gisteren naar Londen geweest, maar we zijn hem in de metro kwijtgeraakt. Hij nam de noordelijke lijn naar Victoria, maar sprong er pas op het laatste moment in en wij bleven op het perron achter.'

'Wie schaduwde hem?'

Reynolds schoof heen en weer in haar stoel. 'Clive. Maar hij kon er niets aan doen.'

'Hm.' Fenwick was er nog niet achter of Clive wel goed genoeg was. Dit was een slechte beurt, wat Alison ook zei. 'Was dat bezoek aan Londen relevant?'

'Het was voor het eerst in twee maanden dat hij zijn routine doorbrak, dus het zou kunnen.'

'Maar misschien ging hij wel naar de nieuwste tentoonstelling in het Tate!' De ergernis klonk door in de toon waarop Fenwick praatte en hij zag haar in elkaar krimpen. 'Luister, ik heb het niet op jou gemunt. Ik ben alleen ontzettend gefrustreerd.'

'Wij allebei. Het hele team. We hebben alles op alles gezet om Ball of Watkins ergens op te kunnen pakken, maar het is gewoon op niets uitgelopen.'

'Vind je dat we moeten stoppen met hen in de gaten te houden? Het moet wel heel demoraliserend voor jullie zijn.'

'Het is een van de meest geestdodende klussen die ik ooit heb gedaan, om je de waarheid te zeggen, en ik weet dat de anderen er net zo over denken, maar – en ze maken me af als ze weten dat ik dit heb gezegd,' zei ze met een zeldzame scheve grijns, 'ik vind dat we het nog één week moeten volhouden. Als Ball nog eens zo'n onverwacht tripje maakt, zijn we er klaar voor. Wie weet wordt hij nonchalant.'

Fenwick keek naar zijn handen en ademde langzaam uit. De kosten van het observeren rezen de pan uit en hij kon het niet lang meer voor de korpschef verborgen houden. Maar misschien had ze gelijk en hij had er een hekel aan het zomaar op te geven.

'Goed dan. Eén week nog. Daarna moeten we ermee kappen. Wil jij intussen een kamer inrichten met alle foto's die jullie van Ball en Watkins hebben gemaakt? Ik wil er nog eens goed naar kijken, misschien hebben we iets over het hoofd gezien.'

'We hebben ze keer op keer doorgenomen, meneer. Het zijn er honderden!'

'Dat weet ik, maar misschien zien we door de bomen het bos niet meer.'

'Best mogelijk,' zuchtte ze. 'We zitten er veel te dicht op. Ik zal het in het weekend doen, dan is het maandagochtend klaar.'

'Neem jij nooit vrij?' Fenwick hield de opmerking dat haar zoon het weekend thuis zou zijn, op tijd in.

'Ik heb het overwerk nodig en ik zorg er in ieder geval voor dat ik op zondag thuis ben. Maar bedankt dat je zo attent bent.'

Nightingale probeerde zich te concentreren op het administratieve werk dat ze had laten liggen, omdat ze de bewijslast op grond waarvan ze Maidment in voorlopige hechtenis konden houden, voor de hoorzitting rond moest krijgen, maar ze kon haar hoofd er niet bij houden. Nog geen uur geleden was de majoor vrijgelaten, dankzij het uitstekende werk van zijn advocaat, die de rechter-commissaris ervan wist te overtuigen dat hij zijn voorwaardelijke vrijlating niet zou misbruiken. Dit had ze kunnen verwachten, maar het kwetste haar evengoed. Ze dacht erover vroeg naar huis te gaan, toen haar telefoon ging.

'Nightingale.'

'Met mij, Andrew. Ik ben in Harlden voor een afspraak met Quinlan. Ik wilde het je even laten weten.' Hij was in een slechte bui, dat kon ze horen. Hij wilde zeker opgemonterd worden. Jammer dan, hij had de verkeerde dag en de verkeerde persoon gekozen.

'Fijn voor je.'

'Ik heb het gehoord van Maidment.'

'Wie niet?'

'Wat ik hoorde, was dat het Openbaar Ministerie bijzonder tevreden was over het werk dat je hebt gedaan. Ze hadden nooit verwacht dat ze hem in voorlopige hechtenis konden nemen.'

'O ja?' Ondanks haarzelf monterden zijn woorden haar op, maar toen werd ze achterdochtig. 'Je zegt het toch niet zomaar, hè?'

'Nee, nee, zo zit ik niet in elkaar.'

'Dat is zo. Moet je horen, ik waardeer het heel erg dat je belt, dank je.'

'Heb je zin om even wat te gaan drinken? Ik ga vroeg naar huis, dus ik kan over een halfuur klaar zijn.'

'Dat is al de tweede keer in even zoveel dagen, Andrew. Wat is er met je aan de hand?'

'Geen idee. Maar ik moet even tot mezelf komen voordat ik naar de kinderen ga en ik vraag het net zo lief aan jou.'

'Dat klinkt beter; met onverschilligheid kan ik omgaan. Goed, bel maar als je zover bent.'

Cooper kwam langs in haar kantoor toen ze de *Police Review* zat te lezen. Ze had er de brui aan gegeven net te doen alsof ze constructief bezig was. Hij had nog altijd iets bedrukts over zich na het interne onderzoek. Dave McPherson, de vertegenwoordiger van de politiebond, was bij hem. Een boeiend stel, dacht ze, want ze wist dat die twee elkaar niet konden uitstaan.

'Ik zeg net tegen Bob dat hij zich geen zorgen hoeft te maken,' zei McPherson, die onuitgenodigd achter Cooper aan haar kantoor binnenwandelde.

'Zo is dat,' was ze het met hem eens, lichtelijk geïrriteerd dat ze bleven hangen. 'Wat Bob nodig heeft is een paar pittige zaken om zijn tanden in te zetten, dat is alles.'

'Nee, wat hij nodig heeft is een pint!' Dave sloeg Cooper op de schouder. 'We gaan ervandoor. Ga je met ons mee?'

'Bedankt jongens, maar ik heb het druk vanavond.' Haar telefoon ging als geroepen. 'Ik moet zelfs... hallo? Ja, ik zie je beneden. Vergeet je paraplu niet.' Ze pakte haar tas en haar jas en joeg hen de deur uit. 'Ik moet ervandoor.'

Dave en Bob bleven bij het raam staan en keken uit over de parkeerplaats. Ze zagen Nightingale een regenhoedje opzetten en een paraplu met precies hetzelfde ruitjesmotief opsteken – althans, dat zou voor iedereen duidelijk zijn, behalve voor de modebarbaren die haar nakeken. Een paar tellen later kwam Fenwick de zijingang uithollen. Hij had zijn kraag opgezet tegen de regen. Ze zag hem en liep naar hem toe, om hem onder haar paraplu te laten. Even later gingen ze uit elkaar en liepen naar hun respectievelijke auto's.

'Nou, wat denk jij?' Dave tikte tegen het glas, toen de wagens na elkaar de parkeerplaats van het bureau verlieten. 'Doen ze het, of doen ze het niet?'

Cooper was woest, niet alleen vanwege die woordkeus, maar ook omdat hij hetzelfde dacht, en het niet fijn vond dat hij op hetzelfde niveau zat als McPherson. Hij haalde zijn schouders op.

'De kans is twee op een, als je het weten wilt.'

'In wat?'

'In de weddenschap. Ik houd het boek bij. Het was zeven op een, maar toen zag George hen een paar weken geleden samen in de stad. Met de kinderen erbij en alles. Dus. Jij kent ze allebei. Is het ja of is het nee?'

'Ik heb geen idee, Dave. En het interesseert me ook niet zo erg.'

McPherson keek hem leep aan en grinnikte.

'Nou ja, je weet me te vinden als je van gedachten verandert wat de weddenschap aangaat.'

'Ik denk dat ik dat biertje vanavond maar laat schieten. Ik bedenk net dat Doris had gezegd dat ik op tijd thuis moest zijn.'

'Wat jij wilt, Bob. Het aanbod staat. Als je je bedenkt, we zitten in de Dog and Duck.'

Opgelucht keek Cooper hem na. Hij was bijna weer wat gaan drinken met die ordinaire Dave McPherson. Hoe kwam hij erbij?

In de Dog and Duck stonden ze in een hoekje geperst, want het was er druk met forensen die een hartversterkertje namen voordat ze de thuisreis aanvaardden.

'Ik ben die regen zó zat.' Nightingale keek naar de bleke huid op haar armen en voelde zich ellendig.

'Niets voor jou, om je door het weer somber te laten maken.'

'O, ik weet het. Het komt door die rottige zaak.' Ze zweeg. Het was hier te druk om openlijk te praten.

'Waarom knaagt het zo aan je dat hij...' hij boog zich naar haar toe en fluisterde, 'op borgtocht vrij is?'

'Ik mag hem niet, Andrew. Hij is een aalgladde huichelaar.'

Ze spraken heel zachtjes, met de hoofden dicht bij elkaar.

'Het is toch niet hypocriet om het grootste deel van je geld aan je zoon en een liefdadig doel weg te geven?'

'Maar hij heeft bijna iemand doodgeschoten,' ging ze tegen hem in. 'Ik zeg je, hij is er nog trots op ook, volgens mij windt het hem op de een of andere manier op.'

'Hij heeft Bobs leven gered en jou geholpen een gemene hufter op te pakken. Sommigen vinden dat hij zijn verdiende loon heeft gekregen.'

'Ja, maar Maidment is echt geen lieve ouwe baas, geloof mij maar!'

'Oké, oké. Rustig maar! Ik probeer je alleen wat op te monteren.'

'Dat snap ik wel, maar ik wil het niet.' Nightingale was net een verwend nest, zoals ze dat zei, en dat wilde hij haar zeggen ook, toen dezelfde gedachte ook bij haar opkwam, want ze keek beschaamd en probeerde toen te lachen. 'Let maar niet op mij. Ik ben gewoon vervelend. En, wat brengt jou naar Harlden?'

Hij vertelde het haar op gedempte toon, zodat het niet te horen was boven het luide geroezemoes in de pub. Ze stonden zo dicht bij elkaar, dat ze geen van beiden in de gaten hadden dat de heren Blite, McPherson en Wicklow aan de andere kant van de bar kwamen staan. Even later voegden zich nog drie veteranen van de recherche van Harlden zich bij hen.

'En, denk je dat ik een kans maak om de leiding in de zaak-Eagleton te krijgen?'

'Dat moet je Quinlan vragen. Hij deelt de lakens uit.'

'Ja, maar jij kunt een goed woordje voor me doen.'

Fenwick nam traag een grote slok bier en kwam tot de conclusie dat het, alles afwegend, beter was om haar niets over het gesprek met Harper-Brown van die ochtend te vertellen.

'Nou?'

'De meest voor de hand liggende actie is niet altijd de beste,' zei hij cryptisch. 'Vooruit, drink eens op. Dit is mijn rondje.'

'Nee, dank je. Ik moet ervandoor.'

'Ga je uit vanavond?'

'Nee, ik blijf thuis,' antwoordde ze, maar ze begon te blozen. 'Ik heb een heleboel te doen.'

Het goot nog steeds van de regen en ze liepen snel naar hun auto's. Toen ze uit elkaar gingen, was er niets wat op een relatie tussen hen wees, maar voor de mannen aan de bar deed dat er niet toe. Dave McPherson had zojuist de inzet verlaagd en de grootte van de individuele inzetten kleiner gemaakt. De enige vraag die zijn geest beheerste was hoe hij aan harde bewijzen kon komen dat ze een affaire hadden. Had hij in zijn politiewerk evenveel ijver aan de dag gelegd, dan zou hij, om het in Quinlans bewoordingen te zeggen, 'een verdomd goeie smeris' zijn geweest.

DEEL TWEE

SEPTEMBER 1982

Toen Paul wakker werd, waren ze nog steeds onderweg. Er kwam geen eind aan de rit. Hij opende zijn mond om naar Bryan te roepen dat hij moest stoppen, maar na jaren van conditionering bleef hij stil onder zijn deken liggen. De rancune die al de hele dag bij hem smeulde, nog verder opgestookt door het genadeloze gepest op school, verhardde zich langzaam tot het bekende haatgevoel jegens Bryan en de walgelijke dingen die deze hem dwong te doen.

De officiële seksuele voorlichting die hij het vorige schooljaar had gehad, was beperkt gebleven tot een gênante les met anatomisch correcte plastic modellen van de menselijke voortplantingsorganen, een gesprek met zijn vader die wat over 'voorbehoedsmiddelen' mompelde en een oorvijg en een standje van zijn oma, toen ze hem na schooltijd bij het plaatselijke café betrapte op het zoenen met een meisje. Hij wist meer van seks af dan zij zich ooit zouden kunnen voorstellen en hun preutse bewoordingen en de veronderstelling dat hij nog van niks wist, hadden hem ooit een gevoel van superioriteit gegeven. Maar nu besefte hij, dat wat hij met Bryan deed heel erg verkeerd was en dat hij een verschoppeling zou worden als zijn familie en vrienden er ooit achter zouden komen.

Hij had er nachtmerries van dat zijn geheim werd ontdekt. Die speelden zich in de douche van het zwembad af, samen met Bryan. Ze waren naakt en deden wat Bryan prettig vond, maar Paul probeerde hem steeds uit te leggen dat ze op een openbare plaats waren en dat er ieder moment iemand binnen kon komen. Bryan negeerde zijn smeekbeden en ging door, maar Paul hoorde buiten stemmen. Ze werden luider en hij herkende de stemmen van zijn vader en die van zijn beste vriend Victor, die hem riepen. Er hing een blauw plastic gordijn voor de douche en er zat een gat aan de onderkant. Hij kon voeten zien, die steeds dichterbij kwamen, maar Bryan wilde niet ophouden.

Als het gordijn opzij werd geschoven, schrok Paul altijd wakker uit die nachtmerrie. Dan bleek hij in zijn bed te liggen, in het doodstille huis, waar je een speld kon horen vallen, en probeerde hij een manier te bedenken om een eind aan dit alles te maken. Maar Bryan had foto's, tientallen foto's. Daarop was Pauls gezicht duidelijk te zien, terwijl Bryans gezicht onherkenbaar was gemaakt, en je zag duidelijk wat ze aan het doen waren.

Toen hij die foto's voor de eerste keer zag, had hij gehuild en Bryan had hem een mietje genoemd. Bij de volgende afspraak had Bryan ze opnieuw aan hem laten zien en erover gesproken hoe het de allereerste keer was geweest, toen Paul nog 'een kleine jongen' was. Het kijken naar de foto's bracht een ommekeer in hun ritueel teweeg. Paul haatte het; hij haatte datgene waartoe hij gedwongen werd en degene die hij geworden was, maar boven alles haatte hij Bryan.

Soms fantaseerde hij dat hij hem zou vermoorden. Hij begon een mes bij zich te dragen, een scherp mes met een houten heft, dat zijn moeder jaren geleden bij Woolworth had gekocht. Zij noemde het een steakmes. In zijn fantasie stak hij Bryan ermee, die het uitgilde als een mager varken, of hij hakte langzaam kleine stukjes van hem af, maar in werkelijkheid sneed Paul zichzelf. Kleine sneetjes in zijn armen en benen, waarvan hij zei dat het schrammetjes waren die hij had opgelopen doordat hij met de fiets was gevallen.

's Nachts legde hij het mes onder zijn kussen, zodat het daar was als hij zwetend uit zijn nachtmerrie ontwaakte en de lange uren tot zonsopgang zich voor hem uitstrekten. Die morgen had hij het mes onder in zijn schooltas gestopt en zijn vakantieproject, leeslijst en gymspullen erbovenop gelegd.

Er kwam even een glimlach op zijn lippen toen hij zijn hand in zijn tas liet glijden en het vertrouwde houten handvat aanraakte. Hij liet zijn vingers erop liggen, getroost, ondanks het schokken van de auto en de stank van de uitlaatgassen, waar hij misselijk van werd. Hij sloot zijn ogen en probeerde niet te denken aan wat er straks zou gebeuren. Paul zakte weg in een dagdroom, waarin hij Bryan dwong hem met rust te laten door zelf foto's te maken met zijn Instamatic camera, die hij in de vakantie had gekocht. Die zat ook in zijn tas, bij het mes, maar hij wist niet of hij de moed wel had om hem te gebruiken.

De auto minderde vaart en zijn maag kneep samen. Hij hoorde het bekende geluid van een grote poort die openging en realiseerde zich toen dat Bryan tegen hem had gelogen. Het was niet zomaar een ritje naar de bossen. Hij was naar het huis van Nathan gebracht, hoewel Paul wist dat dat zijn ware naam niet was. Hij kon wel huilen. Die 'Nathan' haatte hij nog meer dan Bryan, omdat hij, ondanks zijn tengere postuur en beschaafde manieren, een sadistische bullebak was. Achter hem ging de poort met een hard galmend geluid weer dicht. Terwijl Bryan de auto langzaam liet optrekken, liet Paul zijn hand onder de deken uit glijden en richtte de camera blindelings door de ruit, waarvan hij hoopte dat het de achterruit was. Hij drukte af, draaide het filmpje door en drukte nog een keer af.

Bryan stopte, stapte uit en liep weg, zonder hem eruit te laten. In de verte hoorde Paul gemompel van stemmen en hij kwam half op zijn hurken overeind. Zonder te kijken richtte hij de lens door het zijraampje in de richting van het huis, waar hij zich voorstelde dat de mannen stonden. Hij nam een foto en nog eentje, net voordat Bryan naar de auto terugkwam. Tegen de tijd dat de achterdeur van het slot ging, zat zijn camera alweer veilig in zijn tas.

'Laat die tas maar bij je fiets.'

'Mag ik hem niet meenemen? Al mijn huiswerk en zo zit erin.'

Bryan haalde zijn schouders op, alsof het hem niet zoveel kon schelen en Paul hees de tas op zijn schouder, met zijn rechterhand terloops in de halfgeopende bovenkant. Het was een groot huis, met een aangelegde tuin en een zwembad. Hij was elf geweest toen hij hier voor de eerste keer kwam en hij had vol ontzag om zich heen gekeken; inmiddels was het bekend terrein en was hij zich alleen bewust van de gesloten poorten en de hoge muren om hem heen.

Paul volgde Bryan over het terras en een uitgestrekt, keurig onderhouden gazon naar het zwembad. Er stond een houten rek met klimplanten als afscheiding, die als beschutting tegen de wind fungeerde en ook privacy bood. In die beschutting leunden drie mannen tegen de bar naast het bad. Twee van hen waren gebruind en ze waren al in zwembroek. De derde was hun gastheer. Hij herkende Paul en wuifde hem gastvrij toe.

'Paul. Wat ben ik blij dat je tijd vrij kon maken om naar ons toe te komen. Ik wil je aan mijn vrienden voorstellen – Alec en Joe. Zij wonen in het buitenland, maar ze zijn hier een aantal dagen op bezoek. Ik heb hun alles over je verteld en ze willen je heel graag leren kennen. Ga ze maar even gedag zeggen.'

Paul keek naar de vreemde mannen. Joe was lang en zag eruit als een filmster. Hij had erg witte tanden en een vriendelijke sexy glimlach. Alec vond zichzelf duidelijk een flinke kerel. Hij was kort en massief, en hij negeerde hem.

'Hier is je drankje, cola met ijs – heb ik het goed?'

Hij zag de mannen blikken van verstandhouding wisselen en begreep dat er een flinke scheut wodka in zat. Dat had hij niet mogen merken, maar hij was er jaren geleden al achter gekomen. De alcohol maakte hem niet meer licht in het hoofd, tenzij ze hem meer dan één glas gaven, maar het hielp hem wel zich te ontspannen.

'Kom eens hier, Paul.' Joe hief zijn arm op en liet hem zachtjes om zijn schouder vallen toen hij tussen de twee mannen in ging staan.

'Zet die tas maar neer; het is nu geen tijd om huiswerk te maken!'

Iedereen lachte, behalve Alec. Het hengsel van zijn tas werd van zijn schouder getild.

'Potverdomme, dat ding weegt een ton!' Alec had een ruwe stem en hij vloekte ook, dat deed Nathan nooit.

Paul nam een slok en zocht tevergeefs naar tekenen dat er andere jongens bij zouden zijn. Hij begon in paniek te raken. Ze wilden hem toch zeker niet allemaal? Dat was nog nooit gebeurd. Hij keek nerveus naar zijn tas en zag hem op een zonnebed liggen. Hij was opzij gevallen en hij was bang dat de camera er misschien uit zou vallen.

'Drink op, dan kun je gaan zwemmen. Het is heet vandaag.' Nathan klonk als een aardige oom. Misschien wilde hij hem vandaag niet. Misschien wilde hij alleen met Paul pronken tegenover zijn vrienden, alsof hij een bijzonder exemplaar was.

'Ik heb mijn zwembroek niet bij me.'

Dat vonden ze erg grappig. Joe haalde zijn hand van zijn schouder en woelde door Pauls haar.

'Je hoeft je niet te schamen, hoor,' zei hij, 'je bent onder vrienden.

Weet je wat? Zullen we allemaal naakt gaan zwemmen?'

Hij zette zijn glas op de bar en trok zijn zwembroek uit. Paul zag een flits van witte billen toen hij naar de rand van het water holde en een perfecte duik maakte. Bryan deed mee. Ze stonden in het zwembad met het water tot aan hun borst en hun benen leken korter. Ze keken Alec, Nathan en Paul verwachtingsvol aan.

'Vooruit!'

Alec sprong erin met zijn zwembroek nog aan en veroorzaakte een hoge golf, die over het terras spoelde en Pauls schoolblazer en broek nat spatte.

'Nu ben je toch al nat. Trek die vochtige kleren toch uit en leg ze te drogen. Voordat je naar huis rijdt zijn ze weer droog.' Nathan kwam dicht bij hem staan en stak zijn handen uit om hem aan te raken. Paul deinsde terug, tot hij met zijn kuiten het zonnebed raakte en abrupt naast zijn tas belandde.

'Ik wil niet.' Hij voelde de tranen in zijn ogen springen.

'Dat is toch niets voor jou, om zo verlegen te doen,' zei Nathan, nog altijd vriendelijk. 'Komt het doordat we met vier man zijn? Daar hoef je je geen zorgen over te maken. Je weet toch dat ik het niet goedvind als iemand je pijn doet. Niet in mijn huis.'

Paul schudde zijn hoofd. Hij trok met zijn mond en er gleed een traan over zijn wang.

'O, niet huilen.' Nathan knielde voor hem, legde een hand op zijn knie en streelde die. 'Alles komt goed. Je zult het heerlijk vinden in het water; dat maakt het allemaal zo gemakkelijk. Wacht maar, je zult er echt van genieten.'

'Kom op nou, Tuitje, krijg wat!' schreeuwde Alec vanuit het water. 'Ik dacht dat je zei dat hij bereidwillig was.' Nathan draaide zich kwaad naar hem om.

'Het is Nathan, weet je nog! Hou het netjes en hou je koest. Hij is alleen maar geschrokken, maar hij is een goeie knul, hè, Paul? O, ik weet wel wat jij wilt – hier.'

Nathan pakte twee kakelverse briefjes van tien pond uit zijn portemonnee en legde die zorgvuldig op zijn been. Pauls rechterhand bleef in zijn schooltas zitten en hij weigerde het geld op te pakken. Hij was er-

aan gewend geraakt gemakkelijk over geld te beschikken, maar het deed hem nu niets.

Te laat besefte hij dat het nooit gemakkelijk verdiend geld was geweest. Wat er nu ging gebeuren, zou verschrikkelijk en beschamend zijn, helemaal omdat hij zijn lichaam er niet meer van kon weerhouden te reageren. Hij schaamde zich dood.

Nathan pakte het geld op en stak het in de zak van Pauls blazer.

'Later krijg je meer.'

'Hij krijgt nu nog meer.'

Joe hees zichzelf soepel op de rand van het bad en liep naar een stoel in de buurt. Hij veegde zijn handen droog en deed een greep in een sporttas.

'Hier. Heb je er al eens zo één gezien?' Hij hield een groot bankbiljet omhoog. 'Dit is twintig pond.'

Paul wilde niet naar het naakte lichaam van de man kijken.

'Ik ken het. Ik heb er in de eerste klas een gekregen van mijn oma, toen ik de beste van de klas was.' Paul wist eigenlijk niet waar hij op pochte, op het geld of op de prestatie.

'Wat goed van je, zeg! En deze dan?' Joe gaf hem een briefje van vijftig dollar.

'Is het echt?' Paul hield het omhoog naar de lucht om de metalen strook te controleren en vergat even zijn schooltas.

'O, ja. Dit is het geld waarmee Alec en ik in ons land worden betaald. En je krijgt nog meer... als jij een brave jongen bent.'

Paul bleef een hele tijd met het geld in zijn handen zitten draaien en keek toen op naar Nathan en Joe. De tranen waren nog nat op zijn gladde wangen.

'Aanbiddelijk,' mompelde Joe. 'Precies zoals je zei.'

'En een heel lieve jongen ook nog,' stemde Nathan in, die met een schone witte zakdoek de nattigheid van Pauls gezicht veegde. 'Kom, lieverd. Laten we gaan zwemmen nu het nog lekker warm is.'

Paul stopte het geld weg en begon zich langzaam uit te kleden.

Achter hem, in het diepe gedeelte van het zwembad, boog Alec zich naar Bryan toe en mompelde: 'Je hebt wel een verdomd dure hoer voor ons meegebracht. Ik hoop van harte dat hij het waard is; je weet dat ik een grote hekel aan teleurstellingen heb.'

Bryan probeerde niet bezorgd te kijken.

10

Dat was een verontrustend telefoontje.

Terwijl hij ophing, bedacht de man in het onberispelijk witte overhemd met de diamanten manchetknopen, dat het al jaren geleden was dat hij iets over Alec had gehoord. Hoewel hij wist dat hij aan de zuidkust woonde, nog geen vijftig kilometer bij hem vandaan, was er geen reden om contact op te nemen, integendeel zelfs. De geheimen die zij met elkaar deelden konden maar beter dood en begraven blijven, dat beseften ze allebei. Maar nu had Alec hun vroegere samenwerking aangegrepen en een van de mannen die voor hem werkten, benaderd en onder druk gezet om hem te helpen. Dit had hij niet verwacht en het was ook bijzonder ongewenst, want nadat Joe gelovig geworden was en hem had meegedeeld dat hij niet langer met Alec kon omgaan, had hij de verantwoordelijkheid zelf op zich genomen. Hij had gedacht dat het heel simpel zou zijn.

Maar Alec was door de jaren heen niets veranderd. Die man was nog altijd roekeloos en kon zijn lusten moeilijk onder controle houden, eigenlijk een beetje zoals Maidment destijds, maar met een voorkeur voor andersoortig vlees.

Met een frons dacht hij aan de majoor. Die man was te principieel om betrouwbaar te zijn en ware het niet dat hij op de hoogte was van zekere... tja, hoe moest je het noemen... indiscreties in diens jeugd, zou Maidment moeilijk in de hand te houden zijn geweest. Maar zoals de zaken lagen was het verbazend eenvoudig geweest hem ertoe te bewegen zijn scrupules opzij te zetten toen dat noodzakelijk was.

Nee, Maidment had zijn woord gegeven en was zich bewust van de gevolgen voor zijn kostbare reputatie als hij zich ook maar iets liet ontvallen van de dingen die hij wist. Alec was een heel andere kwestie. De man die zo trots was op zijn diamanten kon niet bevatten hoe hij Alec ooit zo dichtbij had kunnen laten komen. Natuurlijk hadden ze interesses waarvan sommige mensen zouden zeggen dat ze overeenkomstig waren, maar Alecs smaak was platvloers, terwijl die van hem verfijnd was. Hij betreurde deze relatie ten zeerste. Voor Alec bestond er niet zoiets als een erecode. Zijn wereld werd geregeerd door de wet van vreten of gevreten worden, met andere woorden, als hij ooit in verkeerde handen viel, was hij een onbetrouwbare schakel.

Wat moest hij doen met zo iemand als Alec? Deze gedachte hield hem bezig toen hij aan het avondmaal zat, dat door zijn huishoudster was klaargemaakt voordat ze naar huis ging om haar zieltogende leven daar voort te zetten. Vast de ene soap na de andere, stelde hij zich zo voor, afgewisseld met bezoeken aan de kroeg, samen met die vetzak van een man van haar. Maar ze deed discreet en efficiënt haar werk en haar man knapte de beperkte werkzaamheden die buitenshuis van hem werden verlangd op, zonder iets te breken of in de weg te lopen, dus liet hij hen zijn huishouden bestieren.

Hij zette het dienblad met zijn afwas naast de gootsteen, waar zij het morgenochtend zou vinden, al zou het een kleine moeite zijn geweest om het zelf even in de vaatwasmachine te zetten. Hij vond zichzelf te goed om iets met zijn handen te doen, die gewoonte had hij na al die jaren in het Verre Oosten afgeleerd. Zijn vingernagels waren gemanicuurd, de huid van zijn handen was zacht en perfect onderhouden, net als zijn hele leven, eigenlijk.

Zijn ordelijke bestaan verliep exact zoals hij het prettig vond en niemand hinderde hem daarin. Hij had macht en degenen die het moesten weten, kenden hem als een meedogenloos mens wanneer hij dwarsgezeten werd. Door de jaren heen had hij precies gedaan wat hij wilde, hij was er zelfs rijk mee geworden. Maar nu was Alec boven water gekomen en had contact gelegd; eigenlijk had hij beter moeten weten.

Twee dagen geleden had William gebeld met het nieuws dat Alec in de stad was en om een gunst vroeg. Klaarblijkelijk had zijn reguliere leverancier hem laten zitten en zat hij om voorraad te springen. William had hem weggestuurd en hem gewaarschuwd dat hij weg moest blijven, maar had zich daarna afgevraagd of het toch niet beter was Alec te helpen; op die manier wisten ze tenminste wat zijn plannen waren. Dit was een interessante gedachte en de man nam hem dan ook grondig in overweging, terwijl hij zijn whisky met ijs dronk, zo koud, dat het zijn lippen verdoofde, precies zoals hij het lekker vond.

Eigenlijk waren er maar drie opties: Alec eens en voor altijd uit de weg ruimen – verleidelijk, maar zeer riskant. Hij kon hem ook een plezier doen, hem genoeg geven om hem bij zijn andere contacten uit de buurt te houden, maar ook dat hield risico's in en zou hun relatie versterken. Of hij kon hem negeren; wat voor bedreiging vormde hij per slot van rekening? Een kleine hapering in een machine waar hij maar heel weinig van af wist. Alleen, Alec was betrokken geweest bij een van zijn zeer zeldzame beoordelingsfouten en dat maakte hem een blok aan zijn been.

Hij besloot het allemaal een dag of wat op zijn beloop te laten en te kijken wat er gebeurde; haast had hij niet. Hij wist waar Alec was en kon naar believen kiezen hoe en wanneer hij met hem zou afrekenen. In de tussentijd moest hij in zijn eigen behoeften voorzien. Het telefoontje van William had zijn eigen begeerte opgewekt en het werd tijd om hem eens een bezoekje te brengen. Hij was eigenaar van het huis dat William onder zijn beheer had en genoot dan ook de privileges van een eigenaar. Ja, ja, hij kon Londen al horen roepen.

11

Sam stond in een hoekje van de kamer te rillen. Straks was hij aan de beurt. De andere jongens waren allemaal bezet, dus wie er door die deur zou komen, die was voor hem. Of liever gezegd, hij was voor hén. Hij staarde gefixeerd naar de deurkruk, wachtte tot hij naar beneden ging en smeekte in stilte dat het niet zou gebeuren, maar zulke gedachten waren een illusie, wist hij. Het was pas zeven uur. De stroom forensen was over zijn piek heen en had zich verspreid over de ruimten van het etablissement. Nu was het wachten op de avondgolf.

Dat Sam niet was uitgekozen, was zowel goed als slecht nieuws. Goed, omdat hij nog fris was, zijn mond smaakte naar tandpasta en zijn huid was schoon. Slecht, omdat hij in die paar dagen dat hij in het huis was, al had begrepen dat het nooit een goed teken was om de laatste te zijn. Hij snoof, zijn neus was rauw van zijn recente verslaving. Het slijm was een constant probleem – een van zijn terugkerende nachtmerries was dat hij zou stikken.

Maar in ieder geval zag hij er nog steeds goed uit. Zijn huid was zuiver, zijn haren glansden, hij had een slank en glad lichaam. In tegenstelling tot andere jongens waren zijn ogen helder en het oogwit glanzend gebleven. De klanten die hier kwamen, vielen op zijn uiterlijk.

Hij rilde opnieuw en dacht aan de wereld buiten die deur en de manier van leven waarmee hij in aanraking was gekomen gedurende die koude nachten toen hij nog in de buurt van King's Cross rondhing; vóór William hem vond, te eten gaf, hem een bad liet nemen en hem aankleedde. Toen was hij hem dankbaar geweest. Pas later had hij zich gerealiseerd dat er een prijskaartje aan hing en wat de prijs was.

Ondanks de realiteit van het straatleven was Sam de eerste dag twee keer weggelopen. De eerste keer door het bovenlicht in de badkamer boven kapot te maken, de tweede keer door tussen de benen van een klant door te glippen voordat iemand hem kon tegenhouden. Dat leek al een hele tijd geleden, hoewel het op deze plek moeilijk was de tijd bij te houden. Hij hield zich voor dat hij zich kinderachtig had gedragen; inmiddels was hij slimmer geworden. Het loonde niet om weg te lopen. William vond je altijd en wist manieren om je pijn te doen, zonder dat het zichtbaar was. Hij had een harde leerschool gehad en later ook alle trucjes geleerd die erbij hoorden: hoe je iemand moest behagen, hoe je net deed alsof je het zelf ook prettig vond en, het allerbelangrijkste, hoe je net moest doen alsof je pijn had, vlak voordat het écht pijn ging doen.

Sommigen vonden het heel prettig als je schreeuwde en om een reden die hij niet begreep, leek hij mannen van dat soort aan te trekken. William noemde het een specialiteit en zorgde ervoor dat hij extra goed werd verzorgd als een sessie uit de hand was gelopen. Het was niet de bedoeling dat ze sporen op hem achterlieten, dat was de regel; deden ze dat toch, dan moesten ze daar extra voor betalen, maar er waren erbij die zich, als ze eenmaal op gang kwamen, niet meer konden beheersen. Als ze dat meer dan eens hadden gedaan, kwamen ze er niet meer in, ook niet als ze ervoor wilden betalen, want William hield er niet van als zijn eigendommen beschadigd werden. Dan duurde het te lang voor je weer inzetbaar was. Sam sloot zijn ogen en sloeg onwillekeurig zijn armen om zichzelf heen.

Waarom was hij vanavond niet uitgekozen? Dat voorspelde niet veel goeds. De vorige jongen die de rode lantaarn droeg, zoals William de laatst overgeblevene noemde, was Jack, en die had hij al een hele tijd niet meer gezien. Het gerucht ging dat hij de laan uitgestuurd was. Niemand wist wat er met je gebeurde als ze hier met je klaar waren, alleen dat je niet terugkwam.

'Sam!'

Hij schrok zich dood, toen de hand van William zwaar op zijn schouder neerkwam.

'Ga eens rechtop zitten, je lijkt wel een geslagen hond.'

'Ik heb het koud, dat is alles,' zei Sam, die stevig over zijn armen wreef om het te bewijzen.

'Hier.' William gooide hem een trui toe. 'Nee, niet aantrekken, sukkel. Gewoon om je schouders slaan. Je hoeft niet lang meer te wachten. Hij heeft gezegd dat hij hier om zeven uur zou zijn, als de trein geen vertraging had.'

Sam trok een van de vele gezichten die hij had geperfectioneerd sinds hij hier was, bedoeld om bepaalde gradaties van onschuld, ondeugendheid, opwinding en nieuwsgierigheid over te brengen. Dit was zijn onschuldig/nieuwsgierige gezicht, dat werkte meestal.

'Wat?'

Deze keer werkte het niet. William staarde hem wezenloos aan.

'Je zei "hij",' waagde hij bedeesd, wetende dat die vraag hem duur kon komen te staan. William kende eindeloos veel manieren om je pijn te doen.

'O.' Hij haalde onverschillig zijn schouders op en Sam ontspande zich. 'De man op wie we wachten. Ik heb hem beloofd dat hij jou krijgt. Hij is onze belangrijkste klant, dus zet je beste beentje voor.'

'Natuurlijk!' Sam voelde een golf van opluchting. Hij was niet de laatste. Hij was gereserveerd. Hij glimlachte en zijn hele gezicht veranderde.

William knikte goedkeurend. 'Prima knul. Jij bent z'n type. Zorg ervoor dat je je goed gedraagt, niet zoals die sukkel van een Jack, die hem de vorige keer zo teleurstelde.'

Hij stak zijn hand uit en kneep hard in Sams linkerwang. Het liet een roze plek achter op zijn witte huid. Sam vertrok geen spier.

'Laat ik je even symmetrisch maken,' zei William en hij kneep met zijn andere hand in de rechterwang. 'Hij houdt van donker haar en een lichte huid.' Hij boog zich voorover, zodat zijn neus maar een paar centimeter bij Sam vandaan was. 'Je moet tegen hem zeggen dat je hier nieuw bent, begrepen? Als hij hoort dat ik je geheim heb gehouden, zal hij daar niet blij mee zijn. En hij is een heel bijzonder iemand, wees dus aardig.'

'Ik beloof het,' zei Sam.

Op dat moment ging de deur open en William schoot met zijn klantvriendelijkste glimlach overeind.

'Nathan!' bulderde hij goedgehumeurd om in het gevlij te komen. 'Welkom. Het is alweer veel te lang geleden.'

'Wat had je verwacht, Bill? De vorige keer heb je me een kat in de zak verkocht. Er zijn meer dan genoeg andere plaatsen waar ze direct voor je klaarstaan.'

'Het is een misverstandje geweest. De jongen in kwestie is onder handen genomen. Geloof me maar, dit keer word je niet teleurgesteld.'

'We zullen zien. Waar is hij?'

Nathan klonk kwaad en Sams glimlach bevroor. Heldhaftig trok hij zijn gezicht in de plooi.

‘Hij is hier. Samuel, kom eens hier, lieverd. Dit is Nathan.’ Met een geïrriteerde ruk trok hij de trui van Sams schouder.

Sam huiverde in zijn vest en kwam met een ferme glimlach uit de schaduw. Hij ging in de lichtkring midden in de kamer staan.

‘Hm,’ was alles wat Nathan zei, toen hij langzaam om Sam heen liep en hem inspecteerde. Hij stak zijn vinger uit en prikte in een van zijn armen. ‘Meer spieren dan ik prettig vind.’ De vinger bleef liggen. ‘Maar de huid is goed. Vooroverbuigen,’ beval hij. Sam boog voorover.

Nathan begon te schateren en dat klonk even angstaanjagend als gegrom.

‘Nee, jongen, je hoofd bedoel ik; ik wil je nek zien. Verdomd gehoorzaam, Bill – daar houd ik van.’

‘Hij is de beste,’ zei William en Sam bloosde.

Hij liet zijn hoofd hangen. De man voelde met zijn vingers in zijn nek en gleed langs de wervelkolom, alsof hij ze telde. Zonder waarschuwing greep hij Sam snel als een slang bij de keel en kneep hem dicht.

William zei geen woord. Sams ogen werden nat, terwijl hij wanhopig probeerde niet te kreunen en naar adem te happen. Na een hele tijd liet Nathan los en Sam hapte naar adem. Hij probeerde zo zachtjes mogelijk te ademen.

‘Ja,’ zei Nathan. ‘Hij voldoet.’

Sam zette zijn glimlach op.

Het huis leek wel uitgestorven, toen Fenwick aan het eind van alweer een lange dag binnenkwam. De kinderen hadden al gegeten, exact de hoeveelheid televisie gekeken die de huishoudster hun toestond, en ze waren schijnbaar al naar boven gestuurd om zich klaar te maken om naar bed te gaan. Alice hoorde hem de deur achter zich dichttrekken en kwam boven aan de trap staan met een stapel wasgoed over haar arm. Hij kon aan haar gezicht zien dat ze een zware dag had gehad. Nu de kinderen vakantie hadden en thuis waren, was haar werklast meer dan verdubbeld en hij voelde zich een beetje schuldig dat hij er de hele week niet in was geslaagd op een fatsoenlijk tijdstip thuis te zijn. In ieder geval zou zijn moeder binnenkort komen om Alice haar welverdiende rust te geven.

'Ik weet niet waar Bess is, in haar slaapkamer denk ik. Chris zit nog in bad en hij wil niet naar buiten komen. Ik heb genoeg van zijn buien voor vandaag.'

'Ik zal eens even met hem gaan praten.'

Hij liep de dampende badkamer binnen, waar hij Chris aantrof, die een plastic boot bestookte met een dinosaurus. Hij zat met zijn rug naar hem toe. Op zijn achtste had hij nog altijd het zachte huidje van een baby. Fenwick moest onvermijdelijk aan Malcolm Eagleton en Sam Bowyer denken. Nu zijn zoon en dochter geen kleuters meer waren, maar kleine mensen in de dop, werd het steeds moeilijker voor hem misdaden jegens kinderen te behandelen, hoewel niemand met wie hij samenwerkte dat ooit achter hem zou hebben gezocht.

Binnen het hele korps stond hij bekend om zijn zelfbeheersing en zijn absolute opvattingen over goed en kwaad. Achter zijn rug om noemden ze hem de Zebra, omdat hij zo zwart-wit dacht, maar ze moesten ook toegeven dat hij strikt rechtvaardig was.

Hij keek naar het tengere nekje van Chris en de wervels van zijn ruggengraat, zichtbaar onder die volmaakte, gebruinde huid, en huiverde. Wat een onschuld. Als iemand ooit die eenvoudige schoonheid van zijn zoon zou besmeuren, zou hij hem afmaken. Die onverwachte, diepe emotie trof hem onverhoeds en ter compensatie reageerde hij op zijn typisch botte manier.

'Boe!'

'Pap! Je maakt me aan het schrikken!' riep Chris met een boos gezicht.

Fenwick trok zijn colbert uit en ging op zijn hurken naast het bad zitten.

'En, hoe is het ermee?'

'Goed hoor.'

Chris sloeg met zijn stegosaurus op het water en de spetters vlogen in het rond. Fenwick lette niet op zijn hemdsmouwen die nat werden en gaf zijn zoon een kus op zijn kruin.

'Hoe ging het op zwemles?'

'Vervelend. Ik vind meneer Sells niet aardig.'

'Je went wel aan hem.'

'Hij heeft mijn vriend Nick aan het huilen gemaakt.'

'O jee,' zei Fenwick en hij woelde door Chris' plakkerige natte haren, 'hoe kwam dat?'

'We moesten van hem met ons gezicht onder water en dat vindt Nick heel erg.'

'Maar vond jij het niet erg?'

Er kwam iets van trots op het gezicht van Chris.

'Ik kan al drie slagen onder water zwemmen.'

'Wat goed van je!'

Chris straalde naar hem en Fenwick boog zich voorover om hem op zijn voorhoofd te zoenen. Het kwam zo zelden voor dat Chris ergens in uitblonk, dat het dubbel heerlijk was als iets hem wel lukte.

'Straks ben je nog beter dan je zusje, en zij is nog wel ouder dan jij.'

Chris knikte ferm en liet zijn enorme hagedis dingen doen die geen paleontoloog voor mogelijk zou hebben gehouden.

'Wat zijn er nog meer voor leuke dingen gebeurd, vandaag?'

Chris moest hard nadenken.

'We hadden worstjes bij de lunch en ik heb bij Gary gespeeld, want hij heeft een nieuwe computer voor zijn verjaardag gekregen.'

'Hij is pas acht.'

'Negen. Mag ik er ook één, pap? Ik word ook gauw negen.'

'We kijken wel. Over je verjaardag gesproken, we hebben niet zoveel tijd meer om iets te organiseren. Wat zou je graag willen doen?'

In voorgaande jaren wilde zijn teruggetrokken zoon nooit een partijtje geven en gingen ze in plaats daarvan met het hele gezin naar McDonald's. Chris trok diepe denkrimpels in zijn gezicht.

'Ik wil een partijtje geven,' zei hij ten slotte tot zijn vaders vreugde, want dat betekende dat hij vrienden begon te maken.

'Dat is geweldig...'

'Als het maar wel leuker is dan bij Tony Easter. Hij heeft het er steeds over hoeveel geld zijn vader heeft en over hun vakanties, en zijn moeder maakt altijd prachtige kostuums voor de school.' Chris trok een gezicht vol afkeer. 'Wat een opschepper is dat.'

De openlijke afgunst van zijn zoon schokte Fenwick en hij vond het jammer dat zijn motief voor het partijtje was, ook te kunnen opscheppen.

'Wat voor partijtje had Tony?'

'Het was geweldig! Ze hadden een springkasteel en een clown die op tv was geweest, en op het laatst kregen we schitterende cadeautjes.'

Chris trok een plastic mand met speelgoed van de rand van de badkuip in het schuimende water en bracht hem tot zinken. Fenwicks voorstelling van een picknick op het grasveld, gevolgd door verstoppertje en blindemannetje, vervaagde. Hij wilde zijn zoon niet teleurstellen, maar hij weigerde toe te geven aan dit soort rivaliteit. Hij gaf die ouders de schuld ervan; wat voor gevolgen had dat niet voor het waardebesef van hun kinderen! De hemel mocht hen bijstaan, zodra ze als tieners het échte materialisme ontdekten.

'Wat zeg je van een partijtje, een leuk partijtje, maar zonder springkasteel?'

Chris schudde woest met zijn hoofd en liet een pterodactylus onder een pop verzuipen, die Fenwick te laat herkende als een barbiepop van Bess.

'Hé! Dat speelgoed is niet van jou. Ik heb je al eens gezegd dat je geen poppen van Bess moet pakken; ze wordt boos als er iets mee gebeurt, dat weet je.'

Hij haalde de doorweekte barbiepop, compleet met druipende bruidssluier, bruidsjurk en uiteenvallend boeket uit het water. De oren van zijn zoon werden knalrood, wat erop duidde dat er een driftbui in aantocht was. Fenwick beet gefrustreerd op zijn lip. Een rechtstreekse confrontatie hielp niet bij Chris; dit haalde zijn slechtste kant naar boven.

'Moet je horen, als jij me belooft dat je het nooit meer doet, droog ik Barbie af en leg haar in de droogkast. Hopelijk merkt Bess het dan niet eens.'

Chris wilde hem niet aankijken. Nu hij groter werd, reageerde hij kwaad als hij op slecht gedrag werd betrapt. Op een ouderavond had zijn onderwijzeres Fenwick apart genomen en hem verteld dat Chris een verward en verdrietig jongetje was, en dat hij nog steeds veel problemen had met de dood van zijn moeder. Zij was van mening dat de woede, die in de plaats was gekomen van zijn humeurige zwijgzaamheid, eigenlijk naar binnen en tegen hemzelf gericht was. Zij deed het voorstel in gezinstherapie te gaan. Fenwick had botweg geantwoord dat zulke goedbedoelde opmerkingen niet nodig waren en dat hij zelf voor zijn kinderen kon zorgen. Daarna had hij haar de rest van de avond gemeden.

Maar nu hij naar zijn zoon keek, vroeg hij zich voor de eerste keer af of ze toch gelijk had. Kwam zijn vastbeslotenheid om de kinderen zonder hulp op te voeden voort uit beschermingsdrang en zijn eigen onzekerheid, en niet uit gezond verstand, zoals hij had gedacht? De liefde voor zijn zoon nam bezit van hem en hij stak zijn armen uit om hem vast te pakken, zonder erop te letten dat er natte vlekken op zijn das kwamen.

'Kom eens hier. Je krijgt rimpeltjes van het weken. Ik droog je af en daarna gaan we samen warme chocola drinken en lees ik je voor.'

Chocola, in welke vorm dan ook, was een traktatie, want Alice had niets op met zoete lekkernijen. Chris zei niets toen Fenwick hem overeind tilde, maar toen hij een handdoek om hem heen sloeg en hem droog begon te kietelen, draaide het gespartel op giechelen uit en tegen de tijd dat ze naar de keuken gingen was hij weer helemaal de oude.

Bess zat in haar peignoir aan de grote grenen tafel in de huiskamer. Hij zag dat haar voeten niet meer boven de vloertegels bungelden. Sinds wanneer waren die benen zo gegroeid?

'Ik dacht dat jij al in bed lag, jongedame.'

'Papa!' Ze sprong op en sloeg haar armen om hem heen. 'Jakkie, je bent helemaal nat.' Ze maakte zich snel los en ging weer zitten.

'Dat komt door je broer. Wil je ook warme chocola? Dat ga ik klaarmaken.'

'Met opgeklopte melk?'

'Natuurlijk.'

Hij haalde de mokken uit de kast en mat de hoeveelheid cacaopoeder af, met een heel klein beetje suiker voor Chris. Toen maakte hij de melk heet en schuimig in het espressoapparaat.

'Wat is dat, waar je mee bezig bent?' vroeg hij aan Bess.

'Een project.'

'Wanneer had het af moeten zijn?' vroeg hij zorgelijk en hij vreesde het antwoord.

'Op de dag dat we weer naar school moeten.'

'Maar dat is pas over vijf weken – waarom zo'n haast?'

'Omdat ik wil dat dit het beste project wordt dat er ooit in de hele school is gedaan,' zei ze zelfgenoegzaam, zodat Chris haar onmiddellijk begon na te doen, tot Fenwick zei dat hij moest stoppen.

'Goed van je.' Hopelijk klonk het niet zo opgelucht als hij zich voelde. Er waren al zoveel schoolprojecten op nachtwerk uitgelopen, dat hij het woord niet kon horen zonder in elkaar te krimpen.

'Maar,' zuchtte ze theatraal en ze leunde achterover in haar stoel, 'ik ben nog maar net begonnen en ik moet minstens tien bladzijden doen om een goed cijfer te halen, zegt mevrouw Parry.'

'Moet ik je helpen?'

Ze draaide haar hoofd om en glimlachte hem vanonder haar pony toe. Wat leek ze toch ontzettend veel op haar moeder.

'Wil je dat doen? Ik moet wat dingen van het internet halen en er moet zeker één pagina handgeschreven bij zitten, dus dat duurt eeuwen. Ik moet ook een tekening maken, een kaart tekenen...'

'Waar gáát dat project over? Het klinkt gigantisch.'

Ze liet de voorpagina zien en wees op de mooie grafische letters, waar ze urenlang mee bezig moest zijn geweest. Hij las de kleurrijke titel.

HARLDEN, DE STAD WAAR IK WOON

MET ZIJN ROEMRIJKE GESCHIEDENIS, ERFGOED EN GASTVRIJHEID

'Heb jij dat bedacht?'

'Ja,' zei ze, gloeiend van trots en tevergeefs pogend haar stem terloops te laten klinken.

'Mooie woordkeuze.'

'O, ik weet er nog veel meer. Wil je ze horen?'

'Wat saai!' gaapte Chris nadrukkelijk.

'Een andere keer misschien. Hier is je chocola.'

Ondanks de suiker in de chocola bleven ze allebei rustig en gedroegen ze zich uitstekend, tot ze naar bed moesten. Dit was zo'n avond die Fenwick eraan deed denken dat het de moeite waard was af en toe op een fatsoenlijk tijdstip thuis te komen.

Maar nadat de kinderen in bed gestopt waren, keerden zijn gedachten terug naar zijn werk. Hij kon de gezichten van Malcolm, Paul en Sam niet uit zijn hoofd zetten. Hij had het onderzoek naar de dood van Malcolm aan Harlden over moeten dragen, maar hij had een kopie ervan gehouden, en niet alleen maar een foto van de arme jongen. In de la van zijn bureau lag een duplicaat van het hele dossier. In zijn optiek was deze zaak even actueel als het materiaal van operatie Koorknaap, waar de eenheid Zware Delicten onder bedolven werd. Er was een verband, dat voelde hij gewoon, en golfclub The Downs met zijn illustere leden was er op de een of andere wijze bij betrokken, dat kon niet anders.

Toen hij het glas wijn dat hij zich bij zijn eenzame avondmaal had gepermitteerd, leegdronk, deed hij zwijgend een belofte aan de families van de jongens, dat hij het niet zou opgeven, wat hij er ook voor zou moeten doen en hoeveel regels hij ook zou moeten overtreden om die belofte waar te maken.

12

De parochianen van Sint Magnus de Martelaar in Harlden waren ondanks het weer in groten getale en luidruchtiger aanwezig dan anders. In plaats van rustige gesprekken of ingetogen gebeden gingen er kreten van heilige verontwaardiging op. Een van hun meest gerespecteerde leden was beschuldigd van poging tot moord, en dat terwijl hij het leven van een stuntelige politieman had gered!

Majoor Maidment zat op zijn gebruikelijke plaats in de derde bank en was het voorwerp van steelse, meelevende blikken, die hem werden toegeworpen zoals men kleingeld naar een bedelaar werpt. Margaret Pennysmith zat naast hem als een overbezorgde poedel. Soms liep er iemand naar hem toe om hem op de schouder te kloppen of hem een hand te geven. Bij die steunbetuigingen kwam er wel even een glimlach om zijn strakgetrokken lippen, maar zijn ogen lachten niet mee.

Bij de golfclub hing dezelfde sfeer, maar de verontwaardiging was er explicieter en de krachttermen aan het adres van de politie werden luid uitgesproken, ondanks de aanwezigheid van de korpschef aan het tafeltje in de hoek.

Maidment kreeg een extra portie rosbief geserveerd en twee uitstekende pasteien van de chef-kok. Hij werd ijverig van drank voorzien en mocht zelf geen rondjes geven. De drank kon hij wel aan, maar het eten bracht hem in verlegenheid. Hij gebruikte de in folie verpakte, roze plakken rosbief die hij in zijn handen gedrukt kreeg toen hij zijn tafeltje verliet, niet voor 'een lekkere sandwich' als avondmaal, maar gaf ze aan de hond van de buren, een teckel die bijna net zo snel in gewicht toenam als de majoor het kwijtraakte.

De whisky daarna aan de bar gleed al te gemakkelijk naar binnen, om vijf uur was hij niet meer in staat zelf te rijden. Luitenant-kolonel Edwards, een oude vriend, bood hem een lift aan.

'Nee, dank je. Ik weet nog dat je me in 1982 thuisbracht nadat we de overwinning van Engeland op Australië hadden gevierd. Mijn hemel, wat was Broad toen in vorm. Ik herinner me die 162 van hem, en ook dat we op het laatst bijna in de rivier lagen, omdat je lazarus was. Want ook al kun je, hoeveel je ook drinkt, nog recht lopen en normaal praten, dat wil niet zeggen dat je nog recht kunt sturen!'

'Dat verdomde geheugen van jou, Maidment. Vergeet je dan nooit iets?'

'Dat kan ik me niet herinneren.'

Het was sinds lange tijd zijn eerste poging tot een grapje.

De dag daarop ging de majoor bij Stanley op bezoek, gedreven door zowel schuld- als plichtsgevoel. Zijn oude kameraad lag weer in bed, met een infuus in zijn arm. Stanleys ogen gingen bevend open toen Maidment binnenkwam, maar hij sloot ze bijna direct weer. De remissie, die grillige bezoeker, had hoop én vrees gebracht, en was net zo plotseling en onverwachts verdwenen als hij gekomen was.

Een zaalhulp bracht een kopje thee, in een dik kopje met een bijpassende schotel. De majoor dronk van de thee, terwijl die van Stanley stond af te koelen op zijn nachtkastje. Nadat hij zijn kopje leeggedronken had, wachtte hij vijftien minuten en stond toen op om weg te gaan. Stanley schrok wakker en staarde hem verward aan. Toen werd zijn blik helder en kwam er een hartelijke glimlach op zijn lippen, die in tegenspraak was met zijn bleke kleur.

'Iedereen present, meneer.'

Maidment zou niet kunnen zeggen of het een grapje was of dat hij hallucineerde door de morfine.

'Ze hebben de hele avond geen kik gegeven, kap'tein.'

Maidment nam snel zijn rol aan.

'Heel goed, sergeant. Houd je ogen open.'

'Ze komen niet langs me heen, kap'tein!'

'Daar ben ik absoluut zeker van; goede kerel.'

Stanleys ogen gingen net zo abrupt weer dicht als ze open waren gegaan en Maidment glipte langs het voeteneinde van het bed in de richting van de deur.

'Ze is niet gekomen, weet je dat. Mijn dochter.'

Stanley was in het heden teruggekeerd en sprak nu zonder de bravoure van daarvoor.

'O nee? Ik heb het geprobeerd, ouwe jongen, echt waar.'

'Wil je nog één keer naar haar toe gaan, majoor? Alsjeblieft?'

Hij meende tranen op de onderste oogharen van Stanley te zien.

'Zij was mijn eigen speciale meisje, mijn hartendiefje.' Stanleys stem brak en hij hoestte in een poging om deze overtreding van de etiquette te maskeren. 'Doe het voor je oude maatje.'

Maidment dacht aan dat treurige huis, waar de lucht van ontbinding hing, en aan de vrouw die daar woonde, met haar verwilderde ogen. Daar dacht hij nog het meest aan, aan die ogen.

Wat kon God wreed zijn in zijn keuze van bestraffing. Hij had gedacht dat het doen van goede werken gedurende de rest van zijn leven kon volstaan als boetedoening, maar er was veel meer vereist, dat bleek wel. Hij was gedwongen de diepe smart van een moeder, die voortkwam uit eindeloze onzekerheid en waarvoor hij zich verantwoordelijk voelde, onder ogen te zien.

'Ik zal het nog een keer gaan proberen.' Hij klopte de oude soldaat op zijn uitgedroogde hand en zag de blauwe lippen 'dank je wel' fluisteren.

Dat was de laatste keer dat hij Stanley in leven zag. De volgende dag, rond lunchtijd, nog voor hij de dochter opnieuw kon bezoeken, kreeg hij het nieuws dat zijn oude vriend was overleden. Tot zijn verbazing hoorde hij van het familielid dat hem belde, dat de begrafenis al geregeld was voor aanstaande donderdag. Het bleek dat een neef bij het begrafeniswezen werkte en dat hij alles had gepland. Hij had alleen de datum nog moeten invullen.

Op de dag van de begrafenis haalde hij zijn donkere pak uit de kast, borstelde het af en perste de broek. Hij strikte de stropdas van het regiment op een wit overhemd dat zo van de stomerij kwam en speldde een zwarte rouwband om zijn mouw. Zijn medailles liet hij in de la liggen. Er zouden vandaag ongetwijfeld medailles gedragen worden, maar dat vond hij een tikje pompeus voor deze gelegenheid. Er zat een element van routine in de manier waarop hij zich aankleedde, zijn handelingen waren de laatste jaren steeds geoefender geworden. Hij gaf zijn schoenen even een kleine poetsbeurt en verliet toen het huis, met zijn hoed in de hand.

In de kapel van het crematorium was het gedempte gefluister van oude vrienden te horen, die elkaar té stevig de hand schudden en dezelfde banaliteiten bezigden, die ze voordien al té vaak hadden uitgewisseld.

Maidment probeerde niet op de stilte te letten, die viel toen hij naar voren kwam. Men had hem gevraagd of hij wilde spreken. Zijn toespraken ter nagedachtenis van overleden kameraden waren een soort traditie geworden op hun begrafenissen. Door zijn perfecte geheugen was hij in staat de geest van de jongere man te laten herleven, want hij wist zich grappen, daden van moed of compassie en anekdoten te herinneren, die de overledene weer even tot leven brachten.

Ondanks de nervositeit die hij van tevoren altijd voelde en het effect ervan op zijn spijsvertering, was hij doorgaans dankbaar voor de kans die hij kreeg om een oude vriend de laatste eer te bewijzen. Maar vandaag beroofden de schuld en de angst die aan zijn geest knaagden, sinds hij erachter was gekomen dat Stanley de grootvader van Paul Hill was, hem van de gave om spontane, leuke anekdoten te vertellen. Hij klopte op de bladzijden met aantekeningen in zijn zak en probeerde zichzelf ervan te overtuigen dat hij niet zou verstijven als hij moest opstaan om te spreken.

'Maidment! Kom hier!'

Hij draaide zich om en zag Edwards naar een lege zitplaats vooraan wijzen. Hij droeg zijn medailles wel.

'Heb ik voor je opengelaten. Jij neemt zeker het woord? Ik ook, een paar woorden maar, als zijn superieur, snap je.' Hij had de rang van luitenant-kolonel bereikt, waar hij de majoor telkens wanneer de kans zich voordeed, op attendeerde.

De majoor slikte zijn gal weg. Hij keek naar de rouwende familieleden aan de andere kant van het gangpad, herkende er niemand en begon gemakkelijker adem te halen.

Stanleys doodskist stond vlakbij. Maidment concentreerde zich erop en sloot zijn ogen. Zijn stille gebed om vergeving werd onderbroken door een vlaag van opwinding. De mensen draaiden zich om naar de ingang van de kapel en ook snel weer terug, met misprijzen op het gezicht. Sarah Hill was gekomen. Ze droeg een oude camel jas, versleten laarzen en hield een plastic winkeltas beschermend voor haar borst geklemd.

Een vrouw stond op en hielp haar voorzichtig naar de voorste bank. Ze liet de andere familieleden opschuiven, die met tegenzin plaatsmaakten. Maidment wendde snel zijn blik naar voren, naar het blauwe gordijn dat de opening naar de oven afschermde. Hij kreeg kramp in zijn darmen en moest zich concentreren om ze onder controle te houden.

Gedurende de hele dienst kon hij de ogen van de vrouw op zich gericht voelen. Met knikkende knieën stond hij op, vouwde zijn aantekeningen open en las ze voor, wat niets voor hem was. Zijn stem klonk een beetje verstikt en hij zag een paar meelevende blikken. Hij begon met een citaat van een gedicht, dat Stanley ten tijde van zijn pensioen uit het regiment had geschreven. Het was een simpele truc, maar hij kreeg hen tenminste aan het lachen. Daarna kwamen de woorden wat gemakkelijker. Vervolgens stond Edwards op en bood de familie gewichtig zijn condoleances aan. Toen werd er een kerkgezang gezongen, er werd gebeden en daarna was het voorbij. Terwijl de doodskist naar achteren rolde en het blauwe gordijn vaneen week, sloot de majoor zijn ogen.

Edwards gaf hem een lift naar White Harte, waar de wake gehouden zou worden.

'Niet te geloven, wat een regen,' merkte hij op, toen hij door een enorme plas water reed. 'Je had ze weer aan het lachen, Maidment, maar ik keek ervan op dat het je zo aangreep.'

'Hij was een oprechte, fatsoenlijke kerel, die niet voortdurend de kantjes eraf liep.'

'Ja, ja. Maar hij had ook een keihard gevoel voor humor. Weet je nog dat hij de vitaminepillen van sergeant Cole omwisselde voor laxeerpillen? Die arme donder dacht dat hij dysenterie had.' Edwards lachte geluidloos en zijn schouders schokten.

'Maar Cole was ook een echte klootzak. Ik weet nog dat niemand het nodig vond hem op die verwisseling attent te maken, tot het potje leeg was en hij dacht dat hij doodging. Stanley mocht blij zijn dat hij rond die tijd werd overgeplaatst, anders hadden we lang geleden al aan zijn graf gestaan.'

'Dat is waar.' Edwards draaide de parkeerplaats op en miste op een haar na een tienermeisje dat niet op het natte weer gekleed was. 'Godsamme! Helemaal jouw typetje, hè?' Edwards trok een verlekkerd gezicht en de majoor keek de andere kant op.

Bij binnenkomst nam Maidment de zaal in ogenschouw en slaakte een zucht van verlichting. Geen teken van Sarahs warrige, grijze haardos. Een paar oude gabbers en kameraden uit het regiment hadden zich natuurlijk weer bij de trap die naar de bar leidde, verzameld. Hoewel de nicht van Stanley, die de wake organiseerde en een fanatieke geheelonthoudster was, had geregeld dat er alleen frisdrank en thee geserveerd zouden worden, trokken zij zich daar niets van aan en haalden zelf hun drankjes bij de bar; de hartversterkertjes vloeiden dan ook met vertroostende regelmaat.

De majoor dronk vrijelijk mee. Hij hoefde niet te rijden en hij kreeg de laatste tijd steeds meer trek in alcohol. De whisky verdoofde zijn reactie op de steeds schuiner wordende grappen van Edwards. Na een uur had hij er genoeg van. Er reed een bus die hij kon halen als hij meteen wegging. Hij nam plechtig afscheid van de belangrijkste nabestaanden.

Zij stond hem in de beschutting van het portiek buiten op te wachten.

'Majoor, wacht even; ik moet u spreken.'

'Mevrouw Hill. Gecondoleerd, maar ik heb een beetje haast.'

'Ik moet met u praten; ik denk dat u mij kunt helpen.'

'Mevrouw, ik ben er absoluut zeker van dat ik dat niet kan.'

'Dit is zó typisch voor jullie soort,' spuwde ze hem bijna toe. 'Allemaal mooie praatjes, maar ik had kunnen weten dat u net zo erg bent als de rest.'

Maidment voelde zijn gezicht branden van schaamte.

'Als ik dacht dat ik u op wat voor manier dan ook zou kunnen helpen, zou ik dat doen – maar dat kan ik werkelijk niet.'

'Maar u moet hem voor me zoeken. Dit zijn de documenten over zijn verdwijning: de krantenknipsels, het boek dat die schoft heeft geschreven – al die verschrikkelijke dingen die hij daarin over mijn kind heeft gezegd, maar ik heb het toch gehouden. Hier.'

Ze duwde hem de boodschappentas toe.

'Maar beste mevrouw...'

'Niks geen "beste mevrouw" tegen mij! U bent rijk en bevoorrecht. Als ik al die voordelen had gehad die u heeft, zou ik mijn Paul al hebben gevonden.'

'Mevrouw Hill, de politie heeft de verdwijning van Paul tot op de bodem uitgezocht. Als zij hem in de afgelopen vijfentwintig jaar niet hebben gevonden, valt er voor mij weinig te doen.'

'De politie? Jawel, in het begin deden ze niets anders, maar daarna...' Haar ogen schoten vol. Ruw veegde ze ze droog met haar mouw, waarna ze haar handtas opende en vruchteloos begon te zoeken.

Maidment bood haar een schone linnen zakdoek aan, waar haar witte blouse grijs bij afstak. Zijn bus was intussen allang weg, maar toch wilde hij wanhopig bij haar vandaan zien te komen en terugkeren naar de privacy van zijn huis, waar hij voor zichzelf een whisky kon inschenken om zijn eigen demonen te verjagen.

'Het spijt me, het is nog steeds moeilijk voor me, maar het is van belang dat u alles weet voordat u hem gaat opsporen.'

'Ik...'

Ze negeerde hem en ging verder.

'Aanvankelijk hebben ze wel naar hem gezocht, maar toen begonnen de verhalen. Ik weet niet waar ze vandaan kwamen; gemene leugens, maar ze bleven ze herhalen. Ik geef de school er de schuld van, die hoofdonderwijzeres mocht mij en Gordon niet – dat is de vader van Paul. Waardeloze man. Na een jaar gaf hij het zoeken al op. Het is maar goed dat hij is weggegaan. Ik weet niet wat ik gedaan zou hebben als hij gebleven was; ik zag hem de hele dag alleen maar in die stoel zitten.'

De haat straalde uit haar ogen. Nu snapte hij de reden voor die golf van onbehagen toen zij op de begrafenis verscheen. Waarschijnlijk had ze door de jaren heen alle familieleden benaderd, overtuigd dat zij wel in staat zouden zijn haar zoon te vinden waar zij in haar zoektocht had gefaald. Het was beter om niet te zwichten en erbij betrokken te raken.

'Ik betreur het zeer dat ik u niet kan helpen, mevrouw Hill.'

'Maar u móét het doen.' Ze greep zijn hand vast, die hij kieskeurig terugtrok.

'Nee.' Zijn oude, ferme commandotoon keerde in zijn stem terug en ze moest haar nederlaag erkennen. Het vonkje dat even in haar ogen was opgevlamd, doofde.

'Neem in ieder geval die papieren mee en lees ze. Dan zult u met me eens zijn dat de politie het heeft laten afweten. Alstublieft?'

Haar gesmeek wekte zijn medelijden op en had meer impact dan haar woede, maar hij verhardde zijn hart.

'Bij u zijn ze beter opgeborgen,' zei hij vriendelijk, maar ze duwde hem de oude boodschappentas in de armen en liet hem los.

In een reflex ving hij hem op en besefte toen wat hij gedaan had. Ze was té verslagen om haar kleine overwinning in de gaten te hebben en zonder één woord te zeggen liep hij weg.

13

De laatste weken van juli gingen de boeken in als de natste die ooit waren opgetekend. De boekingen voor vakanties in het buitenland rezen de pan uit. Ouders zagen zich geconfronteerd met het vreselijke vooruitzicht, dat ze in eigen land met hun lieve kroost opgesloten zouden zitten onder canvas of in slecht verwarmde zomerhuisjes, met als enige ontsnapping de dampige auto en de volgende verregende picknick.

Alice ging op vakantie en daar was ze hard aan toe. Ze was per trein naar Duitsland vertrokken voor een reisje langs de Rijn met haar zuster.

Fenwick had zijn moeder te logeren gevraagd. Zij was in het zonnige Edinburgh op de trein gestapt en wakker geworden met overstromingen ten noorden van Londen. Daarna had ze een halfuur op de metro moeten wachten, die haar naar Victoria bracht. Haar stemming klaarde wat op toen ze haar enige kleinkinderen zag, die ze adoreerde. Maar dat zou ze nooit laten merken, om ze niet te veel te verwennen. Toen Fenwick de eerste avond dat ze er was de maaltijd klaarmaakte en er een fles wijn bij opende, was ze bijna ontdooid.

Hij was haar enig kind en de enige mannelijke Fenwick van zijn generatie, maar erg innig, 'plakkerig' zoals zij het vol minachting zou noemen, waren ze nooit geweest. Respect, goede manieren, zonder openlijk vertoon van affectie, zo voedde je kinderen op, en ze was trots op wat ze had bereikt. Maar één blik op haar kleinkinderen overtuigde haar ervan, dat Andrew daar niet zo best in slaagde. Bess ging gekleed als iemand van veertien, niet tien, en Chris had kuren. Alice mocht dan een behoorlijke huishoudster zijn, ze was niet de moeder van de kinderen; het werd een keer tijd dat haar zoon ter wille van hen een geschikte vrouw zocht. En dat zei ze dan ook, terwijl ze met een zucht van genot haar tweede glas pomerol aanpakte, dat gauw zou vervliegen als ze had geweten wat het kostte. Haar zoon leegde de borden en deed alsof hij die opmerking niet hoorde.

'Ik zei dat de kinderen een moeder nodig hebben, Andrew.'

'Ik heb je wel gehoord, maar ik kan er niet zo gauw één tevoorschijn toveren.'

'En je hebt ook geen kennis aan iemand?'

'Nee.'

'En hoe zit het met die Louise, van wie Bess de mond vol heeft?'

'O ja, is dat zo?' Hij keek verbaasd.

'Ja. Ze vertelde dat Louise wel eens komt lunchen, zelfs 's avonds bij jullie eet. Is zij zo bijzonder?'

'Nee, ik ken haar nauwelijks.'

Ze hoorde meteen de defensieve klank in zijn stem, die had hem als kind al verraden, maar ze zag nog iets anders in het gezicht van haar zoon, dat haar ervan weerhield door te zetten. Het stond treurig, misschien ook spijtig. Voor het eerst realiseerde zij zich dat haar knappe, uiterst begeerlijke zoon misschien niet de vrouw kon krijgen die hij wilde, en ze kende hem goed genoeg om te weten dat hij met minder geen genoegen nam.

'Wat een vreselijk weer,' zei ze en ze glimlachte inwendig bij de opluchting op zijn gezicht. 'Wat moet ik in hemelsnaam met de kinderen gaan doen?'

Ze aten kaas toe en gingen in discussie over hoe zij Chris en Bess kon vermaken. Ten slotte waren ze het erover eens dat een bezoek aan het Natural History Museum in Londen voor allebei geschikt was.

'Houd je ze goed in de gaten, mam?'

Ze keek hem verbijsterd aan.

'Natuurlijk doe ik dat. Had je nog meer?' Ze was oprecht beledigd.

Later, toen ze in bed lag, schoot het door haar hoofd dat haar zoon meer verschrikkelijke dingen in verband met kinderen onder ogen kreeg, dan zij zich ooit zou kunnen voorstellen en ze vergaf hem zijn angst.

'Heb je soms weer tot je heidense goden gebeden, Fenwick?'

Dat was de afgemeten manier van praten van Harper-Brown, onmiskenbaar, en dat was maar goed ook, want die stem aan de andere kant van de lijn maakte zich zelden of nooit bekend.

'Goedemorgen, meneer de korpschef,' probeerde Fenwick tijd te rekken, in een poging te bedenken waar de man het in godsnaam over had.

'Die verschrikkelijke regen heeft niet alleen het cricketveld verpest, de tuin van mevrouw Harper-Brown onder water gezet en onze ongevallenstatistieken onbeschrijflijke schade toegebracht, je wens gaat er ook door in vervulling.'

'Sorry, meneer, ik kan u niet volgen. Welke wens?'

Hij hoorde gegrinnik aan de andere kant. De korpschef genoot blijkbaar van het moment.

'Om het terras van The Downs open te gooien, natuurlijk. Een deel ervan is opnieuw ingestort. Ze moesten die stomme architect tegen de muur zetten. De opzichter is al komen kijken en hij denkt dat de hele westelijke kant op de schop moet. Als je nog wilt graven, dan heb je nu de kans. De secretaris gaat akkoord, op voorwaarde dat je het laat uitvoeren zolang het zulk smerig weer blijft. De leden mogen er geen hinder van ondervinden.'

'Maar de zaak is aan Harlden overgedragen.'

'Dat weet ik, maar Quinlan en Blite zijn op vakantie en er is daar verder niemand aan wie ik zoiets toevertrouw, dus heb ik hun meegedeeld dat jij de opgravingen leidt. Ik geloof dat ze opgelucht zijn.'

Fenwick bewoog hemel en aarde om technische rechercheurs uit het hele district West Sussex bij elkaar te krijgen. Alison Reynolds zocht en vond een bedrijfje waar ze een kleine graafmachine met bestuurder konden huren en hij vroeg iedereen naar de golfclub te komen.

Hij deed zijn laarzen en een regenjas aan en trok een oude pet over zijn oren. Toen hij uit de auto stapte, stond hij in een slijmerige drab, op de plaats waar ooit de tweede parkeerplaats was geweest. Tegen de tijd dat hij bij het clubhuis was, waar de secretaris hem opwachtte, was zijn broek doorweekt.

'Hoofdinspecteur Fenwick? Ik ben Daniel Ainscough. Alistair Harper-Brown zei dat ik u kon verwachten. U bent in ieder geval stipt.' De welgedane man met de rode wangen nam zijn bezoeker met een snelle blik op. 'Wilt u hier even wachten, dan pak ik mijn jas en mijn paraplu en leid ik u rond.'

Zwijgend liepen ze voorzichtig over een grindpad dat wel een riviertje leek en waadden toen door een moeras, dat voorheen een mooi onderhouden rozentuin was geweest. Bij het ingestorte terras aangekomen, stopte Ainscough en wees naar de overblijfselen van een stenen muur.

'Dit is al de vierde keer in dertig jaar dat hij omvalt. Deze verwoesting is het gevolg van de hittegolf en alle regen daarna. Wat een zooitje. Ik denk dat ik een voorstel indien om dit allemaal naar de andere kant van de club te verhuizen. Daar kunnen we in ieder geval bouwen op een andere ondergrond dan deze vervloekte plaatselijke klei.'

'Wanneer is de muur voor het laatst hersteld?' Fenwick moest schreeuwen om boven het gekletter van de regen uit te komen.

'Drie jaar geleden heb ik verderop een gedeelte opnieuw moeten laten aanleggen, maar dit stuk is volgens mij sinds het begin van de jaren tachtig niet meer aangeraakt. De toenmalige secretaris heeft aan de buitenkant versterkingen laten aanbrengen, omdat het terras al binnen twaalf maanden na de voorgaande renovaties opnieuw verzakte. We dachten dat zijn plan had gewerkt, maar nu...' Hij bukte, pakte een steen en gooide hem naar de muur. Het was meteen raak en een deel van de muur gleed weg.

'Trouwens, wat zoekt u eigenlijk?'

'Dat weten we pas als we het vinden.'

Om elf uur verscheen de graafmachine. Hij liet de bestuurder zien waar hij moest beginnen met het terrasgedeelte uit de jaren tachtig en bleef kijken, om er zeker van te zijn dat hij het had begrepen. Daarna ging hij samen met Ainscough naar binnen om van een uitstekende pot koffie te genieten. Toen hij zijn doornatte jas weer aantrok en zich naar buiten waagde, had de graver nog maar weinig vooruitgang geboekt. Hij stond erop dat de grijper elke lading op een aparte hoop kiepte, zodat het vijfkoppige forensische team dat hij op de klus had gezet, hem kon onderzoeken. De volgende lading kon niet uitgestort worden voordat ze klaar waren met het doorzoeken van die daarvoor. Ze mochten niets over het hoofd zien.

'Hier komt geen eind aan,' kreunde de bestuurder. 'Kunt u niet nog een paar dienders laten opdraven, dan kan ik vast aan een tweede berg beginnen.'

'Dat is een goed idee.'

Hij moest weliswaar bidden en smeken om nog meer hulptroepen, maar om twee uur kwamen ze dan toch, zodat het hele proces sneller verliep. Hij liet het team aan hun ontmoedigende zoekwerk over en keerde naar kantoor terug. Om zeven uur belde hij op en vond het goed dat ze er voor de rest van de avond mee stopten, als ze er de volgende morgen om acht uur maar weer zouden zijn. Ze hadden nu een stuk terras van krap vierenhalve meter lengte afgegraven.

Hij was al vroeg bij de club en doorzocht de resultaten uit de opgebaggerde grond tijdens een droog moment tussen twee regenbuien in. Het zag er deprimerend normaal uit, maar hij weigerde de moed op te geven. Het team van technisch rechercheurs arriveerde om kwart voor acht. Ze dronken hun meegebrachte koffie op, tot de bestuurder van de graafmachine kwam en de monotone procedure opnieuw begon. Het feit dat Fenwick de moeite had genomen zelf te komen was goed voor het moreel en ze beloofden hem te bellen als ze iets opgroeven dat interessant leek. Die middag stuurde hij Clive Kettering naar hen toe, met geld, om iedereen op koffie en broodjes te trakteren, maar het bracht geen fortuinlijke ommekeer.

Op dinsdag en woensdag was er geen nieuws. De korpschef belde en maande hem op te schieten. Op donderdag ging de graafmachine kapot. Er moest nog een kleine vijf meter terras afgegraven worden, het gedeelte dat het meest solide was aangelegd in verband met de bijzonder zachte ondergrond. Fenwick kwam in de verleiding om ermee te kappen, maar hij huurde toch een vervangende graafmachine en beloofde het hele team op vrijdag een avondje uit op zijn kosten, op voorwaarde dat ze het karwei afmaakten.

Op vrijdagmiddag om vier uur kwam het telefoontje, net nadat hij Alison Reynolds naar huis had gestuurd, omdat ze zeven dagen zonder onderbreking had doorgewerkt. Het team had een provisorisch regenscherm van wit plastic over de hopen aarde neergezet. Fenwick stapte eronder en liep naar de plek waar alle acht technici en Clive Kettering rond een afgedekt bundeltje aan hun voeten stonden.

'Wat hebben jullie gevonden?'

Een van de mannen, Cook, tilde een beschermend zeildoek op.

'Twee waterdichte zakken, de ene binnen in de andere. De binnenste is volgepropt met jongenskleding. Ik heb er niet aangezeten, maar we konden van boven af al zien, dat er een blazer in zit met het embleem van het Downsidecollege op de borstzak. Is dat de school waar Malcolm Eagleton naartoe ging?'

'Nee,' zei Fenwick teleurgesteld. Toen schoot hem iets te binnen: 'Maar Paul Hill wel.'

Fenwick knielde naast Cook en hield zijn hoofd scheef, om geen schaduw op de bundel te werpen. Het was weliswaar nog middag, maar het slechte weer bracht het daglicht binnen in de tent terug tot een trieste somberheid, waarin de booglampen intens felle lichtkringen wierpen. Cook legde uit wat ze gevonden hadden.

'Het buitenste plastic lijkt op de verpakking van bouwmateriaal, waarschijnlijk baksteen. Daar binnenin,' wees hij zonder iets aan te raken, 'zit een oude compostzak van het soort dat je hier op elke boerderij aantreft. Het plastic is taai en niet afbreekbaar. Met een beetje geluk zijn de spullen die erin zitten daardoor tamelijk goed geconserveerd gebleven.'

'Kan ik het zien?' Een stomme vraag, dat wist Fenwick ook wel, maar de verleiding was te groot.

'Het is beter als we dit intact naar het lab sturen, denkt u niet? Maar je kunt zien dat het een schoolblazer is; kijk, daar heb je een stukje van het embleem.'

'Ik zie het.' Fenwick moest de aandrang om de zak open te rukken beheersen en klemde zijn handen tussen zijn dijbenen.

'We hebben al een test gedaan met het bloed op het stukje blazer dat te zien is,' zei Cook, alsof hij Fenwick wilde belonen voor zijn beheersing. Hij hield een paarsgekleurd wattenstaafje in een buisje omhoog. 'Het is wel voorlopig, maar het is positief.'

'Dat is al iets. Oké, stuur alles maar naar het lab en zeg dat het prioriteit heeft.'

Achter zijn rug wierpen de mannen van de technische recherche elkaar meewarige blikken toe. Het forensisch instituut van Sussex was zwaar onderbemand vanwege de vakanties en ziekte.

'Hebben jullie nog meer gevonden?'

'Niets. Alleen dit. Er is nog vijfentwintig centimeter aarde te gaan, maar ik heb weinig hoop.'

'Er moet nog meer zijn. Ik wil dat jullie het hele oostelijke gedeelte doorzoeken. Clive, jij blijft hier tot het klaar is.' Weg gezellig vrijdagavondje.

De woensdag daarna was Fenwick rond etenstijd ten slotte gedwongen te accepteren dat er geen menselijke resten onder het terras lagen. Hij ging terug naar de club om het team van technisch rechercheurs te bedanken voor hun inspanningen en liep Harper-Brown tegen het lijf, die op weg was naar de oefenbaan.

'Precies de man die ik hebben moet.' Met die woorden leidde hij Fenwick het lege kantoor van de secretaris binnen.

Hij sloot de deur en begon onmiddellijk een tirade af te steken over de kosten van het minutieuze onderzoek dat Fenwick had gelast. Het was pas augustus en hij had nu al het grootste deel van het kwartaalbudget van het team Zware Delicten voor onderzoek ter plaatse opgesoupeerd. 'Pure verkwisting,' zei hij woedend.

Maar de noodzaak om zich te verdedigen werd Fenwick bespaard door een verlegen agent, die erop uit was gestuurd om hem te zoeken.

'Ja, wat is er?' viel Harper-Brown tegen de arme man uit en zijn gezicht werd nog roder.

'Neemt u me niet kwalijk, meneer, ik heb een dringend bericht voor de hoofdinspecteur.' Hoopvol wendde hij zich tot Fenwick. 'Ze proberen u al een halfuur te bereiken, maar uw mobiele telefoon staat af.'

'Natuurlijk. Ik ben in gesprek met de korpschef en dan wil ik niet gestoord worden. Maar dat heb je nu toch al gedaan, dus zeg me in ieder geval wie "ze" zijn.'

'Het forensisch instituut, meneer. Ze zeggen dat het dringend is.'

'Dan heb je juist gehandeld, Robin. Je mag weer gaan.' Hij keek de man met de haviksneus na.

'Zal ik ze van hieruit bellen?'

'Ja, doe maar.'

De korpschef had zijn zorgvuldig beheerste uitdrukking van minachting weer teruggekregen, die hij altijd gebruikte wanneer zij bij elkaar waren. Maar Fenwick kon voelen dat hij opgewonden was. Hij werd onmiddellijk doorverbonden met het hoofd van het lab.

'Andrew, eindelijk. Met Tom Barnes. Het spijt me dat het zo lang heeft geduurd, maar we zijn deze maand met weinig mensen, en met bewijsmateriaal dat zo oud is als dit, moet je geen risico's nemen door overhaast te werk te gaan. Ik geloof dat we iets voor je hebben.'

'Ga door.'

'We hebben drie afzonderlijke vingerafdrukken op het plastic aan de binnenkant van de zak gevonden, én een gedeeltelijke afdruk van een handpalm op het overhemd van de jongen. De afdrukken worden morgenochtend meteen onder vermelding van hoogste prioriteit naar jouw team gestuurd om geïdentificeerd te worden.'

'Dat is heel goed nieuws...'

'Er is nog meer. We zijn er ook in geslaagd de afzonderlijke kledingstukken uit elkaar te halen en daar gaan we nu meteen mee aan de slag. De blazer is in redelijke staat, maar de rest van het materiaal is tamelijk vergaan. Het zal niet snel gaan, maar we doen ons best.'

'Tom, hartelijk bedankt. De korpschef is op dit moment bij mij en ik weet zeker dat hij het werk dat jij en je team in deze moeilijke omstandigheden verrichten, zeer waardeert.'

'Geen probleem. Ik houd je op de hoogte.'

Fenwick verbrak de verbinding en deelde Harper-Brown met een zeldzaam ontspannen en tevreden glimlach mee waar het telefoontje over was gegaan.

'Als die kleren dus toch geen hoop rommel zijn, hebben we misschien een aanwijzing. Jammer, dat jij denkt dat ze niet van die jongen Eagleton zijn. Houd me op de hoogte.'

Fenwick ontsnapte uit het muffe, naar pijptabak ruikende kantoor en liep de frisse lucht in. Na weken van regen klaarde het weer een paar uur op en werd het een mooie zomeravond. Hij luisterde naar een uil die de schemering begroette en zag hoe de spookachtig witte vogel de beschutting van de bomen verliet en laag over de waterhindernis bij de tweede tee scheerde. Ondanks de teleurstelling dat er geen lijk onder het terras lag, voelde hij zich toch vreemd optimistisch. Zijn huid tintelde en zijn duimen jeukten, wat ze altijd deden aan het begin van een grote zaak. Terwijl hij keek hoe de uil in de schemering zijn voedsel vergaarde, wist hij absoluut zeker dat Tom Barnes hem van een doorbraak zou voorzien. Maar hij wist op dat moment nog niet hoe omvangrijk deze ontdekking zou zijn en wat voor schandaal en verontwaardiging ze in de maatschappij zou ontketenen.

In zijn opwinding over de ontdekkingen bij de golfclub vergat Fenwick dat hij de volgende dag bij de rechtbank in een andere zaak moest getuigen. Hij dacht er pas weer aan toen hij 's morgens vroeg zijn kantoor bij het team Zware Delicten binnenliep, met de bedoeling alle zaken weg te werken die niets met Malcolm Eagleton of Paul Hill te maken hadden. Toen zag hij het woord RECHTBANK met grote letters in zijn agenda staan. Hij vloekte, maar zond tegelijk een dankgebedje op, dat hij zich goed had voorbereid. Hij zou waarschijnlijk moeten wachten tot hij werd opgeroepen, dus stopte hij zijn tas vol e-mails en een kopie van het enige originele exemplaar van de documenten over Paul Hill die hij had kunnen traceren.

Onderweg belde hij Clive Kettering op.

'Clive, met Andrew Fenwick.'

'Goedemorgen. Is het niet zalig om de zon weer te zien?' Clive was klaarblijkelijk in een uitstekende bui.

'Heerlijk. Luister, het lab gaat vandaag de kleren onderzoeken en ik wil zo snel mogelijk kunnen bevestigen of het wel of niet de kleren van Paul of Malcolm zijn.'

'Prima.'

Kettering had de reputatie een charmeur te zijn, die zich nooit uit het lood liet slaan. Dat maakte hem populair, zeker bij de dames. Hij wilde graag inspecteur worden en werkte hard om zichzelf te bewijzen. Er bestond dus geen logische reden waarom Fenwick hem niet zou mogen, en toch was dat zo. Hij had iets pedants over zich en Fenwick wist niet of hij hem helemaal kon vertrouwen.

'We hebben DNA-materiaal van Malcolm, maar we moeten bij Pauls moeder, Sarah Hill, langsgaan. Praat met haar en trek zo nodig alles na. Laat Cook met je meegaan.

Ikzelf zit in de rechtbank vast, dus ik laat het aan jou over. We bespreken het later wel. O, en zorg ervoor dat ik een boodschap krijg zodra er iets bekend is over de vingerafdrukken.'

Clive stond op de gebarsten stoep te wachten tot er op zijn geklop werd opengedaan. De deurbel leek zijn beste tijd te hebben gehad.

'Mevrouw Hill,' riep hij voorovergebogen, zodat zijn ontbijt naar boven kwam, door de brievenbus. 'Politie. Mogen we binnenkomen?'

De deur werd onverwachts opengegooid en hij duikelde naar voren, maar deinsde toen terug voor de lucht van schimmel en verrotting die hem bij de keel greep.

'Jullie hebben hem gevonden!' Een vrouw met verwilderde, fanatieke ogen staarde hem aan.

'Nee, mevrouw Hill, dat niet.' De gordijntjes in het huis van de buren bewogen even. 'Mogen we binnenkomen? Dat is beter.' Maar nog terwijl hij het zei, kwam zijn neus al in opstand.

Toen de deur achter hen dicht was gegaan, stelde hij zichzelf en Cook voor.

'En dit is Julie Pride. Zij is onze familierechercheur.'

'O, mijn god.' Mevrouw Hill gaf zich onmiddellijk over aan een luidruchtige huilbui.

Het was geen waardig huilen. Haar neus liep en haar gezicht was al bedekt met tranen en snot, voordat ze een herenzakdoek uit haar mouw haalde en haar gezicht er achteloos mee begon af te vegen. Tot zijn verbazing zag Clive dat hij frisgewassen was, in schril contrast met de rest.

Clive en Julie Pride ondersteunden haar voorzichtig bij de ellebogen en brachten haar naar een kleine zitkamer. Doordat hij in beslag werd genomen door het helpen van mevrouw Hill en zijn pogingen niet te kokhalzen, merkte Clive het altaar voor Paul aan de wand achter hem niet op.

'Ik ben hier omdat we nieuw bewijsmateriaal hebben ontdekt, mevrouw Hill, niet omdat we Paul hebben gevonden of een lichaam. Zullen wij een glas water voor u halen?'

'Ja. Maar het komt doordat, nou ja, als men het over familierechercheurs heeft... dan is het meestal slecht nieuws.'

Clive stond op in een vertwijfelde poging om uit de buurt van die vrouw te komen, die erger riekte dan sommige zwervers die hij wel eens had opgepakt.

'Ik ga even water voor u halen,' zei hij tot Julies grote verbazing.

Zijn voetstappen maakten wolkjes stof los uit het tapijt, die omhoogdwarrelden en glinsterden in het flauwe daglicht dat door het smerige glas van de voordeur sijpelde. De keuken was aan het einde van de gang en het stonk er naar zure melk. Op de vensterbank stond een slordige rij halflege flessen en bij de achterdeur waren er nog veel meer. Er stond vuil afwaswater in de gootsteen en in het plastic afdruiprek met dikke klodders slijm in de hoeken stond een afwas vol strepen. Hij trof een redelijk schoon glas aan, spoelde het af onder de kraan en vulde het.

'Alstublieft, mevrouw Hill,' zei hij en hij stak haar op een armlengte afstand het glas toe.

'Dank u wel.' Nadat ze er luidruchtig van had gedronken, werd ze wat rustiger. 'Waar zijn mijn manieren gebleven? Wilt u een kopje thee?'

'Nee hoor!' antwoordde Clive, zo snel, dat de anderen hem navolgden en hevig met hun hoofd schudden.

Eindelijk dwaalde zijn blik naar de wand met de planken vol memorabilia. Ze zag het.

'Mijn Paul.' Liefde en trots straalden van haar gezicht. 'Hij was zo'n prachtig jongetje.'

'Dat geloof ik zeker.'

Clive ging zitten en probeerde de juiste woorden te vinden om haar mee te delen dat ze na vijfentwintig jaar de bebloede kleren van dat prachtige jongetje meenden te hebben opgegraven. Verrassend genoeg hielp ze hem.

'Dus u hebt iets gevonden dat belangrijk genoeg is om een familierechercheur en een technisch rechercheur mee te sturen, maar het is geen lijk. Wat is het dan?' Haar stemming was abrupt omgeslagen; ze was nu volmaakt nuchter.

'Wij hebben kleren gevonden, mevrouw Hill. Het is een uniform van het Downsidecollege: blazer, overhemd, vest en grijze flanellen broek.'

'Is dat alles?'

'De kleren waren begraven, niet zomaar weggegooid, wat impliceert dat ze met opzet zijn verborgen.'

'Dat hoeft niets te betekenen.'

'Misschien niet, maar er zijn wel sporen van menselijk bloed op de kleren gevonden,' zei hij voorzichtig.

'Maar geen naamlabels?'

'Nee.'

'Ik had nooit tijd om ze erin te naaien,' zei ze. Blijkbaar had ze niet in de gaten wat haar woorden impliceerden. 'Waarom denkt u dat ze van Paul zijn? Ze kunnen ook van die arme Malcolm Eagleton zijn.'

'Hij zat niet op de school in Downside, maar we onderzoeken het wel, voor het geval dat.'

'Maar ze hoeven desondanks niet van Paul te zijn.'

'Dat moeten we nog vaststellen. Wij moeten wat monsters van u nemen, zodat we die kunnen vergelijken met het haar en het bloed dat we op de kleren hebben gevonden.'

'DNA. Ik heb erover gelezen, maar of ik het heb begrepen weet ik niet. Jullie schijnen er voortdurend mee te werken.'

'Dat klopt. En nu moeten we iets van u hebben. Maar dat is alleen maar een uitstrijkje van de binnenkant van uw mond. Mijn collega zal het bij u afnemen. Daarna wil ik graag met u over Paul praten en over wat er gebeurde op de dag dat hij verdween.'

Cook pakte een borsteltje uit de beschermhuls en schraapte ermee over de binnenkant van mevrouw Hills wang. Daarna deed hij het terug in het hulsje en brak het stokje af.

'Is dat het?'

'Ja, dit is genoeg om uw DNA te kunnen vaststellen,' zei Cook zelfverzekerd.

'En is dat dan hetzelfde als dat van Paul?'

'Nee, dat van hem is uniek – maar hij heeft een deel van u en een deel van zijn vader geërfd. Ik wilde u net vragen waar we hem kunnen vinden.'

'Geen idee. Nadat Paul verdwenen was, is hij bij me weggegaan en hij heeft sindsdien nooit meer contact opgenomen. Wil dit zeggen dat jullie met zekerheid kunnen vaststellen of het zijn bloed is?'

'Niet voor honderd procent, maar we kunnen wel zien of het bloed is van iemand met wie u verwant bent, en dat moet genoeg zijn om...'

'Het is onrechtvaardig, na al die tijd,' mompelde ze en ze draaide zich om. Ze raakte een van Pauls foto's aan, eentje waar hij als zuigeling op stond met een tuinbroekje aan. 'Waar ben je, schatje?' murmelde ze. 'Van wie is dat bloed? Is het van jou? Waarom heb je die mooie nieuwe blazer van je vies gemaakt?'

Clive kuchte gegeneerd en ze draaide zich weer om naar Cook.

'Hoe kunt u via mijn mond aan DNA komen?' vroeg ze.

'Het borsteltje schraapt cellen van de binnenkant van uw wang; dat is alles wat we nodig hebben.'

'Een borsteltje... zo'n klein borsteltje.' Ze keek er triomfantelijk naar en stond op. 'Net als bij een tandenborstel bedoelt u?'

'Wij hebben in het verleden wel DNA verzameld uit een gebruikte tandenborstel. Een haarborstel kan ook heel goed zijn, hoewel het soms alleen mitochondriaal DNA is en...'

Maar mevrouw Hill was al onderweg, doelgerichter dan Clive bij haar voor mogelijk had gehouden.

'Kom maar mee.' Ze liep de trap op en er kwam nog meer stof los toen ze over de tot op de draad versleten traploper stampte.

Boven was een kleine L-vormige overloop waar drie deuren op uitkwamen. Er was ook een grote droogkast, waar ooit de deur uitgevallen was. Aan de houten latjes hing ondergoed in verschillende schakeringen grijs. Clive keek een andere kant op.

Mevrouw Hill pakte een sleutel onder haar blouse vandaan. Hij hing aan een lange zilveren ketting, samen met een medaillon. Ze stak hem in de deur boven aan de trap en ging naar binnen.

'Deze kamer houd ik afgesloten, voor het geval dat er wordt ingebroken. Hier komt niemand binnen, behalve ik en Paul.'

Clive bleef abrupt staan toen ze hem op de drempel tegenhield. Alles in die kamer was afgedekt en hij zag spookachtige vormen oplichten in het schijnsel dat door de ongezoomde gordijnen sijpelde. Toen zijn ogen gewend waren, kon hij zien dat ze bedrukt waren met ontwerpen van gevechtsvliegtuigen, verschoten tot vage herinneringen aan hun oorspronkelijke kleurigheid. Gefascineerd keek hij toe, terwijl mevrouw Hill een stoflaken opensloeg dat over een ladekast bleek te liggen.

'Hier.'

Ze duwde hem een toilettas in de hand; er hing nog een prijskaartje van Woolworth aan de ritssluiting, twaalf pence.

'Het zijn zijn toiletspullen. Alle andere dingen heb ik onaangeroerd gelaten, maar zijn favoriete flanellen pyjama werd stoffig, en hij hield van de Action Man tandenborstel, dus heb ik ze hierin gedaan, zodat ze netjes schoon zijn gebleven. U mag ze meenemen, maar brengt u ze wel zo snel mogelijk weer terug. O ja,' ze sprong bijna terug naar de kast, 'zijn haarborstel.' Cook deed de voorwerpen in zakjes en verzegelde en dateerde ze. Verrukt keek ze toe. 'Jullie zijn échte politiemensen, niet zoals de rest. Jullie vinden hem, ik weet het.'

Clive probeerde een stap de kamer in te zetten, maar ze ging pal voor hem staan.

'Buiten mij mag alleen Paul hier komen. Misschien beschadigt u iets en dat wil ik niet hebben.'

Hij deed zijn best om haar van het tegendeel te overtuigen, maar ze hield voet bij stuk, dus had hij geen andere optie dan haar voor te gaan naar de slonzige zitkamer, zodat hij met haar kon praten. Hoewel ze pas een kwartier in dit huis waren, bleef haar lucht nu al in zijn keel hangen. Hij verlangde er hevig naar weg te gaan.

Clive deed zijn uiterste best, maar slaagde er niet echt in informatie van mevrouw Hill los te krijgen. Ze was geobsedeerd van het idee dat Paul nog in leven was en werd kwaad als hij die realiteit met zijn vragen ondermijnde. De weinige feiten die ze prijsgaf gingen vergezeld van een eindeloze stroom felle kritiek op de politie, haar man en verschillende mannelijke verwanten, van wie ze vond dat ze haar in de steek hadden gelaten. Haar uitspraken over Paul waren zeer bevooroordeeld, zo erg zelfs, dat Clive ze bijna als van nul en gener waarde beschouwde, en haar herinneringen aan zijn laatste dagen waren gehuld in een roze gloed. Toen hij vond dat hij zijn best had gedaan, ging hij weg, dankbaar gevolgd door Cook en Julie Pride. Toen ze naar hun auto's liepen snoven ze diep de frisse lucht op, als rokers die na een langeafstandsvlucht hun eerste sigaret opstaken.

'Dit is wel het griezeligste wat ik ooit heb meegemaakt.' Clive veegde over zijn gezicht en keek naar het stof op zijn vingers. Julie snoot krachtig haar neus in een zakdoek, snoot nog een keer en gooide hem toen weg.

'Ze doet me een beetje aan juffrouw Havisham denken,' zei ze.

Cook knikte instemmend en mompelde: 'Verdomd als het niet waar is.'

'Ik geloof niet dat ik die ooit heb ontmoet,' peinsde Clive hardop en hij zag niet hoe er achter zijn rug om werd geglimlacht.

14

Om halftwaalf keek Fenwick of er boodschappen op zijn mobiele telefoon stonden; niets. Hij was nog altijd niet binnengeroepen om te getuigen en stoorde zich eraan, dat hij zijn tijd moest opofferen voor gerechtelijke procedures. De koffieautomaat schonk een karig bekertje bittere, doorgekookte koffie. Hij nam het mee naar een stil hoekje, waar hij rustig zijn papieren kon doornemen. De e-mails die hij de afgelopen dagen links had laten liggen, lagen beschuldigend bovenop, maar hij negeerde ze. Er lag een samenvatting van het dossier van Paul Hills verdwijning onder. Het was niet veel en hij kende het uit zijn hoofd, maar hij opende het desondanks, op zoek naar nieuw inzicht.

Paul Hill was op de eerste dag van het schooljaar verdwenen. Na de laatste les had hij zijn vrienden links laten liggen en was op zijn nieuwe racefiets uit het centrum weggefietst. Om acht uur 's avonds had zijn moeder de politie gealarmeerd, te vroeg om serieus genomen te worden. Toen hij om tien uur nog niet thuis was, begon de politie met de zoektocht. Ze spraken met vrienden van hem, die zeiden dat Paul misschien naar Beecham's Wood was gegaan. Toen men daar ging zoeken, vonden ze sporen van fietsbanden en een bloedvlek op een onverharde parkeerplaats, maar dat was alles.

In de dagen daarna kamden meer dan honderd politiemensen en vrijwilligers het hele bos uit, maar zonder succes. Het zoekgebied werd uitgebreid en de agenten gingen door met huis-aan-huisbezoeken en gesprekken met Pauls leraren en schoolkameraden. Op het hoogtepunt waren er tachtig politieambtenaren bezig met de jacht op Paul Hill. Een hoofdcommissaris nam de zaak van de toenmalige inspecteur Quinlan over als leider van het rechercheteam.

In heel Engeland verschenen er foto's van Paul, een jongen met een engelengezicht. Hij zag er jonger uit dan hij was. Onmiddellijk stroomden er meldingen binnen dat hij gezien was, op plaatsen die ver uit elkaar lagen, zoals Brighton, Cornwall, Edinburgh, Birmingham en onvermijdelijk, Londen. Ze moesten stuk voor stuk ernstig genomen worden en hulptroepen van de politie in het hele land trokken erop uit om de veertienjarige jongen te zoeken. Sommige getuigen meldden dat ze hem in gezelschap van een man hadden gezien. In een officiële persverklaring gaf de politie aan, zich 'ernstig zorgen te maken over Pauls veiligheid'. Informeel kwam uit het dossier duidelijk naar voren, dat de politie al binnen een paar dagen vreesde dat de jacht op de ontvoerder een moordonderzoek zou worden.

Drie dagen nadat Paul verdwenen was, kreeg de politie de doorbraak die ze zo hard nodig had. De moeder van een van zijn vrienden, Victor Ackers, hoorde haar zoon duidelijk in zijn slaapkamer zeggen: 'Wat een heisa om die aanstellerige nicht. Wedden dat hij er met Taylor vandoor is?' Toen hij erover aan de tand werd gevoeld, gaf Victor toe, dat hij dacht dat Paul een 'flikker' was en dat al het zakgeld waar hij zo over opschepte, niet afkomstig was van de karweitjes die hij deed, zoals hij beweerde, maar omdat hij 'het hoertje van de een of andere ouwe kerel' was.

Dat vermoeden had hij al sinds de zomer, toen Paul een nieuwe fiets had gekocht en voor zijn vrienden ijsjes en snoep begon te kopen, die hij betaalde met flappen van vijf pond. Toen hij door een meisje van school in gezelschap van Bryan Taylor in Beecham's Wood was gezien, sloeg de nieuwsgierigheid om in gespeculeer en vervolgens in geruchten, die als een lopend vuurtje algauw overgingen in voldongen feiten. Met de typische wreedheid die kinderen eigen is, werd Paul afwisselend buitengesloten en getreiterd. Voor hem was die zomer een hel van eenzaamheid, onderbroken door perioden van pesterij.

De onthullingen van Victor zetten het politieonderzoek op zijn kop. Aanvankelijk bleven ze de jongen nog als slachtoffer van ontvoering en/of moord beschouwen, omdat ze niet mee wilden gaan in de groeiende plaatselijke opinie dat hij weggelopen was. Maar toen ze zijn vrienden opnieuw ondervroegen en de aanwijzingen die boven water kwamen natrokken, begonnen de onafhankelijk verkregen feiten het verhaal van Victor te bevestigen.

Taylor was een bekende klusjesman, die af en toe werk verrichtte voor de gemeente. Hij woonde alleen in een halfvrijstaand huis aan de rand van de stad. Toen de politie bij hem op de stoep stond, vertelde de buurman dat hij al een hele week niet thuis was geweest. Zijn auto stond niet in de garage en zijn hond werd verzorgd door een buurman die het gejank in de achtertuin beu was. Vragen naar zijn persoonlijke leven werden beantwoord met onverschillig schouderophalen. Nee, een vriendin scheen hij niet te hebben, ook geen vriend, wat dat aanging. Maar de mensen in de straat kenden Paul Hill wel, van wie werd gezegd dat hij karweitjes voor Taylor opknapte. De politie kreeg een huiszoekingsbevel en ging de woning binnen om te zoeken naar tekenen van Paul.

In een kast in de eetkamer, achter een vals paneel, vonden ze een voorraad harde kinderporno: tijdschriften, films en foto's. Sommige waren zelf gemaakt en in een dikke map ontdekten ze foto's met Paul Hill erop, die werd misbruikt door een man wiens lichaam buiten beeld bleef. Op de zolder vonden ze fotoapparatuur en een slaapkamer was verbouwd tot donkere kamer.

Vanaf dat moment richtte het politieonderzoek zich op Taylor. Zijn bankpas was op de avond van Pauls verdwijning in Dorking gebruikt om contant geld op te nemen, maar daarna ontbrak elk spoor van hem. Plotseling werden de meldingen van een man en een jongen die op Paul leek opnieuw relevant en nam het onderzoek wederom de vorm van een landelijke klopjacht aan. Na twaalf weken werd het zoeken van de politie minder intensief, ondanks de protesten van de ouders, die iedere mogelijkheid van een connectie met Taylor van de hand wezen. Men behandelde hun klachten met consideratie, maar ze konden de politie niet van de theorie afbrengen, dat Taylor Paul met of zonder zijn instemming had gekidnapt en hem óf had vermoord, óf nog steeds met de jongen voortvluchtig was.

Bij de politie waren de meningen over Paul verdeeld. Sommige rechercheurs zagen hem als een onschuldig kind dat bedorven was door een slechte man. Andere beschouwden hem als een prostitué, die hebzuchtig was geworden en het leven thuis, met zijn dominerende en verstikkende moeder, een vader zonder autoriteit die aan zijn hoofd zeurde, en die het mikpunt was van zijn schoolkameraden, beu was. Na verloop van tijd, toen er geen nieuwe aanwijzingen kwamen, kreeg de kritiek op Paul de overhand. Men ging er nog wel achteraan als

Paul en/of Taylor waren gesignaleerd, maar toen er een maand voorbij was gegaan zonder dat er een rapport in het dossier kwam, vervolgens drie maanden en toen niets meer, kwam het onderzoek tot stilstand.

Fenwick sloeg de omslag van het dossier dicht en stond op om zijn ledematen te strekken. Zijn knie deed pijn en hij begon hoofdpijn te krijgen. Na nog een kop koffie en drie tabletjes pijnstillers keek hij de aantekeningen die hij had gemaakt, opnieuw door. Deze samenvatting van het dossier, dat ze in Harlden nog hadden bewaard omdat de zaak nooit officieel was gesloten, was het enige wat Fenwick had. De rest van het onderzoeksmateriaal was jaren geleden naar het beveiligd archief gegaan. Hij belde het rechercheteam op, om te vragen hoe ver ze waren met het achterhalen ervan. Er was al bijna een week verstreken sinds hij hen had verzocht de verslagen en het bewijsmateriaal boven water te halen. Maar het was onheilspellend stil gebleven.

Brigadier Welsh was de onfortuinlijke die opnam.

'Het punt is, we hebben niet veel geluk bij het zoeken, meneer.'

'Hoe bedoel je? Jullie hebben bijna een week gehad om het te vinden.'

'Vier dagen, meneer,' protesteerde Welsh.

'Meer dan genoeg tijd. Waar zijn jullie mee bezig geweest? Op je kont zitten en koffieleuten?'

'Nee, meneer! We kunnen er niets aan doen! De dossiers zijn zestien jaar geleden overgebracht naar een particulier pand. Daar blijkt in 1999 een overstroming te zijn geweest, waarbij het bewijsmateriaal van zaken uit Harlden tussen 1976 en 1983 verloren is gegaan. De index van het opgeslagen bewijsmateriaal van vóór 1990 is maar voor een deel in de computer ingevoerd en het zoeken naar de dozen met de zaak-Hill is zoeken naar een naald in een hooiberg, vooropgesteld dat er nog iets van over is.'

'En wat is er gebeurd sinds jullie dat allemaal hebben ontdekt en besloten het mij niet mee te delen? Hoeveel mensen hebben jullie erop gezet om dat pand te doorzoeken?'

Het bleef onbehaaglijk stil.

'Vertel me alsjeblieft, dat jullie wél in dat huis aan het zoeken zijn.'

'Eh, wij denken dat we er niets meer zullen vinden, snapt u. We hebben wel bewijsmateriaal gevonden van de zaak-Eagleton, want dat kwam uit Crawley en was veilig opgeslagen.'

'Dus daarmee zeg je dat er niemand naar de dossiers van de zaak-Hill zoekt?'

'Op dit moment niet, meneer.'

Fenwick vloekte binnensmonds. Het was heus geen slecht rechercheteam, daar bij Zware Delicten, maar ze waren gepikeerd als ze werk moesten doen dat ze beneden hun stand vonden en mokten als hij het hen toch liet doen. Geen nieuws was slecht nieuws, hij had het kunnen weten. Hij droeg Welsh op persoonlijk een speurtocht naar de dossiers van de zaak-Hill te organiseren, met zoveel mensen als hij maar meende nodig te hebben en er niet mee op te houden tot hij iets had gevonden.

Op die momenten miste hij Nightingale. Zij was goed voor hem, ze deelde zijn obsessie voor op het oog onmogelijke zaken, hoewel hun manier van werken niet verschillender had kunnen zijn. Hij vertrouwde op zijn intuïtie en inspiratie om theorieën uit te denken, die hij vervolgens uittestte door gedetailleerd onderzoek dat hij op zijn eigen typische manier delegeerde. Nightingale deed precies het tegenovergestelde; zij werkte van beneden naar boven elke logische stap minutieus af en verzamelde op die manier systematisch haar bewijsmateriaal. Dit had haar tot een niet erg inspirerende collega kunnen maken, ware het niet, dat ze de buitengewone gave had patronen in details te ontdekken, die ze vervolgens aan elkaar breide, tot ze zich een beeld had gevormd. Samen vormden ze een formidabel team en ze boekten constant resultaat, in tegenstelling tot de rechercheurs die aanvankelijk de verdwijning van Paul hadden onderzocht. Zij hadden hem praktisch niets nagelaten waarmee hij verder kon werken.

Hij vermoedde dat ze zich hadden laten afleiden door de geruchten over Paul, met als gevolg dat hun latere werk minder grondig was geworden; er waren geen verwijzingen naar gesprekken met bekenden van Taylor, het huis van de familie Hill was niet grondig doorzocht en de auto van Taylor, een Volvo stationcar, was nooit gevonden. Zorgwekkender nog, er was geen spoor te vinden van een onderzoek naar Taylors activiteiten als vervaardiger en mogelijk distributeur van kinderporno. Maar het ergste van alles was, dat er bij het materiaal dat in het huis van Taylor was gevonden en dat nu zoek was, geen lijst met de identiteit van de andere jongens te vinden was. Het was te laat om alle hiaten op te vullen, maar aan de hand van datgene wat hij wel had, stelde hij een lijst van Taylors kennissen en werkgevers samen, zodat deze opnieuw ondervraagd konden worden. Ook Pauls vroegere vrienden zouden opnieuw bezocht worden.

Na de lunchonderbreking werd Fenwick in de rechtszaal geroepen en hij legde met ervaren bekwaamheid zijn verklaring af. Twee uur later reed hij terug naar Harlden. Onderweg luisterde hij naar Radio Drie, in een poging deze frustrerende dag te vergeten. Helaas begon het volgende uur met een 'educatief' programma. Een componist uit de eenentwintigste eeuw, van wie hij nog nooit had gehoord, legde uit dat hij iedere vorm van structuur in een compositie een beperking vond en dat hij constant het doel voor ogen had om 'vanuit de creativiteit van de anarchie disharmonie te produceren en zodoende de symfonische vormen voor deze nieuwe eeuw opnieuw uit te vinden'. Fenwick gaf de samenvatting van zijn meest recente werk niet meer dan vijftien seconden, oordeelde toen dat het rotzooi was en schakelde over op Classic FM. Het vioolconcert dat ze uitzonden had hij al veel te vaak gehoord om er nog echt van te kunnen genieten, maar het had tenminste een melodielijn. Tijdens een reclameboodschap, waarin werd uitgelegd hoe hij zijn ongewenste kapitaalverzekeringspolis kon afkopen, ging zijn telefoon. Opgelucht zette hij de radio af. Het was Clive, die hem vertelde over de tijdcapsule die hij in het huis van Sarah Hill had aangetroffen.

'En wat heeft Colin er ontdekt?'

'Pauls tandenborstel en een paar van zijn haren, na al die tijd nog,' zei Clive met trots.

'Is dat alles, terwijl jullie de hele kamer tot je beschikking hadden?' Ondanks zijn sterke optreden in de rechtszaal, was Fenwick nog steeds slecht gehumeurd en deed geen moeite om zijn teleurstelling te verbergen. 'Als jullie erom hadden gevraagd zou zijn moeder jullie de hele boel meegegeven hebben.'

'Absoluut niet. Die kamer is een heiligdom. Het is het enige wat ze nog van hem heeft en ze laat het zo, voor als hij terugkomt. Ze is gek geworden van het wachten, denk ik.'

'En wij proberen een einde aan dat wachten te maken, hè? Je zult toch terug moeten als de kleren zijn geïdentificeerd en ze van Paul blijken te zijn.'

'Baas! Je maakt een grapje!'

'Nee, ik maak geen grapje. Ik zorg voor een huiszoekingsbevel en je mag Colin meenemen om een grondige zoektocht te houden. Je kunt haar beloven dat we alles wat we meenemen te zijner tijd zullen terugbrengen.'

'Maar...'

'Niet tegenspreken.'

Ziedend hing hij op en kreeg onmiddellijk daarna een melding van de voicemail dat het forensisch lab had gebeld toen hij met Clive aan de telefoon was. Hij belde terug en werd doorverbonden met de wetenschapper die de leiding had.

'Met Andrew Fenwick, Tom.'

'Mooi zo. Wij gaan beginnen met het gedetailleerde onderzoek van de kleren. Ik dacht dat je misschien wel langs zou willen komen.'

'Ik ben er in een uurtje.'

Bij aankomst hing hij zijn colbert in een kluisje en trok een overall aan. Ook al was dit een oude, onopgeloste zaak en de kans dat hij het bewijsmateriaal zou vervuilen bijna nihil, hij mocht de ontvangstruimte niet voorbij voor hij zich correct omgekleed had. Tom Barnes wachtte hem samen met een wetenschappelijk collega, die hij voorstelde als Nicolette, op bij de biologische afdeling. Zij had de kleding al uitgespreid in een steriele kast. Fenwick kon het gebrom van het filterapparaat horen en volgde onwillekeurig de afzuigpijp naar het plafond boven hen. Er klonk luide muziek en Tom vatte zijn blik verkeerd op.

'Sorry voor de muziekkeus. Nicolette is aan de beurt en zij is gek op klassiek. Straks schakelen we weer over op Duran Duran.'

Fenwick trok een grimas.

'Ik kies voor Nicolette en Elgar.'

De correctheid van zijn opmerking leverde hem een waarderende blik op; daarna vestigde ze haar ogen weer op de kleding in de steriele kast. Ze had ze neergelegd zoals ze gedragen zouden zijn: het vest en het overhemd naast elkaar, de broek en de sokken eronder. De blazer lag er apart naast.

'Tot nog toe hebben we alleen kunnen vaststellen dat het menselijk bloed is. We hebben het erg druk gehad met een ander ongeluk,' verontschuldigde Tom zich. 'Maar de monsters van de zakken en van elk kledingstuk afzonderlijk zijn gelukt, daar wordt nu aan gewerkt. De compostzak was van plastic en ik ben bang dat de koolwaterstoffen de sporen op de kleren aangetast kunnen hebben. We hebben ons best gedaan dat risico te verkleinen, door de monsters te nemen van vlekken diep tussen de kleren en uit de plooien, waar ze het minst met de lucht in aanraking zijn geweest.'

'Hoe lang denk je dat het duurt voor jullie het DNA hebben geëxtraheerd?'

Tom wees naar een jongeman aan een werkbank bij de hoek. 'Hij is daar nu mee bezig, en ook met het monster van het mondslijmvlies en de tandenborstel die jullie vandaag hebben laten brengen. Over een paar uur weten we of er DNA in de monsters aanwezig is, daarna duurt het een dag of twee, drie om het te extraheren en te vergelijken met de monsters van Sarah Hill en die in het databestand.'

'Wat kunnen jullie zeggen over het patroon van de bloedvlekken?'

Tom knikte naar Nicolette. Zij liet haar zwaar gehandschoende handen in de luchtdichte kast glijden om haar opmerkingen te kunnen illustreren.

'Er zitten zware vlekken op de voorkant van de blazer, niet veel op de rug. Vooral aan het eind van de rechtermouw is het veel, alsof de drager zijn arm dicht bij een grote wond hield. Het hals- en nekgedeelte van de kleren is betrekkelijk vrij van bloed en dat houdt in dat, als ze zijn gedragen op het moment dat de verwonding plaatshad, het bloed niet van het hoofd of de nek afkomstig is. Maar omdat de vlekken over de hele voorkant en de mouw verspreid zitten, kan ik niets nauwkeurigs zeggen over de plaats of het aantal van de verwondingen.'

‘En wat hebben jullie daar ontdekt?’ Hij wees op de linkermouw van het overhemd, die vanaf de manchet tot aan de elleboog binnenstebuiten was gekeerd. Hij was bijna geheel vrij van bloed, behalve een reeks druppeltjes, die parallel aan elkaar schuin over de mouw liepen.

‘Dit is een totaal ander patroon, misschien afkomstig van een andere wond. Aan de binnenkant van de stof zijn de vlekken zwaarder. Dat duidt erop dat het bloed is dat naar buiten is gekomen, maar slechts in lichte mate; deze wonden zouden dus niet fataal zijn geweest.’

‘Wonden die ontstaan zijn toen hij zich verdedigde?’

‘Dat zou kunnen, ja. Als de drager, zeg maar, zijn arm voor zijn gezicht of zijn lichaam heeft geslagen, zou de huid aan de binnenkant van de arm bloot komen te liggen. Maar ook hier kan ik niets definitiefs over zeggen en het verklaart ook niet waarom de mouw intact is gebleven. Het zou erop kunnen wijzen dat, hoe de wonden ook zijn opgelopen, het overhemd op dat moment niet werd gedragen. Er zitten ook een paar microscopisch kleine vlekjes op de kraag, opnieuw een ander patroon. Het is mogelijk afkomstig van iemand die het materiaal achteraf heeft vastgehouden, omdat uit het patroon blijkt dat het van een afstand rechtstreeks op het hemd is gevallen.’

‘En de broek, de sokken en de schoenen?’

‘Verspreide vlekken, geen patroon in te ontdekken. En op de sokken zitten geen zware vlekken.’

‘Wat houdt dat in?’

‘Nou, als iemand zo’n hevig bloedende wond heeft, verliest hij een heleboel bloed, dat uiteindelijk langs de benen in de schoenen loopt. De sokken raken dan vanaf de enkels helemaal doorweekt, wat zich vanaf de hielen tot onder de voetzolen uitbreidt.’

‘En deze sokken zijn schoon, afgezien van een paar vegen.’

‘Die eruitzien alsof het vlekken zijn van iemand die bloed aan zijn handen heeft en de sokken uittrekt.’

‘Dus eigenlijk is er niet veel opvallends?’

Hij probeerde zijn teleurstelling niet te laten merken. Zij konden het niet helpen dat het bewijs zo weinig opleverde.

'Nog niet, maar dit is nog maar een begin. Ik moet nog veel meer werk doen en ik ben net zo nieuwsgierig naar het verhaal dat deze kleren ons proberen te vertellen, als jij. Maar nu kan ik alleen zeggen, dat iemand in de dichte nabijheid van deze kleren hevig heeft gebloed en dat de bron van dat bloed aan de voorkant van de kleren was. Bovendien hebben we vlekken die duidelijk op een andere wond wijzen: op de linkermouw en ook druppeltjes aan de buitenste en binnenste rand van de zakken waar de kleding in is gestopt. In de kleren zitten geen steek- of snijsporen, dus zijn ze niet gedragen op het moment dat de verwondingen werden toegebracht.'

'De jongen kan dus naakt zijn geweest en gebloed hebben, terwijl de kleren op een hoop boven op hem zijn gegooid.'

'Dat is heel goed mogelijk, ja. En het is ook mogelijk dat hij zijn sokken en schoenen wel heeft aangehad, maar dat hij niet rechtop stond.'

'Dank je wel. Wil je me op de hoogte houden?'

'Natuurlijk.' Tom liep met hem mee naar de omkleedruimte, waar hij zijn colbert ging ophalen. 'Tussen haakjes, hoe sta jij tegenover dat idee van een beoordelingscommissie?'

Fenwick bleef stokstijf staan en Tom botste bijna tegen hem op.

'Wat voor beoordelingscommissie?'

'Dat dacht ik al.' Tom genoot, hij had Fenwick op de kast. 'De nieuwste ingeving van de korpschef. Het zal wel geld besparen, want het houdt jullie binnen je budget voor forensisch onderzoek.'

'Hoe dan?'

'Er komt een team dat de voorwerpen die je naar het lab wilt sturen screent, met het achterliggende idee, dat stomme, tijdverspillende onderzoeksaanvragen dan niet meer bij ons terechtkomen. Dat bespaart geld en de achterstand blijft beperkt.'

'En hoe wil zo'n commissie weten of iets tijdverspilling is als ze het onder ogen krijgen? Als een rechercheur die een onderzoek leidt een oordeel heeft, bezit zo'n stel bureaucraten dan wel voldoende kennis om zijn aanvraag af te wijzen?'

'Goeie vraag, hoewel ik in principe niets op dat idee tegen heb, hoor, want we krijgen soms wel heel buitenissige aanvragen, maar dat kunnen we meestal zelf wel beoordelen. Waar ik me zorgen over maak, is dat we te maken krijgen met middelmatige mensen met te veel bevoegdheden, die het systeem blokkeren doordat ze beslissingen nemen die hun kennis te boven gaan.'

'Dit is dan exact mijn eigen definitie van management. Hopelijk raak ik daar nooit in verzand, want dat zou een teken zijn dat mijn uiterste houdbaarheidsdatum is verstreken.'

Tom lachte en sloeg hem ten afscheid op de rug.

Fenwick ging niet meteen terug naar Harlden. De aanblik van de met bloed doorweekte kleren had de moord op Paul Hill zeer reëel gemaakt en hij kon de gedachte aan Paul, die toentertijd dezelfde leeftijd had als Chris, niet uit zijn hoofd zetten. Hij was een onschuldig, onbevangen kind geweest, zich niet bewust van zijn schoonheid, geïnteresseerd in dingen die kleine jongens altijd leuk vinden: oorlogje spelen, meisjes in de klas pesten met insecten, wegrennen van de kusjes waarmee ze hen terugpestten. En dan zag zo'n smeerlap als Taylor hem. Hoe lang had die hufter erover gedaan om Paul te verleiden en voor zich te winnen? Uiteindelijk was hij er toch in geslaagd hem zo te bezoedelen, dat hij het ergste seksuele misbruik had moeten ondergaan. Fenwick was bijna blij dat de fotografische bewijslast verloren was gegaan; hij werd hondsberoerd bij de gedachte aan wat daarop stond.

Mijn god. Hoe hadden die ouders zulk nieuws kunnen verdragen? Stel dat iemand Chris zoiets aandeed? Fenwicks maag kwam in opstand en hij moest bij een parkeerhaventje stoppen om frisse lucht in te ademen. Hij stapte uit. Om hem heen waren open velden; in de verte hoorde hij schapen. In de heg naast hem fladderden vogeltjes. Opeens was het helemaal stil. De berm naast het asfalt was nog drassig van de zware regenval, zodat hij gedwongen was over de smalle rijbaan te lopen terwijl hij nadacht.

Hij had ontzettend met Sarah en Gordon Hill en met de ouders van Malcolm Eagleton te doen. Zelfs na al die tijd moest hun verdriet wel enorm zijn. Ze dachten misschien niet meer dagelijks aan hun zoon, maar hoe vaak zouden ze niet denken, 'mijn kind zou nu zo en zo oud zijn geweest... misschien wel vader... succesvol, gelukkig. Mijn kleinkinderen zouden precies op hem lijken.' Beide ouderparen waren na de verdwijning van hun zoon uit elkaar gegaan, uit elkaar gedreven door verdriet en niet-aflatende onzekerheid. Ze hadden beter verdiend. Woede en angst om Chris vlijmden als letterlijke pijnscheuten door hem heen.

Hij reed in een schuldbewuste stemming naar Harlden terug. Hij schaamde zich een beetje dat hij eerder op de dag zo geïrriteerd was geweest.

Clive wachtte hem op in zijn kantoor en had twee koppen thee en plakjes vruchtencake klaarstaan. Hij was zo gewend geraakt aan Fenwicks korte uitvallen van woede, dat hij zich diens eerdere opmerkingen niet persoonlijk aantrok.

'Ik dacht dat je hier misschien wel trek in zou hebben. Na de rechtbank ben ik altijd uitgehongerd.'

Fenwick keek naar zijn atletische gestalte, geen grammetje vet te veel, en concludeerde dat zijn stofwisseling waarschijnlijk prima in orde was.

'Dank je. Sorry voor daarnet. Ik kan gewoon niet tegen slordig werk en dat heb ik op jou botgevierd.'

'Maak je geen zorgen. Wat had het lab te zeggen?'

Fenwick vertelde hem de schaarse feiten en gaf toe dat hij er verwarder vandaan gekomen was, dan toen hij erheen ging.

'Er is té veel bloed om afkomstig te kunnen zijn van een lichte verwonding, maar de patronen zijn niet eenduidig.' Fenwick nam peinzend een slokje thee. 'Heb jij wel eens van de leider van het oorspronkelijke onderzoek, hoofdcommissaris Charles Bacon, gehoord? Hij is uiteindelijk naar Brighton gegaan; misschien zat hij daar nog toen jij bij het korps kwam.' Clives vader was ook politiecommissaris geweest, een plaatselijke held. Fenwick stond er altijd weer versteld van hoeveel die man wist.

'Smokey? Mijn vader heeft hem nog gekend; hij was legendarisch. Een kettingroker met een verschrikkelijk humeur. Ging om gezondheidsredenen eerder met pensioen en overleed al snel daarna. Een hartaanval, geloof ik. Maar hij schijnt een goeie smeris te zijn geweest.' Clive dipte de laatste kruimeltjes van zijn cake omzichtig met zijn wijsvinger op en stopte ze in zijn mond.

'Heb je het dossier gelezen?'

'Ja, ik heb het even doorgenomen.'

'Wat vind jij ervan?'

Clive dronk van zijn thee en dacht na over zijn antwoord.

'Ik denk dat Taylor Paul heeft vermoord en in paniek is geraakt. De moord was niet gepland en daarna heeft hij de benen genomen. Hij heeft contant geld gebruikt om het land uit te komen, of om een nieuwe auto te kopen en ergens anders zijn bivak op te slaan. Hij was zo'n type dat gemakkelijk opgaat in de massa. Hij hoefde alleen maar zijn baard af te scheren, zijn haar te laten groeien, een beetje af te vallen en hij zou er totaal anders uitzien. En jij, wat denk jij?'

'Het is de meest logische verklaring die ik tot nog toe heb gehoord, maar ik begrijp nog altijd niet waarom die kleren apart van het lichaam zijn verborgen.'

'Dat soort stomme dingen doen mensen altijd wanneer ze iemand hebben omgebracht – daarom krijgen we ze ook te pakken.'

Fenwick knikte, maar toen Clive wegging had hij het onbehaaglijke gevoel dat hij iets voor de hand liggends over het hoofd zag en dat hij misschien nog lelijk voor schut zou komen te staan.

15

Ondanks het feit dat Maidment op borgtocht vrijgelaten was, wees Quinlan Nightingales verzoek om het onderzoek in de zaak-Eagleton te mogen leiden, af. De zaak was met zoveel vanzelfsprekendheid naar Blite gegaan, dat ze eraan wanhoopte of ze ooit nog eens uit diens schaduw zou kruipen. Het was een schrale troost dat, toen Blite op vakantie ging, de zaak vanwege de graafwerkzaamheden aan Fenwick was teruggegeven. Maar nu hij terug was, zou hij gaan lobbyen om het weer over te nemen.

In plaats van een moord om zich op te concentreren, lag haar bureau bezaaid met obscure informatieverzoeken van het Openbaar Ministerie inzake Maidments strafvervolging. Het was duidelijk dat daar iemand zat die veel belangstelling voor de zaak had, en dat het een hooggeplaatst iemand was.

Terwijl Fenwick onderweg was naar het lab, zat zij aan de telefoon met haar tegenhanger bij het OM. Ze werd gek van de vragen van die man en dat voedde ook nog eens haar goed verborgen gevoel van ontoereikendheid. Toen ze hakkelde, in antwoord op een buitengewoon stompzinnige opmerking, herinnerde hij haar eraan, dat de minister van Binnenlandse Zaken hevig gekant was tegen eigenmachtig optreden van burgers, zeker als de dader iemand uit de middenklasse was, die zichzelf wellicht boven de wet verheven voelde.

Zat Fenwick nog maar in Harlden; op momenten als deze miste ze hem echt. Nadat hij haar duidelijk had gemaakt dat er tussen hen geen relatie mogelijk was, had ze zichzelf gedwongen geen fantasieën meer over hem te koesteren. Het had een pijnlijke leegte achtergelaten en om die op te vullen, begon ze weer afspraakjes te maken. Maar dat vond ze onbevredigend en oppervlakkig vergeleken met de dromen die ze om Fenwick heen had gesponnen en waarvan ze nu wist dat ze onbereikbaar waren. Toen had ze tijdens de cursus in Bramshill Clive leren kennen en het klikte direct. Het was niet moeilijk om een affaire met hem te beginnen en het verdoofde dat ellendige gevoel, dat maar niet over wilde gaan. Daardoor werd het ook draaglijk om met Fenwick bevriend te blijven en was ze zelfs trots op de afstand die ze wist te bewaren als ze hem en zijn kinderen tegenkwam.

Maar ook al was haar persoonlijke leven sinds zijn vertrek enigszins in balans gekomen, op het werk in Harlden voelde ze die leegte nog steeds. Fenwick was een echte bondgenoot geweest. Pas nadat hij naar de taakeenheid Zware Delicten was overgeplaatst, had ze zich gerealiseerd hoezeer ze op zijn aanwezigheid rekende. Niet dat hij haar uit de wind hield, hield ze zichzelf voor, het kwam doordat hij in *fair play* geloofde en geen enkele vorm van discriminatie tolereerde. Zonder hem was Harlden ongastvrij geworden voor iedereen die geen gabbertje van Blite was. Quinlan was een weliswaar fatsoenlijke kerel, maar hij hield zich buiten de dagelijkse gang van zaken en was zich niet bewust van de bekrompenheid die, met Blite voorop, welig tierde op de rechercheursafdeling.

Dat droeg allemaal niet bij tot Nightingales toch al wankele zelfvertrouwen. Ze had een potje maagzuurremmers in haar bureaula liggen en slikte er heimelijk een paar weg, toen haar telefoon ging. Het was commissaris Quinlan.

'Louise? Mooi; fijn dat ik je meteen aan de lijn heb. Ik wil dat je een arrestatiebevel uitvoert, het is dringend. Het ligt al klaar, de aanvraag is door de korpschef zelf ondertekend.'

Vanwege zijn geagiteerde toon was ze direct bij de les.

'Zal ik voor een briefing naar uw kantoor komen, meneer?'

'Dat is niet nodig. Mijn secretaresse is al onderweg om je de papieren te brengen. Je moet snel in actie komen. Ik stel veel vertrouwen in je en, eh, nou ja...'

'Meneer?' Ze had geen idee wat het kon zijn dat hem zo nerveus maakte. 'Als het zo'n gevoelige kwestie is, kan ik dan niet beter even naar u toe komen?'

'Nee. Dit moet zo min mogelijk ruchtbaarheid krijgen. En als later iemand aan je vraagt hoe het komt dat jij deze arrestatie hebt verricht, in plaats van, laten we zeggen, een hogergeplaatste collega, zou ik je dankbaar zijn als je gewoon zegt dat het op je bureau is beland omdat het urgent was en er geen andere inspecteurs voorhanden waren. Begrijp je me?'

Hij hing al op, voordat Nightingale antwoord kon geven, maar ze had niet veel tijd om te speculeren, want een paar tellen later had ze het dossier al in handen. En toen ze zag wat het behelsde, snapte ze meteen waarom Quinlan zich niet op zijn gemak voelde. Het bevel was rechtstreeks afkomstig van het hoofdbureau van politie en uit het begeleidend briefje bleek, dat de korpschef deze vette kluif van een arrestatie aan zijn favoriete schoothond Blite had toebedeeld, niet aan zo'n jonge meid, die door sommigen nog steeds als een eersteklas haaibaai werd beschouwd. Met een stil bedankje aan Quinlans adres pakte Nightingale haar sleutels en rende letterlijk naar de Uitvoerende Dienst om een arrestatieteam op te trommelen.

Bij de golfclub werd spontaan drank geschonken. Bij een hole-in-one moest de gelukkige golfer een rondje geven, ook als het meer geluk dan wijsheid was. Het was Jeremy Maidment, die bij de zestiende hole, een par drie, had gescoord en nu moest hij aan alle aanwezigen een drankje weggeven. Het was maar een korte par en het was ook nog een vreemde slag geweest, maar toch bejubelden ze zijn prestatie als iets geweldigs.

Het ging er vrolijk en luidruchtig aan toe in de met eikenhouten panelen betimmerde ruimte. De grappen werden gewaagder naarmate ze in meer whisky en wijn werden gemarineerd. De enige die niet meegenoot was Maidment zelf. Hij aanvaardde de felicitaties en de schouderklopjes met een flauwe glimlach, maar zijn ogen lachten niet mee. Telkens wanneer Edwards weer een mop uit zijn nogal versleten repertoire opdiepte, lachte hij geforceerd mee, maar een objectief observeerder van de menselijke aard zou zich hebben afgevraagd hoe het kwam dat de majoor zo zorgelijk keek.

Om zes uur besloot hij dat het tijd was om te gaan; hij kon nu nog rijden. Hij was nog bezig met het langdurige afscheid, toen hij zich bewust werd van de stilte die over de aanwezigen neerdaalde. Onwillekeurig spande hij zijn rug voordat hij zich omdraaide.

'Majoor Jeremy Maidment?' zei een rustige, maar gezaghebbende stem.

Hij keek om en zag de vrouwelijke rechercheur, Nightingale, in de deur van de bar staan. Achter haar zag de gang blauw van de uniformen.

'Kunnen jullie hem verdomme niet éven met rust laten?' Na Edwards' verontwaardigde protest ging een gemompel van steunbetuigingen op, maar daarbovenuit zei de majoor eenvoudig: 'Jawel, hier ben ik.'

De inspecteur deed twee stappen door de menigte en de agenten kwamen in een wigvorm achter haar aan.

'Jeremy Maidment,' sprak ze zonder theater en met een vaste stem die ver droeg, helemaal tot aan degenen die buiten op de overblijfselen van het terras pret stonden te maken, 'ik arresteer u op verdenking van de ontvoering en moord op Paul Hill, op of rond 7 september 1982. U hoeft niets te zeggen, maar...'

Zij hield hem zijn rechten voor en haar woorden vielen in een doodse stilte. Een van de agenten trok de armen van Maidment ruw naar achteren en hij voelde het koude staal om zijn polsen sluiten.

'Dat is niet nodig,' zei hij zacht, maar de diender klikte ze desondanks dicht. Edwards staarde hem vol afschuw aan.

De majoor werd tussen de boos kijkende mensen door naar de deur geduwd, maar niemand sprak ook maar één woord van steun. Nu al wilden sommigen hem niet aankijken en wendden hun ogen af toen hij langsliep.

Toen de politie hem weinig zachtzinnig achter in een gemarkeerde auto manoeuvreerde, klonk er een kreet uit de club.

'Jeremy, je pet!' Edwards schoot naar voren en boog zich naar hem toe, zodat zijn lippen dicht bij het oor van de majoor waren. 'Hou je rug recht, ouwe reus. Denk aan het regiment. We blijven je wapenbroeders. We hebben een eed van vriendschap en absolute loyaliteit gezworen, vergeet dat niet; wij vergeten jou niet.' De woorden werden zacht maar met nadruk uitgesproken en er zat iets van een bevel in, dat hem niet kon ontgaan.

Het portier werd dichtgeslagen. Op het bureau werden hem opnieuw zijn rechten voorgelezen en hem zijn portemonnee, horloge, riem, stropdas en schoenveters afgenomen, alvorens hij naar het cellencomplex werd overgebracht. Hij mocht wel zijn colbert en zijn zakdoek houden, maar dat hij de tijd niet kon bijhouden was verontrustend. Hij vroeg zich af waarom ze hem niet onmiddellijk verhoorden, voordat hij zichzelf kon stalen tegen zinloze gissingen.

Er lag stof in de hoeken en er hing een onaangename lucht waar hij liever niet bij stilstond. De cel was niet geluiddicht en de commotie buiten was een welkome afleiding, omdat hij niet wilde nadenken. Het had geen zin om te repeteren wat hij moest zeggen, omdat hij van plan was te zwijgen, afgezien van een verklaring dat hij onschuldig was aan de misdaden die hem ten laste werden gelegd. Hij deed zelfs geen moeite om te vragen of hij dat ene telefoontje mocht plegen waar hij recht op had.

Na een tijdsspanne die hij niet kon schatten, werd hij naar een verhoorkamer met een tafel, vier stoelen en een dubbele cassetterecorder, maar zonder raam of klok, gebracht. De agent bleef bij hem toen hij ging zitten.

Maidment hield zich voor dat hij gewend was aan wachten. De dienst in het leger bestond uit langdurige perioden van verveling en inactiviteit, afgewisseld door urgente agressiemomenten, waarin je gewond kon raken of gedood kon worden. De huidige situatie kon hem absoluut niet deren, zelfs de dreiging van een moordproces en de daaropvolgende gevangenisstraf niet. In zijn hoofd begon hij gedichten op te zeggen. Al sinds zijn jongensjaren had zijn wonderbaarlijke geheugen hem in staat gesteld eindeloze lappen tekst in zich op te nemen en te onthouden. Terwijl hij de sonnetten van Shakespeare afwerkte, schatte hij de tijd die verstreek.

Na pakweg tien minuten ging de deur open en kwam inspecteur Nightingale binnen, vergezeld door een onopvallende rechercheur van middelbare leeftijd in een polyester kostuum en een slecht gestreken overhemd. De rechercheurs gingen zitten, maakten een pakje met nieuwe cassettebandjes open, staken die in het apparaat en zetten het aan.

'Verhoor van Jeremy Maidment door inspecteur Nightingale. Eveneens aanwezig brigadier Watts. Verhoor begint om,' ze keek op haar horloge en de majoor hield zijn adem in, 'negentien uur precies.'

Hij zat nog geen uur vast, maar hij had willen wedden dat het tegen de twee uur was.

'Heb ik recht op de aanwezigheid van een advocaat?' vroeg Maidment, omdat hij ervan hield dat de procedure correct werd afgehandeld, niet omdat hij er per se een nodig had.

Nightingale knikte en leek blij met zijn vraag.

'Naar mijn ervaring zijn het meestal de schuldige personen die meteen om een advocaat vragen.'

'In dit land is een mens onschuldig tot het tegendeel bewezen is, juffrouw Nightingale.'

'Technisch gezien wel. Maar met de bewijslast die wij tegen u hebben, denk ik dat u zult merken dat dát haarkloverij is.'

Maidments gezicht bleef onbewogen, maar vanbinnen begon er iets te knagen.

'Desondanks wil ik graag dat mijn advocaat aanwezig is voordat we verdergaan.'

Ze knikte uiterst beheerst en zette de taperecorder af.

'Laat hem zijn telefoontje plegen,' beval ze, 'en kom me halen zodra zijn advocaat is gearriveerd.'

Ze trok de deur gedecideerd achter zich dicht.

Fenwick weigerde te gaan zitten toen Quinlan hem een stoel aanbood en bleef met een ondoorgrondelijk gezicht voor zijn bureau staan. Hij was in recordtijd naar Harlden gereden, toen hem een gerucht ter ore was gekomen dat hij onmogelijk kon geloven.

'Ik kon er niets aan doen, Andrew. Je was niet bereikbaar en de korpschef belde.'

'Het is mijn strategie die tot de vondst van het bewijsmateriaal heeft geleid, waardoor Maidment met Paul Hill in verband kon worden gebracht. Het is laag om zo'n arrestatie onder leiding van een andere rechercheur te laten plaatsvinden. Er stond geen boodschap op mijn mobiele telefoon en er is geen poging ondernomen om me te spreken te krijgen.'

'Ik heb een boodschap op je kantoor achtergelaten om me te bellen zodra je daar tijd voor had, Andrew. Het blijkt achteraf toch geen zaak voor jouw rechercheteam te zijn.'

'Ik ga ervoor knokken om dit terug te krijgen.'

'Doe niet zo idioot. Je bereikt er niets mee en je vervreemdt de korpschef alleen maar van je.'

'Jíj wist toch dat ik hieraan werkte? Had je de zaak niet kunnen afwijzen? Dit is volstrekt ondermijnend.'

Quinlan zei niets, maar op zijn gezicht stond te lezen dat hij het een belachelijke aantijging vond.

'Is de arrestatie al in gang gezet?'

'Nu, op dit moment. Maidment zal hier worden vastgehouden en in staat van beschuldiging worden gesteld.'

'Nightingale heeft de leiding, heb ik begrepen. Ik sta ervan te kijken dat de korpschef niet heeft doorgedrukt dat Blite het deed.'

Er kwam een trek van ergernis om de mond van de commissaris bij het sarcasme van Fenwick, maar hij bleef kalm toen hij antwoordde: 'Hoofdinspecteur, op mijn bureau worden personele beslissingen door mij genomen.'

Hiermee had Fenwick zijn congé gekregen en hij liep op hoge poten de deur uit. Pas op de trap naar beneden drong het tot hem door dat hij zijn boosheid op de verkeerde man had afgereageerd. Quinlan was een trouwe supporter van hem, altijd geweest. Eigenlijk sprak het boekdelen dat hij dit stilletjes had doorgezet. Het was een besluit van de korpschef dat de arrestatie door Harlden werd gedaan en dat duldde geen tegenspraak.

Fenwick knalde de deur naar het cellenblok zo hard open, dat hij tegen de muur stuiterde. Er was niemand, op de brigadier van de wacht na, die hem verwijtend aankeek. Hij was een prikkelbaar individu en Fenwick was geen favoriet van hem. Daarom was het misschien begrijpelijk dat hij de hoofdinspecteur niet uit zichzelf inlichtte dat Maidment al aangehouden en naar de verhoorruimte overgebracht was. Hij keek Fenwick bijna geamuseerd na, toen deze wegstormde.

Om halfacht keerde Maidment naar de verhoorruimte terug, vergezeld door Mitchell Stenning, een familierechtadvocaat en oude vriend van hem, die al half met pensioen was. Hij ging naast Maidment zitten, geschokt door de zware beschuldiging die tegen zijn cliënt was ingebracht. Stenning knipperde nogal vaak met zijn ogen en zuchtte om de paar minuten diep. Nightingale kwam binnen, samen met de rechercheur wiens naam hij vergeten was – wat voor zijn doen zeer ongebruikelijk was. Het betekende dat hij zich toch ongeruster maakte dan hij uiterlijk wilde laten blijken.

Nightingale herhaalde de formaliteiten en keek de majoor verwachtingsvol aan.

'En, majoor, heeft u nagedacht over wat u wilt zeggen?'

'Ik ben onschuldig. Verder heb ik niets te zeggen.'

'U bent zojuist beschuldigd van moord op een kind en u hebt niets te zeggen? Uw gebrek aan medewerking spreekt in uw nadeel tijdens een proces. Dat beseft u toch wel?'

Maidment bleef zwijgen. Hij merkte dat Nightingale even met haar mond trok en vroeg zich af of ze geïrriteerd was, ondanks haar uiterlijke kalmte.

'Heeft u Paul Hill gekend?'

'Nee.'

'Weet u zeker dat u hem nooit bent tegengekomen?'

'Absoluut zeker.'

'Hij kwam niet op de golfclub?'

'Ik geloof niet dat zijn vader ooit lid is geweest, waarom zou hij dan?'

'Hoe verklaart u dan...'

Haar vraag werd onderbroken door een geüniformeerde agent die binnenkwam en haar iets in het oor fluisterde. Nightingale gaf een knikje en beëindigde het gesprek met het bevel te wachten tot ze weer terugkwam.

Maidment keek haar met goed verholen bezorgdheid na, toen ze naar de gang verdween. Zij was ervan overtuigd dat ze zijn schuld kon bewijzen en gedurende zijn lange wachttijd had hij bedacht wat het bewijs zou kunnen zijn. De moderne forensische wetenschap was fantastisch, althans, dat werd hem om de zoveel tijd door de *Daily Telegraph* meegedeeld, dus kon hij zich wel voorstellen hoe de zaak zou worden geconstrueerd. Hij merkte dat hij dwangmatig de vingers van zijn rechterhand samenkneep en weer opendeed, en hij dwong zichzelf daarmee op te houden.

'Hier deugt natuurlijk niets van, Jeremy,' zei Mitchell, die hem niet helemaal recht aankeek. 'Ik heb je in een mum van tijd weer buiten.'

'We zullen zien. Het leven is soms ingewikkelder dan je zou verwachten of willen. Maar ik kan je verzekeren dat ik, wat ze ook zeggen en met wat voor "bewijzen" ze ook voor de dag komen, die arme jongen niet heb vermoord.'

Mitchell knikte weinig overtuigd en keek op zijn horloge.

'Het spijt me, Andrew, maar de zaak-Hill ligt niet meer bij Zware Delicten, net zomin als de zaak-Eagleton. Als je besluit door te gaan met je onderzoek in het kader van operatie Koorknaap – en de hemel weet dat ik je zal steunen als jij vindt dat het tijd wordt om ermee te kappen – dan is dat één ding, maar hoogopgeleide mensen inzetten voor het onderzoek naar twee oude, onopgeloste zaken is gewoon misplaatst.'

Dus daar ging het allemaal om. Harper-Brown wilde het Koorknaapteam opdoeken. Ook al was Fenwick tot de conclusie gekomen dat het erin zat, hij had gehoopt dat de vondst van het lijk van Malcolm Eagleton, gevolgd door de opgraving van de kleren van een andere jongen, hem nog wat respijt zou geven.

'Maar we weten op grond van vingerafdrukken dat de kleding in de zak van Paul Hill was en het profiel van die jongen past helemaal binnen het pedofielennetwerk.'

'Profiel! Doe me een plezier, Andrew. We weten allebei dat je heel arbitrair te werk gaat. Op grond van een terloopse opmerking van de Yanks heb je een leeftijdscategorie van vijf jaar afgebakend en de slachtoffers behoren allemaal tot het blanke ras. Dat kun je nauwelijks een profiel noemen.'

Fenwick haalde diep adem. Het was maar goed dat ze aan de telefoon zaten. Hij was razend dat Harper-Brown zo kalm bleef, terwijl hij zich zat op te vreten. Toch dwong hij zichzelf rustig te praten. Als hij in het onderzoek naar de zaak-Hill een vinger in de pap wilde houden, moest hij voor de goede zaak een beetje bijdraaien.

'U hebt uiteraard gelijk, meneer,' hij slaagde er zelfs in te lachen, 'en ik ben het Koorknaaponderzoek dan ook aan het evalueren...'

'Heel goed.'

'... en als er volgende week geen schot in komt, schort ik het actieve onderzoek op, tot er nieuwe ontwikkelingen zijn.'

'Absoluut de correcte gang van zaken.' Het kwam zelden voor dat hij goedkeuring hoorde in de toon van H-B en het moedigde hem dan ook aan zijn geluk te beproeven.

'Ik zou de volgende week graag een oogje in het zeil willen houden bij de ontwikkelingen in de zaken hier in Harlden.' Hij ging snel verder voordat de korpschef hem kon interrumperen. 'Als er namelijk een mogelijkheid is, dat Maidment betrokken is bij het Koorknaapnetwerk, ziet het er niet goed uit als we dat zouden missen. Hij staat al in het middelpunt van de belangstelling en het zal in de kranten breed uitgemeten worden. Als later mocht blijken dat we een verband met een groter netwerk van seksueel misbruik over het hoofd hebben gezien, staan we in ons hemd.'

'Hm.' Harper-Brown bezat een goed ontwikkelde neus voor zelfbehoud en politiek opportunisme. 'Wat voor rol heb je voor jezelf op het oog?'

'Ik zou graag de verhoren van Maidment leiden. Ik denk dat mijn stijl goed bij hem aanslaat. Het geeft me ook de kans om te toetsen of er een breder verband bestaat, zonder hem alert te maken op wat wij nu al weten.'

'En Koorknaap stopt over een week?'

Het was een ruilhandeltje.

'Ja, tenzij zich nieuwe ontwikkelingen voordoen.'

'Dat is heel goed. Maar ga behoedzaam te werk in Harlden. Je mag de leiding nemen bij de verhoren, maar al het andere blijft onder Blite vallen.'

Fenwick besloot niet te vermelden dat Nightingale de arrestatie had verricht. Daar zou de korpschef snel genoeg achter komen.

'Eh, begrepen. Harlden leidt de onderzoeken naar de moord op Malcolm Eagleton en Paul Hill.'

'Het is wel heel irritant dat we het lijk van één jongen hebben en maar weinig bewijs, en ruimschoots bewijs voor de andere jongen, maar geen lijk. Weet je absoluut zeker dat Eagleton niet op Downside zat? Het zou een stuk handiger zijn als we die twee ontdekkingen aan elkaar konden koppelen.'

'Het eerste wat we deden was de schoolrapporten van Malcolm controleren. Hij heeft daar nooit op school gezeten. En zijn ouders zijn er zeker van dat de kleren die we hebben gevonden niet van hem zijn. Maar er worden nu DNA-onderzoeken gedaan voor beide jongens, dus we kunnen straks – pardon – Harlden kan straks, wanneer de resultaten binnen zijn, onze aannamen bevestigen.'

'Hm. Nou ja, als we inderdaad geen verband kunnen leggen...'

De stem van de korpschef zakte weg. Voor de tweede keer besloot Fenwick omzichtig te werk te gaan en dramde er dus niet over door dat er wel degelijk een verband kon zijn tussen de twee jongens, en dat hij nog steeds vastbesloten was dat te vinden, in die ene week die operatie Koorknaap nog beschoren was. Hij had zich het recht verworven betrokken te blijven bij de verhoren van Maidment en dat was ruim voldoende resultaat voor één telefoongesprek.

'Hè, ik ben een keer niet geëxplodeerd tegenover de korpschef,' mompelde hij, toen hij de bezoekersruimte in Harlden verliet, waardoor hij een voorbijkomende medewerkster aan het schrikken maakte. Hij bleef even in het trappenhuis staan en ging toen een trap op, in plaats van af. Hij trof Quinlan nog, toen deze op het punt stond weg te gaan.

'Ik kom mijn excuses maken, meneer. Ik ben mijn boekje te buiten gegaan.'

'Ik ben blij dat je het in de gaten hebt. Je moet oppassen met die heilige verontwaardiging van jou, Andrew. Dat is je achilleshiel en dat weet je.'

'Je hebt gelijk, maar ik word stapelgek van de korpschef.'

'Zet je eroverheen. Hij zit daar niet voor eeuwig. Daar is hij veel te ambitieus voor. Zie het als een tijdelijke uitdaging, niet als een permanent probleem.'

'Is dat de manier waarop jij ermee omgaat?' Het was een plaagstootje en hij verwachtte dat Quinlan het als een grapje zou opvatten. Hij was dan ook uit het veld geslagen door zijn reactie.

'Doe de deur dicht.' De commissaris wachtte en toen de deur gesloten was, zei hij: 'Ga zitten. Ik ga je twee adviezen geven. En ik geef er niet uitgebreid tekst en uitleg bij, snap je dat?'

'Ja.'

Fenwick haalde zijn schouders op, maar maakte zich geen zorgen. Hij had de preek die nu ging volgen al zo vaak aangehoord.

'Ten eerste, je houding staat je promotie in de weg, als je die niet onder controle krijgt. Ik dacht dat je die had verbeterd sinds je bij de Met had gewerkt – ze complimenteerden je zelfs met je beleidsvoering en dat is voor het eerst – maar als je scheve schaatsen blijft rijden zoals je zojuist met mij hebt gedaan, ondermijn je al je goede werk.

En, even onder ons, er staan nog drie andere kandidaten uit West Sussex op de nominatie voor de positie van commissaris, allemaal sterke mededingers, maar de korpschef en de hoofdcommissaris zullen de promotiecommissie adviseren slechts twee kandidaten te nomineren.'

Fenwicks mond werd droog en de grijns die hij had proberen te onderdrukken verdween vanzelf.

'Waarom?'

'De lokale korpsleiding maakt zich zorgen over onze ratio's. Vergeleken met het gemiddelde van Engeland en Wales zijn we "overmanaged", om het in hun woorden te zeggen. Onzin, natuurlijk, gemiddelden zeggen niets, maar de leiding wil op geen enkele manier de aandacht op West Sussex vestigen, gezien de stemming waarin de minister van Binnenlandse Zaken tegenwoordig verkeert.'

'En waar sta ik in dit alles, meneer, als u me dat kunt zeggen?'

Quinlan zweeg en knikte toen, alsof hij antwoord gaf op zijn eigen vraag, niet op die van Fenwick.

'Ik weet dat ik op je discretie kan rekenen, dus zal ik het je vertellen, maar als dit ooit uitlekt...'

'Dat gebeurt niet; op mijn woord.'

'Je mag het tegen níémand zeggen, Andrew, begrijp je me, zeker niet aan iemand binnen het korps.'

Fenwick knikte hevig en stopte daar opeens mee, verward door de nadruk die dat laatste kreeg.

'Natuurlijk.'

'Op papier kom jij als beste kandidaat naar voren. De verslagen van je arrestaties en zaken die tot een veroordeling zijn gekomen zijn sterk, je managementervaring is goed en je recente werk bij het regionale rechercheteam geven je een zeer sterk profiel. Ook de Met beoordeelt je positief, hoewel dat een tweesnijdend zwaard kan zijn.'

'Je zegt "op papier".'

'Het gesproken woord telt net zo zwaar mee als een geschreven rapport. Naast je staat van dienst en de beoordelingsprogramma's waar je aan meegedaan hebt, zal de commissie ook mondelinge referenties meewegen. Gezien de kwaliteiten van je mededingers zullen de mondelinge aanbevelingen naar mijn persoonlijk oordeel zwaar meetellen.'

Fenwick probeerde te slikken, maar merkte dat hij geen speeksel had.

'Wie zullen ze raadplegen?' Zijn stem klonk hem dun in de oren.

'Mij, MacIntyre en Cator, denk ik, omdat wij al bericht hebben gehad, en de korpschef uiteraard.'

Er viel een veelzeggende stilte. Beide mannen konden goed een pokerface opzetten, dus uiterlijk veranderde er niets aan hen, maar vanbinnen voelde Fenwick zich beroerd. Toen Quinlan zijn mond hield, zei hij het enige wat hij kon bedenken om de spanning te breken: 'Je zei dat je twee adviezen voor me had.'

'O ja.' Tot zijn verbazing kreeg Quinlan een kleur. 'Ik vind het lastig om dit te berde te brengen, Andrew, en dit is dan ook het enige wat ik erover zeg. Wees voor jullie beider bestwil heel voorzichtig in je handelwijze ten opzichte van inspecteur Nightingale. Het is voor jullie allebei niet goed als je het voor haar opneemt. Integendeel, in feite. Het creëert en voedt gegis waar niemand wat aan heeft. Hoe het werkelijk zit, interesseert me absoluut niet, je bent immers overgeplaatst naar de regionale recherche. Het is helemaal jullie eigen... pakkie-an.'

'Wát zegt u, meneer?' Fenwick was volslagen verbijsterd en liet dat ook duidelijk merken. 'Ik begrijp er niets van.'

'Ik heb mijn zegje over de kwestie gezegd. Denk erover na.'

'Maar...?'

'Genoeg erover. Ik ben al aan de late kant en ik heb gehoord dat je een verdachte moet verhoren. Laat me weten hoe het loopt.'

Fenwick ging langzaam de trap af en bleef een paar keer diep in gedachten verzonken staan. Het nieuws over zijn promotievooruitzichten schokte hem, maar een grote verrassing was het niet; nee, die kwestie met Nightingale bracht hem van zijn stuk. Maar hij was niet achterlijk en gewend om raadsels op te lossen, dus rond de tijd dat hij bij de beveiligde deur naar de verhoorruimten was, had hij alles op een rijtje. Tussen hen bestond niets meer dan een ontspannen vriendschap, dat vond hij zelf tenminste. Soms spraken ze af om iets te gaan drinken en ze kwam een keer in de maand bij hem en de kinderen eten. Maar mensen kletsen nu eenmaal; natuurlijk werd er gespeculeerd over de aard van hun relatie. Het was wel ironisch dat het nu gebeurde.

Geen wonder dat hij was gewaarschuwd, zeker nu zijn promotie op het spel stond; en haar promotie was een punt van afgunst, omdat ze zogenaamd voorgetrokken was. Het was wel erg onnozel van hem geweest om ervan uit te gaan dat er niet geroddeld zou worden. Zij was misschien ook naïef, maar hij was haar superieur, hij zou beter moeten weten. Hij was toegeeflijk voor zichzelf geweest door hun vriendschap te blijven koesteren, alleen omdat hij het zo prettig vond. Als hij werkelijk om haar gaf – tot zijn verbazing moest hij toegeven dat hij dat deed, heel veel zelfs – was het aan hem om zo snel mogelijk een veilige afstand tussen hen te scheppen. Emotioneel in de war en met een nors gezicht toetste hij de code in en ging op weg naar verhoorkamer drie.

Hij trof Nightingale op de gang buiten de verhoorkamer aan. Ze maakte een ongeduldige indruk.

'Is er ergens een plek voor een briefing?' Nightingale knipperde even met haar ogen bij de toon die hij aansloeg, maar dat liet hij langs zich heen gaan.

'Hier.' Ze wees naar de lege verhoorkamer tegenover hen.

'Ik heb de korpschef gesproken. We zijn overeengekomen dat ik zelf de verhoorstrategie bepaal.' Nightingale keek geschokt, maar ze hield haar mond. 'Wat is er tot dusverre uitgekomen?'

'Niets. Hij wilde er een advocaat bij hebben, dus ik was nog maar net begonnen. Tot nog toe zegt hij dat hij onschuldig is en verder niets te zeggen heeft.'

'Heb je hem al met de bewijzen geconfronteerd?'

'Nog niet.'

Nightingale was duidelijk van haar stuk gebracht door zijn kortaangebonden, afstandelijke manier van doen, en ze probeerde oogcontact met hem te krijgen, maar Fenwick pakte een blad papier uit de map die hij bij zich had en begon het te bestuderen. Het was het verslag van de vingerafdrukken dat tot de arrestatie van Maidment had geleid en waarvan een kopie voortijdig op het bureau van de korpschef was beland, toen Fenwick bij de rechtbank was.

'Mooi. We gaan nergens op vooruitlopen, zeker als hij niet wil meewerken. Wat voor achtergrondinformatie hebben jullie verzameld?'

'Hij heeft een onberispelijke staat van dienst in het leger. Hij is gedecoreerd na een actie op Borneo en werd vervolgens verbindingsofficier in Frankrijk. Daarna bekleedde hij de een of andere post in Washington. Daar staat niet veel over in zijn dossier. Drieëntwintig jaar geleden trok hij zich terug en werd secretaris bij golfclub The Downs, op aanbeveling van zijn toenmalige commandant, een zekere luitenant-kolonel Richard Edwards. Hij was ook lid van de raad van bestuur van drie particuliere ondernemingen, tot hij drie jaar geleden, toen zijn vrouw ziek werd, met pensioen ging.

Hij is belijdend lid van de doopsgezinde kerk en hij heeft een aanzienlijk deel van zijn rijkdom verdeeld tussen zijn enige zoon en schoondochter, en een aantal organisaties voor kankerbestrijding. Van de rest heeft hij een klein huis gekocht. Hij geeft een tiende van zijn inkomen aan de kerk, leeft bescheiden en heeft geen schulden.'

'Een volmaakt burger,' merkte Fenwick op. 'Maar ik geloof niet in volmaaktheid. Heeft hij geen ondeugden?'

'Er gaan geruchten dat hij een maîtresse had voordat zijn vrouw kanker kreeg,' zei Nightingale.

'Niet alle geruchten zijn waar, daar moeten we bewijzen voor hebben.' Fenwick meed haar blik en ging verder met de bewijslast van de vingerafdrukken.

'Er zitten drie verschillende afdrukken op de buitenste zak en alleen die van Maidment op de binnenste,' las hij hardop voor. 'Maar we hebben nog geen DNA-analyse van het bloed en misschien hebben we ook niet het geluk dat er een positieve match uitkomt. De blazer is schijnbaar vanuit een aantal bronnen doorweekt geraakt, dus het is best mogelijk dat er geen bruikbaar DNA te isoleren valt. Leidde jij het verhoor voordat ik kwam?'

'Ja.'

'Goed. Dan kun jij erbij zijn, maar ik neem de leiding en ik bepaal of en wanneer we de bewijslast tegen hem gebruiken. Laat iemand ervoor zorgen dat het lab weet dat we die DNA-analyse dringend nodig hebben. En ik wil onmiddellijk een kopie van het verslag zien zodra dat beschikbaar is. Er is al een keer iets misgegaan in de informatieoverdracht aan mij en dat duld ik niet nog een keer. Begrepen? Mooi.' Hij draaide zich om naar de verhoorkamer. Toen hield hij in. 'O, betrek je Bob Cooper erbij, nu hij door het interne onderzoek van blaam gezuiverd is?'

'Ja, dat kan ik doen. Ik zou niet weten waarom niet.'

'Dat is goed, omdat je iemand met zijn ervaring nodig hebt bij deze zaak.'

Fenwick deed alsof hij niet merkte dat ze haar adem inhield bij de belediging die in zijn woorden besloten lag. Hij bracht zijn papieren in orde en liet Nightingale met een hoogrode kleur achter. Haar ogen sproeiden vuur, maar hij gaf er geen blijk van dat hij het merkte.

16

Alison Reynolds zat midden in de vergaderkamer naar de foto's te staren die het observatieteam in de voorafgaande maanden had gemaakt. Ze had ze al drie keer op de prikborden herschikt, op zoek naar patronen. De eerste keer hingen de foto's in de volgorde waarin ze genomen waren; daarna had ze ze op locatie gerangschikt. Geen van die schikkingen had een nieuw inzicht opgeleverd. Ze kende de taferelen inmiddels zo goed, dat ze er blind voor werd. Ze besloot even te pauzeren en ging een kop thee halen in de kantine.

Het was al de vierde opeenvolgende avond dat ze overwerkte. Ze kon het geld goed gebruiken, nu die klootzak van een man van haar opnieuw was gestopt met alimentatie voor hun kind te betalen. Zij was weer de enige bron van inkomsten in het kleine gezin. Maar haar langdurige afwezigheid veroorzaakte spanningen thuis. Ze had het geluk dat haar vader en haar zoon redelijk goed met elkaar overweg konden, maar de ene had een zwakke gezondheid en de andere was typisch een twaalfjarige, en dat hield in dat geen van beiden erg handig was in de keuken of in het huishouden. Er stonden geen maaltijden meer in de vriezer, ze waren op – zelfbereide maaltijden van goede kwaliteit, die ze lekker vonden en die voorkwamen dat James hyperactief werd – en nu moesten ze het doen met goedkope kant-en-klaarmaaltijden. De kleurstoffen en conserveringsmiddelen waren slecht voor allebei, en ze voelde zich schuldig.

Om zeven uur dwong Alison zichzelf weer naar boven te gaan. Fenwick was in geen velden of wegen te bekennen, maar toen dacht ze eraan dat hij met een noodvaart naar Harlden was vertrokken en niet terug zou komen. Maar Clive was zonder verklaring verdwenen en dat irriteerde haar. Ze wisten allebei dat ze nog maar vijf dagen hadden om iets nieuws te vinden, anders werd de zaak opgeschort. Door zijn nonchalance, althans daar leek het op, kwam de verantwoordelijkheid om aan Fenwicks verwachtingen te voldoen volledig op haar schouders te liggen. Het leek erop dat Clive een nieuwe relatie was begonnen, naar zijn gedrag te oordelen. Wel een beetje snel; zijn vrouw had hem pas twee maanden geleden verlaten en hij was zogenaamd kapot geweest van haar ontrouw.

'Je bent gewoon jaloers,' zei ze hardop in de lege kamer.

Zij was het afgelopen jaar geen enkele solide vriend tegengekomen en had de hoop al opgegeven dat ze ooit een nieuwe partner zou vinden. Wanneer had zij tijd om naar iemand om te zien?

'Goed. De prikborden,' zei ze, ze draaide zich om en nam ze in ogenschouw.

Ditmaal schikte ze de foto's op goed geluk, zonder enige logische volgorde, maar baseerde zich op foto's waarvan ze vond dat ze 'bij elkaar pasten', alsof ze een enorm album aan het sorteren was. Ze leek wel gek om zo te blijven zoeken, dacht ze, toen ze naar die honderden afbeeldingen keek. Er zat geen lijn meer in de opzettelijke chaos die ze had gecreëerd, dus liet ze haar blik over de foto's dwalen en bleef kort hangen bij aspecten die ze niet eerder had opgemerkt.

Op één foto verkocht Alec een oude elpee van de Eurythmics, die zij ook had gekocht toen hij uitkwam. Het was een van haar favoriete platen en toen ze hem zag, glimlachte ze. Op een andere foto zag ze hem een exemplaar van het D-E-gedeelte van de *Encyclopaedia Britannica* aan iemand overhandigen en vroeg zich af wat iemand daar in hemelsnaam mee moest.

Alison ging de prikborden langs, lette vooral op heel kleine details en liet haar nieuwsgierigheid de vrije loop. Toen ze bij een foto kwam waarop ze Alec de plaat van de Eurythmics opnieuw zag verkopen, wilde ze hem weghalen, omdat het een duplicaat was, maar ze stopte nog vóór ze de speld er uitgetrokken had. Hij droeg handschoenen en een sjaal. Ze holde terug naar het eerste prikbord en keek naar de andere foto. Daar droeg hij een T-shirt met korte mouwen: het was zomer. De foto's waren op verschillende tijdstippen genomen.

Met groeiende opwinding liep Alison de prikborden nog eens langs en haalde de foto's eraf waarop dezelfde spullen meer dan één keer werden verkocht. Na een uur flink doorwerken had ze vijf stapeltjes. Dezelfde elpee van de Eurythmics was vijf keer in andere handen overgegaan; ze wist dat het dezelfde was, omdat er een vlek op de hoes zat. Een gehavende gebonden uitgave van *Wind in the Willows* was tien keer verkocht; *Lord of the Flies* zes keer; een elpee van een obscure punkband – Vomit Psycho II – was bij drie gelegenheden door dezelfde persoon gekocht; een speciale editie van Stevie Wonder kwam op het ruime totaal van twintig keer.

Bij elk voorwerp bekeek ze met een loep of het steeds hetzelfde item was dat opnieuw werd verkocht. Ze legde alle reeksen op volgorde van datum en concentreerde zich toen op de kopers. Na vijf minuten had ze pen en papier nodig om het te kunnen bijhouden. Om negen uur belde ze Fenwick thuis op en onttrok zich aan het gezeur dat ze zo lang overwerkte met de mededeling dat ze nieuws voor hem had.

'Alec Ball gebruikt zijn marktkraam als dekmantel voor iets anders. Sommige dingen die hij verkoopt, kloppen niet.'

'Maar dat ligt te veel voor de hand, dat is het eerste wat het vorige team heeft gecheckt. En sindsdien hebben we als "klanten" zijn spullen steeds opnieuw doorzocht – het zijn allemaal goedkope boeken en oude langspeelplaten. En hij heeft nooit gehapt als we naar porno of pedofilie hengelden.'

'Maar hoe verklaar jij dan, dat hij in de periode dat we hem hebben geobserveerd, herhaaldelijk hetzelfde exemplaar van bepaalde platen heeft verkocht?'

Ze bracht Fenwick op de hoogte van wat ze had ontdekt en haar opwinding werkte aanstekelijk.

'Maar dat is ongelooflijk – hoe heb ik dát over het hoofd kunnen zien?' zei hij, zich niet bewust van zijn arrogantie.

'Jij niet alleen, we hebben er allemaal overheen gekeken. Precies wat je zei, je ziet door de bomen het bos niet meer. En om eerlijk te zijn, er zat altijd een periode tussen voordat iets opnieuw werd verkocht en dan zit het niet voor in je geheugen, ook al heb je het wel gezien.'

'En wat mag er wel in die hoezen zitten?'

'Precies. En wie koopt ze?'

'Zijn er ook kopers die terugkomen?'

'Een paar. Nogmaals, ze komen niet heel vaak, maar het zijn er genoeg om ze in de gaten te houden.'

'Dit is uitmuntend, Alison. Zeg maar tegen de rest van het team dat ik jullie een biertje verschuldigd ben.'

'Eh... goed.'

'Morgenochtend ben ik allereerst in Harlden om Maidment te verhoren...'

'Ik dacht dat we dat hadden overgedragen.'

'Nu Koorknaap nog loopt, leid ik het verhoor en dankzij jouw doorbraak zou dat wel eens langer kunnen zijn dan iedereen heeft gedacht.' Hij grinnikte opmerkelijk ontspannen. 'Zodra ik daar klaar ben, kom ik terug voor overleg met het team. Kun je dat voor één uur inplannen?'

'Ja hoor, geen probleem.'

'En Alison, je hoeft niet zoveel vroeger te komen, oké? Het kan een lange zit worden en je moet een beetje kalmer aan doen.'

Hoor wie het zegt, dacht ze in stilte.

Ondanks zijn uitdrukkelijk bevel om naar huis te gaan, liep Alison terug naar de vergaderruimte om haar aantekeningen af te maken, zodat ze die morgen tijdens de briefing kon gebruiken. Daarna hing ze de foto's gegroepeerd op de prikborden en maakte er verklarende aantekeningen bij, om niets te kunnen vergeten. Ze was er pas na elven mee klaar en voelde zich doodop. Ze moest om zes uur alweer op om het strijkwerk te doen en voor haar vader te zorgen, voordat ze het ontbijt en de lunch voor die dag ging klaarmaken. Maar toch aarzelde ze even voordat ze wegging.

Er waren een paar prikborden die ze nog niet met frisse ogen had bekeken; de borden met alle jongens in West Sussex die recentelijk vermist waren.

Het brak haar hart toen ze ernaar keek. Zo'n verspilling van levens. Natuurlijk zouden de meesten van hen weglopers zijn, heel wat minder sinister, maar desondanks beschouwde ze ook hen als slachtoffers – misschien van de gezinnen waar ze uit kwamen, van de maatschappij, of van hun eigen karakter. Haar zoon was twaalf, hij had dezelfde leeftijd als de jongste op het bord. Als hij ooit zou weglopen... Haar hart sloeg over.

Misschien ging ze morgen inderdaad wat later naar haar werk. Ze zou met hem meelopen naar school – en er natuurlijk wel op letten dat ze geen gênante 'mamadingen' deed, zoals hij het noemde. Dan zou ze boodschappen gaan doen en hun lievelingskostje halen. Morgen kregen ze echt iets lekkers te eten en ze zou ervoor zorgen dat ze op tijd thuis was om het klaar te maken.

Sam hoefde een hele week niet meer te werken. Hij mocht in bed blijven liggen zo lang hij wilde. William kwam regelmatig langs met lekkere dingen, wat Sam meer in de war bracht, dan dat hij er dankbaar voor was.

Op de dag na het bezoek van Nathan had hij een enorm tablet chocola voor hem meegebracht, maar Sam was te ziek geweest om ervan te eten. Zijn lichaam deed pijn en hij kon nauwelijks water drinken, terwijl hij er zo naar verlangde. Hij sliep het grootste deel van de tijd, duistere perioden van diepe slaap, die hem in nachtmerries dompelden waar hij niet uit kon ontwaken.

De tweede dag kwam iemand hem bezoeken, een man die hij niet kende, die een zwarte tas bij zich had en hem onderzocht. Hij was nauwelijks bij bewustzijn. Ondanks de dorst was zijn keel té erg opgezwollen om het water te kunnen drinken dat William hem probeerde op te dringen. Sam werd naar een kamer voor hem alleen gebracht en de man stak een infuus in zijn arm. Hij kon zien dat hij met William praatte en één keer meende hij dat hij schreeuwde, maar hij kon de woorden niet verstaan en het interesseerde hem eigenlijk ook niet.

Later op de dag verving William de zak boven het infuus. Sam was nu tamelijk wakker en begon honger te krijgen. Hij kon nog altijd niet behoorlijk slikken, maar William bracht hem een koude yoghurtdrank, die hij in zijn geheel naar binnen kon werken. Die avond kreeg hij aardappelpuree met jus en ijs.

Toen hij de volgende dag wakker werd had hij hoofdpijn, maar de pijn in zijn lichaam was minder geworden. Hij had erge honger en hoewel hij nog steeds niet normaal kon eten, kreeg hij toch zijn roerei naar binnen en sneed hij de bacon in heel kleine stukjes, zodat hij het zonder al te veel moeite kon doorslikken. William kwam weer naar hem kijken. Deze keer had hij stripboeken, een radio en snoep voor hem meegenomen. Hij ging op de rand van Sams bed zitten en woelde zachtjes door zijn haren. Er werd niet veel gezegd, maar Sam kreeg de indruk dat William tevreden over hem was. Bij de lunch werkte hij worstjes en patat naar binnen en bij het avondeten een hamburger. Hij kreeg geen medicijnen meer en Sam vroeg zich af of de man met de tas had gezegd dat ze daarmee moesten stoppen.

De dag daarna begon hij zich bezorgd af te vragen wanneer hij weer aan het werk moest. De bloeduitstortingen aan zijn keel waren groengeel geworden, maar verder zag hij er goed uit. Toen William langskwam op een van zijn regelmatige bezoekjes, wachtte Sam angstig af of hij te horen zou krijgen dat hij die avond weer in de kamer moest verschijnen. Dat gebeurde niet. Integendeel, William begon een lange monoloog over het leven af te steken; dat er soms dingen gebeurden die niet de bedoeling waren, maar die toch goed afliepen; hoe belangrijk het was om dat soort gebeurtenissen als een kans te beschouwen en er het beste van te maken.

De preek ging aan Sam voorbij. Toen hij eenmaal wist dat hij niet hoefde te werken, concentreerde hij zich vooral op het gezinspak met snoep dat William had meegebracht. De dropveters bewaarde hij voor het laatst, omdat hij die het lekkerst vond. Maar toen William de naam van Nathan noemde, hield hij op met kauwen en concentreerde zich.

'... eigenlijk niet zo'n slechte man. In feite is hij altijd heel goed voor ons geweest. Hij heeft connecties, snap je.'

Maar blijkbaar stonden Sams gevoelens op zijn gezicht te lezen, want William legde zijn handen op zijn schouders, niet dreigend zoals meestal, maar op een zachte manier.

'Ik weet dat hij je een beetje pijn heeft gedaan, Sam...'

'Een beetje?'

De woorden waren eruit voordat Sam ze kon tegenhouden en hij kromp onwillekeurig in elkaar bij de boosheid in Williams ogen. Hij zette zich schrap, klaar om de klap op te vangen, maar die bleef uit. Met zichtbare moeite bleef William kalm. Sam was stomverbaasd.

'Hij meent het niet zo, Sam. Het is nog nooit eerder gebeurd. Zelfs niet met Jack, toen hij zo razend op hem werd. Het komt doordat... nou ja, het komt door jou. Je bent zijn type. Nu weet je het. Als iemand van ons een jongen opduikelt die eruitziet zoals jij, moeten we het hem laten weten. En hij was erg over je te spreken.'

'Maar ik ben hier al weken, William,' zei Sam, moediger geworden nu bleek dat William hem geen pijn wilde doen.

Tot zijn verbazing kreeg William een kleur en keek hij schuldbewust.

'Hij had Jack.' Er viel een onbehaaglijke stilte. 'Daar kun je het trouwens maar beter niet over hebben als je hem weer ziet.'

'Komt hij dan terug?' Er kwam een klank van pure angst in Sams stem. 'Dat kan niet. Hij vermoordde me bijna! Je moet niet goedvinden dat mensen dat met ons doen. Ik heb toch gehoord dat je mannen eruit gooide die te ver gingen. Je zei dat ze moesten oprotten en nooit meer terug mochten komen.'

'Met Nathan ligt dat anders.'

'Hij is een moordenaar, dat is hij!' riep Sam. 'Hij...' Maar zijn stem liet hem in de steek en zijn keel deed veel te veel pijn om door te gaan.

'Zo is het genoeg.' William stompte Sam hard met zijn vuist tegen het achterhoofd, zodat hij sterretjes zag. 'Omdat ik je behoorlijk behandel wil dat nog niet zeggen dat je je vrijheden kunt veroorloven. Begrepen?'

Sam voelde de tranen op zijn gezicht en keek naar het beddengoed dat zijn benen bedekte.

'Of je dat begrepen hebt!' William sloeg opnieuw.

'Ja, William,' fluisterde hij.

'Wat? Ik hoor je niet.'

'Ik zei "Ja, William".'

'Brave knul.' William woelde door zijn haar en klopte hem op de arm. Zijn woede verdween even snel als hij was opgekomen. Sam bleef zachtjes huilen.

'Kom op nou.' William sloeg een arm om zijn schouders. 'Zo erg is het niet.'

'Ik ben bang voor hem.'

'Hij zal je geen pijn meer doen, dat heeft hij me beloofd. Hij heeft zich een beetje te veel laten gaan. Dat is alles. Hij heeft me verzekerd dat het niet meer zal gebeuren.'

'Maar waarom, William?' vroeg hij timide. 'Waarom laat je hem terugkomen na wat hij heeft gedaan?'

'Omdat hij een belangrijk iemand is, Sam. Je beseft niet hoeveel geluk je hebt, dat hij zo op jou gesteld is.' Sam kromp ineen bij die woorden, maar William zag het niet en vervolgde: 'Eén woord van hem kan een huis maken of breken. Dat hij op jou valt is heel goed voor ons.'

'Was hij ook zo op Jack gesteld?'

Sam dacht terug aan Jack, in de dagen voordat hij verdween. Hij had in elkaar gekrompen tegen de muur gezeten en af en toe iets voor zich uit gemompeld. Hij was door de andere klanten gemeden. Er was iets niet in orde met Jack, waardoor iedereen op een afstand van hem bleef. Sam dacht nu te begrijpen waarom. William haalde zijn schouders op, maar gaf wel antwoord op zijn vraag.

'Hij was een tijdlang dol op Jack, maar niet zo dol als hij op jou is. Toen hij me gisteren belde, noemde hij je volmaakt goed. Hij wilde weten hoe het met je ging.'

'Wat heb je gezegd?'

'Dat je alweer bijna de oude was, natuurlijk.' William keek even naar Sams hals en wendde toen snel zijn blik af.

Er viel een stilte in de kleine kamer, af en toe onderbroken door het gesnuif van Sam.

'Ik geef je de rest van de week vrij,' zei William ten slotte.

Maar Sam was niet achterlijk.

'Wanneer komt hij terug?'

William gaf geen antwoord. In plaats daarvan stond hij op en klopte hem op zijn hoofd.

'Ontspan je nu maar en geniet van je rust, jongeman. Maak je geen zorgen, wij zullen extra goed voor je zorgen.'

Toen hij de kamer uitging, hoorde Sam dat aan de andere kant van de deur een sleutel werd omgedraaid. Hij sprong uit bed en probeerde de deurknop. Die gaf niet mee. Hij schudde er evengoed aan en begon toen op de deur te bonken. Toen zijn vuisten pijn begonnen te doen, schopte hij er met zijn blote voeten tegenaan. Het hielp niet. Hij zat opgesloten en daarbuiten was er niemand die het risico wilde nemen hem eruit te laten.

Hij zakte op zijn bed in elkaar en begon te huilen. Toen hij geen tranen meer overhad, stak hij zijn hoofd onder het beddengoed en begon te mokken, maar dat werd na een tijdje vervelend. Ten slotte begon hij de strips te lezen die William had meegebracht. Tegen zeven uur, toen zijn avondeten werd gebracht, lag hij diep te slapen, met het laatste restje dropveter stevig in zijn hand geklemd.

DEEL DRIE

SEPTEMBER 1982

Paul zat ineengedoken in de hoek van het toilet en probeerde zijn voeten van de grond te houden en tegelijkertijd met zijn rug de deur van het toilethokje dicht te drukken. Het was een waardeloze schuilplaats, maar de enige die hij had kunnen vinden nadat hij bij de mannen vandaan was gerend. Hij was ervan uitgegaan dat er een achterdeur zou zijn, waardoor hij kon wegglippen, de bossen in. Maar het liep hier dood en nu zat hij in de val, doodsbang en alleen. Hij drukte zichzelf nog verder de hoek in tegen het scharnier aan en zette zijn voeten schrap tegen de achtermuur, maar ze gleden telkens weg.

Toen ze hem zijn kleren uitgetrokken hadden en hem in het zwembad hadden gegooid, was hij in paniek geraakt, maar hij kon goed zwemmen, vooral onder water, en hij was erin geslaagd tussen hun benen door te glippen en bij het trapje aan de andere kant te komen, terwijl zij nog stonden te lachen om hun zieke grap. Toen hij bij het zwembad vandaan rende, hoorde hij Alec vloeken en zijn naam schreeuwen. De stem van die man bezorgde hem de schrik van zijn leven, wat zijn voeten vleugeltjes gaf, en hij was in een paar tellen in het huisje bij het zwembad verdwenen. Pas daarbinnen kreeg hij in de gaten dat er geen andere uitweg was dan via het zwembad.

Nu zat hij daar ineengedoken tegen de deur te rillen van angst en kou en spitste zijn oren om de kleinste geluidjes waar te nemen. Toen hij heel zacht iemand hoorde ademen, verstijfde hij van angst. Zijn natte voeten gleden weer van de muur en hij spande zijn beenspieren aan om ze omhoog te houden. Zijn tenen spreidden zich in een wanhopige poging om ergens houvast te vinden.

Het ademen kwam dichterbij. Hij merkte dat er blote voeten over de witte tegels liepen en hij kneep zijn ogen stijf dicht. Hij begon zachtjes te huilen, heel zachtjes, want niemand mocht het horen.

'Paul?'

Het was de stem van Bryan, vriendelijk, niet boos, maar dat was geen troost. Hij wist dat Bryan hem niet kon beschermen tegen de mannen buiten en dat ook niet van plan was geweest. Het ging allemaal om geld; Bryan had alleen maar gedaan alsof hij om hem gaf. Had hij zijn mes maar bij zich, dan zou hij naar buiten springen en hem doorsteken, nog eens en nog eens, tot hij dood was. Maar zijn mes zat bij zijn andere spullen die aan de rand van het zwembad lagen, ver weg en dus nutteloos.

'Paul, ik weet waar je bent. Maak er geen toestand van. Weet je dan niet dat natte voeten sporen achterlaten?'

Vol afschuw keek Paul naar de plassen water op de grond onder hem en kon een snik niet onderdrukken.

'Kom, kom. Niet huilen. Dat hoeft niet. Als je een lieve jongen bent, gebeurt je niets. Ga met me mee terug.' Bryans stem werd luider en zijn gezicht verscheen boven de deur.

Paul jammerde van ontzetting en liet zich hulpeloos als een snikkend hoopje op de grond zakken.

'Kom, lieverd. Huilen verknoeit je mooie snoetje en dat vinden ze niet leuk.'

Bryan bukte zich om hem op te tillen. Paul trok plotseling zijn hoofd omhoog en kwam zo hard in aanraking met Bryans kin, dat zijn boven- en ondertanden krakend op elkaar sloegen. Bryan tuimelde achterover en Paul schoot met een vaartje om zijn benen heen naar buiten, zonder achterom te kijken.

'Kleine rotzak!' schreeuwde Bryan. 'Alec, grijp hem. Grijp dat joch, hij komt jullie kant op.' Hij ging achter Paul aan, maar de jongen was het gebouwtje al uit en schoot zigzaggend naar de bossen aan de rand van het landgoed alsof de duivel hem op de hielen zat.

Achter hem kon hij geschreeuw en verwensingen horen en het gestamp van rennende voeten, maar dat kon hem niet schelen. Hij was nog maar klein; als hij het hek haalde, zou hij erover heen kunnen klimmen en zich verschuilen. Hij was er bijna, toen een enorme hand hem bij de schouder greep, zodat hij struikelde. Hij sloeg van zich af en tot zijn voldoening voelde hij dat hij met zijn nagels vlees openhaalde, maar door die beweging verloor hij zijn evenwicht en viel hij op de grond. Er kwam een harde vuist tegen de zijkant van zijn hoofd, en hij zag sterretjes. De hand werd weer opgeheven, maar voor hij neerkwam, hield iemand anders hem van achteren tegen.

'Alec, wat doe je nou, verdomme!' Dat was de stem van Nathan. Zo kwaad had Paul hem nog nooit gehoord. 'Geen bloeduitstortingen, weet je nog?'

'Als je denkt dat die kleine dondersteen naar huis gaat na wat hij me net heeft geflikt, heb je het goed mis!' Alec sloeg Paul nog een keer, om te bewijzen dat het hem menens was, wat hem op zijn beurt een klap in zijn gezicht van Nathan opleverde, met een voorwerp dat hard genoeg was om een lange, rode striem te veroorzaken.

'Genoeg, heb ik gezegd. En nu ga je van hem af. Ik meen het.'

Door de klank in Nathans stem kwam Alec tot zichzelf en haalde hij zijn knieën van Pauls borst. Dankbaar hapte hij naar lucht. Vanuit zijn ooghoek zag Paul iets zilverkleurigs in Nathans hand en met een schok van pure angst besefte hij dat het een revolver was. Hij rolde op zijn zij en zijn maag kwam in opstand. Zijn hoofd stond in brand.

'Breng hem terug,' commandeerde Nathan en hij voelde dat hij werd opgetild alsof hij niet meer was dan een stuk vlees. Zijn hoofd zwaaide omlaag over iemands rug en hij zag dat het Bryan was. Hij kreunde.

'Alsjeblieft, alsjeblieft, Bryan, laat me gaan,' smeekte hij. 'Ik wil naar huis. Ik zal niks zeggen, ik beloof het.'

Bryan deed alsof hij hem niet hoorde.

'Bryan!' riep hij, inmiddels wanhopig. 'Breng me niet terug, ze zullen me pijn doen, ik weet het. Alsjeblieft!' Hij snikte het uit, zijn tranen spetterden op de naakte rug van Bryan.

'Je had nooit moeten wegrennen, knul. Ik kan je nu niet helpen.'

'Maar je bent mijn vriend. Help me, alsjeblieft.'

Bryan zette hem overeind. Paul wankelde een beetje toen het bloed uit zijn hoofd terugvloeide, maar hij hield zich staande en sloeg zijn armen om het middel van Bryan, smekend dat hij hem tegen de anderen zou beschermen. Zijn kreten waren zo zielig, dat Bryan hem dicht tegen zich aandrukte, zodat ze huid tegen huid stonden. Het lichaam van Bryan was warm van inspanning, dat van Paul ijskoud.

'Luister, lieverd,' fluisterde hij. 'Wees een flinke jongen, dan haal ik

je hier uit. Je moet doen wat ze zeggen – en ook doen alsof je het fijn vindt, zodat zij je weer aardig gaan vinden. Als het allemaal voorbij is, zorg ik ervoor dat je thuiskomt.'

Paul maakte zich weer van hem los. Zijn ogen stonden hoopvol en angstig tegelijk.

'Beloof je dat?' vroeg hij onzeker.

Bryan haalde diep adem en hield Pauls handen stevig vast.

'Ja,' zei hij, 'dat beloof ik je.'

'Echt waar?'

'Heb ik ooit tegen je gelogen?' antwoordde hij met een glimlach.

Automatisch schudde Paul zijn hoofd en volgde zijn vriend terug naar het zwembad. Later, veel later pas, realiseerde hij zich dat zijn vriendschap met Bryan één grote leugen was geweest.

17

Er was iets veranderd. Maidment voelde het meteen, toen de nieuwe rechercheur de kamer betrad. Hij straalde gezag uit. Aantrekkelijke kerel, de vrouwen zouden wel bij bosjes voor hem vallen. Hij had zich voorgesteld als Fenwick, een goede naam uit het noorden, en hij zag eruit alsof hij van een sterk geslacht afstamde. Onder andere omstandigheden zou hij de rechtlijnige intelligentie die hij in hem meende te ontwaren, hebben gewaardeerd. Maar als Fenwick nu de leiding over de ondervraging had, werd het moeilijker om zich staande te houden.

De bewijzen die ze tegen hem hadden, kwamen niet meer ter sprake. Afgezien van de tekst waarin hij op zijn rechten werd gewezen, die ten behoeve van de tapes nog een keer werd opgezegd, viel de naam van Paul Hill niet. In plaats daarvan leek Fenwick nieuwsgierig te zijn naar zijn levensgeschiedenis, vanaf zijn kinderjaren en zijn hele diensttijd.

Hij was beleefd, belangstellend en vooral geduldig, maar de majoor wist dat hij slechts probeerde een goede verstandhouding op te bouwen. Het was de bedoeling een vertrouwensband te scheppen op basis van zijn levensverhaal. Als hij in het leger niet was getraind in het doorstaan van vijandige ondervragingen, zou hij erin getuind zijn, dacht Maidment.

Maar nu hield hij afstand en verschool zich achter een beleefde façade, wat hem er niet van weerhield de twee rechercheurs – zijn ondervragers – te bestuderen, precies zoals het hem was geleerd. Maidment pikte spanningen tussen hen op, alsof ze man en vrouw waren, en net ruzie hadden gehad. Om die gedachte moest hij glimlachen.

'Was dat een leuke herinnering?'

Maidment fronste zijn voorhoofd bij die vraag van Fenwick.

'U glimlachte.'

'O... ik moest aan echtelijke ruzies denken.'

'Ach,' glimlachte Fenwick op zijn beurt, 'en kwam dat vaak voor, tussen u en Hilary?'

Bij het noemen van de naam van zijn vrouw voelde Maidment die bekende steek in zijn binnenste.

'Niet vaker dan bij een gemiddeld echtpaar... en waarschijnlijk ook niet minder.'

'U bent vijfendertig jaar getrouwd geweest, dat is een lange tijd.'

'Zesendertig. Ik vermoed dat het lang lijkt, maar een goed huwelijk is niet in jaren te meten. Het wordt een soort gezamenlijk bestaan. Wacht maar, dat merkt u nog wel, zeker als de kinderen het huis uitgaan.'

'Ik ben weduwnaar.'

Fenwick hoestte, keek naar zijn aantekeningen en bladerde er wat in alsof hij iets zocht, maar Maidment trapte er niet in. Hij kende het verdriet uit persoonlijke ervaring en voelde een opwelling van medeleven met de man.

'Neemt u me niet kwalijk, daar had ik geen idee van. U bent daar nog te jong voor.'

Fenwick lachte vreugdeloos.

'Maar jij weet beter dan wie ook, Jeremy, dat de dood geen respect heeft voor iemands leeftijd. Zelfs heel jonge jongens sterven al ver voor hun tijd.'

Maidment had het gevoel alsof een vriend hem een klap in zijn gezicht gaf. De beschuldiging die erin besloten lag, bleef in de lucht hangen. Stenning zag er zeer ontsteld uit, Nightingale leek op een hongerige leeuwin die zich ergens in had vastgebeten, alleen Fenwicks gezicht was niet veranderd toen hij opkeek.

'Ik had het uiteraard over uw ervaringen in het leger. U heeft vast en zeker mannen in de strijd zien sneuvelen.'

Maidment kon slechts knikken, zijn stem vertrouwde hij niet.

'Hoe is dat, om de dood van zo nabij mee te maken? Ik heb het zelden gezien, ik zie alleen achteraf de lijken. Hoe is dat, als je hun ogen glazig ziet worden en hoort hoe iemand de laatste adem uitblaast?'

Maidment kon geen antwoord geven. Die vraag had iets sinisters, ondanks de context, en hij was bang dat zijn antwoord, wat hij ook zou zeggen, hem schuldig zou doen lijken.

'Over dit soort dingen spreek ik niet, juffrouw Nightingale.'

'Maar u heeft toch ook gedood, nietwaar?'

'Jazeker, op Borneo, in de uitoefening van mijn plicht; daar moest ik een wapenarsenaal verdedigen en... later ook nog.'

De vrouw boog zich naar voren.

'En hoe voelde dat?' vroeg ze.

'Voelde?' Hij krabde op zijn hoofd. 'Dat is... moeilijk te omschrijven...'

'Je hoeft hier geen antwoord op te geven, Jeremy.' Zijn advocaat keek Nightingale woedend aan.

'Het is in orde, Stenning. Ik heb niets te verbergen.'

Hij voelde zich ineens moe en keek op het horloge van Fenwick. Stenning had hem zijn rechten uitgelegd. Ze moesten toestemming van de rechter-commissaris vragen om hem in hechtenis te houden, óf hem vrijlaten. Tot nog toe hadden de gesprekken niets opgeleverd. Als hij hen aan de praat kon houden, mocht hij misschien toch naar huis. Dat was tenminste zijn redenatie, maar diep vanbinnen vertrouwde hij die plotselinge behoefte om te praten niet. Het motief daarvoor kon zijn dat hij graag wilde laten zien wat voor man hij was geweest, opdat zij zouden beseffen dat zo'n man niet in staat was een jongen van veertien om te brengen.

Om dat gevoel kon hij niet heen, maar elk verlangen, ook uit lijfsbehoud zoals nu, was gevaarlijk in een ondervraging. Hij moest gewoon heel omzichtig te werk gaan. Misschien kon hij het hele verhoor omzetten in een geschiedenislesje; heel goed voor haar.

'Ik vind het niet erg om u over mijn ervaringen in het leger te vertellen. Mijn jaren in actieve dienst vielen aan het eind van de jaren vijftig, begin jaren zestig. Het was een vreemde periode voor Engeland. Uw generatie is te jong om zich te herinneren wat de impact was, toen datgene wat nog van het voormalig Britse rijk over was, uiteenviel. We waren vastbesloten onze koloniën niet op te geven, wat men daar tegenwoordig ook over zegt.

Ach, schud toch niet zo met je hoofd,' zei hij tegen Nightingale. 'Kolonie is geen vies woord, het is een constatering. Ik geef toe dat onze pogingen om de macht over te dragen soms tekortschoten, maar dat was geen kwestie van beleidsvoering, dat kwam meestal door menselijk falen.

Groot-Brittannië was altijd een wereldmacht geweest. Ons rijk was ooit een bron van afgunst in de gehele beschaafde wereld. Hemeltjelief, inspecteur Nightingale, word toch eens volwassen!' barstte hij opeens uit. 'Dat gezicht doet me aan mijn zoon denken.'

Nightingale kon zich niet langer inhouden.

'Uw bedoelt dat Groot-Brittannië zich verrijkte door middel van de systematische uitbuiting en plundering van zwakkere landen.'

'Socialistische propaganda!'

'Onzin. In de negentiende eeuw stuurde Groot-Brittannië kanonneerboten naar China, teneinde daar ons recht te verdedigen om de arbeiders hun hongerloon in opium uit te betalen! Wij schiepen een generatie van verslaafden en gebruikten onze macht om die praktijk te verdedigen. Dat vind ik weerzinwekkend.'

Voor het eerst was de majoor een beetje uit het veld geslagen, toen knikte hij langzaam.

'Macht corrumpeert, dat geef ik toe, en sommige excessen uit de victoriaanse tijd zijn niet te verontschuldigen, maar het meeste wat wij deden was goed. Wij hebben een waardevol erfgoed opgebouwd en soldaten zoals ik hebben er hard voor gestreden om dat te behouden toen Engeland het bestuur terugtrok. Wij bleven ons verantwoordelijk voelen voor onze Gemenebest.'

'Flauwekul...'

'Genoeg, Nightingale.' Fenwick boog zich voor het eerst met iets van ongeduld naar hem toe. 'U zou ons over uw ervaringen op Borneo vertellen, majoor. We hebben geen tijd voor geschiedenisles.'

Hij keek Nightingale streng aan, een openlijk bevel om haar mond te houden.

'Goed. De Engelsen waren eeuwenlang een grootmacht in Zuidoost-Azië geweest. Wij hadden toegezegd dat we er zelfbestuur zouden invoeren volgens de voorwaarden die we in de Volkenbond overeengekomen waren, maar ons doel was om verder te gaan dan dat, namelijk volledige onafhankelijkheid. In Malakka en Birma kwam de onafhankelijkheid al snel tot stand ten gevolge van de oorlog...'

'Omdat de Japanners ons eruit gooiden en regimes neerzetten die hun welgevallig waren!' mompelde Nightingale binnensmonds, maar Maidment pikte het niet op en Fenwick schopte haar onder de tafel, hard genoeg om haar de mond te snoeren.

'... maar daarna begon het gemanoeuvreer. Indonesië haalde het in zijn hoofd dat alle Maleissprekende gebieden onder zijn bestuur moesten komen. Je kent toch wel het gebied waar ik over spreek, hè, kindje?' vroeg hij aan Nightingale. 'Dat is een grote groep eilanden ten zuiden van Vietnam en China. Het grote zuidelijke gedeelte van het eiland Borneo viel onder Indonesisch bestuur; de strook in het noorden bestond uit drie afzonderlijke staten: Sarawak, Brunei en...'

'Sabah, jazeker, dank u wel.' Nightingale spuwde de woorden bijna uit.

'Kijk eens aan.' Hij keek haar verbaasd aan en knikte toen. 'De baas in Indonesië, een vent die Soekarno heette, begon zich van alles in zijn hoofd te halen. Hij probeerde het hele gebied onder zijn bestuur te brengen en een pan-Indonesische confederatie van staten op te zetten. Dat konden wij niet accepteren, dus werden er troepen naartoe gezonden. Daarop volgde een van de meest succesvolle Britse campagnes ooit.

Soekarno heeft ons nooit de oorlog verklaard, dus formeel gezien hebben we ook nooit oorlog gevoerd. Hij paste toe wat wij heden ten dage terrorisme noemen: hij stichtte onrust in Brunei, steunde de gewapende rebellen die de olievelden aanvielen, gijzelde mensen en hakte sommige van die arme stakkers de kop af.'

'Ik had geen idee. De parallellen met Irak...'

'Zo is het, meneer Fenwick. En als het Britse leger nú toestemming had gekregen om de tactiek van destijds opnieuw te gebruiken, zouden de zaken er heel anders voor staan. Maar goed, de onlusten in Brunei sloegen over naar Sarawak.' Hij zag Fenwick verward kijken. 'U moet bedenken dat het onderdeel uitmaakte van de noordelijke kust van Borneo; generaal Waller werd benoemd tot Commandant van de Britse Strijdkrachten op Borneo.

Hij was een inspirerend leider; hij besloot alles vanuit een gezamenlijk hoofdkwartier te leiden – het leger, de marine, de luchtmacht en de plaatselijke politie. Dat was een briljante beslissing.

Het probleem was, dat we Soekarno's oproerkraaiers niet konden aanvallen, al stond het hun vrij om het hele noorden binnen te vallen, wanneer ze maar wilden.'

'Dat lijkt me een onmogelijke situatie; zeer demoraliserend, zou ik zo denken.'

Maidment bespeurde oprechte belangstelling bij Fenwick en begon warm te lopen.

'Niet met Waller aan het hoofd. Hij had in Malakka al een opleiding gevestigd voor oorlogvoering in de jungle en was op dat gebied een beter strateeg dan de inlanders. Na onderhandelingen met de Britse regering – Healy, destijds – mochten we de grens oversteken, maar alleen als we de rebellen achternazaten en binnen een zone van drie kilometer bleven.'

'Drie kilometer is niet veel.'

'In het begin was het genoeg. Hij begon ook een campagne om het vertrouwen van de inwoners te winnen. Britse hulpverleners en artsen sloten vriendschap met de Dajaks, die hun dorpen aan weerskanten van de grens met Indonesisch Borneo hadden liggen. Zij kregen voedsel en medische hulp en zagen ons weldra als vrienden en hun Indonesische buren als de gevaarlijke agressor. Als gevolg daarvan kregen wij uitstekende informatie en weigerden de dorpelingen hulp aan de rebellen.

Vervolgens was Soekarno zo stom om Malakka binnen te vallen en kreeg Waller toestemming om een werkelijk grensoverschrijdende operatie in te zetten. Ten slotte mochten we ter vergelding van overvallen twintig kilometer de grens over.'

'Gebruikten jullie guerrillatactieken?' vroeg Nightingale.

'Die veronderstelling is tamelijk accuraat,' gaf Maidment toe. 'Allereerst penetreerde alleen de SAS het vijandige gebied, maar toen Waller een begin maakte met wat hij "Operatie Claret" noemde, had hij meer manschappen nodig. Die missies werden op zijn persoonlijk gezag uitgevoerd, ze waren topgeheim en zeer riskant. Daar gebruikte hij alleen doorgewinterde en beproefde manschappen voor. Er mochten geen burgerslachtoffers vallen – dat was heel belangrijk.

Wij staken zonder luchtsteun de grens over. Op de planning was niets aan te merken. Kennis over een aanval bleef tot een aantal mensen beperkt en...' Hij zweeg om zijn voorhoofd af te wissen en hoopte dat ze niet in de gaten hadden hoezeer hij van streek was. 'Er mocht absoluut geen enkele soldaat door de vijand gevangengenomen worden, dood of levend.'

'Tamelijk link; men had jullie kunnen beschuldigen van spionage.' Fenwick leek onder de indruk te zijn van hun waaghalzerij.

'Alleen als ze ons pakten, en dat is nooit gebeurd.'

Er kwam een brok in zijn keel en hij kon niet verder praten. Emoties, waarvan hij meende dat ze al jarenlang begraven waren, kwamen geheel onverwachts naar boven en hij stond versteld van de kracht waarmee dat gebeurde.

'Ik ben nogal moe, denkt u dat we ermee kunnen stoppen?'

Stenning zat hevig te knikken.

'We zijn pas tweeënhalf uur met u in gesprek, inclusief een koffiepauze. We hebben ruimschoots de tijd om uw verhaal af te maken.'

Maidment haalde diep adem. Je hoeft je nergens zorgen om te maken, hield hij zichzelf voor, echt niet. Dit is allemaal dode geschiedenis.

'Goed dan. Mijn bataljon had zijn voordeel gedaan met Wallers jungletraining, dus toen we er aankwamen, werden wij in de frontlinie gezet. We werden gegidst door mannen van de SAS, die al maandenlang viermanspatrouilles hadden uitgezonden. Gedurende mijn diensttijd ben ik vele malen bij verrassingsaanvallen betrokken geweest.'

Hij stopte abrupt.

'Ga door.'

'Ik zei al dat die missies zeer geheim waren. Ik weet niet of het wel juist is dat ik er meer over zeg.'

'Kom, kom, majoor. Het Borneoconflict is veertig jaar geleden opgelost; sindsdien is er uitgebreid over gesproken en geschreven. Ik kan me voorstellen dat sommige herinneringen zwaar voor u zijn...'

'Vooral die waar u zich schuldig over voelt,' voegde Nightingale eraan toe en ze negeerde Fenwicks strenge blik. 'Ik dacht dat u niets had om u voor te schamen. Bewijst u dat maar.'

Maidment was geïrriteerd door haar aanval, maar zorgde ervoor dat hij het niet liet merken.

'In Groot-Brittannië hoeft een mens zijn onschuld niet te bewijzen. Dat is een van de dingen die ons land Groot hebben gehouden.'

'Op dat punt ben ik het roerend met u eens,' zei Fenwick op ontspannen toon, bijna vriendelijk. 'Maar uw verhaal boeit mij enorm. Generaal Waller lijkt me iemand op wie ik trots zou zijn geweest als ik onder hem had mogen dienen. Wilt u het hele plaatje voor me inkleuren, alstublieft? Hoe was dat, 's nachts in de jungle, tijdens een operatie die zelfs niet verondersteld werd plaats te vinden, maar waar de stabiliteit in de regio op steunde?'

Aangevuurd door Fenwicks blijk van respect boog Maidment zich naar hem toe en probeerde Nightingales aanwezigheid te negeren.

'Van tevoren ben je doodsbang, natuurlijk. Iemand die beweert dat hij dat niet is, is een leugenaar of een dwaas. En het is nog niet eens zozeer de angst voor je eigen overleving, hoewel dat er uiteraard bij zit. Ik was eerder bang om te falen, dat de patrouille die onder mijn bevel stond, gevangengenomen zou worden.'

'Maar dat is niet gebeurd.'

'Mijn patrouilles zijn nooit mislukt, maar we zijn wel bijna gevangengenomen... één keer.' Hij zweeg, maar hun zwijgen vuurde hem aan.

'Alle invallen werden door kleine groepjes uitgevoerd, altijd vier man, zoals bij een SAS-patrouille. Wij hadden informatie opgepikt dat de vijand in de buurt van de grens een nieuwe basis aan het opzetten was en dat er zware wapens naartoe getransporteerd werden. Onze taak was de basis binnen te dringen en explosieven aan te brengen, om de wapens te vernietigen voordat ze werden ingezet.

Het was een erg hete nacht, zoals altijd. Je handen glibberden over je geweer en de muggen wisten ieder bloot stukje huid te vinden. We gebruikten geen muggenolie, omdat de lucht je kon verraden, maar we bedekten ons met modder, wat die krengen een beetje tegenhield. Het was bewolkt weer, wat goed voor ons was, met de maan in het laatste kwartier. Toen het donker werd, gingen we meteen op weg, omdat het wel zes uur in beslag kon nemen om het kamp te vinden. Een van de Dajaks met wie we samenwerkten, kwam ons bij de grens van zijn land tegemoet, dat was ongeveer anderhalve kilometer achter de grens met Indonesië. Hij zei dat hij ons de rest van de weg zou gidsen; heel dapper van hem, want hij had niet meer hoeven doen dan ons de weg te wijzen.

Om ongeveer één uur 's nachts hoorden wij iemand spugen. Het was een bewaker van het kamp. Hij was nog geen twintig meter bij ons vandaan, maar hij had niets gehoord. Jimmy ging vooruit om hem uit te schakelen, daarna gingen we allemaal verder. Ik stuurde de Dajak weg. Hij was een prima kerel, maar ongewapend en niet in uniform, en het gevaar bestond dat hij per ongeluk gewond zou raken. Wij maakten een omtrekkende beweging naar de zuidkant van hun legerkamp, waar een berg munitie lag. Jimmy hield de wacht, terwijl de rest van ons, Stan, Archie en ik, de ontstekingsmechanismen aanbrachten. Het was binnen twintig minuten gebeurd en we stonden op het punt om weg te gaan, toen Jimmy terug kwam rennen om te zeggen dat er tien man over het pad naar het kamp kwamen. Die moesten wel merken dat er geen bewaker meer stond.

De explosieven waren al aangebracht, de tijdklokken waren gezet. Ik stuurde de anderen weg naar het ontmoetingspunt, terwijl ik de tijdklok van één explosief terugzette naar een minuut. Op die manier konden we een paar van de nieuwkomers uitschakelen en verwarring stichten, zodat wij konden ontsnappen.'

Hij zweeg en sloot zijn ogen. De geur en het lawaai van de jungle kwamen weer bij hem boven. Hij herinnerde zich hoe het zweet in zijn handen stond, waardoor hij onhandig met zijn vingers aan de tijdklok zat te prutsen.

'Ik weet niet hoe het gebeurd is, maar toen ik de stapel munitie achter me liet, hoorde ik een geweerschot. Niet van een van ons, maar dat maakte geen verschil. Er viel nog een schot en ik hoorde mijn jongens terugvuren. Ik ging plat op mijn buik liggen en begon ongelooflijk snel te tijgeren. Dat ik geluid maakte was niet meer belangrijk, want de hel was losgebroken. Een van die hufters stak een zoeklicht aan en een ander gaf een vuursignaal. Dat verlichtte de jungle in een reliëf als bij een bliksemschicht en Jimmy was duidelijk te zien. Ik denk dat hij, tegen mijn uitdrukkelijke bevel in, teruggekomen was om mij te zoeken. Hoe dan ook, hij werd onmiddellijk neergeknald. De kogel ging door zijn schouder en hij ging op nog geen vijftig meter bij me vandaan tegen de grond.

Hij was bij bewustzijn toen ik bij hem kwam, maar hij bloedde hevig. Samen slaagden wij erin bij de anderen te komen en we trokken ons terug via ons oorspronkelijke pad. Een van ons zou achterblijven om dekkingsvuur te geven, terwijl de andere twee Jimmy zouden helpen. Daarna zou degene die dekking gaf er als een haas vandoor gaan via een zijpad, terwijl wij de dekking overnamen tot hij zich bij ons had gevoegd; een klassieke terugtrekkingsmanoeuvre, behalve dat die arme stakker van een Jim ons vertraagde. Hij moet helse pijn hebben gehad, maar hij gaf geen kik.

Toen de eerste explosie plaatsvond, slaagden we erin onze achtervolgers af te schudden. We deden een uur over een afstand die we anders in een halfuur zouden hebben afgelegd en ik begreep dat we de grens niet vóór zonsopgang zouden halen, maar we hadden geen andere keus dan verdergaan, anders zou Jimmy sterven.

Ik geef mezelf de schuld van wat er daarna gebeurde.' Hij staarde Nightingale aan alsof hij haar uitdaagde kritiek te leveren. 'Zo rond vier uur in de nacht pauzeerden we om uit te rusten en Jimmy's schouder opnieuw te verbinden. Hij kon nauwelijks staan vanwege het bloedverlies. We waren snel gevorderd, dus dacht ik dat we een goede kans hadden om hen voor te blijven en bij daglicht verder te gaan, als we maar een manier konden vinden om Jim te dragen. We vonden een plek met dicht kreupelhout en ik stuurde Archie weg om hout te zoeken om een draagbaar van te maken. Intussen bleven Stanley en ik achter om de schouder te verbinden. We konden niet het risico nemen licht te maken, maar ik kon aan de wond voelen dat de kogel er dwars doorheen was gegaan en dat hij nog altijd bloedde. Wij hielpen hem zo goed mogelijk en gaven hem een spuitje morfine.

Archie kwam terug en ik liet hen iets eten en drinken, terwijl ik Jim met singelband aan de hefbomen vastbond, zodanig, dat er zo min mogelijk druk op zijn schouder kwam te liggen. Toch moet het, ondanks het medicijn, een verschrikking voor hem zijn geweest.

Daarna gingen we weer op weg. Ik schatte dat we nog minstens drie uur te gaan hadden om bij de grens te komen en ongeveer vijf uur voor we een van onze kampen zouden bereiken. Wij liepen in een enkele rij, de twee dragers voorop. Rond zes uur kwam de zon op en ik moest een beslissing nemen – ons ingraven en de dag uitzitten, of doorgaan. Met één blik op Jim, die half buiten bewustzijn was, besloot ik door te gaan. Na twee uur stopten we even om uit te rusten van het dragen van Jim. Tegen die tijd was hij bewusteloos en begon hij te kreunen. Helaas moesten we zijn mond dichtplakken om het geluid te stoppen. Het klinkt weerzinwekkend, ik weet het, maar we konden het risico niet nemen dat hij ons verried.'

Opnieuw sloot hij zijn ogen. Er hing een stilte in de kamer, afgezien van het zachte gebrom van de taperecorder.

'We waren op minder dan een uur van de grens, toen een van hun patrouilles ons vond. We stonden voorovergebogen om de banden waarmee Jimmy vastzat, aan te trekken, toen een Indonesische soldaat bijna over ons struikelde. Archie sneed hem de keel door, maar hij gaf nog een salvo toen hij stierf. Een stuk of zes mannen kwamen tussen de bomen vandaan, op minder dan twintig meter van ons af. Wij hadden geen goede dekking. We begonnen te schieten en zij vuurden terug. Archie was verreweg onze beste schutter; hij legde er meteen twee neer; Stanley en ik namen er drie, maar we misten de zesde man en die vuurde rechtstreeks op ons.

Die smeerlap trof Archie vol in het gezicht, nog voor ik hem kon doden. Toen hij op de grond viel leefde Archie nog.'

Er viel een geschokte stilte. De drie mannen slikten hoorbaar, maar Nightingale vroeg simpelweg: 'En hoe oud waren die jongens in uw patrouille, majoor?' Het klonk kil en emotieloos in de stilte van de kamer.

Het was onmogelijk te zeggen wie er zijn adem inhield bij zoveel ongevoeligheid van haar kant, misschien wel allemaal. Nightingale trok alleen haar wenkbrauwen op, om haar vraag te benadrukken. Maidment slikte moeilijk. Toen gaf hij antwoord, zonder een poging te doen om zijn minachting te verhelen.

'Jim was de jongste; twintig. Hij kwam uit Londen-Zuid. Hij was een wildebras, de militaire politie altijd een stapje voor, maar hij schreef aan zijn vriendinnetje zo gauw hij maar de kans kreeg. Laat ik je zeggen wat er met Jim is gebeurd. Hij lag op de grond toen het vuurgevecht begon. Hij werd geraakt door een verdwaalde kogel, die zijn onderlichaam binnendrong, door zijn rug ging en er daar weer uitkwam. De wond waar de kogel naar buiten kwam was zo groot, dat ik er een golfbal in had kunnen drukken. Hij was op slag dood.

De op een na jongste was Archie; hij was tweeëntwintig. Mager als een lat, met rood haar en sproeten, dus hij had enorm veel last van de zon. Archie was een rustige kerel, ernstig, maar zo taai als oud leer. De kogel sloeg zijn gezicht voor de helft weg, zijn kaakbeen, zijn oor en de zijkant van zijn mond. Weet je wel hoe het is om naar de binnenkant van iemands mond te staren en te zien hoe de tong wanhopig probeert iets te zeggen, terwijl er geen wang en geen lippen meer zijn?' Hij keek Nightingale recht aan, die voor één keer geen antwoord klaar had. 'Nee, dat dacht ik al. Stanley en ik waren ouder. Hij ontsnapte met een hoofdwond, eigenlijk een schampschot.'

'En u?' vroeg Fenwick op zachtmoedige toon.

'Betrekkelijk lichtgewond. Archie ving de kogel op die voor mij bestemd was.' Maidment moest zijn blik afwenden, maar toen hij zijn hoofd terugdraaide, stond de kwaadheid op zijn gezicht te lezen. 'Dus, om uw eerdere vraag te beantwoorden, juffrouw, hoe het is om in de ogen te kijken van mannen die ik gedood heb en hen de laatste adem te horen uitblazen, dat kan ik u niet zeggen. Maar ik zag wel mijn eigen mannen toen de zon door de wolken brak, zo rood, dat ik dacht dat hij verdronken was in hun bloed. Ik zag hun lichamen opengereten liggen, verminkt, met hun ingewanden ernaast en toch nog ademend. En ik zie ze nog in mijn dromen, of op slechte dagen zelfs als ik wakker ben. Waagt u het niet te suggereren dat ik van die slachtingen genoten heb. De mannen die ik heb gedood zijn allemaal in een eerlijk gevecht omgekomen en ik zou weer doden als mijn land me daartoe opriep, want dat is mijn plicht, hoofdinspecteur, en niet mijn misdrijf.'

Fenwick wist niet wat hij zeggen moest door de gloedvolle woorden van Maidment, maar op Nightingale maakten ze geen indruk.

'U bent niet aangehouden op grond van die doden, majoor Maidment,' zei ze, 'maar op grond van de ontvoering en moord van een kleine jongen.' Ze glimlachte er ook nog bij.

Maidment was sprakeloos, zijn advocaat stond woedend op het punt een klacht te uiten.

'Ik geloof dat we voorlopig allemaal genoeg hebben gehad,' intervenieerde Fenwick snel. 'Ik zal u terug laten brengen naar uw cel. Morgen beginnen we opnieuw. Ja, onze vierentwintig uur zijn nog niet voorbij, majoor. Vannacht kunt u van onze gastvrijheid gebruikmaken.'

Nightingale en hij keken beide mannen na toen ze weggingen. Toen de deur dichtging, keerde hij zich tegen haar.

'Waar ben jij verdomme mee bezig?'

Ze haalde onverschillig haar schouders op.

'De goeie smeris en de kwaaie smeris. Jij had blijkbaar besloten goede maatjes te worden met onze hoofdverdachte, dus moest ik het harde kreng spelen.'

'Spelen? Het leek je heel natuurlijk af te gaan. Het was duidelijk dat die oude baas het moeilijk had en jij ging er dunnetjes overheen – je haalde je hart eraan op!'

'Ik kan je ervan verzekeren dat ik tijdens het gehele verhoor onpartijdig ben gebleven, wat ik van jou niet kan zeggen. Jij viel als een baksteen voor het smartlappenverhaal van een oude soldaat. Hij is een kindermoordenaar! Mag ik vrijuit spreken?'

'Ga je gang.' Fenwicks stem was ijskoud, maar dat merkte ze kennelijk niet.

'Ik vond jouw houding gevaarlijker voor het verhoor dan mijn afstandelijkheid.'

'Dat was geen afstandelijkheid, Nightingale, je was wreed. Je zat dicht tegen de grens aan, en dat met zijn advocaat erbij.'

'Dat is onderdeel van ons werk, weet je nog, tegen de grens aan gaan zitten.' Plotseling werd ze kwaad. 'En wat wreed zijn betreft, haal het niet in je hoofd om mij de les te lezen. Ik kan je verzekeren dat ik het van een meester heb geleerd.'

Ze keken elkaar woest aan onder het felle tl-licht en ze daagde hem met haar blik uit om alle betekenissen uit haar woorden op te maken die ze erin had gelegd.

'Die laatste opmerking heb ik niet gehoord,' zei hij ten slotte. Hij draaide zijn hoofd af en begon met veel omhaal zijn aantekeningen bij elkaar te ruimen.

Ze griste haar tas mee, beende de deur uit en sloeg hem met een klap achter zich dicht. Fenwick bleef achter met zijn twijfels. Was hij inderdaad week geworden jegens de majoor, vanwege zijn staat van dienst in de oorlog? Voor een andere man was het niet moeilijk hem sympathiek te vinden, maar hij was ouderwets, arrogant en – ja, daar had ze gelijk in – hing een beetje te veel de brave burger uit. Maar nee, hij liet zich echt niet bij de neus nemen. De majoor had zich professioneel gedragen, hij stond zijn mannetje. Wat voor kwelgeesten er ook bij hem rondspookten, hij had ermee om leren gaan. Dat betekende, dat hij even gemakkelijk zijn betrokkenheid bij een misdaad kon verbergen, zelfs een misdaad zo gruwelijk als het mishandelen en vermoorden van een kind. Als hij betrokken was geweest bij de moord op Paul Hill, zou het nog heel moeilijk worden om die informatie uit hem te knijpen. Hij had weinig fiducie in het verhoor van de volgende morgen en dat was ook terecht, bleek later.

18

Op dag twee van Maidments voorlopige hechtenis veranderde de tactiek van het politieverhoor. Fenwick had de avond daarvoor besloten bot te zijn en hem met de bewijslast te confronteren, in plaats van te proberen hem een bekentenis te ontlokken. Ofschoon hij het tegenover Nightingale niet wilde toegeven, was hij tot de conclusie gekomen dat zijn eerdere benadering nergens toe leidde. Maidment was té goed getraind in het omgaan met een verhoor en bezat een bijna volmaakte zelfbeheersing en hij kon het zich niet permitteren kostbare uren van hechtenis te verspillen in de hoop hem murw te maken.

Hij lette niet op het misprijzende gezicht van Nightingale toen hij haar meedeelde, dat hij brigadier Cooper had verzocht om acht uur met hem mee te gaan naar de verhoorkamer. Strikt genomen was het haar zaak en behoorde zij daar te zitten, maar omdat hij de leiding over de verhoren had gekregen, redeneerde hij dat het aan hem was om uit te maken wie eraan deelnam. Bovendien had Nightingale dan meer tijd om zich op het onderzoek te concentreren, vond hij.

Om negen uur was noch Fenwick, noch Bob Cooper erin geslaagd één woord uit hun verdachte te krijgen. Om halftien arriveerde de uitslag van het DNA-onderzoek en zette Fenwick het verhoor stop. Nightingale wachtte hem in de rechercheursruimte op en de triomfantelijke uitdrukking op haar gezicht zei hem alles wat hij weten moest, nog voor hij het dossier opende.

Het rapport van het lab bevestigde dat het bloed op de zak van

Maidment was, evenals de microscopisch kleine vlekjes op de kraag van Pauls overhemd. Sporen van Pauls eigen bloed waren aangetroffen aan de binnenkant van zijn hemdsmouw, maar het bloed op de blazer was afkomstig van meer dan één persoon. Het was onmogelijk te zeggen van wie dat bloed afkomstig was en of het bloed van Paul op de blazer had gezeten en daarna in contact was gekomen met bloed van iemand anders. Die bevindingen waren een bittere tegenslag voor Fenwick. Het bloed op het overhemd alleen was niet toereikend om rechtsvervolging wegens moord te ondersteunen, want het was niet voldoende om aan te kunnen tonen dat Paul was doodgebloed.

Het bloed dat van de broek was afgenomen was noch van Maidment, noch van Paul afkomstig en kwam ook niet in het datasysteem voor. De haren die van de blazer waren gekomen waren op het oog identiek aan die uit Pauls haarborstel, maar Fenwick vroeg Nightingale het lab te verzoeken ook van de haarwortels het DNA te analyseren, ter bevestiging. Zonder dat zouden ze tijdens een proces misschien niet eens kunnen bewijzen dat de blazer van hem was.

Als onderzoeksleider was het aan Nightingale om de strategie te bepalen en Fenwick liet dat dan ook aan haar over. Als hij erbij ging zitten, zou hij zijn mond niet kunnen houden, dat wist hij. Er was nog een hoop werk te doen en hij hoopte dat ze niet zo arrogant zou zijn overmoedig te worden. Het forensisch bewijs was weliswaar sterk, maar niet doorslaggevend. De openbare aanklager kon niet alleen daarop terugvallen, gelet op het karakter en het onberispelijke verleden van de verdachte. Het was extra moeilijk om een sterke zaak tegen hem op te bouwen, doordat de politie in 1982 een andere verdachte op het oog had, Bryan Taylor, een man die ze nooit hadden gevonden. Daarmee kreeg de verdediging een volmaakt presentje in de schoot geworpen. Het frustreerde Fenwick dat hij er niet nauwer bij betrokken kon zijn, maar hij troostte zich ermee dat hij het met de nieuwe aanwijzingen weldra druk genoeg zou krijgen met operatie Koorknaap. Het enige wat hij nog in Harlden kon doen, was proberen Maidment aan het Koorknaapnetwerk te koppelen. Hij ging weer bij het verhoor zitten en observeerde belangstellend hoe Cooper de majoor met de subtiliteit van iemand die met een graafmachine een zandkasteel probeert te bouwen, ondervroeg.

'Waar was u op de middag van 7 september 1982?'

'Hoe denkt u dat mijn cliënt zich dat nog kan herinneren?' Stenning zag er doodmoe uit, terwijl hij die nacht toch had geslapen, maar zijn stem klonk desondanks energiek.

'Dat is in orde, Stenning. In 1982 ging ik na meer dan dertig jaar met pensioen uit het leger en werd ik secretaris bij golfclub The Downs. In september 1982 ben ik waarschijnlijk begonnen met een grondige herziening van de ledenadministratie, die ik in zeer slechte staat aantrof, keurde ik de plannen voor een uitbreiding en een nieuw terras goed en heb ik een van de terreinknechten ontslagen wegens zwartwerken, diefstal en ongepast gedrag.'

'Wie was degene die u ontsloeg?'

'Een man die Bryan Taylor heette.'

Fenwick en Cooper wisselden blikken van verstandhouding.

'En op de zevende?'

'Wat voor dag was dat?'

'Een dinsdag.'

'In de middag, zegt u. Nou, dat is simpel. Het ledenbestuur vergaderde elke twee maanden op de eerste dinsdag van de maand en ik trad daar op als secretaris.'

'Om hoe laat?'

'Om vijf uur. Het was altijd om halfzeven afgelopen, tenzij er lastige kwesties afgehandeld moesten worden.'

'En was u bij die vergadering aanwezig?' Cooper probeerde zijn scepsis te verbergen.

'Dat is eenvoudig te controleren. De agenda's uit die tijd liggen bij mij op zolder.'

'En na de bestuursvergadering?'

'Dan zal ik de notulen hebben uitgewerkt, iets zijn gaan drinken in de bar en een late maaltijd in het clubrestaurant hebben besteld.'

'Om hoe laat?'

'Ik ging altijd om eenentwintig uur precies naar huis.'

'Veranderde er wel eens iets aan deze routine?'

De majoor zweeg even en zijn gezicht was een toonbeeld van zorgvuldige overweging.

'Het werd anders toen mijn vrouw ziek werd. Zij had op dinsdagmiddag altijd haar afspraak met de specialist. Als dat samenviel met de bestuursvergadering, nam iemand anders het voor me waar. Dat is drie of vier keer voorgekomen, denk ik, maar het begon pas in 2001.'

Het verhoor liep dood en Fenwick nam het over.

'Hoe verklaart u dat uw vingerafdrukken op de zak met Paul Hills blazer en overhemd zitten?'

Stenning verbleekte, maar de majoor bleef uiterlijk kalm.

'Dat kan ik niet.'

'Verbaast het u dat ze daar zitten?'

'Ja.'

'Vingerafdrukken zijn uniek, Jeremy. Als die van jou op de zak met zijn kleren zitten, moet je hem aangeraakt hebben.'

'Misschien heeft iemand een zak genomen die van mij was om hem te gebruiken.'

Stenning knikte hevig en de kleur kwam terug op zijn gezicht.

'Maar hoe komt het dan dat er bloed van jou aan de binnenkant van de zak zit?'

Even scheen de majoor verrast te zijn, toen kwam er een vluchtige, berekenende blik in zijn ogen, gevolgd door een bijna onmerkbaar knikje. Daarna nam zijn gezicht de bekende neutrale uitdrukking aan. 'Dan klopt het dat iemand die zak heeft weggenomen.'

'Maar er zaten ook bloedvlekken op de kleren van Paul.'

De majoor haalde zijn schouders op en schudde verbaasd zijn hoofd. 'Misschien zijn ze van de zak op de kleren terechtgekomen. Kijkt u maar in mijn agenda's; ik weet zeker dat u zult merken dat ik een alibi heb.'

Het was om razend van te worden, zo zelfverzekerd als hij bleef, maar het spoorde zijn advocaat ertoe aan ook een duit in het zakje te doen, alsof het opeens tot hem doordrong dat hij een actieve rol in dit proces had.

'De majoor staat erom bekend dat hij een wonderbaarlijk goed geheugen heeft. Hij is ook een zeer gerespecteerd man, zoals een groot aantal getuigen bereid zal zijn te verklaren.'

Maidment glimlachte even naar hem om hem te bedanken en Fenwick besloot dat het tijd werd om dat wonderbaarlijke geheugen verder te testen.

'Kent u iemand met de naam Joseph Watkins?'

Maidment schrok van de abrupte overgang in het verhoor. Hij trok rimpels in zijn voorhoofd toen hij zich concentreerde.

'Sinds 1987 lid van de club. Ik ken hem niet zo goed. We gaan niet met elkaar om.'

'Weet u dat zeker? We gaan het namelijk controleren. Het is beter als u het ons vertelt, dan dat we het van iemand anders te weten komen.'

'Ik was erop tegen dat Watkins lid werd, als u het weten wilt. Maar als secretaris had ik geen stem in de ballotagecommissie. Anderen steunden zijn voordracht.'

'Waarom was u er niet zo happig op?'

'Het verkeerde soort. Een nieuwkomer, met meer geld dan smaak. Zelfs geen bijzonder goede golfer. Hij speelde niet vaak genoeg.'

'Wie droeg hem voor?'

Maidment aarzelde – heel kort, maar toch was het voor Fenwick voldoende om zijn oren te spitsen.

'Richard Edwards. Hij was een aantal jaren voorzitter van de ballotagecommissie en had veel invloed.'

Fenwick schreef de naam op.

'En is hij nog altijd lid?'

'Nou en of. Hij was eervorig jaar voorzitter.'

'Kent u iemand die Alec Ball heet?'

'Nee.'

'Bent u lid van de Herenclub Burgess Hill?'

'Die tent? Lieve god, nee. Het was altijd een keurige club, maar het niveau is erg gedaald. Waar gaat dit allemaal over?'

Hier ging Fenwick niet op in. Het uur daarop probeerde hij alle tactieken die hij kende, om Maidment ertoe te bewegen iets te onthullen wat hem met Koorknaap in verband kon brengen. Ten slotte moest hij zijn nederlaag erkennen en werd de majoor naar zijn cel teruggebracht.

Fenwick en Cooper gingen naar de kantine voor een vroege lunch.

'Wel een arrogante kwast, vind je ook niet?' merkte Cooper op, nadat hij om extra papadums bij zijn kip kerrie had gevraagd.

'Ja, het is niet verwonderlijk dat Nightingale hem niet kan uitstaan. Maar ik wed dat hij heel goed met zijn gabbers omgaat.'

'Precies. Ze heeft me gisteravond nog gebeld, of ik in zijn achtergrond wil duiken en met zijn kameraden wil gaan praten. Daar had ik vanmorgen eigenlijk mee zullen beginnen.'

Ze keken allebei een beetje schuldbewust, toen ze moesten toegeven dat Fenwick volledig op eigen gezag tegen de wensen van Nightingale als onderzoeksleider was ingegaan. Maar ze aten er niet minder lekker om.

'Ze heeft de juiste keus gemaakt. Zet je die Edwards ook op je lijst?'

'Hij staat er al op. Ze hebben samen in het leger gediend en het was Edwards die hem voordroeg voor de baan bij de golfclub toen hij uit het leger ging.'

'Wat is dat voor een man?'

'Daar is het nog te vroeg voor. Als je wilt, zal ik je bellen zodra ik hem gesproken heb.'

'Bedankt. Ik laat het verder aan jou over en ga terug naar Zware Delicten. Later deze week neem ik Maidment waarschijnlijk nog een keer onder handen.'

'Geen probleem. Heb je het druk?'

'Er speelt een heleboel, zoals altijd.'

'Nog speciale dingen? Ik vroeg me namelijk af waarom jij zoveel belangstelling hebt voor de zaak-Maidment, vandaar.' Cooper nam een flinke hap rijst met kerrie, om te benadrukken dat het maar een heel terloopse vraag was.

Zouden er in Harlden geruchten over Koorknaap zijn doorgedrongen, dacht Fenwick. Hij besloot zijn mond te houden.

'De mogelijkheid van een verband, dat is alles. Niet veel bijzonders, eigenlijk. Weet jij eigenlijk hoe de laatste cricketwedstrijd is afgelopen?'

Nightingale trof hen in de kantine achter een kop koffie aan, toen ze terugkeerde van de huiszoeking bij Maidment. Ze zagen er vriendelijk en ontspannen uit.

'Ik kom net terug,' zei ze een beetje buiten adem doordat ze de trap afgerend was. 'We hebben een lang mes gevonden dat er buitenlands uitziet en een hele stapel krantenknipsels over Paul Hill.'

'Heb je zijn agenda's meegenomen?' vroeg Fenwick, die zijn kop koffie leegdronk.

'Agenda's? O, bedoel je de dagboeken die we op zijn zolder hebben gevonden? Er lagen er ongeveer vijftig; ze worden op de normale manier doorgewerkt.'

'Ook die uit de jaren waarin Eagleton en Hill zijn verdwenen?'

Nightingale kreeg een kleur, maar hield haar boosheid onder controle.

'Laat ik duidelijker zijn. Misschien helpt het als ik woorden van weinig lettergrepen gebruik. Ja, ze zijn gevonden. Ze komen hier, met andere spullen die we hebben ontdekt.'

'Goed. Nou, ik moet eens terug.' Fenwick stond op en keek eigenlijk geen van beiden aan. 'Dan laat ik het verder aan jullie over.'

Nightingale ging zitten en Cooper ging ongevraagd koffie en een broodje voor haar halen, als een soort vredesaanbod. Ze staarde Fenwick even na, maar besloot dat het leven te kort was om zich door hem te laten ringeloren. Een prima besluit, maar moeilijk vol te houden, merkte ze, toen ze van haar koffie dronk en samen met Cooper haar plannen voor het onderzoek doornam.

Fenwick was te laat voor de briefing, maar Alison had de tijd goed gebruikt door haar aantekeningen van de avond daarvoor te kopiëren en uit te delen. Het Koorknaapteam zat in een groep rond de prikborden geanimeerd met elkaar te praten, toen hij binnenkwam. Het werd meteen stil.

'Dit is goed werk,' begon hij zonder omwegen. 'Goed gedaan, iedereen die erbij betrokken was.'

Na een moment van bedremmelde stilte zei Clive: 'Eigenlijk heeft Alison het alleen gedaan, meneer. Ze heeft noeste arbeid verricht.'

Er werd instemmend gemompeld en Alison haalde haar schouders op. 'Iedereen heeft er op de een of andere manier zijn steentje aan bijgedragen.'

'Hoe dan ook,' zei Fenwick, die geen tijd had voor valse bescheidenheid, 'het heeft iets concreets opgeleverd. Wie zijn de regelmatige afnemers in dit gewiekste handeltje?'

Clive gaf meteen antwoord en nam daarmee automatisch de leiding, wat hij altijd deed als hij de kans kreeg, maar Alison scheen het niet erg te vinden.

'Er zijn drie regelmatige kopers: die twee kerels die we nog niet hebben geïdentificeerd en, raad eens?' Hij zweeg theatraal, maar Fenwick gebaarde ongeduldig dat hij door moest gaan. 'Joseph Watkins.'

'Eindelijk.' Fenwick grijnsde, alsof hij de veroordeling van Watkins al proefde. Maar in plaats van een felicitatie vroeg hij kritisch: 'Waarom heeft het observatieteam dit niet in de gaten gehad?'

Clive keek ongemakkelijk. De verantwoordelijkheid om Watkins te schaduwen lag voor het grootste deel bij hem, maar hij had zijn antwoord klaar.

'Daar hebben we vanmorgen ook naar gekeken, meneer. Als Watkins bij het kraampje kwam, bleef hij nooit langer dan een minuut. Een beetje grasduinen en dan één aankoop. Hij kwam altijd langs als hij de markt bezocht en tegen de tijd dat hij bij Balls kraampje kwam, had hij andere boodschappen gedaan. Daardoor was het soms niet eens duidelijk of hij wel iets had gekocht. Eerlijk gezegd was er absoluut niets opmerkelijks in zijn gedrag.'

'Blijkbaar. Ga door. Vertel eens iets meer over Ball.'

'Alec Ball slaat zijn goederen op in een loods ten noorden van Brighton en gaat daar ongeveer een keer per week naartoe. We hebben nooit een huiszoekingsbevel aangevraagd, omdat we hem niet op onze aanwezigheid attent wilden maken. Misschien wordt het nu tijd om er een kijkje te gaan nemen. Als we dingen vinden, kunnen we hem oppakken en misschien laat hij tijdens een verhoor iets los.'

'Het is een zware beslissing,' zei hij, minder afwijzend dan hij zich voelde, want hij was hen respect verschuldigd. 'Maar als we dat eenmaal doen, is er geen weg terug. Nee, ik denk dat we dat nog achter de hand moeten houden. Wat ik graag zou willen, is een mannetje bij die loods neerzetten. Als Ball daarheen gaat, wie weet wie er nog meer komen.'

'Dat is dan een derde observatieteam,' sprak Clive mild. Er klonken geluiden van bijval.

'Ik weet het en ons maandbudget voor overwerk is al op, maar het is nu of nooit in dit onderzoek. We gaan er alles aan doen.'

Het werk werd verdeeld, ze spraken een vergadertijd af voor de volgende dag om hun resultaten te bespreken en het team ging uiteen. Toen de anderen weggingen, bleef Alison bij een van de prikborden hangen.

'Is er nog meer?' vroeg Fenwick.

'Ik denk aan de vermiste kinderen, meneer. Doen we daar helemaal niets meer aan?'

Hij kwam bij haar staan, met zijn rug naar de foto's gekeerd.

'Tenzij we concrete dingen vinden die de verdenkingen in operatie Koorknaap staven, hebben we geen basis om daarmee door te gaan.'

'Ja, maar...'

'Ik weet het. Het is moeilijk ze de rug toe te keren, maar het is ook niet aan ons om ze op te sporen, tenzij er een soort samenzwering achter de verdwijningen zit. Maar dat is hoogstonwaarschijnlijk, dat weet jij ook. Dit zijn weglopers, vermiste personen; trieste maatschappelijke statistieken, geen politiezaken.'

'Tot het jouw kind is,' zei Alison, 'en je gewoon niet kunt geloven dat jouw zoon bij je weg zou lopen.'

Hier had Fenwick niet van terug. Hij wist wel wat hij zou verwachten als Chris verdween, en Alison had ook een zoon. Hij kon heel goed begrijpen waarom ze die jongens met hun lachende gezichten niet in de steek wilde laten.

'Het is het beste als we gewoon doorgaan,' zei hij eindelijk.

Maar nadat ze weggegaan was, draaide hij zich om en staarde naar het prikbord. Er hingen misschien dertig foto's van jongens op, in leeftijd variërend van twaalf tot zestien. Onwillekeurig begon hij de foto's te herschikken: blonde jongens links, roodharige in het midden, bruinharige daarnaast en uiterst rechts de donkerharige. Twee van de donkerharige jongens deden hem aan Malcolm en Paul denken. Hij haalde hun foto's van het prikbord en nam ze mee naar een bureau om ze te vergelijken. De gelijkenis was opvallend, vooral tussen de jongste van de twee en Paul.

Hij draaide de foto om en las de weinige details op de achterkant; natuurlijk, het was Sam Bowyer. Hij huiverde, toen hij terugdacht aan de laatste ontmoeting met zijn vader. De andere foto was nieuw voor hem. Hij draaide hem om en las: *'Jack Trainer, 15. Vermist sinds november vorig jaar.'* In zwarte inkt stond eronder geschreven: *'Overleden in Londen, 16 juli; in afwachting van uitspraak lijkschouwer vermoedelijk zelfmoord; men denkt dat hij van de Blackfriars Bridge is gesprongen. Aanwijzingen van zwaar drugsgebruik en aanhoudend seksueel misbruik.'*

Fenwick keek naar de foto van de glimlachende Jack, ergens op een strand met zijn familie. Hij stak de foto samen met die van Sam in zijn aktetas. Een 'trieste maatschappelijke statistiek'. Had hij dat écht gezegd? Hij moest zich schamen.

Sarah Hill wist niets van de aanhouding van Maidment, tot ze de volgende morgen de deur opendeed om haar dagelijkse bestelling melk te pakken: twee flessen, één met een zilveren en één met een gouden dop, Pauls favoriet. De meeste melk gooide ze weg, maar op deze manier was de koelkast altijd gevuld, voor als hij thuiskwam.

Toen ze de deur opende, zag ze een jonge man onder de overhangende dakspanten staan en haar hart maakte een sprongetje. Toen hij zich naar haar omdraaide en ze zijn ogen zag, stierf de hoop weer, zoals dat meerdere keren op een dag gebeurde.

'Mevrouw Hill? Mijn naam is Jason MacDonald van de *Enquirer*.' Hij stak zijn hand uit en ze nam hem automatisch aan. 'Zou ik even binnen mogen komen?'

'Waarvoor?' Sarah was haar leven niet gestart met een overvloed aan omgangsmanieren. En wat ze had bijgeleerd verdween op de dag dat Paul verdween. MacDonald sloeg een bezorgde toon aan en hield zijn hoofd scheef op een manier, waarvan hij zich voorstelde dat het vriendelijk overkwam.

'Misschien heeft u het nog niet gehoord.' De verborgen sadist in hem genoot van haar wit wegtrekkende gezicht en hij deed er zijn voordeel mee. 'Ik denk dat het beter is als ik even binnenkom – geen pottenkijkers.'

Ze deinsde achteruit de muffe gang in, met de twee flessen melk tegen haar borst gedrukt. Hij ging haar snel achterna en werd bijna misselijk van de lucht, maar de geur van een exclusief verhaal overheerste.

'Paul?'

Hij had haar nauwelijks gehoord, maar hij knikte en nam de koele flessen uit haar handen. Toen hij achteromkeek zag hij een nieuwe Rover de straat inkomen; de rivalen begonnen ook te arriveren. Hij deed de deur stevig dicht en draaide hem op slot.

'Is dit uw zitkamer?' Hij gaf haar een zacht duwtje in de rug en zij ging hem gehoorzaam voor.

'Paul?' zei ze opnieuw. Hij kon de hysterie in haar stem horen opkomen.

'Ze hebben nog geen... lichaam gevonden.' MacDonald zette de flessen op het stoffige koffietafeltje, zonder te letten op de druppels condens die op de gebarsten mahonie fineerlaag terechtkwamen.

Zijn ogen dwaalden rond, hij zag de rekken met dossiers en het altaar voor Paul. Hij moest met een fotograaf terugkomen, als hij dat exclusieve verhaal kreeg. Maar dat zat wel goed, dacht hij.

'Maar ze hebben iemand gearresteerd voor de moord op Paul.'

'Moord?'

'Ja, de politie schijnt er tamelijk zeker van te zijn dat Paul dood is, mevrouw Hill.'

'Ze hebben alleen kleren gevonden.'

'Met bloed doordrenkt.'

'Maar dat hoeft niet van Paul te zijn. Julie, hun familierechercheur, heeft me dat verteld. Zij is een aardige meid. Ze heeft me uitgelegd dat er wel sporen van Pauls bloed op een overhemd zaten, maar dat het niet veel was.'

‘In ieder geval,’ ging Jason, die het voordeel van de verrassingsaanval zag wegglippen, verder, ‘heeft de politie voldoende bewijsmateriaal om een man te arresteren op verdenking van moord en hij zit al vast.’

‘Denkt de politie dat Paul dood is?’

Hij knikte.

‘Maar Julie zei...’ Haar stem zakte weg en hij drong aan.

‘Mijn punt is, dat u het erg moeilijk gaat krijgen nu die arrestatie is verricht, en ik wil proberen u erdoorheen te helpen.’

‘Dood?’ Ze had geen woord opgepikt van wat hij had gezegd. Hij slikte zijn ongeduld weg en herhaalde de zin.

‘Dat denkt de politie. Daarom kom ik u hulp aanbieden, niet alleen praktisch, maar ook financieel.’

‘Dood!’

Haar benen begaven het en ze liet zich in een stoel vallen. Haar gezicht kreeg een wasbleke kleur. Het zou wel heel erg vervelend zijn als ze nu ging flauwvallen, dus duwde Jason haar hoofd tussen haar knieën en holde naar de keuken voor een glas water. Toen hij terugkwam, zat ze nog precies zo.

‘Hier, drink dit maar op. U hebt een lichte shock,’ zei hij zo vriendelijk als hij kon, hoewel ze zich wel een beetje liet gaan; die jongen was immers meer dan vijfentwintig jaar geleden verdwenen. Hij keek ongeduldig toe, terwijl ze slokjes water uit het vieze glas dronk. De kleur kwam terug op haar gezicht.

‘Hoe is hij gestorven?’ Ze had haar armen om zichzelf heen geslagen, in een poging zich terug te trekken en te beschermen tegen de pijn van het contact met de buitenwereld.

Jason onderdrukte een nieuwe zucht.

‘Ik weet het niet, mevrouw Hill. Over dat detail hebben ze nog niets losgelaten. Als ze eenmaal klaar zijn met de ondervraging van de verdachte, zullen ze dat zeker doen.’

‘Detail?’ Het klonk als een geweerschot.

‘Pardon?’

Hij snapte absoluut niet hoe deze vrouw eraan toe was. Volslagen gestoord, volgens hem. Het was het beste, dat hij er zo snel mogelijk voor zorgde dat haar handtekening op het contract kwam te staan dat hem de exclusieve rechten gaf – hij had het in zijn zak zitten – en onmiddellijk terugkeerde met een fotograaf.

'Als u dit nu even tekent, houdt dat al die hufters die buiten staan te wachten om u lastig te vallen, tegen. Dan kunt u in alle rust de schok verwerken. Ik heb u al gezegd dat er een financiële kant aan zit, hè? Niemand zou willen profiteren van de dood van Paul, u wel het allerminst, maar het is alleen maar terecht als u iets krijgt om u te helpen erbovenop te komen – geld voor een vakantie misschien, zodat u er even tussenuit kunt. Wij zouden u,' en hij rekende snel in zijn hoofd uit, 'vijfduizend pond betalen. Ik weet dat het klinkt als een groot bedrag, maar de vakanties van tegenwoordig zijn niet meer zo goedkoop en misschien wilt u wel een vriendin meenemen.'

'Een detail,' herhaalde ze. 'U noemt de manier waarop Paul is gestorven een detail.'

Jason was niet blij met de stijgende klank van haar stem.

'Eruit! U bent een aasgier! U geeft helemaal niets om Paul of om mij!'

'Maar mevrouw Hill toch. Windt u zich niet zo op; u bent van streek en dat is uiteraard begrijpelijk...'

'MAAK DAT JE WEGKOMT!'

Ze richtte zich op en greep het glas water. Jason kwam snel overeind, maar legde toch nog even het contract op de tafel.

'Ik zal u toch een momentje geven om erover na te denken, mevrouw Hill,' zei hij, terwijl hij zich terugtrok in de richting van de kamerdeur.

'ERUIT!'

Het glas miste op een haar na zijn hoofd en kaatste van de muur terug op zijn schouder, waardoor hij nat werd.

'Ik bel u nog wel,' riep hij over zijn schouder, terwijl hij naar de voordeur rende en het dievenslot verwenste, dat hij daarstraks nog zo zorgvuldig had dichtgedraaid.

Toen hij zich bukte om het open te draaien, zeilde er een fles over zijn hoofd die de deurstijl raakte en hem doorweekte met melk, maar hij slaagde erin de deur van het slot te krijgen en rukte hem open in een toestand die aan paniek grensde. Hij rende het pad over en nam een sprong over het lage houten poortje, terwijl de tweede fles melk van die dag op de tegels achter hem gesmeten werd.

Het geschreeuw vanuit het huis vermengde zich met hoongelach en toen hij opkeek, zag hij dat hij het middelpunt van aandacht was. Er stond een kring van schamper lachende gezichten om hem heen en sommige herkende hij als concurrenten van de andere nationale dagbladen. Maar het ergste van alles was, dat er een lens van een nieuwscamera op minder dan vier meter afstand van hem stond, die het hele beschamende incident op film zette.

'Shit!' zei hij, nog voor hij bedacht dat hij misschien op de televisie zou komen. Hij dwong zichzelf mee te schateren. Maar toen hij later die dag zijn onprofessionele optreden terugzag, klonk het hem zelf ook vals in de oren.

'De dame is een beetje van streek,' zei hij, terwijl hij het daverende gelach en de schimpscheuten probeerde te negeren, 'ik stel voor dat we haar een beetje tijd en ruimte geven om zich te herstellen.'

'Zoals jij daarnet, bedoel je.'

Hij kende die stem. Het was een jonge journalist, die pasgeleden bij de *Sun* was komen werken. In die knaap herkende hij iets van zijn eigen vroegere, onversneden energie, en hij haatte hem erom. Met grote waardigheid, zo meende hij zelf, schudde hij de glassplinters van zijn colbert en broek, en liep weg.

Binnen kon Sarah nog net het slot op de deur doen en stortte toen in. Diep gebukt ging ze terug naar de zitkamer, sloot de gordijnen en sloeg haar armen om een kussen heen. Die hele morgen huilde ze in het kussen, verlamd door een allesverterende smart. Ieder jaar zonder Paul was haar verdriet alleen maar toegenomen. De hoop, die levend was gehouden door het nooit opgehelderde mysterie van zijn verdwijning en het ontbreken van een lijk, had de acceptatie van het verlies, dat haar leven in alle opzichten zou hebben verwoest, teruggedrongen.

In tien minuten tijd had het lompe, opgeblazen ego van een journalist decennia van hoop de grond ingeboord, lekgeprikt, zoals een afgunstig kind een ballon kapotmaakt. In het vacuüm dat erdoor ontstond, stroomde nu de pijn binnen die zich meer dan vijfentwintig jaar had opgehoopt. Voor iedere dag dat Sarah was ontwaakt en Pauls afwezigheid als iets voorlopigs had beschouwd en voor iedere avond dat ze naar bed was gegaan in de verwachting dat hij de volgende morgen contact zou opnemen, vlijmde nu een even heftige, maar tegengestelde smart door haar blootliggende ziel. Een ziel waarmee het toch al treurig gesteld was, nooit gesteund door liefde of geloof, maar die wel veerkrachtig was. Op basis van die veerkracht was haar geestelijke gezondheid voor een deel overeind gebleven, maar met deze destructie begonnen de tentakels van de waanzin zich naar haar geest uit te strekken.

Haar blaas haalde haar tijdelijk in de werkelijkheid terug en ze vervloekte hem, net zoals ze haar lichaam in de dagen onmiddellijk na de verdwijning van Paul had vervloekt, omdat het af en toe zwak werd en in slaap viel, ondanks haar vastbeslotenheid wakker te blijven tot hij thuiskwam. Het had haar verraad toegeschenen om in de vergetelheid te vluchten, waaruit ze dan een kort moment zonder pijn ontwaakte, omdat ze was vergeten dat hij er niet meer was.

Net als toen ging ze voorovergebogen op de wc zitten en begon ze zichzelf te knijpen en te krabben. Toen ze doortrok werd ze overvallen door dorst. Ze boog zich over de wastafel en dronk luidruchtig water uit haar handen. Toen werd ze zich bewust van de geluiden om haar heen. De baby van de buren huilde; er kefte een hond en een andere hond blafte terug; ze hoorde gebonk en een onophoudelijk gerinkel, dat zich in haar hoofd boorde en dat de hoofdpijn, die ze al een tijdje scheen te hebben, maar nu pas opmerkte omdat haar botten pijn deden, vanaf haar rug, door haar kaken, helemaal naar haar oogkassen, nog erger maakte.

Het gerinkel kwam van haar telefoon en het gebonk kwam van haar voordeur. De gordijnen waren de hele ochtend nog niet open geweest, maar daarachter kon ze schaduwen zien. Bij die aanblik werd ze overspoeld door herinneringen en ze kreunde.

Paul... Paul...

Die man zei dat hij dood was. Nee, dat had hij niet gezegd, niet precies. Hij zei dat de politie iemand had gearresteerd voor de moord op hem. Die gedachte maakte haar fysiek onpasselijk. Water en gal liepen in de wasbak en ze greep zich eraan vast om kracht te krijgen.

Ze slaagde erin de zitkamer in te kruipen en de televisie aan te zetten. Op elk heel uur was de moord op Paul het belangrijkste nieuwsitem. Ze zag zijn schoolfoto op het scherm verschijnen, toen kwam er een interview met een knappe man in een politie-uniform. '*Wij hebben Paul niet opgegeven. Wij geven nooit iemand op,*' hoorde ze hem zeggen. Toen zag ze tot haar verbazing een foto met het gezicht van majoor Maidment op het scherm verschijnen.

Ze hadden de majoor gearresteerd! Hij was de moordenaar van Paul. Ze had hem vertrouwd, hem gesmeekt haar kind te zoeken en al die tijd had hij geweten dat hij dood was. Die gedachte maakte haar weer beroerd, maar toen ze klaar was met overgeven, merkte ze dat haar hoofd helder werd.

In de keuken dronk ze de rest van de melk met de zilveren dop op en bewaarde net als altijd de fles met de gouden dop voor Paul... maar dat had geen zin meer, nietwaar? Er zat een man in de gevangenis op beschuldiging van moord. De politie was zo zeker van haar zaak, het moest wel waar zijn. Waarom zou ze nog hopen? Ze liep, nog altijd in haar peignoir, naar boven en ging op het onopgemaakte bed liggen. De geluiden van buiten dreven weg en ze viel in slaap.

Ze had een bijzondere droom. Paul kwam haar slaapkamer binnen en bleef bij haar bed staan. Maar het was niet de Paul van veertien; dit was een volwassen man met een litteken op zijn gezicht, maar nog altijd knap. Hij legde een hand op haar voorhoofd en hij voelde koel en geruststellend aan. 'Je moet je geen zorgen meer maken, mam. Het is goed met me,' zei hij.

'Wat is er met je gezicht gebeurd, Paul? Dat is een lelijk litteken. Heeft de majoor dat gedaan toen hij je vermoordde?'

De volwassen Paul schudde langzaam zijn hoofd. Ze zag tranen op zijn wangen en ze hief een hand op om ze weg te vegen. Zijn gezicht was koud, alsof hij op een winterse dag binnen was gekomen, maar hij was immers dood, wat had ze anders verwacht?

'Laat het los, mam. Je verdient vrede. Het is te lang geleden – nu moet je je verdriet begraven.'

Boos schudde Sarah haar hoofd en ze duwde zijn hand weg. Wie was hij om haar de les te lezen over haar verdriet? Hij was dood, hij had geen zorgen meer. Het ging hem niets aan wat zij met haar leven deed. Maar in één ding had hij gelijk, ze verdiende inderdaad vrede; de hoop had dat onmogelijk gemaakt. Nu die ook dood was, kreeg ze ruimte voor andere emoties en misschien zou dan de vrede wortel kunnen schieten en gaan groeien. In haar droom stelde ze zich voor hoe de zaadjes van de vrede licht als een veertje door de lucht zweefden en op haar vielen, maar toen ze ernaar greep werden ze weggeblazen. Ze werd boos en sloeg ernaar; ze sloeg met zoveel kracht, dat ze in haar slaap krampachtige bewegingen maakte. Ze begon zich sterker te voelen. Andere gevoelens dan verdriet en hopeloosheid staken de kop op: haat, razernij, verschrikkelijke afgunst op iedereen die kinderen had en een verlangen naar wraak.

Toen ze wakker werd, merkte ze dat het beddengoed en de kussens op de grond lagen. Haar nachtlampje lag er kapotgesmeten naast. Buiten was het donker geworden. In het schijnsel van de straatlantarens kon ze drie verslaggevers en een fotograaf zien staan, de rest was weggegaan. Zonder licht te maken ging ze naar de keuken aan de achterkant van het huis, waar ze wel het risico nam het lampje van de afzuigkap aan te doen. Ze was uitgehongerd en ze begon de eieren van de vorige maand te bakken, deed er wat uitgedroogde bacon en tomaten bij, en roosterde brood van de vorige dag. Dat spoelde ze weg met sterke thee en een flinke scheut van de heel oude whisky die ze ergens achter in een kast vond.

Nu ze zich wat beter voelde, begon ze het huis op te ruimen. Intussen kon het haar niet meer schelen of de journalisten wisten dat ze wakker was, want ze voelde zich sterk genoeg om hen af te poeieren. Tijdens het schoonmaken ontwikkelde zich een plan, dat steeds concreter vormen aannam. Bij het wakker worden was de kiem daarvoor al gelegd en ze besefte dat het de bron van haar nieuwe energie was. Stap één was er respectabel en bedaard uit te zien. Er mocht geen spoortje waanzin bij haar te merken zijn. Natuurlijk was ze niet gek, dat wist ze ook wel, maar de mensen keken haar soms aan alsof het wel zo was. Dat kon ze niet gebruiken.

De schoonmaak van het huis nam de hele nacht en het grootste deel van de volgende ochtend in beslag. Daarna ging ze in bad en waste haar weerbarstige grijze haar. Ze wist nog hoe ze het op moest steken en probeerde een aantal stijlen uit, tot ze er tevreden over was. Intussen was het al bijna middag, maar ze voelde zich niet moe. In plaats daarvan inspecteerde ze haar garderobe en begon geïrriteerd te mompelen bij het zien van haar verwaarloosde kleren. Haar beste mantelpak was tien jaar oud en dat zag je er ook aan af, maar het was in ieder geval schoon. Haar schoenen waren versleten en ze had geen kousen, omdat ze alleen nog maar nylon kniekousjes had gedragen. Dat kon zo niet. Misschien kon ze via de achterdeur naar buiten glippen en Harlden ingaan om een nieuwe panty te kopen die er goed uitzag voor de camera.

Terwijl ze door de achtertuin sloop en de bus naar de stad nam, werkte ze in haar hoofd de onderdelen van haar plan uit en maakte er een samenhangend geheel van. Tegen de tijd dat ze weer thuis was, had ze alles op een rijtje staan. Ze verwarmde een kant-en-klare pastei van de supermarkt en kleedde zich om. Toen pakte ze de telefoon.

Jason MacDonald stond er versteld van dat mevrouw Hill hem opbelde, daags nadat ze hem het huis uit had gegooid, terwijl de melkflessen hem om de oren vlogen. Haar uitnodiging om terug te komen voorspelde niet veel goeds, tot ze hem herinnerde aan het contract dat hij op haar vieze koffietafel had achtergelaten. In zijn ervaring had geld een magische uitwerking op de meest onwaarschijnlijke individuen en dat was ook nu weer het geval, zo meende hij.

Ze spraken af dat hij onmiddellijk samen met een fotograaf zou komen en dat hij voor zijn komst met geen enkele andere journalist zou praten. Onderweg waarschuwde hij Kirsty, de zoveelste fotografe die op hem viel, dat mevrouw Hill een wrak was en dat ze zwaar bijgewerkt zou moeten worden om haar sympathiek op de foto te krijgen. Met het huis was het al net zo gesteld. Het stonk er, vertoonde tekenen van jarenlange verwaarlozing en er werd niet schoongemaakt.

De horde journalisten was al voor een groot deel vertrokken toen hij aankwam, er stonden alleen nog een paar diehards sterke koffie te drinken en sandwiches met ham te eten. Ze jouwden hem uit toen hij aanbelde. Er deed meteen een keurige vrouw van gemiddelde lengte, in een zwart met grijs mantelpak open, en hij dacht dat zij een buurvrouw was.

'Is mevrouw Hill thuis?'

'Ik ben mevrouw Hill.' Toen ze een stap naar voren deed, kon hij haar gezicht wat beter zien.

Ze was het onmiskenbaar, met die diepliggende ogen en door zorg getekende gezicht, maar als die er niet waren geweest zou hij denken dat ze een bedriegster was. Kirsty keek hem hoofdschuddend aan, toen ze mevrouw Hill naar binnen volgden.

De zitkamer geurde naar boenwas en schoonmaakmiddelen. Er stonden verse gele en witte margrieten bij het altaar van Paul en nog zo'n vaas op de glanzende koffietafel. De versleten stukken in het tapijt en de afgebladderde verf op de plinten waren nog hetzelfde, maar verder was het een heel andere kamer.

'Wilt u iets drinken?'

'Thee, alstublieft.' Jason besloot zijn eigen advies te vergeten en een kop thee te riskeren. 'Zal ik u even helpen?'

'Nee, dat hoeft niet. Het duurt niet lang.'

Meteen toen ze weg was, sprak Kirsty hem aan: 'Ze zeiden dat je overdreef, Jason, maar dit is idioot. Zij is de volmaakte, door smart getekende moeder.'

'Ik zeg je, gisteren was het nog een spelonk. Toen ik ging zitten, zat ik meteen onder het stof!'

'Oké.' Kirsty concentreerde zich op het opzetten van haar uitrusting.

'Eerlijk waar, er is iets gebeurd waardoor ze veranderd is.'

'Dat, óf je levendige verbeelding is weer eens op hol geslagen.'

Hij begreep dat het geen zin had om hierop te reageren, dus begon hij de foto's van Paul die aan de wanden hingen, te bestuderen.

'Die hebt u niet nodig,' sprak mevrouw Hill achter hem. 'Ik heb een paar andere uitgezocht die niet vervaagd zijn. Ze zitten in die doos; u gaat uw gang maar – ik wil ze natuurlijk wel weer terug hebben.'

Hij graaide erin als een hond tussen het slachtafval en nam er tien prachtige foto's uit.

'Dat is best,' zei ze, toen hij ze haar liet zien, 'maar het verbaast me dat u deze niet kiest.'

Ze pakte de vergrijsde zwart-witfoto van Paul in zijn padvindersuniform, bij een anoniem gebouw met grandeur.

'Wat is hier zo bijzonder aan?'

'Hij is genomen bij de golfclub waar Maidment werkte, nog geen drie weken voordat Paul... De padvinders deden er karweitjes om geld op te halen voor een kampeeruitrusting. Dit moet de eerste keer zijn geweest dat de majoor hem zag.'

Jasons mond viel open.

'Waarom heeft de politie hem niet meegenomen als bewijsmateriaal?' vroeg hij en hij stak automatisch een cassette in een minirecorder.

'Goede vraag. Nog zo'n staaltje van onkunde, neem ik aan. In het begin ging al hun aandacht uit naar die Bryan Taylor en vervolgens naar de theorie dat Paul met hem was weggelopen.' Ze schonk thee in. 'Maar voor ik verder praat, moeten we het contract tekenen. Daarna kan ik u nog veel meer vertellen.'

'Ja, inderdaad!' Hij gaf haar een nieuw exemplaar en een pen.

'Maar de exclusiviteit van mijn verhaal gaat u meer dan vijfduizend pond kosten. Ik moet twintigduizend hebben.'

'Wat?'

Haar onwaarachtigheid schokte hem. Hij had haar als een geschift en naïef mens ingeschat – een eitje.

'Ik heb erover nagedacht wat u zei, dat het nodig is om er helemaal tussenuit te gaan. Dit is wat het gaat kosten.'

'Voor een vakantie?' vroeg hij vol ongeloof.

'Ja, en voor nog het een en ander.' Ze glimlachte naar hem, iets waar ze niet in geoefend was en haar ogen lachten niet mee.

'Daar heb ik toestemming van mijn hoofdredacteur voor nodig.'

'Natuurlijk. Bel hem maar op.'

‘Haar,’ corrigeerde hij en hij drukte op de sneltoets van zijn mobiele telefoon. ‘Bent u bereid om te onderhandelen?’

‘O nee.’

De fotografe begon voorbereidende polaroidopnamen te maken om de belichting te testen. Sarah Hill nam een slokje thee en vroeg zich opnieuw af hoeveel het zou kosten om iemand te laten ombrengen. Kirsty moest haar vragen op te houden met glimlachen.

19

In de gevangenis zitten was niet prettig, maar niet zo erg als hij verwacht had. Hij onderging het zonder klagen, hoewel hij niet in afzondering was gezet, ondanks het vergrijp dat hem ten laste was gelegd. Maar dit was toch het beste, bedacht hij. Je hield je onschuld langer vol als je niet tussen de zedendelinquenten zat. ‘Een mens wordt gekend aan het gezelschap waarin hij verkeert,’ had zijn vader altijd gezegd en Maidment was het daarmee eens.

Aanvankelijk lieten ze hem met rust, vanwege zijn leeftijd en zijn houding, nam hij aan, hoewel sommigen zich ergerden aan zijn accent, maar toen het gerucht de ronde deed waarvoor hij zat, werd de stemming openlijk vijandig. Toen hij er voor de eerste keer mee werd geconfronteerd, keek hij degene die hem beschuldigde recht in zijn gezicht en zei simpelweg: ‘Ik heb het niet gedaan. Ik zweer op het graf van mijn vrouw en op de eer van mijn regiment, dat ik onschuldig ben aan die aanklacht.’ Toen had hij zich langzaam in de kring omgedraaid, al zijn eventuele aanvallers recht aangekeken en de agressiefste de rug toegekeerd.

Om wat voor reden dan ook geloofden ze hem, of het nu kwam door zijn directe blik of zijn militaire houding, dat was moeilijk uit te maken. Zelfs de twijfelaars deden er uiteindelijk het zwijgen toe, toen de hardste van de gedetineerden iets tot zijn verdediging inbracht.

De tweede avond ging de televisie kapot en werd de sfeer dreigend. Er ontstond een handgemeen en een van de mannen kwam in de ziekenboeg terecht. Hij herkende die tekenen van agressie door verveling. Het was fnuikend voor de discipline, veel erger dan angst. De desinteresse van de bewakers maakte hem nijdig. Zij waren degenen die het gezag moesten handhaven en een stabiele omgeving creëren, niet rondlopen met een air van superioriteit en de problemen laten overkoken. Tijdens hun ronde sprak hij een van hen erop aan, en eiste dat 'de mannen', zoals hij zijn medegevangenen noemde, een vorm van entertainment geboden zou worden.

De bewaker lachte hem midden in zijn gezicht uit en probeerde hem te laten struikelen toen hij wegliep. Maar Maidments reflexen waren sneller dan men op grond van zijn leeftijd zou verwachten en hij bleef overeind.

'Goed zo, majoor,' zei Kelly, een gespierde krachtpatser met oude gevangenistatoeages op zijn knokkels, die in voorarrest zat vanwege zware mishandeling.

'Dit is onverantwoordelijk,' sprak Maidment. 'Zulke lui had ik niet onder mijn bevel willen hebben.'

Hier moest Kelly om lachen en een paar anderen lachten mee. Frank, die zijn vrouw sloeg en de laatste keer te ver was gegaan – hij zat wegens poging tot moord (hoewel bij het horen van de naam van zijn vrouw de tranen in zijn ogen sprongen) – draaide zich voor het eerst om in zijn stoel en keek weg van het lege televisiescherm.

'Hebt u wel eens een beetje actie meegemaakt, majoor?' vroeg hij en een paar anderen keken hem lichtelijk nieuwsgierig aan.

'Jazeker heb ik dat.'

'Wel eens iemand gedood?' daagde Kelly hem uit.

Maidment zag geen reden waarom hij eromheen zou draaien. Verlegenheid werkte niet bij harde kerels. Gewoon de waarheid zeggen was het beste.

'Ja.'

'Man tegen man?' Bill zat in voorlopige hechtenis wegens moord. Hij was een onvoorspelbaar iemand en werd als de ergste van allemaal beschouwd – bij zijn arrestatie had hij een stuk van het oor van een agente afgebeten, erop gekauwd en het doorgeslikt.

'Ja. Man tegen man, messengevechten, vuurgevechten en explosieven.' Hij zei het zonder bravoure, als een vaststelling van de feiten.

Nu staarden ze hem allemaal aan.

'Waar zat u dan tijdens de actieve dienst?' Bill nam automatisch de leiding over, zoals hij altijd deed wanneer zijn aandacht was getrokken.

'Op Borneo, onder bevel van generaal Sir Walter Waller.'

'Walter Waller – wat een watje!' grapte Frank, die er zelf erg om moest lachen, maar niemand lachte mee. Het was veel boeiender om te horen wat de majoor te vertellen had over het doden en de dood zelf.

'Hij was de meest bijzondere man die ik ooit gekend heb,' zei hij, zonder op Frank te letten. 'Hij diende in de Tweede Wereldoorlog in Birma, daarna in Malakka. Onder zijn bevel werd een opleiding voor oorlogvoering in de jungle opgericht – een van de beste militaire trainingskampen ter wereld. Oorlog voeren in de jungle is verreweg het zwaarste dat er is. In begrensde gebieden werken grote manoeuvres niet. Je vijand kent het terrein beter dan jij en hij kan zomaar opduiken, aanvallen en weer in het niets verdwijnen, zonder een kik te geven.'

'Net als in de Elephant and Castle op een stille zaterdagavond,' onderbrak Frank hem.

'Hou toch je bek,' zei Bill op een normale gesprekstoon. Frank verbleekte. 'Ga verder, majoor.'

Dus vertelde hij het verhaal over de opstand in Brunei en de operatie op Borneo, die drie maanden had moeten duren, maar meer dan drie jaar in beslag nam. Hij vertelde hun niet over de decimering van zijn eigen patrouille. Het schokte hem nog steeds dat hij Fenwick zo veel had onthuld en dat spektakel wenste hij niet te herhalen. Maar hij beschreef wel de briljante strategieën die luitenant-kolonel John Woodhouse voor tweeëntwintig SAS uitgedacht had. Hoe de vierkoppige patrouilles door middel van medicijnen en voedsel vriendschap sloten met de plaatselijke stammen, waardoor ze de rebellen steun weigerden en waardevolle informatie leverden. Hij bracht hen snel van het idee af dat hij bij de SAS had gezeten en verklaarde dat hij bij de Gardecompagnie Onafhankelijke Parachutisten had gediend. Hij had wel zijn training bij de SAS gehad; hij had zijn eigen patrouilles aangevoerd tot ver voorbij de vijandelijke linies in de jungle, en hij kon zich veertig jaar na dato nog steeds de methoden die hij had geleerd, herinneren.

Dankzij zijn fabelachtige geheugen kon hij iets van zijn kennis met hen delen; hoe je je geruisloos in de jungle moest verplaatsen, zijn voorkeur voor wapens en de beste manier om een man te doden zonder dat hij een kik gaf.

Toen de bewakers aankondigden dat iedereen naar zijn cel terug moest, ging er gemopper op uit de dertig man die in een halve kring om hem heen zaten, maar hun stemming was gekalmeerd.

'Majoor.'

'Ja, Bill.'

'Als iemand het u moeilijk maakt, dan zegt u het wel, hè?'

Bill stak hem zijn eeltige hand toe en pakte Maidments gemanicuurde vingers in een verpletterende greep.

'Dat zal ik doen, maar ik ga ervan uit dat het niet nodig is.' Hij knikte waarderend, maar zei geen dank je wel. Dat impliceerde zwakheid.

Zoals hij al dacht, de gevangenis was zo erg nog niet.

Het verhoor van de volgende dag was veel intensiever dan tot dusverre. Ze brachten hem niet naar Harlden terug, maar reden met hem naar een anoniem politiebureau in de buurt van de gevangenis. Daar kwam hij in een eendere, zuurruikende verhoorruimte te zitten. Hij zag af van de aanwezigheid van zijn advocaat. Die arme oude Stenning reageerde niet goed op de druk van de continue ondervraging en had een zenuwtrek gekregen, die de majoor erg afleidde.

Hij keek toe, terwijl Fenwick het cellofaan van de twee cassettes haalde en ze in het apparaat stak. De tweede, gelijktijdige opname werd na het verhoor verzegeld en gedateerd als beveiligd verslag, voor het geval de politie in de verleiding kwam aan de bewijzen 'te dokteren'. Met Fenwick aan het hoofd vond hij dat een onnodige voorzorgsmaatregel. Een integer mens herkende hij direct.

Fenwick begon met te verklaren dat zijn vragen verband hielden met een ander onderzoek, en dat ze niets te maken hadden met de moord op Paul Hill, waarover ze hem niet langer konden ondervragen.

'Waar was u op 16 december 1994?' Dit was een van de data die de FBI uit hun getuige had losgekregen. Hij had beweerd dat er op die dag in een groot huis in Sussex een orgie had plaatsgevonden waar jonge jongens bij betrokken waren geweest. Het adres had de getuige niet kunnen noemen.

Maidment sloot even zijn ogen en dacht terug.

'In Harlden, op mijn werk.'

'Kunt u dat bewijzen?'

'U hebt mijn agenda's voor die periode.'

'Die hebben we ingezien. Daar staat niets.'

'Hm, vreemd. Dat moet een rustige dag zijn geweest.'

'Ik vind het opmerkelijk dat u zich precies kunt herinneren waar u die dag bent geweest.'

'Dat is iets eigenaardigs van mij. Ik heb een zeer goed geheugen voor feiten en getallen, waaronder data. U mag het controleren met andere dingen, als u dat wilt.'

'Ja, laten we dat doen. 9 april 1987.' Weer zo'n datum die de getuige had genoemd.

'April is een drukke maand bij de club. Ik zal het toen erg druk hebben gehad met de organisatie van ons toernooi. Dat begon het tweede weekend van mei, weet u, dat is nog altijd zo.'

'Ben je ooit in Crawley geweest, Jeremy?' Dat Fenwick hem bij zijn voornaam noemde vond Maidment wel grappig. Het was een klassieke truc om vertrouwen te wekken en de hiërarchie in het verhoor vast te stellen.

'Crawley, jazeker. Ik kom er niet heel graag, maar ik ben er geweest. Hilary ging daar naar het ziekenhuis en ik heb haar daar vele malen naartoe gereden.'

'Ligt het ziekenhuis in de buurt van het zwembad?'

'Ik heb geen idee, Andrew.'

'Rang of meneer, alsjeblieft, Jeremy,' zei de hoofdinspecteur vriendelijk.

'Hetzelfde, graag.' Maidment stond zichzelf een glimlach ten koste van Fenwick toe. 'Ik ben nog nooit van mijn leven in een openbaar zwembad geweest. Dat zijn plaatsen waar ik altijd een grote aversie tegen heb gehad.'

'Vertel me eens iets over augustus 1981.'

'Dat was mijn eerste maand als secretaris bij de club, dat herinner ik me heel duidelijk. Het was de bedoeling dat alles op een nette manier aan mij zou worden overgedragen, maar mijn voorganger kondigde drie dagen nadat ik begonnen was aan, dat hij op vakantie ging. Ik werd werkelijk in het diepe gegooid.'

'Behoorde het tot uw taken de sleutels van de kluisjes in de kleedruimten uit te geven?' vervolgde Fenwick.

'Natuurlijk. Het was belangrijk dat er goed op werd gelet; ik bewaarde de duplicaten in mijn eigen kluis.'

'Raakten de mensen ze wel eens kwijt?'

'Voortdurend, en heel vaak dezelfde. Ten slotte voerde ik een borg van tien pond in, die ze later terugkregen. Niet erg populair, dat kan ik u wel zeggen. Toen ik een klant voor de tweede keer om tien pond vroeg, brak de hel los. Maar ik bleef op mijn strepen staan en gelukkig kreeg ik back-up van mijn voorzitter.'

'Maar u kon voor uzelf te allen tijde gratis een nieuwe sleutel aanschaffen, nietwaar?'

'Waarom zou ik dat in hemelsnaam doen?' Hij staarde Fenwick nietszeggend aan. 'Ik had geen behoefte aan een kluisje want ik had een kantoor, maar ook dan zou ik voor mezelf precies dezelfde regels hebben aangehouden.'

'Weet u zeker dat u geen kluisje had?'

'Ja, hoofdinspecteur, natuurlijk. Ik was daar secretaris. Hoewel ik alleen speelde als de tijd het toeliet, had ik de luxe van een eigen kantoor, waar ik me kon omkleden en mijn spullen kon achterlaten.'

Hij zag dat Fenwick een zorgvuldige aantekening maakte en het papier in zijn zak stak. Ofschoon hij geen bezwaar had tegen het onderwerp van het verhoor – het was te prefereren boven een continue ondervraging over de verdwijning van Paul Hill – verwarde het hem wel.

'En parkeerkaarten, gaf u die ook uit?' ging Fenwick verder.

'Ja. Die werden in september jaarlijks vernieuwd, dus was het uitgeven van nieuwe parkeerkaarten een van de dingen die ik in de maand augustus moest doen. Ik voerde een kleurcode en nummers in op de kaarten, ook een verbetering vanuit een veiligheidsoogpunt. Het eerste jaar gebruikten we blauw, dat weet ik nog.'

'En raakten de leden die ook kwijt?' vroeg Fenwick onschuldig, maar Maidment snapte dat het van betekenis was, dus was hij heel voorzichtig met zijn antwoord.

'Zelden.'

'Dus met úw geheugen zou u het zich herinneren als u een vervangende parkeerkaart had moeten uitgeven. Het zou zelfs in uw onberispelijk bijgehouden agenda's hebben gestaan.' Fenwick bladerde vluchtig door de pagina's van augustus 1981.

Maidment merkte dat hij naar het boek zat te staren en trok zijn ogen ervan af.

'Ik betwijfel of zo'n kleinigheid daarin staat. De administratieve dossiers werden apart opgeborgen en volgens mij zijn de meeste door mijn opvolger vernietigd.'

'En weet u de naam nog van iemand aan wie u in 1981 een duplicaat heeft gegeven?'

'Ik geloof niet dat ik daartoe een reden heb gehad.'

'Juist.' Fenwick keek op van de boeken, recht in zijn gezicht. 'Ik ben bang dat ik u niet geloof, majoor.'

Voor het eerst drong het tot Maidment door, dat hij uiteindelijk wellicht nog een hele tijd in de gevangenis zou moeten zitten.

Die avond in zijn cel, toen hij de slaap probeerde te vatten, nam Maidment de data die de politie had genoemd telkens opnieuw door, maar hij kon er geen touw aan vastknopen. Hij had met opzet niet naar de betekenis van die dagen gevraagd en daar had hij nu spijt van, deels uit nieuwsgierigheid, maar veel belangrijker nog, omdat hij vreesde dat de politie het zou interpreteren als het gedrag van een schuldig iemand die het antwoord al wist. Bij die gedachte brak het zweet hem uit. Hij draaide zich om op zijn klamme kussen, op zoek naar troost in de bobbelige vulling.

Maidment zakte eindelijk een beetje weg toen het kwartje viel. Hij was zo afgeleid geweest door de raadselachtigheid van de data, dat hij er niet echt over nagedacht had, maar nu hij zich ontspande, drong vanuit zijn onderbewuste tot hem door wat de relevantie was van hun vragen over sleutels en parkeervergunningen.

Hij herinnerde zich de onenigheid over een tweede borg van tien pond voor een sleutel. Wat het bedrag aanging was het buiten alle proportie, maar het was voor beide kanten een principekwestie geworden. Er was maar één man naar de voorzitter gestapt om tot een oplossing te komen, en alleen die man had een reden gehad voor de sarcastische opmerking dat hij zeker ook voor een nieuwe parkeerkaart moest betalen, aangezien hij die ook nodig had. Met die gedachte schoot hij rechtovereind in zijn bed en stootte zijn hoofd tegen de veren van het bed boven hem.

Eén man, dezelfde man, had aan het eind van augustus 1981 zowel een nieuwe parkeervergunning als een nieuwe sleutel nodig gehad. En vanwege die man zat hij nu in de cel, aangeklaagd voor de ontvoering van en de moord op Paul Hill. Dit besef maakte hem kotsmisselijk. Hij moest erachter zien te komen waarom augustus 1981 zo belangrijk was; hij moest goed nadenken hoe hij zichzelf kon verdedigen, nu hij werd geconfronteerd met de tastbare bewijzen die ze tegen hem hadden verzameld en die hem met Paul Hill in verband brachten. Maar het allerbelangrijkste was die man te spreken te krijgen. Alleen dan was hij in staat de politie, en belangrijker nog, zijn eigen geweten, gelijkmoedig tegemoet te treden.

Fenwick en Nightingale zaten in de biertuin van de Broken Drum uit te kijken over een idyllische dorpsweide met een cricketveld erachter. Op deze broeierige werkdag in augustus waren de hondenuitlaters en moeders met kinderen die schoolvakantie hadden de enigen die gebruikmaakten van deze dorpsvoorziening. De houten bank was vochtig en ze hadden er een plastic zeil uit de kofferbak op gelegd om hun kleren te beschermen. Voor hen stond een onaangeraakt bord met tosti's ham-kaas en twee glazen tomatensap stonden warm te worden.

Hij had haar zojuist over zijn gesprek met Quinlan verteld en haar zien verbleken. Toen de betekenis van wat hij zei tot haar doordrong, was ze onwillekeurig een eindje bij hem vandaan geschoven.

'Het spijt me, Nightingale. Ik had verstandiger moeten zijn. Door mijn gedrag heb ik je aan geroddel blootgesteld.' Hij berouwde het oprecht en voelde zich ellendig, omdat zij moest bloeden voor hun vriendschap.

'Het is in orde. Het is net zo goed mijn schuld als de jouwe. Ik ben per slot van rekening een volwassen vrouw, hoewel ik moet toegeven dat ik me de afgelopen week bepaald niet zo heb gedragen. Mijn humeur was onprofessioneel en daar verontschuldig ik me voor.'

'Niet doen, alsjeblieft. Je hebt alle reden om kwaad te zijn en mijn reactie op de uitspraken van Quinlan was ook niet erg adequaat.'

'Desondanks...'

'Nee, hou maar op. Nu gaan we tegen elkaar op zitten bieden wie er rechtschapener is!' Ze lachte, maar het klonk treurig.

'Wat?' vroeg hij.

'Ik zat net te denken hoe ironisch dit is. Vorig jaar vond jij dat een affaire te riskant zou zijn voor onze carrières en... nu zijn we toch slachtoffer geworden van geroddel. Het zou niet eens zo erg zijn als er tenminste een kern van waarheid in die speculaties zat.'

'Nee?'

'Nee,' antwoordde ze zachtjes.

Er viel een stilte. Een vlieg vond hun tosti's er erg smakelijk uitzien en ging op een korst zitten. Geen van beiden joeg hem weg. Ten slotte pakte Fenwick zijn drankje en nam een slok, maar trok een gezicht toen hij ervan proefde.

'Gadverdamme, wat smerig! Zal ik iets anders voor je halen?'

'Waarom niet,' zei ze met een scheve glimlach. 'Een glas witte wijn en een glas water, maar...'

'Maar zonder ijs of citroen, ik weet het.' Hij zwaaide zijn benen over de bank en stond op. Toen hij achter haar langs liep, kneep hij in haar schouder en liet zijn hand even liggen, zodat zij de hare erop kon leggen. Toen liep hij weg en was ze alleen.

Even later ging haar mobiele telefoon. Het was Blite.

'Je wilt zeker wel weten dat Quinlan je zoekt. Ik heb gezegd dat ik je zou opsporen. Hij wil ons over een halfuur bij zich hebben, om te bespreken of hij de zaken Eagleton en Hill onder één onderzoeksleider moet plaatsen. Ik heb hem gezegd dat ik het een goed idee vind, maar hij wil om de een of andere reden jouw opinie horen voor hij een besluit neemt.'

Nightingale voelde de moed in haar schoenen zinken. Ze had in korte tijd een heleboel vooruitgang geboekt in het onderzoek Hill/Maidment en wilde al dat werk niet overgeheveld zien worden naar een onderzoek onder leiding van Blite. Maar uit haar toon viel niets op te maken.

'Ik ben alweer op de terugweg van het verhoor van Maidment.'

'Hoe laat kun je dan hier zijn? Ik neem aan dat je even gestopt bent om te lunchen.'

Nightingale besefte de volle implicatie van zijn woorden en nam intuïtief een besluit.

'Even een snelle hap. Luister eens, Derek,' zei ze en ze sprak snel verder, voor ze van gedachten kon veranderen, 'ik weet dat er geruchten gaan over mij en Andrew Fenwick.'

Ze hoorde dat hij zijn adem inhield.

'Nou, ik wil dat je weet dat ze niet waar zijn. Als het wel zo was, zou ik het je zeggen, maar er bestaat tussen ons niet meer dan een terloopse vriendschap.' Ze wist dat het oprecht klonk en hoopte dat hij waarheid van leugen kon onderscheiden.

'Ja, natuurlijk,' was alles wat hij zei. 'Nou, wanneer denk je dat je terug bent?'

'Op tijd voor het gesprek. Ik zie je wel in het kantoor van Quinlan.'

'Ja, tot straks dan.'

Ze verbrak de verbinding, net toen Fenwick terugkwam met een dienblad met wijn, water en vers eten.

'Dat was het bureau,' verklaarde ze. 'Ik moet terug.'

Ze pakte de sandwich in en stak hem in haar handtas.

'Ontwikkelingen?' vroeg hij hoopvol.

'Nee, alleen Quinlan. Hij wil een update.' Nightingale dronk het glas water leeg, maar liet de wijn staan. 'Ik moet gaan. Als er iets interessants gebeurt, zal ik je dan bellen?'

'Natuurlijk.'

Ze was al weg voordat hij de juiste afscheidswoorden had gevonden. De herinnering aan hun gesprek van even daarvoor hing nog in de lucht toen hij zijn verse tomatensap opdronk en zijn sandwich opat. Hij had het gevoel van een gemiste kans, alsof zijn leven een klein stukje, een fractie maar, was gedraaid in een richting waarin hij niet wilde gaan. Maar die verschuiving was er en hij had niets gedaan om het te voorkomen. Na enkele minuten van introspectie pakte hij de lege borden, haar onaangeroerde glas wijn en bracht de restanten van hun maaltijd naar binnen.

Op het bureau belde Blite Dave McPherson op om zijn inzet in de weddenschap te veranderen. Hij zette twintig pond in tegen de relatie, maar weigerde te zeggen waarom. Hij ging ervan uit dat hij winst ging maken.

20

'Ik ben afgepeigerd!' sprak Cooper achterovergeleund tegen het hete vinyl van zijn autostoel in het luchtledige. 'Verdomde achtergrond! Die arme sukkel heeft meer achtergrond dan zo'n stomme Turner.'

Hij was heel tevreden met zichzelf vanwege zijn kunstzinnige analogie. Op de terugweg naar het bureau stopte hij bij de Saucy Sailor, een fish-and-chipsrestaurant in Harlden, waar je volgens hem het beste kon bunkeren. Als lunch bestelde hij een grote moot kabeljauw, maar nam als compromis een kleine portie patat, omdat Doris bleef volhouden dat hij vetarm moest eten.

Het schrijven van rapporten kostte hem uren. Cooper behoorde nog tot de generatie dienders die zich het typen met twee vingers eigen hadden gemaakt. Hij was nauwkeurig, maar sneller dan vijftien woorden per minuut ging het meestal niet. Tot zijn opluchting kreeg hij een telefoontje van Nightingale, die hem uitlegde dat de teamvergadering van vijf uur naar voren was geschoven en nu om kwart over drie was gepland, omdat commissaris Quinlan erbij wilde zijn. O ja, en Andrew Fenwick kwam misschien ook, voegde ze er met een nonchalance die volgens Cooper bestudeerd was, aan toe.

Cooper liet zijn ogen door de vergaderruimte dwalen en berekende dat zijn aanwezigheid de gemiddelde rang van de aanwezigen ten minste één niveau liet dalen. Afgezien van Nightingale zaten Quinlan en Fenwick er ook, de laatste met een peinzend gezicht. Nightingale had niet om een groot team verzocht voor het onderzoek naar de moord op Paul Hill, maar ze had hen wel zelf uitgekozen. Afgezien van hemzelf waren er nog een brigadier van de recherche en twee jonge, aspirant-rechercheurs, van wie één snel was afgestudeerd en die Cooper aan Nightingale zelf deed denken toen hij haar voor het eerst leerde kennen.

Zijn opdracht om in de achtergrond van Maidment te duiken, vergde veel van hem. Het was eenzaam geploeter, waar men zich vaak met een jantje-van-leiden van afmaakte. Dat was ook de reden waarom Nightingale hém ermee had belast, dat wist hij. Nightingale had nu al de reputatie dat ze de puntjes op de i zette... net als haar oude baas eigenlijk, bedacht Cooper, en hij moest erom glimlachen.

De brigadier – Ken – en de rechercheur in opleiding, wiens naam Cooper aldoor vergat, waren op zoek naar Bryan Taylor. Nightingale en de andere aspirant-rechercheur hadden het oude dossier over Paul Hill doorgenomen en opnieuw met de getuigen van toen gepraat, voor zover ze die hadden kunnen achterhalen. Toen hij naar Quinlan en Fenwick keek, probeerde Cooper te doorgronden hoe het kwam dat die zaak zoveel aandacht van de superieuren kreeg.

'Bob, mooi. Nu kunnen we beginnen.' Nightingale klonk opvallend goedgemutst. 'Hoofdinspecteur Fenwick is hier op grond van een eventueel verband met een zaak waar het speciale rechercheteam Zware Delicten aan werkt en de commissaris heeft gevraagd of hij bij de vergadering kon zijn, omdat de zaak de buitengewone aandacht van de korpschef heeft.

Het onderzoek van de hoofdinspecteur ligt buitengewoon gevoelig en zijn belangstelling voor onze activiteiten moet confidentieel blijven.' Uit haar toon viel op te maken dat er van die zaak geen details zouden worden medegedeeld en hij zag dat de schouders van Fenwick zich een beetje ontspanden.

'Dus, Bob, kun jij ons vertellen wat jij hebt bereikt, alsjeblieft?'

Cooper wachtte even om zijn gedachten te ordenen. Hij had in de afgelopen week de vrienden en kennissen van Maidment uit het heden en verleden bezocht. Het grootste vergrijp van de majoor was tot dusverre, om met de woorden van een kerkganger te spreken, dat hij 'te mooi was om waar te zijn'. Er was er maar één die echte verdenkingen had geuit; iemand die dicht bij Castleview Terrace woonde en wiens zoon wel eens een lift van de majoor had gekregen. Cooper had die zoon gesproken, een pittig joch van tien jaar, dat zei dat hij niet zo stom moest doen. Toch zou Cooper een tweede gesprek moeten regelen met een speciaal opgeleide ondervrager erbij. Dit bracht hij allemaal snel naar voren, bagatelliseerde het belang ervan en, dat moest hij Nightingale nageven, zij deed geen moeite om het belangrijker te laten klinken dan het was.

'Wat zeggen ze bij de golfclub over hem?'

'Meer van hetzelfde: fijne kerel; efficiënte secretaris; geen slechte golfer; goede reputatie in het leger. Misschien is er één ding vreemd.' Hij wachtte even en krabde zonder het te merken aan zijn dikke buik. 'Hij was populair en kon met iedereen goed omgaan, maar er is niemand die ik gesproken heb, die beweert dat hij écht een goede vriend van hem is. Let wel, ik moet nog met een paar dienstkameraden van hem gaan praten en ik heb gehoord dat die hem nader stonden dan wie ook. Ik veronderstel dat zoiets in de strijd ontstaat.'

Fenwick en Nightingale keken elkaar even aan en wendden toen hun blikken weer af.

'Oké. Blijf graven. Ken, welke vooruitgang hebben jij en Teresa geboekt?'

O ja, dacht Cooper, Teresa, zó heet ze. Typisch iets voor Nightingale om hen beiden te noemen, in plaats van alleen de brigadier.

'Wij zijn voornamelijk bezig geweest met zoeken naar de oorspronkelijke dossiers van de zaak en de bewijzen, en om de achtergrond van Bryan Taylor zo goed mogelijk te reconstrueren. Er is nog altijd geen spoor van de dossiers te vinden en het gaat er steeds meer op lijken dat ze verloren zijn gegaan of vernietigd. Maar Teresa neemt alle dossiers die we uit die periode hebben door, voor het geval er iets verkeerd is opgeborgen.

Wat we tot nog toe over Taylor te weten zijn gekomen, is dat hij rond 1977 uit Essex naar Harlden is gekomen. De mensen herinneren zich een ongetrouwde, kaalgeschoren man met een sikje en een oorbelletje. Destijds werd hij automatisch als gay beschouwd. Hij had een tatoeage van een slang en was niet geïnteresseerd in vrouwen of in voetbal, maar niemand herinnert zich dat ze hem met een andere man hebben gezien.

Het is niet verwonderlijk dat zijn naam in verband werd gebracht met de verdwijning van Paul Hill; hij is het type eenzame man, dat door het publiek graag als schurk wordt gezien. Dit is alles wat we over hem hebben.'

Ken liet kopieën van Taylors rijbewijs (een oud exemplaar zonder foto) en een computergelijkenis rondgaan, ruwweg gebaseerd op hoe de mensen zich hem herinnerden. Hij had ook het kenteken van Taylors rode stationcar getraceerd, hoewel er geen spoor van terug te vinden was. De wagen was nooit verkocht en er was ook nooit een verkeersovertreding mee begaan.

Cooper zag hoe Nightingale de summiere informatie en wat dat impliceerde voor het onderzoek, in zich opnam. Het was niet veel. Taylor was klaarblijkelijk iemand voor wie het een tweede natuur was te verdwijnen. Onder een valse naam kon hij overal in het Verenigd Koninkrijk wonen en geld verdienen, zonder een cent aan sociale premies af te dragen. Ze wisten zelfs de kleur van zijn ogen niet. Dit was genoeg om ieder ander van verder onderzoek af te laten zien, maar niet Nightingale. Zij zette haar schouders eronder.

'Jullie zijn verder gekomen dan ik voor mogelijk had gehouden bij gebrek aan het oorspronkelijke bewijsmateriaal, maar jullie moeten verder zoeken. Het is essentieel dat we Taylor vinden en hem óf uit de zaak kunnen uitsluiten, óf in verband brengen met Maidment. Als we dat niet doen, hebben we, hoe sterk onze forensische bewijzen tegen Maidment ook zijn, een gapend gat in ons onderzoek. Taylor was de hoofdverdachte bij Pauls ontvoering.'

Ken knikte.

'We kunnen nog meer doen. We speuren nog altijd naar mensen die hem misschien hebben gekend, te beginnen bij de golfclub, waar hij af en toe heeft gewerkt; dat weten we inmiddels.'

Daar kom je niet ver mee, dacht Cooper, hij kan die kleren hebben gedumpt.

Nightingale vervolgde: 'Taylor was nergens geliefd, maar hij was een goedkope arbeidskracht, dus bleven de mensen hem inschakelen. Hij knapte klusjes voor de plaatselijke scholen en verenigingen op – en achteraf lijkt het erop dat hij zware kortingen gaf, als hij maar in de buurt van kinderen kon werken.'

'Walgelijk gewoon, dat hij bij hen in de buurt mocht komen,' zei Cooper verontwaardigd.

'Hij stond nergens geregistreerd en het waren kortdurende werkzaamheden; hij nam meestal niet eens de moeite om een contract op te stellen. Taylor was een manusje-van-alles; hij kon timmeren, bomen rooien, huizen opknappen en onderhouden, hij hielp zelfs bij het binnenhalen van de oogst. Hij kreeg meestal cash uitbetaald en daarvan vond maar een klein deel de weg naar zijn bankrekening.'

'Hebben ze, toen ze zijn huis doorzochten, geld gevonden? Als hij van plan was Paul te ontvoeren of te vermoorden, is het redelijk aan te nemen dat hij het meegenomen heeft.' Fenwick had langer gezwegen dan Cooper verwachtte.

Nightingale gaf antwoord.

'We kunnen alleen maar afgaan op een samenvatting van het oorspronkelijke dossier dat hier in Harlden werd bewaard. Zoals je van Ken hebt gehoord zijn het oorspronkelijke dossier en de bewijsstukken nog steeds zoek. Maar op grond van het verslag dat we hier hebben, is er geen geld in zijn huis aangetroffen.'

Quinlan begon op zijn stoel te schuiven bij haar woorden en Cooper keek hem aan, in de verwachting dat hij iets ging zeggen, maar hij zweeg.

'Ik weet dat het geen populaire vraag is die ik stel, maar stel dat we Taylor niet vinden?' zei Cooper, die Nightingale niet wilde ondermijnen, maar wel bang was dat ze hun hoop baseerden op het uitvoeren van een in zijn ogen onmogelijke taak.

Nightingale gaf niet direct antwoord, maar vestigde haar blik op commissaris Quinlan. Na een lange stilte waarin de spanning toenam, haalde hij diep adem en zei: 'Het is absoluut cruciaal dat we Taylor vinden. Er is namelijk een nieuwe ontwikkeling in de zaak, snap je. Na de arrestatie van Maidment vorige week hebben we een aantal brieven ontvangen van mensen die beweren dat hij onschuldig is.'

'Nou, dat is standaard.' Cooper zag er geen enkele betekenis in.

'Twee van die brieven lijken toch belangrijk te zijn. Ze kwamen op opeenvolgende dagen binnen en de eerste moet onmiddellijk nadat het bekend werd, op de post zijn gedaan.'

Nightingale deelde kopieën uit van een brief die geschreven was met een tekstverwerker.

Geachte commissaris Quinlan,
U bent verantwoordelijk voor de arrestatie van majoor Maidment. Ik schrijf u om u te zeggen dat u de verkeerde man in hechtenis heeft genomen. De majoor heeft Paul Hill niet vermoord. Dat weet ik absoluut zeker.

U moet hem meteen vrijlaten en uw pogingen elders concentreren. De schoolblazer en de bloedvlekken leiden u weg van het spoor – laat u niet om de tuin leiden door voor de hand liggende zaken, hoe verleidelijk ook.

Hoogachtend,
Iemand die u veel succes toewenst

'Deze brief is in Londen per post verzonden. Helaas duurde het zes dagen voor hij aankwam. Hier is de tweede brief.'

Cooper was pas halverwege, toen hij Teresa haar adem hoorde inhouden. Hij las snel verder en zelfs met die waarschuwing kon hij zich niet inhouden. 'Allemachtig!'

Geachte commissaris Quinlan,
U heeft de majoor niet vrijgelaten en ik moet er zeer op aandringen dat u dat wel doet. Hij is een godvrezend man, wiens zonden licht genoemd mogen worden als ze in de grote weegschaal worden gelegd, en ze zijn door God reeds vergeven.

Het schijnt dat u mij niet op mijn woord gelooft dat hij onschuldig is. Goed, dan zal ik in deze brief een aantal voorwerpen meezenden die Paul Hill bij zich droeg op de dag dat hij verdween. Indien u gebruik kunt maken van de vingerafdruktechniek, zult u twee afdrukken aantreffen. Een ervan is de vingerafdruk van Paul zelf. De andere is van Bryan Taylor, een man die Paul, voordat hij verdween, jarenlang heeft verleid en die sodomie met hem heeft bedreven. Commissaris, waarom concentreert u uw speurtocht niet op de ware schuldige? Laat de majoor vrij.

Hoogachtend,
Iemand die u veel succes toewenst

Bij de brief zaten foto's van een pocketboek – *The Catcher in the Rye* van Salinger, compleet met het stempel van de schoolbibliotheek. Op de achterkant stond een kopie van de titelpagina, met de bekende lijst van andere studenten die het boek hadden geleend. De laatste naam was die van Paul Hill, afgestempeld op 7 september 1982.

'Paul heeft dit boek op de dag van zijn verdwijning bij de schoolbibliotheek geleend.' Quinlan stond op en begon heen en weer te lopen. 'Het is al weggestuurd om geanalyseerd te worden en zoals de man die ons succes wenst beweert, staan Pauls vingerafdrukken erop.'

'Maar wie heeft dit dan opgestuurd?' stelde Cooper de voor de hand liggende vraag. 'Bryan Taylor?'

'Waarom zou hij zichzelf verdacht maken?' wees Fenwick die mogelijkheid van de hand. 'Ligt het niet meer voor de hand dat het van een ex-minnaar van Taylor komt, misschien zelfs van een andere jongen, die wraak wil nemen omdat hij misbruikt is? Misschien heeft Taylor wel tegenover hen opgeschept over Paul. Ons een anonieme brief sturen is een gemakkelijke manier om hem zijn verdiende loon te geven, zonder er zelf bij betrokken te raken, vooral als die persoon niet weet waar Taylor is.'

'Dus, wat gaan we nu doen? Moet ik stoppen met het doen van achtergrondonderzoek naar Maidment?' vroeg Cooper hoopvol. 'Want hij kan ons onmogelijk dat boek hebben gestuurd.'

'Nee,' hield Nightingale vol. 'Het onderzoek gaat op dezelfde manier door, behalve dat we nu ook in een andere richting gaan zoeken. Ik ga proberen de schrijver van die brieven te achterhalen.'

'Om het boek te hebben, moet iemand Paul hebben gezien nadát hij naar school was geweest op de dag dat hij verdween. Kunnen we er zeker van zijn dat het Taylor is geweest? Komen de andere vingerafdrukken overeen met die in ons datasysteem?' Fenwick keek Nightingale vol verwachting aan.

'Nee, hoewel we nog niet klaar zijn met de vergelijkingen. Op de brief zaten helemaal geen afdrukken en de envelop en de postzegel zijn zelfklevend, dus is er geen kans op DNA-sporen.'

Het werd stil in de kamer. Coopers gedachten draaiden in kringetjes rond en hij kon zich voorstellen dat het bij de anderen ook het geval was. Maar hij had nog verslagen te typen en de tijd verstreek.

'Goed, dit is het voorlopig,' zei Nightingale, alsof ze zijn gedachten las. 'Ik weet dat ik jullie er niet aan hoef te herinneren hoe gevoelig deze nieuwe informatie is, houd het dus voor je.'

Terwijl iedereen zijn papieren bij elkaar begon te rapen, schraapte commissaris Quinlan zijn keel en stond op. Ondanks zijn bescheiden manier van doen werd hij zodanig gerespecteerd, dat het bijna onmiddellijk stil werd in de kamer.

'Ik wil nog één aankondiging doen,' zei hij met een korte blik op Nightingale. 'Ik heb besloten dat het logisch is om het onderzoek naar de moorden op Malcolm Eagleton en Paul Hill te combineren. Dus met ingang van vandaag neemt inspecteur Nightingale de verantwoordelijkheid voor beide zaken op zich. Ik koester hoge verwachtingen van je, inspecteur, zoals je weet.'

'Jawel, meneer.' De inspecteur schonk hem een korte glimlach, die hij beantwoordde voordat hij wegliep.

Er viel een veelzeggende stilte in de kamer. Iedereen realiseerde zich wat er zojuist was gebeurd; Quinlan had een zaak weggehaald bij een ervaren inspecteur en hem aan een beginneling gegeven. Die actie suggereerde dat de carrière van Nightingale werkelijk in de lift zat en Cooper was niet de enige die grijnsde, toen hij de vergaderzaal uitliep.

Fenwick deelde verse meeneemkoffie en donuts rond aan de mensen van het observatieteam van de eenheid Zware Delicten. Zij hadden zich in een pakhuis tegenover de hoofdingang van de loods waar Alec Ball zijn legale koopwaar opsloeg, geïnstalleerd. De middag van de zesde dag sinds hij de operatie in gang had gezet, liep ten einde en dit was de eerste keer dat ze hem hadden gebeld over iets wat enigszins belangwekkend leek.

Aan de muur achter hen waren foto's opgehangen van de personen die ze zochten, met een korte verhandeling over hun betrokkenheid. Fenwick bestudeerde de lijst, terwijl hij wachtte tot het team suiker had genomen en klaar was met het debatteren over wie welke donut wilde.

Naam	Betrokkenheid
Joseph Watkins	Genoemd door bron FBI; gearresteerd, maar vrijgelaten
Alec Ball	Eigenaar marktkraam; bekende van Watkins; reis Londen relevant?
Anoniem 1	Regelmatig bezoek kraam Ball; nog te identificeren (sinds juni niet meer gezien)
Anoniem 2	Regelmatig bezoek kraam Ball; nog te identificeren
Richard Edwards	Steunde Watkins' lidmaatschap club; kent Maidment; verder geen info

'En, wat hebben jullie voor me?'

'Er is een kerel binnen, van wie we tamelijk zeker weten dat we hem bij de marktkraam hebben gezien. We konden zijn gezicht niet goed zien toen hij naar binnen ging, maar het zou Watkins kunnen zijn. Ball was hier al eerder.'

Na een week zonder gebeurtenissen was Clive dolblij dat er tijdens zijn ronde leven in de brouwerij kwam.

'Droeg hij iets bij zich?'

'Een boodschappentas en een tas met een laptop.'

Ze dronken zwijgend hun koffie. Na tien minuten kwam de man naar buiten.

'Het is Watkins,' zei Fenwick. 'Mag ik dat ding even?' Hij pakte de verrekijker van Clive. 'Een van jullie volgt hem om te zien waar hij naartoe gaat. Houd radiocontact via de meldkamer in Harlden, want we zitten op hun terrein.'

Clive was al weg voordat Fenwick uitgepraat was en zag Watkins nog net een hoek om gaan en in zijn auto stappen, die hij een eind bij de loods vandaan had geparkeerd. Via de radio gaf hij aan de meldkamer in Harlden het kenteken door en de richting waarin hij was vertrokken. Daarna keerde hij ontmoedigd naar het pakhuis terug.

Tien minuten later werd de auto van Watkins gesignaleerd door een motoragent, toen hij de parkeergarage in het centrum van Harlden binnenreed. Fenwick ging naar bureau Harlden, terwijl Watkins op een discrete afstand werd gevolgd, en liep regelrecht door naar de meldkamer, zodat hij het verloop van de actie kon sturen.

Fenwick besloot dat hij meer mankracht te voet moest hebben, bij voorkeur iemand die hij kon vertrouwen. Omdat Bob Cooper dankzij de briefing van Nightingale al een beetje op de hoogte was, belde hij hem op. Hij kende zijn doorkiesnummer uit het hoofd. De brigadier was net klaar met een rapport en zat te overdenken of hij er vroeg tussenuit zou knijpen, want hij had zijn uren erop zitten.

'Bob, kun jij me een plezier doen?'

'Natuurlijk.' Tegen Fenwick zou Cooper nooit nee zeggen.

'Ga wat in het centrum kuieren; het is maar vijf minuten bij je vandaan. Er staat een man in de tijdschriftenwinkel, naast de grote parkeergarage. Hij is vijfenvijftig, maar ziet er jonger uit, heeft dun wordend rood haar; hij draagt een rood sweatshirt over zijn schouders en een groen geblokt overhemd. Hij heeft een boodschappentas van Hackett en een computertas bij zich. Volg hem. De meldkamer moet je aanwijzingen kunnen geven hoe je hem kunt vinden, want er is een patrouillerend agent in de buurt. Hij heeft geen idee dat hij gevolgd wordt, dus doe alsof je neus bloedt en zet je radio zacht, zodra je hem in het vizier krijgt.'

'Ik ben al weg.'

Dit was een van de dingen die Fenwick zo prettig vond aan Bob; hij hield je nooit op met domme vragen. Er gingen tien moeilijke minuten voorbij, waarin hij wachtte of er iets gebeurde. Het was bijna vijf uur, toen de meldkamer van de eenheid Zware Delicten belde, om te zeggen dat Bob Watkins had gevonden en hem nu het postkantoor in volgde. Een halfuur later was Cooper terug op het bureau Harlden en stond hij in Fenwicks oude werkkamer. Hij weigerde te gaan zitten, omdat de stoelen hem altijd last van zijn ischias bezorgden.

'Hij had pakketjes in zijn boodschappentas,' zei hij tegen Fenwick en Clive, die er ook bij was komen zitten. 'Vier ervan zaten al in dichte enveloppen met veel plakband eromheen. Hij verstuurde ze per aangetekende post en uit de prijs kon ik opmaken dat ze naar adressen binnen Engeland gingen.'

'Kon je nog iets lezen?'

'Jammer genoeg niet. Hij stond drie plaatsen voor me in de rij, het zou vreemd hebben geleken als ik dichterbij was gekomen.'

'En heeft hij die nu meegenomen uit de loods, of had hij ze al toen hij naar binnen ging?' verwoordde Clive de vraag die Fenwick in gedachten had. Cooper deed zijn best om ongeïnteresseerd te kijken toen de twee mannen van het speciale rechercheteam hun zaak in zijn aanwezigheid bespraken.

'Er is een manier om erachter te komen,' zei Fenwick, in zichzelf knikkend, alsof hij nu net tot een besluit kwam. 'We kunnen verzoeken of we de banden van de bewakingscamera's in de loods mogen bekijken. Om veiligheidsredenen hangen er vast camera's. Ik denk dat ik op grond van het werk van Alison met de foto's en de informatie uit de Verenigde Staten genoeg zou moeten hebben.'

'Loop je niet de kans dat Ball of Watkins erachter komt?'

'Een heel kleine. Maar dit is wel het moment om het te riskeren. Ik ga proberen de rechter-commissaris zover te krijgen dat ik de videobanden en verhuurdocumenten van alle loodsen mag bekijken, zodat de verdenking niet op één persoon in het bijzonder valt. Als ik hem ervan kan overtuigen dat ik niet zomaar wat aan het hengelen ben, krijg ik het misschien nog voor elkaar ook.'

En dat was ook zo. De volgende dag zaten Clive en Alison al om acht uur naar de banden van de bewakingscamera's in de loodsruimten die Ball had gehuurd, te kijken. Ze ontdekten dat Watkins daar ook een ruimte had gehuurd, maar omdat hij niet in het huiszoekingsbevel werd genoemd, kon niets van wat ze op de band zagen als bewijslast tegen hem worden aangevoerd, indien het alleen op hem van toepassing was. Ball huurde drie opslagruimten, Watkins één. De tapes van de bewakingscamera's werden elke week opnieuw gebruikt, dus hadden ze zeven dagen om ze te bekijken. Ze begonnen met de laatste vierentwintig uur.

Om tien voor halfdrie was Ball binnengekomen en had een stapeltje pakketjes in een van zijn loodsen neergelegd. Daarna had hij de deur achter zich afgesloten. Twee uur later was Watkins naar binnen gegaan, had de pakketjes gepakt en ze in zijn boodschappentas gedaan. Ze zagen ook dat hij iets uit zijn tas pakte, voordat hij hem vulde met het materiaal dat er lag.

'Levering tegen betaling,' merkte Alison op. Zij noteerde de tijdstippen van de momenten op de band, zodat ze foto's van die opnamen konden laten maken. 'En omdat hij de loods van Ball is binnengegaan kunnen we alles gebruiken wat we zojuist hebben gezien.'

Watkins was daarna zijn eigen gedeelte binnengegaan. Hij bleef daar een uur. Ze noteerden die stukken van de band en belden Fenwick om naar de projectieruimte te komen.

Zwijgend bekeek hij de geselecteerde beelden en speelde de belangrijkste scènes opnieuw af.

'Zeg eens wat jullie hieruit concluderen,' zei hij eindelijk. Natuurlijk sprong Clive erbovenop.

'Ball geeft Watkins een sleutel en een beveiligingscode. Die zitten verborgen in de spullen die ze op de markt van hem kopen en die nemen ze mee naar de opslag. In een van de loodsen van Ball ligt datgene wat ze in feite hebben gekocht. Ze nemen de goederen mee en laten het geld achter; waarschijnlijk ook de sleutel.'

'Wat houdt hen tegen om Balls zaak leeg te plunderen?' vroeg Alison. Clive gaf antwoord.

'Twee dingen. Ten eerste hebben ze een sleutel en een code nodig om het combinatieslot te openen. Ball kan de spullen daarbinnen beperkt houden en de combinaties naar believen wijzigen. Ten tweede raken ze hun leverancier kwijt als ze dat doen. Mee eens, meneer?'

'Ja. Dit hebben ze heel slim opgezet. Als Ball niet zo gemakzuchtig was geweest om steeds dezelfde platenhoezen te gebruiken, zouden we het nooit hebben opgemerkt. Hoe betalen ze voor de opslag ervan?'

Clive haalde zijn schouders op, maar Alison kwam meteen met het antwoord.

'Cash. Op die manier kunnen we hen bij een routinecontrole nooit via hun bankrekeningen traceren.'

'Is die Ball iemand met de hersens om een dergelijke bevoorradingslijn te organiseren? Wat vinden jullie? Mij dunkt van niet.' Fenwick begon heen en weer te lopen. 'Ik denk dat iemand anders het heeft opgezet, maar we kunnen het op geen enkele manier bewijzen, tenzij Ball een fout maakt.'

'Het is heel ingenieus.' Clive spoelde een paar keer één gedeelte van de band terug en speelde het dan weer af, alsof hij iets zocht. 'Ze laten geen enkele keer voor de camera zien wat ze in hun tassen hebben.'

'Het is nog veel sluwer. Wat denk jij dat Watkins in dat uur in zijn loodsruimte zat te doen?'

'Geen idee.'

'Denk eens na, Clive.' Fenwick pakte de afstandsbediening uit zijn hand alsof hij een speeltje wegpakte van een irritant kind. 'Hij gaat met een tas met een laptop en de inhoud van wat hij zojuist van Ball heeft gekocht naar binnen en blijft er een uur. Wat doet hij daar?'

Clive kreeg rimpels in zijn hoofd van het nadenken en zei toen met een gezicht vol afschuw: 'Jij denkt dat hij daarbinnen... zit te genieten van die troep? Maar dat is walgelijk!'

'Mee eens, maar het betekent ook, dat als wij Watkins' huis zouden binnenvallen, we een laptop zouden vinden zonder één dingetje op de harde schijf dat zijn perversiteit onthult. En we zouden ook geen materiaal bij hem thuis vinden, omdat hij slim genoeg is om dat achter slot en grendel in zijn loods te bewaren. Hij hoeft alleen maar twee computers te hebben, er eentje thuis op te laden, ze om te ruilen en al het andere in de loods op USB-sticks of op cd-rom op te slaan.'

'Denk je dat hij het brein is achter de operatie van Ball?'

'Ik denk het niet. Het is niet zo snugger om kinderporno in een boodschappentas mee te nemen de stad in en het dan via het gewone postverkeer te versturen. Waarom zou hij het trouwens versturen? Ik vraag me af of Ball weet, dat wat Watkins koopt wellicht niet alleen voor zijn persoonlijk genoegen is.'

'Jij bedoelt dat hij het doorverkoopt?'

'Dat zou kunnen en dat kan hem tot een zwakke schakel maken. Maar hem arresteren brengt ons niet automatisch dichter bij de mensen die erachter zitten.'

'Als Ball in verband staat met wijdverbreide activiteiten,' zei Alison, toen ze weer binnenkwam met verse koffie, 'moet hij zijn voorraden wel ergens van betrekken.'

'We hebben meer dan genoeg voor een huiszoekingsbevel om hun loodsen te doorzoeken,' zei Clive zelfverzekerd.

'Misschien,' zei Fenwick, maar hij leek niet zo overtuigd. 'Stel dat we dat doen, wat levert dat dan op? Ik wil de man aan de top, degene die genoeg hersens en geld heeft om een dergelijk complexe organisatie op te zetten. Tot nog toe hebben we maar twee mannen – Ball en Watkins. We weten niet eens de namen van de andere regelmatige afnemers bij de kraam van Ball. Er moeten er tientallen meer zijn om het de moeite waard te maken. Zou Ball ons alle namen en de leverancier noemen? Daar ben ik niet zo zeker van.' Hij stond op en wreef over zijn knie. 'Dit is iets waar we over na moeten denken. Blijf in het weekend Ball en Watkins en ook de loodsen in de gaten houden. Maandagmorgen komen we hier vroeg weer bij elkaar. Dan neem ik een besluit over onze volgende stap.'

'Waar kunnen wij jou bereiken als er in de tussentijd iets gebeurt?' vroeg Clive, maar op een toon van 'en wat ben jij van plan te gaan doen?'

'Mijn mobiele nummer – gebruik dat maar,' antwoordde Fenwick slechts en hij vertrok.

'Als hij eraan denkt dat hij hem moet opladen,' zei Clive hoofdschuddend.

De altijd zo punctuele en correcte Fenwick was nogal moeilijk bereikbaar als hij dat wilde. Hij was in staat uren uit het zicht te verdwijnen en dan konden ze bellen wat ze wilden, maar hij nam niet op als hij niet gevonden wilde worden.

Clive en Alison zouden verbijsterd zijn geweest als ze Fenwick die middag hadden kunnen volgen. In plaats van terug te keren naar kantoor om de eindeloze papierberg weg te werken die een soepel functioneren van het Britse politieapparaat in de eenentwintigste eeuw onmogelijk maakte, legde Fenwick bezoeken af bij een vijftal families in West Sussex. Hij bleef nergens langer dan een halfuur, maar het feit dat hij tijd aan hen besteedde, gaf al die families het gevoel dat een vermist jongetje niet gewoon een cijfer was in een trieste maatschappelijke statistiek.

21

Aan de overkant van het langgerekte gazon schreeuwde een mannetjesfazant. Cooper keek automatisch op of hij de trotse vogel zag rondstappen.

'Brutale donder. Over een maandje hangt hij aan het spit.'

'Jaagt u hier?' Cooper had niet veel op met deze sport, maar respecteerde de interesses van anderen – zolang ze het maar legaal deden.

'Het is behelpen. Napp Farm is beter. Simpson heeft een verdomd goede jachtopziener weggekaapt van het landgoed Langley. Jaagt u ook? Ik kan u voordragen.'

'Af en toe. Maar ik ben gevaarlijker voor de honden dan voor de vogels.'

Hij leunde wat naar voren, vastbesloten om zijn behoedzame ondervraging van de luitenant-kolonel weer op te pakken, maar deze was hem voor.

'Wilt u nog een kopje thee, brigadier?' Edwards wees op het belachelijk tere theekopje van Chinees porselein in Coopers enorme kolenschop. Het speet hem dat hij iets sterkers had afgeslagen.

'Nee, dank u.' Hij hield niet van Earl Grey, bovendien ergerde hij zich eraan dat die kerels uit het leger hem hardnekkig bij zijn rang bleven aanspraken, alsof ze daardoor in het voordeel waren. 'Ik wil niet te veel beslag op uw tijd leggen. Zoals ik al zei, doe ik slechts een routineonderzoek naar de achtergrond van majoor Maidment.'

'Wat denkt u nu eigenlijk dat ik over hem zal vertellen,' zei Edwards stekelig. 'Die man was een uitstekende officier, loyaal, absoluut betrouwbaar.'

'Goed in vuurgevechten?'

'Dat denk ik wel. Maar wij hebben nooit samen strijd geleverd.'

'Hij is tijdens zijn missie op Borneo onderscheiden. Weet u waarom?'

Het gezicht van Edwards nam opeens de kleur van een bavianenkont aan. Zijn wangen werden fuchsiarood en hij tuitte zijn lippen als een rimpelige kringspier, omringd door het geelgrijze, borstelige haar van zijn snor. Cooper betwijfelde of er één ongecontroleerde opmerking aan die perfecte spierbeheersing zou ontsnappen en de vraag was dan ook, mocht de luitenant-kolonel ervoor kiezen iets te zeggen, of het niet een lulverhaal zou zijn.

'De bekende reden: betoonde moed gedurende de strijd.'

Het was niet zo'n overdreven antwoord als Cooper had verwacht.

Hij dronk het laatste slokje koud geworden thee op en wachtte of er meer kwam. In plaats daarvan nam Edwards een slok van zijn borrel en stond hij op om een nieuwe te mixen.

'Wanneer hebt u de majoor leren kennen?'

'In 1965 of '66, geloof ik. Dat weet ik niet meer zeker. Dat moet u aan hem vragen. Hij heeft een perfect geheugen voor feiten en getallen.'

'En hoe lang hebt u samen gediend?'

'Tien jaar of zo.'

'Ik dacht dat het langer was.'

'We zaten in hetzelfde regiment, maar ik werd nogal eens overgeplaatst. Ik was expert op een zeker gebied, ziet u – het staat me niet vrij om daarover uit te weiden – wat inhield dat ik regelmatig werd opgeroepen om advies uit te brengen. Tegen de tijd dat Maidment naar Engeland terugkeerde was hij meer het honkvaste type geworden.'

'Waren er gedurende de periode dat u Maidment hebt meegemaakt, ooit verdachte sterfgevallen in het regiment?'

'Absoluut niet.'

'En het gedrag van de majoor, was dat normaal?'

'Definieert u het begrip normaal voor mij, brigadier.'

'Was hij geïnteresseerd in jonge jongens?'

'Ik dacht dat de politie hun homofobie had afgelegd.'

'Met jongens bedoel ik kinderen, geen mannen. Dat is in niemands ogen normaal.'

Edwards keek hem aan en deed wat meer ijs in zijn glas.

'Nee, Maidment was – en is, voor zover ik me bewust ben – zuiver hetero.'

'Heeft hij ooit iets gedaan waarover hij zich later schuldig kan hebben gevoeld?'

Nightingale had erop aangedrongen dat hij die vraag zou stellen, dus Cooper had hem plichtmatig bij ieder gesprek herhaald. Edwards stond met zijn rug naar hem toe en maakte veel drukte bij de ijsemmer.

'Ik zei...'

'Ik heb u gehoord, brigadier. Niet dat ik weet.'

Edwards draaide zich naar hem om en Cooper meende aan zijn gezicht te zien dat hij een uitvlucht zocht. Hij schreef in zijn notitieboekje: 'Draaide eromheen.'

'Waren er ooit klachten over hem, hetzij destijds in het leger, hetzij later bij de golfclub?'

'Wederom, niet dat ik weet. Zoals ik in het begin al zei, Maidment en ik zijn eerder bekenden van elkaar dan vrienden, dus mijn kennis wat hem betreft is nogal beperkt.'

Dit klopte niet met wat Cooper anderen had horen zeggen. Hij maakte opnieuw een aantekening en overwoog zijn laatste vraag. Hij was geen subtiele man en wist heel goed dat hij hem niet fijntjes kon inkleden.

'U bent op de hoogte van de beschuldigingen tegen de majoor, meneer. Mag ik u om een reactie daarop vragen?'

'Dat is belachelijk, natuurlijk.' Edwards ging zitten en nam een slok.

'En waarom vindt u dat?'

'Hoe kunt u in godsnaam zo'n stompzinnige vraag stellen, brigadier.'

'Omdat ík de majoor niet zoals u, langer dan veertig jaar heb gekend en ook niet samen met hem in het leger heb gediend. En als een man met uw rang, respecteer ik uw inschatting van zijn karakter.'

Edwards trok zijn wenkbrauwen op bij deze onverholen vleierij, maar hij nam toch de tijd om zijn antwoord te overwegen.

'Tot die beschuldigingen tegen Maidment waren ingebracht, zou ik hebben gezegd dat hij een uiterst fatsoenlijke en oprechte man was.'

'Ik begrijp het, dank...'

'Wacht even, ik zei tót. Nadat hij in het bijzijn van ons allemaal is gearresteerd en ook nog op grond van zulke vreselijke beschuldigingen, nou ja... laat ik het zo zeggen, heb ik het er nogal moeilijk mee gehad.'

'O, werkelijk?' Cooper ging wat naar voren zitten en kon bijna niet geloven dat hij mogelijk iets van kritiek uit de hoek van Maidments milieu te horen zou krijgen.

'Ja. Kijk eens, brigadier,' zei Edwards, die zich ook in de richting van Cooper boog, zodat er nog geen halve meter ruimte tussen hen in was – iemand die zomaar binnenliep zou denken dat er een samenzwering plaatsvond – 'Maidment was, is, zou ik zeggen, een lepe vent. Niet rechtdoorzee, helemaal niet. Het hield zelfs zijn carrière tegen. U zinspeelde al op zijn actieve dienst in het leger en zijn promotie op jonge leeftijd. Hij was eigenlijk voorbestemd tot grote dingen – toch verliet hij het leger met de rang van majoor.'

'Best een mooie rang, vind ik.'

'Natuurlijk, een zeer respectabele rang zelfs, maar wel beneden de maat voor Maidment. U moet maar eens rondvragen wat de reden is dat hij niet hogerop gekomen is. Ik ben bang dat ik u daar niet over kan inlichten.'

Cooper schreef het netjes op in zijn boekje.

'Is dat alles, meneer?'

'Het is alles wat ik denk dat ik erover kan zeggen.' Hij keek Cooper even aan. 'Vraag dus maar niet door, want ik ben ver genoeg gegaan.'

Cooper ging nogal beduusd naar zijn volgende afspraak, wat niet ongewoon was. Het ontbrak hem aan het doorslaggevende inzicht van Nightingale of de geïnspireerde gedachtesprongen van Fenwick. Hij was een ijverige, grondige smeris. Maar achterlijk was hij ook niet en hij reed bij Edwards' landgoed vandaan met het gevoel dat hij bij de neus genomen was. Niets van wat de luitenant-kolonel had gezegd, klonk fout, maar desondanks had hij het gevoel dat er iets niet klopte. Misschien was het de teleurstelling die hij gevoeld had, omdat hij zojuist een staaltje van matennaaien binnen het regiment had meegemaakt, want dat was exact wat Edwards had gedaan. 'Iemand de poten onder zijn stoel vandaan zagen', zou zijn moeder gezegd hebben.

Somber gestemd stopte hij bij de Hare and Hounds. Jacob Isaacs, de baas van de pub, was gepensioneerd intendant en had negen jaar samen met Maidment gediend. Als ook hij weigerde zijn voormalige collega te steunen, zou Cooper moeten aanvaarden dat zijn eigen oordeel omtrent Maidments karakter onterecht was beïnvloed door zijn huidige status binnen de gemeenschap.

Jacob zat aan de bar van een pint bier te genieten. Er stond een tweede pint met een onberispelijke schuimkraag klaar bij de lege kruk links van hem. Hij gaf een stevige, zakelijke handdruk.

'Zullen we ergens anders gaan zitten?'

'Nee,' schudde Isaacs zijn hoofd. 'Ik praat hier met u. Alles wat ik te zeggen heb, kan openlijk gezegd worden. Proost.'

Cooper nam snel een slok en wachtte even, toen het heerlijke brouwsel zijn smaakpapillen streelde. Toen nam hij met een diepe zucht een tweede slok. Isaacs nam iedere beweging in zich op.

'Plaatselijk gebrouwen, perfect in het vat. Er is geen betere pils in heel Sussex.' Hij dronk gretig van zijn eigen glas. 'U wilt het over Jeremy Maidment hebben. U hebt zeker een heleboel vragen in dat zwarte boekje staan, maar laat die maar zitten en luister naar me. Ik zal u zeggen wat voor man jullie in naam van Hare Majesteit en van mijn verdomde belastingcenten achter slot en grendel hebben gezet! Eigenlijk zou ik mijn parlementslid een brief moeten schrijven. Wat zitten júllie er ontzettend naast. Laat ik u vertellen...'

En hij stak van wal. Het enige wat Cooper vervelend vond, was dat hij niet verder kon drinken van zijn uitstekende biertje, omdat hij uitgebreid aantekeningen zat te maken.

Isaacs had samen met Maidment op Borneo en in het Verenigd Koninkrijk gediend. Hij legde Cooper haarfijn uit waarom de majoor zijn onderscheiding had gekregen en was verrukt dat hij een groter publiek om zich heen verzamelde. Toen vertelde hij waarom het interne beleid (volgens hem) de majoor van een welverdiende promotie had beroofd en dat een vreemd gebrek aan ambitie bij de man zelf hem tot aan zijn pensioen op die plaats had gehouden. Toen Cooper het rooskleurige beeld dat Isaacs schilderde, probeerde aan te vechten, werden zijn vragen als niet relevant terzijde geschoven. Terwijl Isaacs zijn glas leegdronk en opnieuw vulde, sprak hij met luide stem, bestemd voor de oren van de mensen op het schellinkje.

'Ik heb in die tijd vele levenslessen geleerd, meneer Cooper. En over de mens nog veel meer. Er zijn er die een rechte koers varen en er zijn er die op de wind en op het tij meevaren. Jeremy Maidment was, is, een man met een eigen innerlijk kompas. Dat wijst hem de juiste richting en geeft leiding aan zijn gedachten en handelingen. Hij bleef standvastig als anderen zich door toeval èn opportunisme lieten leiden. Dat is hem wel eens duur komen te staan, maar dat kompas – noem het plichtsgevoel – heeft hij nog altijd, en dat zou hem nóóit toestaan de dingen te doen waarvan hij nu beschuldigd wordt. Daar verwed ik mijn eer onder.'

'Dus u zou meteen als karaktergetuige willen optreden, nietwaar?' zei Cooper met een scheef lachje.

'Probeer me maar eens tegen te houden.'

Cooper dronk vol genot de rest van zijn bier en bleef hangen, om de beroemde boerenlunch, die ze in de Hare serveerden, te proeven. Met een dankbare glimlach zag hij extra cheddarkaas en zoetzure uitjes en een tweede snee zelfgebakken boerenbrood op zijn bord verschijnen. Zulke kleine beloningen, die hij onverwachts, maar té zelden tijdens zijn routinematige politiewerk kreeg, had hij gewoon verdiend, vond hij.

Hij was helemaal niet iemand die de moed snel liet zakken, maar hij had wel het gevoel dat hij in de zaak-Hill aan het kortste eind had getrokken en hij stond dan ook niet te trappelen om naar het volgende gesprek te hollen en deze traktatie te bederven. Hij had nog twee gesprekken te gaan en tot dusverre had hij, met uitzondering van Edwards' lichtelijk afwijkende uitspraken, niets belangwekkends omtrent de majoor te horen gekregen. Niets bracht hem met de zaak-Eagleton of -Paul Hill in verband. Toch zou hij alles volledig in zijn rapport opnemen, want hij was nu eenmaal een man die de puntjes op de i zette.

De laatste namen op zijn lijst waren Zach Smart en Ben Thompson. Smart woonde dichtbij, in Slaugham, dus besloot hij daar het eerst langs te gaan. Hij liet zich in zijn auto glijden en draaide de raampjes naar beneden om het een beetje te laten afkoelen.

Het geroep van een peuter op de glijbaan naast de pub maakte hem wakker en hij keek schuldig op zijn horloge. Drie uur. Nou ja, in Spanje hielden ze ook siësta; zo heel schadelijk was zijn hazenslaapje vast niet geweest.

Slaugham is een van de aardigste dorpjes in West Sussex. Het is trots op zijn mooie kerk en het heeft een fatsoenlijke eigen pub. Mensen stonden jaren op de wachtlijst om er een huis te kunnen kopen en zelfs dan moesten ze zich van tevoren nog onderwerpen aan een geheim kritisch onderzoek van de dorpelingen. Cooper was er al twee keer doorheen gereden, voor hij zich realiseerde dat Smart buiten het eigenlijke dorp woonde, aan een grindoprit die tussen de grazende schapen door leidde. Het huis lag aan een boerenerf, waar het waarschijnlijk ooit bedrijvig aan toegegaan zou zijn, maar dat nu smaakvol was verbouwd tot extra accommodaties en garages. Er stond een antieke Bentley voor een van de garages en toen hij uit zijn auto stapte, hoorde hij gevloek onder de openstaande motorkap.

'Meneer Zach Smart?' riep hij.

'Wie is daar?' De stem van de monteur werd gedempt door de diepte van de motorbak.

'Brigadier Cooper, recherche Harlden.'

Zijn hoofd kwam meteen omhoog.

'Ik ben Smart, wat wilt u?'

Cooper nam de met olie besmeurde overall en het slonzige overhemd in ogenschouw en probeerde de spreker in overeenstemming te brengen met de eigenaar van het bedrijf om hem heen.

'Woont u hier?'

'U hebt me toch gevonden? Kom ter zake, want ik heb het druk.'

'Is dit uw auto?'

'Een ervan. Ik gebruik hem voor trouwerijen. Morgen heb ik hem nodig. Dat kreng weigert te starten en alle andere zijn al geboekt. Wat wilt u?'

'Ik ben hier omdat u majoor Maidment hebt gekend.'

'Nee, dat heb ik niet.'

'U zat in hetzelfde regiment.'

'Dat wil niet zeggen dat ik de man kende, hoewel ik hem misschien wel heb zien rondlopen. Hij was een stuk ouder dan ik. Ik ben uit het leger gegaan toen mijn neef overleed en me dit bedrijf naliet, op voorwaarde dat ik het bleef exploiteren.'

'Ik dacht dat officieren elkaar in de mess leerden kennen.'

'Ik was maar een eenvoudige boerenlul, de werktuigkundige. Ik ging niet om met de Maidments van deze wereld. Was dat het?'

Hij bukte om een moersleutel op te pakken en tuurde ongeduldig naar de motor van de auto.

'Nee, nog niet. Heeft u een man gekend die Bryan Taylor heet?'

'Die hufter!' Smart liet de moersleutel met tegenzin zakken en verlegde traag zijn aandacht weer naar Cooper. 'Zo rot als een mispel, in alle betekenissen van het woord. Ik wilde niets met hem te maken hebben, ik kon die klootzak niet uitstaan. Waar gaat het over, trouwens?'

'Over de moord op Malcolm Eagleton in 1981 en de verdwijning van Paul Hill in 1982.'

Smart legde de moersleutel neer en veegde zijn handen af aan een lap.

'De naam Eagleton zegt me niets, maar ik herinner me wel dat die jongen van Hill verdwenen was. Ik heb Gordon Hill gekend. Hij had eind jaren zeventig een boerderij hier in de buurt. Prima kerel; had het niet verdiend, wat er met Paul is gebeurd. Zijn huwelijk is eraan kapotgegaan, weet u dat.'

'Ik weet het; we hebben mevrouw Hill gesproken.'

Smart rilde.

'Wat een secreet. Ze kwam hier op een middag naartoe, vlak nadat Paul was verdwenen, en beschuldigde mij er praktisch van dat ik hem voor haar verborgen hield.'

'Waarom?'

'Toen Paul klein was, kwam hij hier altijd met mijn jongste kind spelen, Wendy. Ze waren een hele tijd dik bevriend, voordat ze wegging en bij haar moeder ging wonen.'

'Hebt u Paul gekend?'

'Een beetje. Ze speelden voornamelijk met elkaar.'

'Wanneer hebt u hem voor het laatst gezien, meneer?'

'Hemel, daar vraagt u me wat. Waarschijnlijk op de sportdagen van school of iets dergelijks. Op die dagen liep ik die arme Gordon meestal ook tegen het lijf, nadat hij met zijn gezin terugverhuisd was naar Harlden.' Hij pakte de moersleutel weer. 'Luister eens, ik moet hiermee verder. Als ik hem niet kan repareren, moet ik de garage bellen en die balen als een stier, als ze na vieren de deur nog uit moeten.'

'Maar ik moet wel een verklaring van u hebben.'

'En is dat zo dringend, na al die tijd? Laat toch zitten. Het komt toch niet op een dag of wat aan?'

Smart stond alweer voorover in de motorbak en Cooper werd witheet. Die kerel met zijn grote bek liet hem gewoon staan.

'Ik denk dat de moord op een jongen verdomd veel belangrijker is dan die auto van u,' zei hij geërgerd, in het besef dat hij de man tegen zich in het harnas joeg. 'Wat ik bedoel is...'

'Ik heb gehoord wat u bedoelt, agent,' zei Smart met een rood hoofd, 'en u heeft gehoord wat ik zei. Dus als u me niet arresteert, stel ik voor dat u weggaat en mij mijn werk laat doen. Na het weekend kom ik wel naar Harlden om een verklaring af te leggen als u daarop staat, maar daar blijft het bij.'

Cooper begreep dat hij zo niet verder kwam. Hij liep terug naar zijn auto en reed weg, zonder veel grind te laten opspatten, maar wel enorm gefrustreerd. Hij had iemand ontmoet die toegaf dat hij zowel Maidment, als Taylor, als Paul had gekend, maar de klootzak weigerde met hem te praten. Eén ding was zeker, hij zou de achtergrond van meneer Zachary Smart haarfijn uitpluizen voordat hij weer met hem sprak.

Het gesprek met Ben Thompson ging niet door. Zijn vrouw was thuis in Harlden, maar toen Cooper aanklopte, verklaarde ze dat haar man een weekendje was gaan golfen met een paar vrienden van de club en maandag pas weer thuiskwam. Zij had nooit van Maidment of Taylor gehoord, dus liet hij haar verdergaan met tuinieren en besloot ermee te kappen. Het was per slot van rekening vrijdag. Doris zou het fijn vinden hem te zien en dan kon hij ook eens een paar buitenklusjes opknappen die al een tijdje gedaan moesten worden. De rapporten konden tot maandag wachten; Maidment ging immers nergens heen. Hij was al bijna thuis, toen zijn mobiele telefoon ging en hij vloekte, omdat hij niet het voorbeeld van Fenwick had gevolgd en dat kreng had afgezet.

Het was Nightingale, helemaal opgewonden. Alle oorspronkelijke getuigenverklaringen en verslagen in de zaak-Hill waren gevonden. Ze waren samen met een geval uit 1992 in één dossierdoos terechtgekomen. Hij moest naar het bureau komen, om haar en de rest van het team te helpen bij het doornemen ervan. Heb ik dat, dacht hij, terwijl hij zijn auto keerde en terugreed, de stad in. Die vrouw leefde volgens andere regels dan de rest van de mensheid. Stel je voor, aan zo'n gigantisch karwei beginnen, wanneer een normaal mens op zo'n heerlijke, zomerse vrijdagmiddag besloot dat het wel tot maandag kon wachten.

22

Op vrijdagavond keerde Nathan Smith terug naar het etablissement van William en werd als een geëerde gast verwelkomd. Sam zat nog steeds afgezonderd van de andere jongens, dus moest hij even wachten toen William hem liet halen. In de tussentijd verpoosde hij zich met het inspecteren van de jongens die niet bij een klant waren. Het waren er vijf: één Euraziatische, één Afro-Amerikaanse en drie blanke jongens. Ze waren alle vijf aantrekkelijk, schoon en weldoorvoed. Geen van hen zag er ouder uit dan veertien. Toen hij hen om beurten bij zich riep, zwol hun borst op van afwachtend ingehouden adem.

Het nieuws over wat er met Sam was gebeurd had zich verspreid. Hij was populair, in tegenstelling tot Jack; niet alleen bij de jongens, maar ook bij het personeel, dat walgde van de letsels die hij had opgelopen en onderling aan het roddelen was geslagen. Iets van die geruchten was onvermijdelijk de jongens ter ore gekomen. Toen Smith hun beval in het licht midden in de kamer te komen staan, moesten ze erg hun best doen om zich te beheersen, zelfs de oudste en meest ervarene.

Smith herhaalde met iedereen hetzelfde ritueel. Hij liet hen rechtop staan en begon hen dan met één vinger te porren en te prikken en gaf dan een kort commentaar: overgewicht; slap; benen te kort; weinig kleur; ik heb nooit van roodharige jongens gehouden. En zo ging het maar door. Bij iedere uiting van kritiek haalde de jongen in kwestie iets vrijer adem. Hij vroeg net de Euraziatische jongen zijn hoofd te buigen, zodat hij zijn nek kon inspecteren, toen Sam de kamer ingeduwd werd. Iedereen draaide zich om en staarde naar hem. Er viel een korte, griezelige stilte, zoals de stilte vlak nadat het vuurpeloton het commando heeft gekregen tot executie.

'Vooruit maar, Sam, niet verlegen zijn.' William zette een toon van lieve oom op, terwijl hij het kind dichter naar Smith toe duwde.

'Wat heb je die jongen aangetrokken, William? Hij ziet er belachelijk uit. Trek uit, Sam. Hij had je niet zo moeten optutten.'

Sam bleef als aan de grond genageld staan. Ruwe handen trokken de korte satijnen kamerjas van zijn schouders, waardoor hij alleen op blote voeten en in zijn onderbroek stond. Hij begon te rillen en aan zijn bovenlip was te zien dat hij zich goed probeerde te houden.

'Het is in orde, mijn jongen,' zei Nathan, die een stap naar hem toe deed.

Sam probeerde terug te deinzen, maar William verhinderde dat.

'Je hoeft niet zo preuts te doen. Kom hier.'

Maar Sam kon zich niet verroeren. William rook onraad en tilde hem letterlijk van de grond. Sam jammerde.

'Kijk uit, klungel. Als je hem beschadigt...' Smith sloeg een barse toon aan, maar toen hij Sam in elkaar zag krimpen, stopte hij meteen. 'Breng hem naar boven. Ik wil hem in mijn gebruikelijke kamer hebben.'

Sam werd als een pakketje weggedragen. Zijn ogen waren groot van niet vergoten tranen. Nadat hij weg was, gingen zijn vrienden de schaduwen weer in en wachtten tot de deur open zou gaan voor wat de nacht hun zou brengen. Wat het ook was, het zou niet zo erg zijn als het lot dat zojuist aan hen voorbij was gegaan. Niemand zei één woord over Sam; over een gevallene sprak je niet.

De man Nathan Smith – de naam waaronder William hem kende – keerde de volgende dag in een uitstekende stemming naar huis terug. Hij had de hele nacht in Londen doorgebracht. De jongen die William voor hem had gevonden was voortreffelijk, precies zijn type en heel volgzaam. Hij zou zijn bezoekjes moeten beperken, besefte hij, anders liep hij het risico dat hij hem zou breken, maar dat droeg alleen maar bij tot zijn verwachtingsvolle opwinding. Hij was uitgehongerd en tot zijn verrukking trof hij een curry met alles erop en eraan in de koelkast, klaar om opgewarmd te worden voor de lunch. Halverwege de maaltijd ging de telefoon en hij nam niet op, maar luisterde met een half oor naar de boodschap die werd ingesproken.

'Allemachtig!' Zijn vork kletterde op de grond, toen hij overeind sprong en naar de telefoon rende.

'William, ik ben aan de lijn. Wat zei je daarnet? Zeg op, man! Ik versta dat stomme gefluister niet.'

'Ik zei dat hij gekomen is. Ik heb hem de vorige keer in niet mis te verstane bewoordingen gezegd dat hij weg moest blijven, maar je kent Alec...'

'Ja, helaas. Hij moet stevig aangepakt worden. Heel stevig. Je bent zeker te weekhartig geweest, William. Dat is een deel van je probleem, je gaat té gauw door de knieën. Heb je hem eruit geschopt?'

'Nee, je begrijpt het niet, hij is hier nog stééds! Ik krijg hem niet weg. Hij zegt dat hij meer materiaal nodig heeft. Hij staat droog nu Joe uit beeld is en hij wil niet weggaan, voordat ik hem in contact heb gebracht met een leverancier.'

'Dat doe je niet!' zei Nathan, die klonk als een schoolmeester die een stoute jongen tot de orde roept. 'Laat Ball aan de lijn komen, nu meteen.'

Terwijl hij wachtte, overdacht Nathan de opties die hij had om Ball uit de weg te ruimen. Hij werd link; hij was gewelddadig, labiel en bepaald geen groot licht, een combinatie waardoor hij moeilijk in de hand te houden was. Nathan had er spijt van dat hij ooit met hem in zee was gegaan. Maar ze deelden geheimen, een paar van de meest duistere geheimen die mannen met elkaar kunnen delen, en dat maakte Ball tot een probleem waar zorgvuldig mee omgegaan moest worden. Ondanks de woorden die hij tegen William had gebruikt, wist Nathan dat een harde hand in het geval van Ball niet werkte. Je moest hem lokken, paaien, als een halfwilde stier.

'Alec,' zei hij hartelijk en vriendelijk, zodra de hoorn werd opgepakt. 'Wat doe jij nou helemaal in Londen, terwijl we ons probleempje heel simpel ter plaatse hadden kunnen oplossen.'

Het was even stil, Ball moest zich aanpassen aan Nathans toon; kennelijk had hij een uitbrander verwacht. Zijn antwoord had nog altijd een opstandige ondertoon.

'Het is geen probleem-pje, Nathan, het is een verdomd gróót probleem. Ik heb klanten die tevredengesteld willen worden en als ik die laat zitten is mijn reputatie naar de haaien. Trouwens,' zei hij, alsof hem iets te binnen schoot, 'je zei dat ik nooit rechtstreeks contact met jou mocht opnemen, altijd via Joe.'

Ja, dacht Nathan, omdat ik ervan uit kon gaan dat Joe discreet was en zijn mond hield. En zelfs hij wist niet wie ik in werkelijkheid ben. En dat is maar goed ook, blijkt nu. 'Maar Joe doet niet meer mee, hè?' zei hij. 'En je had kunnen weten dat ik een oude gabber nooit in de steek laat. Maar je doet er goed aan, niet rechtstreeks contact met me op te nemen. Oom agent snuffelt op het moment een beetje te veel rond. Maar we kunnen wel iets afspreken, dan breng ik iets heel bruikbaars mee. Ik ken een paar mensen...'

'Daar gaat het om, hè, Nathan?' De stem van Ball kreeg iets dreigends. 'Je hebt door de jaren heen goede zaken gedaan, over de ruggen van jongens zoals ik en Joe. Maar Joe heeft er uiteindelijk nog voordeel aan behaald; boeiend, dat hij nu opeens geld genoeg heeft om een "respectabel" leven te leiden. Hoewel het gek is dat hij nu wel klant maar geen leverancier meer is.'

'Klant?' Nathan ging rechtop zitten en er kwam een onaangename glimlach op zijn gezicht, waardoor hij net een hongerige hermelijn leek. 'Kijk eens aan. Stel je voor. Ik dacht dat hij zijn oude leven achter zich had gelaten toen hij God vond. Ha! Ouwe hypocriet.'

Het deed Nathan genoegen, te weten dat Joe Watkins zich niet had kunnen losmaken van de obsessie die jarenlang zijn leven had beheerst. In feite voelde hij zich nu nog meer superieur, omdat hij wel in staat was zijn leven zo goed in de hand te houden. Hij kon zich voorstellen hoe de angstvisioenen aan de ziel van Joe vraten en bij die gedachte kwam een enorme machtswellust in hem opzetten. Maar hij moest Alec in de hand zien te houden en het irriteerde hem, dat hij niet langer op Joe kon rekenen om dat voor hem te doen. Ball raasde maar door, dat hij oneerlijk behandeld was en dat hij nieuwe voorraden moest hebben. Nathan onderbrak hem.

'Heb ik er niet steeds voor gezorgd dat je alles kon kopen wat je nodig had, Alec? Eerlijk gezegd sta ik ervan te kijken, dat je nu al door het materiaal heen bent dat je de vorige keer had. Ik had begrepen dat je een van de beste verzamelingen in het land had opgekocht.'

'Alles kopen! Je hebt me een naam en geld gegeven, maar je hebt het heel duidelijk gemaakt dat het maar een verdomde lening was, Nathan; erg vrijgevig kun je het niet noemen.'

'Heb ik je ooit onder druk gezet om me terug te betalen?' Dat was hij wel van plan geweest, maar het was duidelijk geworden dat het geld net zo snel tussen Balls vingers doorstroomde als hij het binnenkreeg.

'Nee, nou ja...'

Nathan kon merken dat Balls opgekropte woede, gevoed door zijn gekwetste trots en defensieve manier van doen, uiteen was gespat. Zijn sterke punt was dat hij mensen doorhad, niet dat hij daar moeite voor deed als het niet nodig was.

'Nou, wanneer heb je tijd om af te spreken? Zullen we zeggen morgen om zes uur, op de plaats van het vreugdevuur?'

'Waarom wil je nou per se naar die plek terug?' Hij kon Balls stem horen trillen.

'Het is daar volkomen verlaten en ik ben niet bang voor spoken, daar geloof ik niet in.' Mooi, nu zou Ball ja moeten zeggen, anders leek hij een lafaard.

Ze spraken af. Nathan keerde terug naar zijn koud geworden *vindaloo* en schraapte het eten vol weerzin in de afvalbak. Hij had nog steeds trek en vond kaaskoekjes in de kast. Terwijl hij voor zichzelf een groot glas buitengewoon goede barbaresco inschonk, overdacht hij wat hij met Ball aan moest. De man werd nu echt een blok aan zijn been. Ze hadden hem jarenlang in de hand kunnen houden – hoewel, om eerlijk te zijn was dat Joe's taak geweest en hij had hem er ook goed voor beloond – maar nu Joe had afgehaakt, leek die last op zijn eigen schouders terecht te komen. En dat was een situatie die absoluut niet werkte.

Hij liet de zuivere wijn over zijn tong rollen, een mooie volle, subtiele wijn die het verdiende aandachtig genoten te worden. Het was een wijn die zijn smaak in het leven weerspiegelde, vond hij. Pas toen hij de fles leeg had, liet hij zijn aandacht terugkeren naar wat hij met Ball zou doen.

DEEL VIER

SEPTEMBER 1982

Het was erg donker in de kelder, zo donker, dat Paul geen hand voor ogen kon zien. Hij wist niet hoe laat het was, zou het al voorbij etenstijd zijn? Zo ja, dan had Bryan kennelijk niet de bedoeling hem op tijd thuis te brengen en kon hij ook niet net doen alsof er niets aan de hand was. Alsof dat mogelijk was, in zijn fysieke omstandigheden. Hij rilde.

Het was hier koud, ondanks de warme avond buiten. Hij moest gewoon warm zien te blijven tot Bryan kwam. Paul probeerde te springen en op de plaats te rennen. Dat werkte even, maar de pijn in zijn onderlichaam stopte hem lang voordat zijn benen pijn begonnen te doen of zijn voetzolen beurs werden van de stenen.

Waar was hij? Ze hadden een zak over zijn hoofd getrokken, een prop in zijn mond gedaan en hem daarna bij het zwembad vandaan gedragen. Het had niet meer dan vijf minuten geduurd, dus moest hij zich nog altijd ergens op het terrein van het huis bevinden, maar waar? Hij probeerde zijn gevangenis nog eens te onderzoeken en dacht eraan zijn voetstappen te tellen: vijftien vanaf de plek waar hij had gestaan, vlak naast het ruwe hout van de deur. Hij bonkte erop en schreeuwde zich hees om eruit gelaten te worden. Niets. Toen hij zijn oor ertegenaan legde kon hij aan de andere kant niets horen, dus hij was misschien te dik. Nee, wacht, misschien waren er twee deuren. Ja.

Hij deed zijn best om zich de geluiden te herinneren waarmee zijn opsluiting gepaard was gegaan. Alec had hem gedragen, dat wist hij zeker, vanwege zijn lucht en de ruwe stoppels op zijn gezicht. Joe en Bryan waren bij het zwembad achtergebleven, dat dacht hij tenminste, omdat hij nog maar één paar andere voetstappen had gehoord, toen ze hem haastig door het bos droegen. Ze waren langs een beekje gekomen en hadden over ruwe stenen gelopen, die glibberig waren onder Alecs voeten. Al snel nadat ze waren weggegaan, voelde hij de zon niet meer, dus hadden ze achter een heuvel gelopen of onder dikkere bomen. Op een gegeven moment was Alec bijna uitgegleden op de natte stenen. Hij vloekte en Nathan zei dat hij zijn bek moest houden; dat was het enige wat er onderweg was gezegd.

Toen ze bij de ingang van de kelder kwamen, had hij gerinkel van sleutels gehoord, maar in plaats van meteen verder te lopen, had Alec gewacht. Waarop? Paul herinnerde zich nog een geluid, het zachte gekraak van roestige scharnieren. Dat kon het geluid zijn van een andere deur die geopend werd, onder aan de lange trap die ze afgingen. Het idee opgesloten te zitten achter een dubbele barrière, gaf hem een nog veel akeliger gevoel.

Vijftien passen. Hij stak zijn rechterhand zo ver mogelijk uit langs de muur naast de deur en begon die muur te volgen. Tien passen. Toen kwam hij bij de een of andere houten plank. Hij tastte met zijn vingers. Na een paar centimeter voelde hij een rechtopstaande plank en daarna nog een. Hij telde er twintig, tot hij de koude stenen van de muur weer voelde. Met zijn andere hand tastte hij over het oppervlak van de planken. De rijen zaten dicht op elkaar en waren onderverdeeld in hokjes die te klein waren voor boeken. Waar was hij in vredesnaam?

Zonder in paniek te raken draaide hij zich negentig graden om en vond de volgende muur. Ook die was bedekt met houten planken. Hij bleef tasten, maar trok zijn hand plotseling terug, toen hij iets slijmerigs aanraakte. Het was nog kouder dan het hout en de stenen en hij dacht dat het een of ander reptiel was, dat op de loer lag. Hijgend wachtte hij erop dat het in beweging kwam en een geluid maakte, maar het bleef helemaal stil. Ten slotte vond hij de moed om opnieuw te voelen; het was er nog. Deze keer leek het niet zo intens koud aan te voelen en het was ook niet slijmerig, het was glad, als glas. Het wás glas; het was een fles. Hij trok hem van de plank en betastte hem over de hele lengte, tot hij bij de hals kwam en het metaal van een dop voelde. Wijn. Hij zat in een wijnkelder.

Bij dat idee begon hij zich iets beter te voelen. Hij zat niet in een of ander vervallen gebouw of een verlaten mijnschacht. Die wijn behoorde vast aan Nathan toe. Hij had de sleutels; op zeker moment moest hij komen, ze konden hem hier absoluut niet achterlaten. Maar stel dat het de enige fles was, dat Nathan de kelder nooit meer gebruikte. Plotseling werd het heel erg belangrijk, te weten hoeveel flessen hier opgeslagen waren. Paul begon te tellen. Toen telde hij opnieuw en toen hij op een verschillend aantal uitkwam, telde hij nog een keer.

Driehonderdzevenentwintig! Dit getal maakte hem aan het lachen. Helemaal niet verlaten! Absoluut niet. Hij zat hier alleen maar opgesloten terwijl ze zaten te bespreken wat ze met hem gingen doen. Die gedachte viel samen met een enorme kramp in zijn buik, zodat Paul in elkaar kromp en naar adem hapte. Toen kwam de kramp opnieuw opzetten en gaf hij over. Nadat hij zich had hersteld, was het eerste waar hij aan dacht hoe woedend Nathan zou zijn, omdat het braaksel zo stonk. De tweede gedachte was, dat hij het nu nog kouder had dan daarvoor. Hij beefde oncontroleerbaar over zijn hele lichaam en zijn tanden klapperden zo hard, dat hij het kon horen. Ze moesten nu gauw komen, zeker, dat moest wel. Bryan was zijn vriend.

Hoe lang zou het nog duren voordat hij hem kwam halen? Bryan zou er niet lang voor nodig hebben om Alec en Joe kwijt te raken, zodat het veilig genoeg voor hem was om weer naar buiten te gaan. Daar was hij natuurlijk mee bezig. Bryan was zijn vriend; hij had beloofd dat hij op hem zou passen. Maar toen hij eraan dacht wat hij daarnet had moeten ondergaan, kreeg Paul opnieuw een krampaanval en had hij zoveel pijn in zijn mishandelde lichaam, dat hij weer moest overgeven. Nu had hij niet meer de kracht om zijn hoofd van de grond op te tillen en een deel van het braaksel kwam in zijn haar en zijn nek. Hij rolde zich op als een bal, sloeg zijn armen om zijn knieën voor warmte en troost en boog zijn hoofd voorover tegen zijn borst.

Zo vond Bryan hem, toen hij hem eindelijk kwam halen.

23

Fenwick nam Clives telefoontje aan, net op het moment dat hij zag hoe de huishoudster de laatste hand aan de verjaardagstaart van Chris legde. Het was een taart in de vorm van een cowboy, compleet met hoed en sheriffster, en er stonden negen kaarsjes op. Hij liep zijn studeerkamer binnen om het gesprek te kunnen voeren.

'Wanneer is hij in Londen aangekomen?'

'Een uur geleden. Hij is zojuist een huis ten zuiden van King's Cross binnengegaan, bij Farringdon Road. Ik sta nu buiten.'

'Heb je het al doorgegeven aan het wijkbureau?'

'Nog niet; ik dacht dat jij dat misschien wilde doen.'

'Oké, laat maar aan mij over. En heb je al back-up?'

'De Uitvoerende Dienst stuurt Walsh en nog iemand.'

'Dat duurt minstens een uur. Je bent kwetsbaar als hij via een andere uitgang weggaat of als hij je opmerkt. Ik zal kijken wat de Met voor ons kan doen en hen laten natrekken of dat huis een historie heeft. Geef me het volledige adres maar.'

Een halfuur later had hij Clive opnieuw aan de telefoon.

'Voor zover zij weten is dat huis schoon; ik heb hun toch gevraagd de gegevens van de vorige eigenaars op te graven. Je kunt nu ieder moment versterking krijgen.'

'Ze zijn nu net gearriveerd, compleet met een onopvallende auto en een camera. Hij is nog steeds binnen; alles is rustig.'

'Wat is er in die tijd nog meer gebeurd?'

'Het is nog geen elf uur. Er is een halfuur geleden één bezoeker naar binnen gegaan, een respectabel uitziende vent; verder, *nada*.'

'Goed, houd me op de hoogte. Ik ben de hele dag thuis. Chris is jarig.'

Tot zijn verbazing zei Clive: 'Wens hem een fijne verjaardag van oom Clive, wil je? Zeg hem maar, dat ik hoop dat hij een heleboel leuke cadeautjes heeft gekregen.'

'Maak je daar maar geen zorgen over,' lachte Fenwick. 'Vanmiddag is zijn partijtje en hij zal wel schromelijk verwend worden.'

Vier uur later zag Fenwick met diepe voldoening hoe Chris en zijn vriendjes als gekken tussen de provisorische tipi's en tenten rondholden, die hij de avond tevoren als verrassing had opgezet. Op de uitnodiging stond dat ze als cowboy of indiaan verkleed moesten komen en hij keek ervan op hoe inventief de moeders van die jongens waren. Er waren ook een paar meisjes uitgenodigd die wat Chris betrof échte jongens waren. Fenwick had besloten dat er geen Raymond Clark (de 'beste goochelaar van Sussex', zoals laatst op tv te zien was), geen Desmond de clown (met zijn charmante assistente Zoë) en ook geen springkasteel zouden zijn.

In plaats daarvan waren delen van de tuin met rubberbanden omheind, er waren boomhutten (lekker dicht boven de grond) en oude dekens die over de takken heen geslagen waren en er stond een houten picknicktafel, die bijna bezweek onder lekkernijen uit het Wilde Westen (ham, worstjes, kerstomaatjes, brood, chips en Coca Cola of limonade).

Het idee dat een alleenstaande vader zonder hulp een kinderfeestje kon organiseren, brak met de ongeschreven regel dat mannen zo afhankelijk waren. Uiteraard hadden verscheidene moeders aangeboden te helpen. Van sommige had hij dat aangenomen, van wie hij dacht dat ze geen opvliegers zouden krijgen bij de aanblik van hun lievelingen, die de hele middag rondrenden en gevechten op leven en dood leverden. Hoewel hij zichzelf voorhield dat hij het gemakkelijk alleen aangekund had, was hij toch stilletjes verbaasd over de manier waarop zij de kleinere kinderen uit de gevarenzone hielden, de rommel opruimden en tegelijk de wapenfeiten van hun kroost prezen. De middag bleek een doorslaand succes te zijn.

Clive belde om te zeggen dat Ball het huis in Londen had verlaten en de trein terug naar Harlden had genomen. Hij volgde hem en zat nu in dezelfde trein. De Met had toegezegd dat een undercoverteam het huis vierentwintig uur lang zou observeren, de bezoekers fotograferen en zou proberen te achterhalen wat er voor activiteiten plaatsvonden. Fenwick had gemengde gevoelens over het nieuws. Aan de ene kant wilde hij een doorbraak hebben, aan de andere kant was hij erg opgelucht dat hij het hele partijtje van Chris kon meemaken.

Toen het moment was aangebroken dat de gasten vertrokken, gedroeg zijn zoon zich buitengewoon netjes. Pas nadat de andere kinderen weg waren, kreeg hij in de gaten dat Bess er niet was. Na een paniekerige zoekpartij vond hij haar lezend in een van de verlaten omheinde stukken tuin.

'Vooruit, Bess, de tuin is weer van jou.'

Zijn dochter weigerde hem aan te kijken.

'Wat is er, schat? Niet jaloers op Chris zijn, dat is niets voor jou. Hij is toch jarig.'

Een huilbui en wat geknuffel later slaagde hij erin haar het huis weer binnen te lokken, maar ze wilde geen ijsje. Terwijl Alice de laatste papieren bordjes opruimde, ging hij met haar mee naar binnen, niet wetend waarom ze zo verdrietig was en wat hij eraan kon doen.

'Zeg het dan, alsjeblieft,' smeekte hij. 'Wat heb ik verkeerd gedaan?'

'Je bent vergeten Nightingale uit te nodigen,' zei ze nauwelijks hoorbaar. 'Ze had me eeuwen geleden al beloofd dat ze zou komen om mij gezelschap te houden. En daar zou ze zich ook aan hebben gehouden, dus moet jij het geweest zijn, die vergeten is haar uit te nodigen.'

Het schuldgevoel schoot door hem heen en zijn gezicht betrok. Bess had gelijk; hij was vergeten haar uit te nodigen. Een paar weken eerder zou het een automatisme zijn geweest, maar nu niet meer. Door alle geruchten waren ze uit elkaar gedreven en hij had de afgelopen tijd gewoon niet meer de moeite genomen om haar te spreken.

'Misschien had ze het druk.'

'Niet zo druk dat ze Chris geen cadeautje kon komen brengen.' Zijn dochter keek hem woedend aan.

'Weet je het zeker?' Dit wist Fenwick niet. Bess knikte.

'Ze kwam het brengen toen jij de hele tijd naar Justins moeder liep te kijken. Alice heeft het van haar aangepakt, maar ik heb haar gezien en gedag gezegd.' Bess keerde zich van hem af. 'Ze had voor mij een niet-verjaardagscadeautje meegebracht, net zoals ze bij Chris deed toen ik jarig was. Gemeen hoor, om haar niet binnen te laten komen.'

'Ik wist niet dat ze er was, eerlijk niet.' Het schuldgevoel was nog niet zo erg als de verwarring die hem overviel bij de onthullingen van zijn dochter. Bess haalde haar schouders op en wuifde zijn woorden hooghartig weg.

'Ik ga vroeg naar bed en ik hoef geen verhaaltje.'

Daarmee kon hij gaan. Fenwick trok zich beneden terug. Chris zat voor de televisie een dinosaurus te maken van een bouwpakket.

'Van wie heb je dat gekregen?'

'Nightingale. Wreed, man. Ze heeft ook nog aan de batterijen gedacht. Als hij klaar is, gaan zijn ogen flitsen en brult hij.'

Fenwick ging op zoek naar Alice.

'Je had me wel even mogen vertellen dat Louise Nightingale hier was.' Hij was té boos om diplomatiek te zijn.

'Ze is alleen maar even langs geweest. Ze leek het te druk te hebben om te blijven.'

'Heeft ze nog iets gezegd?'

'Nee. Geef me die schaal eens aan, alsjeblieft. Ik denk dat hij er nog net bovenop kan.'

Dat was zo en hij wachtte in een langdurig zwijgen tot Alice klaar was met het laden van de vaatwasmachine en verder commentaar zou geven. In plaats daarvan zette ze het afwasprogramma aan, sloot de klep en begon met Chris te praten. Ze liet Fenwick geheel verslagen en gedeprimeerd achter, ondanks de succesvolle dag.

Om negen uur kwam Alice hem in de tuin zoeken, waar hij bezig was de banden te verzamelen.

'Korpschef Harper-Brown aan de telefoon. Het is dringend, zegt hij.'

Fenwick rende naar binnen.

'Goedenavond, meneer.'

'Fenwick? Goed. Zet je televisie aan op BBC *News*.

Hij deed wat hem gezegd werd en koos daarvoor de kleine tv in de keuken, in plaats van de strijd met Chris aan te gaan om de afstandsbediening. Het item was al bijna ten einde, kon hij merken aan de toon van de nieuwslezer.

'Heb je het erop?'

'Ja.'

'... de vraag die morgen in de *Sunday Times* wordt opgeworpen, is waarom de politie van West Sussex de onderscheiden oorlogsheld, majoor Jeremy Maidment, nog steeds vasthoudt in verband met de moord op Paul Hill en Malcolm Eagleton, hoewel ze expliciete informatie met overtuigend bewijsmateriaal heeft ontvangen, waaruit blijkt dat het om een andere man gaat. Zij hebben hem kennelijk niet genoemd op grond van het feit dat het bij die informatie om geruchten gaat, maar de *Sunday Times* heeft van haar bron vernomen dat de politie substantiële bewijzen heeft, maar desondanks niet op grond daarvan heeft gehandeld.'

'Verdomme!'

'Precies. Over een kwartier bij mij thuis.'

Toen hij daar aankwam, kwam de korpschef naar buiten en stond hem voor de deur te woord. Harper-Brown stak hem een videotape met de nieuwsuitzending toe alsof het een wapen was.

'Wat is er aan de hand? Jij hebt deze zaak gevolgd; hoe heeft deze mediaramp dan kunnen gebeuren?'

'Ik denk dat ze verwijzen naar de brieven die Harlden heeft ontvangen, waarin het schoolboek zat met Pauls vingerafdrukken erop.'

'Dat herinner ik me. Zat er ook een dreigement van die succeswenser bij, dat hij het openbaar zou maken?'

'Nee, voor zover ik weet niet. U kent de theorie, dat die brieven zijn verstuurd door een van Taylors slachtoffers, of door iemand die probeert wraak op hem te nemen.'

'Maar in het BBC-verslag wordt categorisch beweerd, dat de *Sunday Times* ons ervan beschuldigt dat we de informatie niet serieus nemen.'

'Er wordt zéér serieus mee omgegaan, meneer. Inspecteur Nightingale heeft het boek, de brief en de envelop naar het lab gezonden voor een volledige analyse en ze leidt het onderzoek om de afzender – deze "succeswenser" – op te sporen.'

'En de majoor zit nog steeds in voorarrest?'

'Ja. Die twee brieven wegen niet op tegen het belang van tastbaar bewijs. Vindt u dat Harlden hem moet vrijlaten?'

'Is er nog iets uit de verhoren gekomen?' De korpschef trapte er niet in.

'Hij weet meer dan hij loslaat. Ik ben ervan overtuigd dat hij iets achterhoudt. Trouwens, komen commissaris Quinlan en inspecteur Nightingale ook hierheen?'

'Ik kan hem niet te pakken krijgen.' H-B negeerde de verwijzing naar Nightingale. 'Hoe vind jij dat we moeten reageren op de beschuldigingen van de *Sunday Times*?'

'Ik?' zei Fenwick beduusd. De zaak was hem op aandringen van H-B uit handen genomen, maar nu werd hem wel gevraagd de brokken (hoewel dat niemands schuld was) te lijmen.

'Ik zou uiteraard de richtlijnen volgen.' Op grond van voorgaande ongelukkige ervaringen was er een goed gefundeerde landelijke procedure ingevoerd. 'De *Sunday Times* neemt een groot risico door dat artikel af te drukken, maar hun advocaten moeten het vrijgegeven hebben en dat houdt in dat zij meer weten dan wij. Ik ga onmiddellijk een verzoek indienen om het materiaal dat tot hun bericht heeft geleid en de bron ervan in handen te krijgen, maar dat kunnen ze weigeren. Als ze weigeren, zou ik een bevel tot inzage van de informatie indienen en dat zal uiteindelijk gehonoreerd worden. Maar zelfs al kennen ze bij de *Sunday Times* de identiteit van de bron, dan zullen ze die op grond van hun journalistieke geheimhouding niet prijsgeven.'

De korpschef begon over het grind van zijn oprit heen en weer te lopen.

'Precies. Goed dan, in afwezigheid van Quinlan ga jij exact doen wat je nu voorstelt. Ik wil dat jij optreedt om dit debacle in goede banen te leiden.'

'En inspecteur Nightingale dan? Zij heeft per slot van rekening de leiding over het onderzoek.'

'Dat mag zo zijn, maar ik heb van begin af aan getwijfeld aan haar vermogen om een zaak van deze omvang goed af te handelen, en deze puinhoop bewijst dat ik gelijk heb. Ze brandt haar vingers eraan, zeker met haar gebrek aan ervaring. En aangezien Quinlan om onverklaarbare redenen niet te bereiken is en Derek Blite midden in zijn persoonlijkheidstraining zit, waarin hij niet gestoord kan worden, heb ik geen andere keus dan zelf in te grijpen.' De korpschef sprak gedecideerd; het was duidelijk dat hij deze kans met liefde aangreep om Quinlan erop te wijzen dat Nightingale het op de een of andere manier had verprutst.

Fenwick had zijn mond al open om ertegen in te gaan, maar sloot hem ook weer. Het had geen zin, wist hij.

'Zorg je er wel voor dat ik van alles op de hoogte wordt gehouden, Andrew? We zullen zeker een persconferentie moeten geven en dat zal ik doen, maar jij moet hem vanavond voor me voorbereiden.'

'Natuurlijk.'

'En, Fenwick.'

'Ja, meneer?'

'Niets dramatisch en geen verrassingen. Ik ga ervan uit dat je mij erin betrekt als er strategische beslissingen worden genomen. Dit is al gênant genoeg. Snap je dat?'

'Natuurlijk.'

Fenwick draaide zijn hoofd om, om zijn glimlach te verbergen. Wat de een een strategische beslissing noemde, noemde een ander een tactische oplossing. En daarvan had hij er heel wat in huis.

24

Toen ze bij het verjaardagsfeestje van Chris was afgepoeierd, ging Nightingale terug naar het bureau, ondanks het feit dat het zaterdag was. Als ze echt furieus was, verrichtte ze vaak het beste werk. In feite was werken ook de enige remedie als ze in een extreme stemming verkeerde. Ze reed de stad in zonder erg te letten op versnelling, koppeling of rem.

Al weken liep ze zichzelf wijs te maken dat Fenwicks onachtzaamheid jegens haar te wijten was aan zijn preoccupatie met operatie Koorknaap en de consequenties daarvan voor zijn promotiekansen. Maar nu ze werd uitgesloten van het feestje van zijn zoon, terwijl ze een maandje geleden nog automatisch te gast zou zijn geweest, moest ze de realiteit onder ogen zien. De vriendschap was voorbij. De manier waarop hij de laatste tijd met haar omging had al voldoende aanwijzing moeten zijn, maar ze was ziende blind geweest. Nu ze de waarheid onder ogen moest zien, voelde ze zich diep gekwetst door zijn harteloosheid.

Op haar zestiende had ze zichzelf gezworen dat ze altijd haar emotionele onafhankelijkheid zou bewaren, zodat ze nooit meer gekwetst kon worden door dezelfde onverschilligheid als van haar ouders. Wat een domoor was ze toch, dat ze haar behoedzaamheid had laten varen. Ze begon heftig met haar ogen te knipperen vanwege het waas voor haar ogen.

Het was stil op het bureau, de recherchekamer was leeg, wat ongewoon was. Ze liep de TGO-ruimte binnen, die was ingericht door het team dat het grootschalige onderzoek in de zaak-Paul Hill verrichtte, en zag hoe agent Shelly zich haastig losmaakte uit een innig contact met hoofdagent Robin. Hij was getrouwd en Nightingale gaf blijk van haar afkeuring. Ze had niet in de gaten dat haar eigen emotionele beroering haar extra kritisch maakte.

'Ik wil zo snel mogelijk de oorspronkelijke Hilldossiers op datum op die tafel hebben staan.'

'Bedoelt u allemaal, mevrouw?' sprak Shelly haar verbluft aan op de manier zoals het hoorde, maar waar Nightingale zelden om vroeg.

'Ja. Ik ben over een kwartier terug.' Ze keek hen beiden woedend aan en toen ze Robin binnensmonds hoorde vloeken, zei ze dat hij zijn mond moest houden. Zijn geschokte en berouwvolle blik had geen enkel effect.

In de kantine wurgde ze een kop thee en een plak cake naar binnen en kocht toen een flesje water om mee te nemen naar de onderzoeksruimte. Bij haar terugkomst stond de middelste tafel vol dozen en mappen, sommige nog bestoft, wat de vraag opwierp hoe grondig er in de afgelopen vierentwintig uur aan was gewerkt door degenen aan wie ze het had gedelegeerd. Dat sterkte haar nog meer in haar besluit te gaan doen wat ze zich had voorgenomen toen ze bij Fenwicks huis wegreed. Ze was erop gekleed om naar het verjaarspartijtje van een jongen te gaan – een oversized rugbyshirt, jeans, sportschoenen – perfect voor uren van hard werken, die ze zichzelf oplegde als boetedoening voor het feit dat ze zo stom was geweest zich weer te laten kwetsen.

Terwijl Shelly met meer dan normale ijver informatie in een computer invoerde, maakte Nightingale de eerste doos open en haalde er een stapel dossiers uit die zo groot was, dat ze hem nauwelijks kon tillen. Ze legde hem links van zich neer en aan de andere kant een nieuw A4-notitieblok en een pen. Ze rolde haar mouwen op, wetende dat dit eigenlijk geen werk was voor een onderzoeksleider, maar dat kon haar niet schelen; zij was goed in rigoureus aanpakken en het zoeken naar patronen in gegevens die anderen overweldigden. Trouwens, dacht ze, Fenwick zelf had bepaald niet het beste voorbeeld gegeven als het op delegeren aankwam. De gedachte aan haar vroegere baas maakte haar alleen maar nog bozer en ze vestigde haar blik resoluut op de stapels papier voor haar.

Toen ze het eerste verslag opende werd ze teruggeworpen in de wereld van Harlden in 1982. Haar vermogen tot snellezen was altijd al indrukwekkend geweest en ze had een routine ontwikkeld om de relevante zaken er onmiddellijk uit te pikken en ze uit verslagen en gesprekken op tape over te nemen. Shelly, die haar vrouwelijke superieur bewonderde en dolgraag weer in een goed blaadje wilde komen, bood aan haar te helpen met fotokopiëren en uitschrijven, wat haar werk vergemakkelijkte.

Na een uur stopte Nightingale en bestudeerde haar aantekeningen. Ze werd nu al treurig van het deprimerende verhaal dat uit de stoffige dossiers naar voren kwam. De zenuwachtige Shelly, die de sombere trek op haar gezicht verkeerd opvatte, bleef tot ver na haar normale werktijd doorwerken.

Nightingale dronk met lange teugen van haar water en begon de uittreksels die ze had gemaakt, hardop voor te lezen.

7 september 1982
20.15 uur. Dienstdoend agent: brigadier J.J. Atkins:
Telefonische melding van mevrouw Sarah Hill, 26 Penton Cross, Woodhampstead, Harlden. Telefoonnummer: Harlden 632390. Meldt dat haar zoon, Paul Christopher Hill, niet thuisgekomen is uit school en ook niet bij een van zijn vrienden is. Atkins adviseert de belster te wachten tot 22.00 uur en nog een keer te bellen als haar zoon niet is thuisgekomen.

20.58 uur. Verslag van agent N.C. Davis: *Sarah Hill verschijnt op het bureau om melding te maken van de vermissing van haar zoon. De vader, Gordon Hill, is thuisgebleven. Mevrouw Hill is erg overstuur en wordt door agent Alison Major meegenomen naar de verhoorkamer.*

22.15 uur. Agent Alison Major en brigadier Stephen Ingles spreken met mevrouw Hill.

22.25 uur. Zoekactie gelast door inspecteur Quinlan. *Een team van agenten wordt naar Penton Cross en het Downside College gestuurd. Om 23.00 uur wordt het opsporingsteam uitgebreid naar twintig. Hoofdcommissaris Windlass wordt op de hoogte gebracht van de mogelijke vermissing van een kind.*
Pauls ouderlijk huis en de onmiddellijke omgeving worden grondig doorzocht. Ook de school en het schoolterrein worden uitgekamd. De directrice, mevrouw Emily Spinning, en de conciërge, de heer Alex Jones, zijn beiden tot 01.00 uur ter plaatse. Daarna strekt het zoeken zich uit tot de speelvelden en de andere terreinen van de school. Noch mevrouw Spinning, noch de heer Jones heeft Paul het schoolterrein zien verlaten.
Op 7 september worden tussen 22.30 uur en 23.45 uur gesprekken gevoerd met vrienden van Paul; de namen zijn verstrekt door mevrouw Hill. Uit die gesprekken komt niets naar voren. Geen van de vrienden heeft Paul de school zien verlaten.

Dossiernummer: 0816–23; 8 september 1982, 07.30 uur:
Vrijwilligers voegen zich bij een zoekactie van vijfenveertig agenten, die twee gebieden bestrijkt: een braakliggend terrein van de gemeente, dat zich uitstrekt vanaf de percelen achter de wijk Penton Cross, tot aan de ringweg, de A623; de tweede zoekactie gaat om 08.00 uur verder in en om de school, en in Harlden Park. Er worden extra agenten ingezet om de leerlingen en het onderwijzend personeel te ondervragen, en om een huis-aan-huisonderzoek te doen in de wijk waar Paul woont.

09.00 uur. Persconferentie. Aanwezigen: commissaris Windlass, de ouders van de jongen (Sarah en Gordon Hill) en Quinlan. Het nieuws over de verdwijning van de jongen is op 7 september voor het eerst om 22.30 uur aan de media doorgegeven en is kort daarna als nieuwsbulletin uitgezonden door de lokale radiozender.

Achteraf bezien was de zakelijke toon van de eerste meldingen heel ironisch. Het was zo simpel om tegen een overbezorgde moeder van een veertienjarige jongen te zeggen, 'wacht nog een uurtje of twee'. Halfnegen 's avonds kun je nauwelijks laat noemen voor een tiener. Zij begreep heel goed waarom brigadier Atkins zich niet zo druk had gemaakt en geen mens kon hem ergens van beschuldigen; toch had het onderzoek op dat moment cruciale en kostbare uren bij daglicht verloren.

Ze was er zeker van dat de manier waarop de politie aanvankelijk had gereageerd geheel correct was geweest. Onder het bevel van Quinlan zouden de agenten niet-aflatend, energiek en vastbesloten doorgegaan zijn met speuren. Paul was pas een paar uur weg en de hoop om hem levend te vinden zou groot zijn geweest. Ze had met hen te doen en ze las snel verder om de eerste doos af te werken en aan de tweede te kunnen beginnen. Shelly verontschuldigde zich en vroeg of ze mocht gaan, omdat ze een afspraakje had. Nightingale bedankte haar en liet haar vertrekken. Naast haar vulde een nieuw blad van haar notitieblok zich gestaag met een uittreksel van getuigenverklaringen die zij als het meest relevant en betrouwbaar beschouwde, uit de honderden die samengebracht waren in de mappen om haar heen.

Dossiernummer: 0816–23; 8 september 1982, GV 52
Uittreksel uit een getuigenverklaring, afgenomen door agent Justin Daley. Getuige: juffrouw Julie Ackers, 20 jaar, flat 26, Midland Court, Harlden.
'Op dinsdag 7 september werkte ik van 8.30 uur tot 16.30 uur in Stan's Corner Shop, West Street, Harlden. Om ongeveer 16.10

uur kwam Paul Hill binnen om snoep te kopen – een zakje drop en een zakje chips.
Ik weet zeker dat het Paul was, omdat hij bevriend is met mijn broer Victor en hij komt bij ons thuis. Hij was op zijn nieuwe fiets, die rode met dat flitsende stuur. Dat weet ik, omdat hij hem tegen de winkelruit zette. Dat mag niet; Stan wordt er heel kwaad om. Ik heb hem maar heel even gesproken, maar hij zei niet waar hij naartoe ging. Ik heb ook niet gezien in welke richting hij vertrok nadat hij de winkel uitging, omdat ik iemand anders moest helpen van wie ik de naam niet ken.
Paul kwam in zijn eentje de winkel binnen en ik heb verder niemand buiten zien staan. Hij had zijn blazer aan, zijn complete schooluniform, met de lange broek, en hij had een rugzak op zijn rug.'

Dossiernummer: 0816–23; 8 september 1982, GV 166
Getuigenverklaring, afgenomen door agent Alison Major.
Getuige: mevrouw Angela Rush, huisvrouw, 63 Whitemoss Drive, Harlden, West Sussex.
Mevrouw Rush belde om 18.35 uur het bureau, nadat ze op het avondnieuws over de verdwijning van Paul Hill had gehoord. In haar verklaring zei ze: 'Ik heb een jongen gezien, van wie ik zeker weet dat het Paul Hill was, op de parkeerplaats aan het eind van Whitemoss Drive. Dat was gisteren om ongeveer halfvijf. Ik weet zeker dat het Paul was, omdat ik hem vorige week nog een uitbrander heb gegeven. Hij en zijn vriend Victor Ackers, en een paar andere jongens die ik niet ken, waren op de parkeerplaats met elkaar aan het knokken en een van hen schopte de vuilnisbak om...
Afgezien van Paul heb ik niemand gezien. Ik weet nog hoe laat het was. Het was net halfvijf geweest. Ik keek nog op mijn horloge om het zeker te weten, voor het geval er weer problemen zouden komen, en mijn horloge loopt gelijk met de radio. Ik ging aardappelen schillen voor het avondeten en toen ik om ongeveer kwart voor vijf opnieuw keek, was hij weg.'

10 september 1982; ref. 0816–23: GV 251

Om 18.00 uur afgenomen door agent Dorian Smith. Getuige: de heer Daniel Anchor, boer van de boerderij Lower Beeding in de Upper Downs.

'Ik reed op 7 september na vijven met mijn tractor door Wyndham Wood. Ik had juist vers hooi naar East Paddock gebracht, ongeveer drie kilometer verderop. Ik was op de terugweg voor een tweede lading die vóór zes uur in Three Mile Field moest zijn; ik moest namelijk om halfacht bij het kampioenschap darten zijn. Ik weet zeker dat het al een eind na vijven moet zijn geweest, omdat ik aan de late kant was voor de dartswedstrijd.

De weg door Wyndham Wood is smal, op sommige plaatsen kan er maar één auto langs, en de rode auto van Taylor kwam de bocht om scheuren. Ik moest heel hard remmen, maar hij minderde nauwelijks vaart. Naast de weg is een greppel, dus lette ik daarop om ervoor te zorgen dat ik er niet in terechtkwam.

Ik zag het gezicht van Taylor niet, maar het was in ieder geval zijn auto. Ik herkende het merk en de nummerplaat. Ik ken die auto, omdat hij wel eens voor mij heeft gewerkt, en ook voor mijn stamkroeg, de Red Lion. Hij gaat altijd met zijn auto naar zijn werk, dus weet ik het. Ik kan niet zeggen of er iemand bij hem in de auto zat, want ik moest te veel opletten om op de weg te blijven.'

De naam Bryan Taylor verwarde haar. Er was geen verklaring waarom Wyndham Wood relevant was voor het politieonderzoek, toch rechtvaardigde de signalering van Taylor, die daar reed, een volledige getuigenverklaring. Volgens haar eigen onderzoek had men Taylor bijna een hele week niet als verdachte aangemerkt – drie dagen na dit verslag dus.

Nightingale keek op haar horloge – het was tien over zeven. Het was te laat om commissaris Quinlan thuis te bellen, maar de kans bestond dat hij misschien even naar het bureau was gekomen om op de hoogte te zijn van de activiteiten van die dag; een regelmatige gewoonte van hem.

Ze had geluk. Quinlan wilde juist weggaan toen ze bij zijn deur aankwam.

'Neem me niet kwalijk, meneer, mag ik even met u meelopen naar uw auto?'

'Is er dan iets aan de hand, Louise?'

'Alleen een paar vragen over de zaak-Paul Hill.'

'Je weet toch dat ik daar al uitgebreid met iemand van je team over heb gepraat.'

'Dat weet ik, maar u leidde destijds het onderzoek...'

'Heel kort. Ik was inspecteur en ze haalden me van hogerhand algauw van de zaak toen we geen resultaat boekten.'

Hij sprak nogal nuchter over deze suggestie van een smet op zijn leiderschap en dat verbaasde Nightingale. Als het haar was overkomen, zou ze hebben geknokt om de leiding over de zaak te behouden en ook erg kwaad zijn geweest dat ze werd teruggezet. Iets van die gevoelens was schijnbaar op haar gezicht te lezen, want Quinlan lachte.

'Ik heb het me niet aangetrokken. Het had geen zin om het beleid aan te vechten. En zoals het gelopen is, was ik blij dat de zaak in handen van commissaris Bacon overging. De manier waarop Pauls naam en reputatie door het slijk zijn gehaald, heeft me een nare smaak in de mond bezorgd, dat kan ik je wel zeggen.'

'Bedoelt u vanwege de beweringen over een relatie met Bryan Taylor?'

De glimlach verdween van Quinlans gezicht en hij bleef even op de trap staan.

'O, dat waren niet zomaar beweringen, helaas. Er waren heel wat bewijzen dat Bryan een pooier was en Paul een van zijn jongens. Dat staat allemaal in de dossiers.'

'Ja, maar helaas missen we nog steeds de fotografische bewijzen die de getuigenverslagen ondersteunen. Wat mij verwart, is waarom Bryan al zo snel verdacht werd. Ik kan zijn naam nergens vermeld zien staan en toch nemen we op dag drie van het onderzoek al getuigenverklaringen over hem op.'

'Echt waar?' Hij trok met zijn gezicht alsof hij in zijn geheugen zocht. 'Ja, hij werd al verdachte toen ik het onderzoek nog leidde, dat weet ik zeker; en dat duurde maar vijf dagen. Later leek het erop dat Bryan en Paul misschien samen de benen hadden genomen. Ze werden overal gezien, hoewel we Taylors auto nooit hebben gevonden, wat heel vreemd is.'

'Maar hoe kwam de naam van Taylor voor het eerst ter sprake?'

Ze stonden nog op de trap en Nightingale merkte dat Quinlan op zijn horloge keek.

'Alstublieft, meneer. Het is belangrijk.'

'Dat realiseer ik me, maar ik had vijf minuten geleden al met mijn vrouw in het Arts Centre afgesproken; ze heeft kaartjes voor een of ander concert.'

Het klonk alsof hij een excuus wilde hebben om die hele avond aan zich voorbij te laten gaan, maar het niet durfde. Nightingale vroeg zich even af wat voor iemand mevrouw Quinlan was en ze glimlachte hem bemoedigend toe – ze wilde haar kans niet laten glippen. Hij zwichtte en ging verder.

'Ik meen me te herinneren, dat een van Pauls vrienden Taylor al vroeg in het onderzoek noemde en dat controleerden we bij de school. Taylor had daar wat onderhoudswerk verricht, dus was het mogelijk dat hij Paul daar had ontmoet.'

Hij trok een pijnlijk gezicht.

'Wat is er?'

'Ik herinner het me weer. Het is gek, hoe gemakkelijk een mens onaangename dingen verdringt. Ik moest zijn ouders erover ondervragen. Aanvankelijk waren ze vlot met toe te geven dat Paul af en toe karweitjes voor Taylor deed, maar toen ik begon te beschrijven wat voor verhalen er de ronde deden... werd het heel onaangenaam. Ze joegen me het huis uit.'

'Dus Bryan Taylor werd uw hoofdverdachte?'

'Ja. We kregen een huiszoekingsbevel om zijn huis te doorzoeken en vonden materiaal dat bevestigde dat hij een zeer actieve pedofiel was.'

'Maar later dachten de mensen dat ze er samen vandoor waren gegaan.'

'Inderdaad. Paul had al eerder met weglopen gedreigd. Dat heeft hij ook een keer gedaan, hoewel hij toen naar familie is gegaan. Volgens mevrouw Hill had hij op 7 september, voordat hij naar school ging, ruzie met zijn vader gehad en gezegd dat hij hem nooit meer wilde zien, dat soort dingen. Mijn superieuren begonnen te denken dat er wel enige waarheid stak in de geruchten die onder zijn zogenaamde vrienden de ronde deden, dat Paul "pleite gegaan was", zoals zij het noemden. De sympathie voor die jongen was aan het wankelen geslagen – hij was impopulair geworden op school en hij stond bekend als een rare snuiter. Toen de pers die roddels eenmaal oppikte, werd het moeilijk om onbevooroordeeld te blijven, vrees ik.'

'Maar dat was u wel.'

Nightingale kon aan de treurige trek op het gezicht van de commissaris zien dat hij de koers die het onderzoek was ingeslagen, bitter betreurde.

'Paul was een slachtoffer, daar ben ik absoluut zeker van. Hij had een depressieve moeder, die hem adoreerde en die overbezorgd was, en een vader zonder gezag, die zijn toevlucht nam tot intimidatie om zijn zoon in de hand te houden. Paul zal vast wel eigenzinnig en lastig zijn geweest. Hij lag waarschijnlijk ook erg overhoop met zijn seksualiteit en schaamde zich ervoor dat hij niet groot was en een verfijnde, vrouwelijke schoonheid bezat – hij leek eerder twaalf dan veertien op het moment dat hij verdween. Ik twijfel er niet aan dat hij een slachtoffer was en ook niet dat zijn vrienden en zijn familie hem verder in de armen van Taylor dreven, en helaas twijfel ik er ook niet aan dat Taylor hem heeft vermoord.'

Toen draaide Quinlan zich eindelijk om en liep de trap af.

Nightingale merkte zijn gebogen schouders op en zag hoe hij zijn rug rechtte toen hij de deur uitliep.

Ze keerde terug naar haar minutieuze onderzoek. Quinlan had gedacht dat Taylor een moordenaar was, maar uit de latere dossiers bleek duidelijk dat hij daarbij in de minderheid was. In een maand tijd was de aandacht van de politie uitgelopen op een landelijke zoekactie naar de weglopers. Ze hadden hun handen vol aan alle meldingen, van Edinburgh tot St. Ives.

Het was al halfnegen geweest toen ze eindelijk de tape met het verhoor van Pauls vriend Victor Ackers vond, waarnaar Quinlan had verwezen. Het was verkeerd opgeborgen; het lag samen met wat documenten op de bodem van een archiefdoos. Nightingale hoorde het aan en was zich niet bewust van de weerzin op haar gezicht.

Eerste verhoor van Victor Ackers, 14 jaar, op 9 september 1982 om 19.30 uur. Afgenomen door inspecteur William Black en agent Alison Major, in aanwezigheid van zijn moeder, mevrouw Janice Ackers; beiden woonachtig in flat 2b, Midland Court, Harlden, West Sussex.

VA: *'Mijn naam is Victor Ackers en ik ben een vriend van Paul Hill, of zoiets. We gingen wel veel met elkaar om, en zo, maar van de zomer zag ik hem niet zo vaak meer.'*

IWB: *'Waarom niet, Victor?'*

VA: *'Hij kreeg nogal kapsones, alsof hij beter was dan ons. Hij had al dat geld en schepte ermee op. Net als met zijn fiets.'*

IWB: *'Weet je waar dat geld vandaan kwam? [Lange stilte.] Vooruit, Victor, je kunt het me net zo goed zeggen. We komen er toch wel achter.'*

MW.A: *'Toe dan, Victor, zeg hem wat ik je vanavond tegen Neil heb horen zeggen.'*

VA: *'Nou, hij zei dat hij het had verdiend met allerlei baantjes. "Ik werk hard, harder dan jullie," zei hij altijd, maar dat geloofden wij gewoon niet. Hij had ieder uur moeten werken om het geld voor die fiets bij elkaar te krijgen en nog hield hij geld over, zo'n rolletje bankbiljetten, dat hij ergens in een blik in zijn slaapkamer had verstopt en dat hij me de laatste keer dat ik daar was, liet zien. Ik weet niet waar hij het bewaarde – dat was een groot geheim. Hij zei dat het onmogelijk te vinden was en ik kreeg nooit de kans.'*

IWB: *'En hoe verdiende hij dat geld?'*

VA: *'Hij had... eh, zoiets als... hij was... [Lange stilte.] Nou, er was iets met hem en je weet wel, die gozer, Bryan Taylor, de klusjesman. We vinden hem allemaal een griezel en we blijven bij hem uit de buurt. Maar Paul hing altijd bij hem rond.'*

IWB: *'Ga door.'*

VA: *'Nou ja, hij, eh... ze, eh... waren samen gezien, weet je wel, ze deden... nou ja, dingen.'*

IWB: *'Heb jij hen zelf gezien? [Er viel een lange stilte, daarna de neutrale stem van Black.] Victor heeft zijn hoofd geschud. Dus als jij hen niet gezien hebt, wie dan wel?'*

VA: *'Waggelende Wendy. Au, mam! Je doet me pijn! Wendy Smart, bedoel ik; ze zit in de eerste klas en loopt Paul overal achterna. Alsof ze zelf geen vrienden heeft. Zij zegt dat ze Paul met Bryan in het bos heeft gezien.'*

IWB: *'In welk bos, Victor?'*

VA: *'Wyndham Wood, denk ik. Daar ging Paul steeds naartoe, meestal. In ieder geval zei zij dat ze ze had gezien...' [Opnieuw stilte.]*

IWB: *'Ga eens door, dit is erg belangrijk... luister eens, je moeder schaamt zich heus niet, hè, mevrouw Ackers?'*

MW.A: *'Natuurlijk niet. Schiet eens op, Victor. We hebben niet de hele dag de tijd!' [Victor Ackers buigt zich naar zijn moeder toe en fluistert haar iets toe. Ze schijnen het niet eens te zijn, maar uiteindelijk gaat mevrouw Ackers op verzoek van Victor weg.]*

VA: *'Sorry, maar dat kan ik niet hoor, met haar erbij.'*

IWB: *'Wil je liever je vader erbij hebben? Daar heb je recht op.'*

VA: *'Nee! Die zeker niet! En dan zouden jullie hem eerst moeten gaan zoeken. Het is na openingstijd – je weet nooit in welke kroeg hij zit.'*

IWB: *'Vertel eens wat Wendy heeft gezegd dat ze zag.'*

VA: *'Ze zag hen, je weet wel, een beetje aan mekaar zitten, of zo, weet je?'*

IWB: *'Zag ze hen seksuele handelingen met elkaar plegen?'*

VA: *'Wat betekent dat?'*

IWB: *'Kusten ze elkaar, of raakten ze elkaar op intieme plaatsen aan?'*

VA: *'Weet ik toch niet. Wat zij zei was dat ze, weet je wel, hun kleren uit hadden en dingen deden.'*
IWB: *'En heeft ze nooit beschreven wat dat voor "dingen" waren?'*
VA: *'Nee. Dat moet je haar zelf vragen.'*

Nightingale moest ermee stoppen. Op de een of andere manier voelde ze zich al vies als ze die band aanraakte. Na een paar slokken water luisterde ze de rest af, maar het leverde weinig op. Ze hadden Wendy ongetwijfeld opgeroepen om een verklaring af te leggen, maar ook die was niet correct opgeborgen en lag waarschijnlijk in een van de andere dozen.

Haar nek werd stijf en haar vingers waren grijs van het stof. Het was tijd om naar huis te gaan, maar ze moest er niet aan denken naar haar lege flat terug te keren. Ze was zich té bewust van haar enorme gekwetstheid, die ze op een afstand hield met haar door woede aangedreven ijver. Ze zocht in de andere dozen en vond de lijst met het vermiste bewijsmateriaal dat bij de huiszoekingen uit de woningen van Taylor en Hill was meegenomen. Volgens de lijst had de huiszoeking bij Taylor op 10 september plaatsgevonden. Er waren een grote hoeveelheid pornografisch materiaal, fotoapparatuur en foto's in beslag genomen, waaronder veel van Paul, ook wat kleding, beddengoed en monsters van alle stoffen en stoffering in het huis. Er werd geen melding gemaakt van een adresboek of een agenda, noch van de hoeveelheid contant geld, dat Taylor volgens de geruchten thuis, uit het zicht van de fiscus, bewaarde.

Afgezien van wat materiaal dat nodig was om de speurhonden te helpen, was er uit het huis van Paul niets meegenomen. Dat gebeurde pas meer dan een week later. Commissaris Bacon, die destijds het onderzoek leidde, had een aanvraag voor een huiszoekingsbevel ingediend en gekregen om het hele huis te doorzoeken, omdat Paul in het bezit zou zijn van opbrengsten verkregen uit misdaad – gelet op de geruchten dat hij een rol bankbiljetten in een leeg blikje bewaarde, waarmee hij zijn vrienden imponeerde.

Ze nam snel de lijst door, maar er werd ook geen melding gemaakt van Pauls geld, alleen van een leeg blik. Dat ondersteunde de theorie dat Paul de benen had genomen, maar Quinlan was daar niet van overtuigd geweest en dat was Nightingale ook niet.

'Stel,' zei ze hardop in de lege ruimte, 'dat Taylor Paul inderdaad heeft vermoord en toen verdwenen is. Zijn buren zeggen dat hij op de zevende niet thuis is gekomen en daarna ook niet, dus als hij het geld heeft meegenomen was het moord met voorbedachten rade. Maar dat is onwaarschijnlijk, want dan zou hij zijn spullen hebben ingepakt en de pornografie uit zijn huis hebben verwijderd, in plaats van het achter te laten zodat de politie het kon vinden. Het is veel waarschijnlijker dat de dood een ongeluk is geweest. En als dat zo is, waarom had hij het geld dan bij zich? Dat slaat nergens op. Wat is er met Bryans geld gebeurd?'

Ze dronk de laatste druppels water uit haar fles op en schoot overeind, toen ze opnieuw een idee kreeg.

'Wat is er met het geld van Páúl gebeurd?' vroeg ze aan de lege kamer en ze fronste haar voorhoofd toen ze geen antwoord kreeg. 'Hij zou het niet mee naar school hebben genomen, want daar moest hij zijn tas tijdens de les in de kleedkamer achterlaten en dat was te riskant.'

Ze scheurde een nieuw vel papier uit haar blok en schreef op:

Redenen waarom er geen geld in Pauls/Bryans huis lag:

1. Paul/Bryan hebben het meegenomen – leuk om ermee rond te lopen, maar Victor zegt dat Paul het in zijn slaapkamer bewaarde en Taylor was er te intelligent voor...
2. Paul heeft het meegenomen – Bryan had hem gezegd dat hij dat moest doen.
3. Pauls ouders hebben het geld in beslag genomen voordat de politie arriveerde; ze hebben de slaapkamer doorzocht en het gevonden – maar ze hadden geen reden om te weten dat het er was.
4. Een vriend heeft het gestolen nadat hij verdwenen was, maar dat is onwaarschijnlijk, want meneer en mevrouw Hill zouden

hem niet in zijn kamer hebben gelaten; Taylor had geen vrienden/zou het goed verstopt hebben.

Ze wachtte even en voegde er toen, aarzelend, aan toe:

5. Geld gestolen door agent(en) die het huis doorzocht(en).

Zulke dingen kwamen voor, ze wist dat ze voorkwamen, en als ze naar de alternatieven keek was het een plausibele verklaring. Was iemand van het team dat de zaak onderzocht corrupt geweest? Ze had geen idee. Zelfs de nieuwste roddels kwamen haar zelden ter ore, maar ze kende iemand die het kon weten.

'643726.'

'Doris? Sorry, dat ik jullie stoor. Met Louise Nightingale. Kan ik Bob heel even spreken, alsjeblieft? Ik zal hem niet lang ophouden.'

Ze kon Coopers vrouw naar hem horen roepen. Het geluid van de televisie werd luider, omdat er een deur openging. Daarna werd het stil, de deur was dicht.

'Cooper.'

'Bob, met mij. Je moet me helpen, maar maak je niet ongerust, het is alleen maar een snelle vraag.' Ze hoorde hem een zucht van verlichting slaken en toen zijn adem inhouden bij haar vraag: 'Het gaat om 1982; wie was er in die tijd corrupt in het korps van Harlden? Ik weet dat er iemand was, maar wie?'

'Godallemachtig, Nightingale, je kunt toch niet van me verwachten...'

'Dat kan ik wel, en als het geen Louise is, dan mevrouw, onthoud dat.'

'Sorry... mevrouw...' klonk het geschokt. 'Maar ik meen het, hoor. Ik ben geen ouwehoer, nooit geweest ook.'

'Dus hij leeft nog en het was Bacon niet.'

'Nee, Bacon was goudeerlijk.'

'Atkins... Quinlan...'

'Hemeltjelief, dat kun je toch niet zeggen!'

'Als zij het niet zijn geweest, dan moet het inspecteur Black zijn;

en dat zou kunnen kloppen.'

Ze wachtte op de ontkenning, die uitbleef.

'Het was Black, hè? Nog iemand?'

'Waarom is dat na al die jaren nog belangrijk? Maak in godsnaam geen slapende honden wakker.'

'Ja, dat doe ik wel. En niet omdat ik een wraakzuchtig, kleingeestig secreet ben.'

'Dat zul je mij nooit over jou horen zeggen.'

'Nee, maar anderen misschien wel.' Opnieuw wachtte ze op commentaar. Maar toen hij bleef zwijgen ging ze snel verder, zodat hij niet zou denken dat ze op een uitspraak van hem zat te wachten. 'Dit is van belang, want als Black het contante geld uit het huis van Paul Hill en/of Bryan Taylor in zijn zak heeft gestoken, betekent dat, dat Paul niet van plan was weg te lopen, nietwaar?'

Ze kon Coopers regelmatige ademhaling horen, terwijl hij haar logica tot zich door liet dringen.

'Nee, ik denk het niet.'

'Alleen het lege blik zat bij het bewijsmateriaal. Dat vind ik onlogisch. Waarom zou Paul het geld eruit hebben gehaald, in plaats van het thuis te laten liggen?'

'Om het in zijn zak te steken?'

'Daarvoor was het te veel, volgens de getuigen. En het zou heel stom zijn geweest om het mee naar school te nemen, waar het gestolen zou kunnen worden. Volgens zijn vrienden heeft hij het maar één keer tijdens de vakantie trots aan hen laten zien en deed hij er heel geheimzinnig over.'

'Stel dat je gelijk hebt... dan moet dit naar buiten komen, hè?'

'Het is maar een theorie van me, Bob, en het is na al die tijd onmogelijk te bewijzen, maar Quinlan moet het wel weten. We kunnen proberen die informatie onder de pet te houden. Ik zou niets liever doen dan Black aanhouden, maar zelfs ik moet toegeven dat dát onwaarschijnlijk is. Waar zit hij trouwens?'

'Hij is met vervroegd pensioen gegaan en in Spanje gaan wonen.'

'Natuurlijk. Wijs je mijn theorie van de hand?'

'Nee, Louise, dat doe ik niet.' Cooper klonk beschaamd.

'Nou, voorlopig houden we dit gesprek voor ons. Ik zal je avond niet langer verstoren. Tot maandag dan.'

Hij wenste haar bijna onhoorbaar goedenavond.

Nightingale hing op en maakte een handgeschreven memo voor Quinlan. Bij nader inzien maakte ze ook een kopie voor Fenwick. Ze wilde haar verdenking absoluut niet elektronisch opslaan, daarvoor wist zij veel te goed hoe alle informatie van elke computer boven water gehaald kon worden. Ze pakte enveloppen, adresseerde en markeerde ze met de woorden: 'alleen voor geadresseerde; strikt privé en vertrouwelijk'. Toen zette ze haar handtekening op de dichtgeplakte rand en deed er plakband overheen. Daarna ging ze de brieven zelf bezorgen en genoot ervan even de benen te kunnen strekken en haar rugspieren te ontspannen, terwijl ze de trappen op- en afliep.

Toen ze terugkwam, bleef ze wezenloos naar de dossiers staan staren die ze nog niet geopend had en riep zichzelf weer op om door te gaan. Ze legde de notitie met Victors ondervraging terug in de juiste chronologische volgorde, borg de dossiers die ze gelezen had netjes op en dwong zichzelf toen de volgende doos open te maken. De inhoud besloeg voor het merendeel de gesprekken met mensen die beweerden Paul of Bryan te hebben gezien, soms samen. Een paar bezorgde meldingen van inbraken, die door de weglopers konden zijn begaan. Deze nam ze snel door, omdat ze van weinig belang waren, maar een ervan hield haar aandacht vast en ze noteerde de naam en het adres van de getuige, samen met een beknopte weergave van diens verklaring.

Het werk aan de tweede stapel met dossiers ging een stuk sneller en ze was al over de helft, toen de deur van de TGO-ruimte werd opengegooid. Ze keek op en verwachtte iemand van de nachtploeg te zien, die nieuwsgierig was geworden vanwege het licht en de activiteit. Maar in plaats daarvan was het Fenwick, die binnenkwam. Als ze niet zo gekwetst was geweest, zou ze de onaangenaam verraste trek op zijn gezicht komisch hebben gevonden. Nu versterkte het haar stemming alleen maar.

'Wat wil je?'

'Ik probeer Quinlan te vinden. Hij neemt zijn mobiele telefoon niet op en hij, noch zijn vrouw zijn thuis.'

'Ze zitten bij een concert. Wat is er aan de hand?' Ze was onmiddellijk alert en zag met groeiende ongerustheid dat Fenwick rood werd van ongemak, wat zelden voorkwam.

'De korpschef is ontploft en spant mij voor zijn karretje, nu hij de commissaris niet kan bereiken.'

Het was geen leugen, maar ze voelde aan dat het ook niet de hele waarheid was. Hij hield iets belangrijks voor haar achter en dat besef versterkte haar gevoel van gekrenktheid. Ze wendde zich weer tot de dossiers, hoewel ze die in werkelijkheid niet of nauwelijks zag. Fenwick deed een stap naar haar toe. Ze draaide haar hoofd af, zodat hij haar gezicht niet kon zien.

'Nightingale... Louise. Moet je horen, het spijt me van vandaag. Ik had geen idee dat je op Chris' verjaardag was gekomen.'

'Ja. Het is goed.' Ze beet op haar tong, kwaad op zichzelf dat ze iets terug had gezegd, terwijl ze vastbesloten was geweest haar mond te houden.

'Echt waar. Ik was zo druk bezig met de jongens in de tuin, dat het later pas tot me doordrong dat je er niet was.'

De woorden sneden door haar ziel. Hij scheen te beseffen wat ze impliceerden, want hij begon zich hakkelend te verontschuldigen.

'Het is niet zo dat we je niet hebben gemist, of iets dergelijks, het komt gewoon... nou ja, wat ik zei, ik had het zo druk en... luister eens, heb je tijd om morgen te komen lunchen, of heb je meer zin om iets te gaan drinken? Dat wil ik je al een tijdlang vragen.'

'Andrew, hou in godsnaam op,' zei ze met een vlakke, harde stem.

Nightingale pakte de dossiers op waaraan ze had zitten werken en smeet ze in een doos en sloeg toen het deksel erop, waarbij ze de eerste keer miste. Ze gooide haar lege flesje naar de afvalbak en miste opnieuw.

'En als hij Quinlan vanavond niet kon vinden, waarom belde de korpschef jou dan, en niet mij?'

Dat was een goede vraag en hij was het aan haar verplicht er niet omheen te draaien.

'Omdat de rapen gaar zijn. Hij wil dat er meer mensen mee bezig zijn dan jij. We zitten met een groot probleem, Nightingale.'

De ernst waarmee hij het zei verdreef de gekwetstheid die ze met moeite de baas probeerde te blijven, uit haar geest.

'Gaat het over een van mijn zaken?' vroeg ze, met kramp in haar maag.

'Ja, ik ben bang van wel.'

Hij vertelde haar snel van het nieuwsbericht en wat de kranten de dag daarop zouden schrijven. Het was voldoende om alle achtergebleven woede uit haar systeem te gooien. Haar natuurlijke professionaliteit nam het over.

'Ik snap wel waarom hij zich niet tot mij heeft gewend,' gaf ze met tegenzin toe. 'Hoewel ik het wel aangekund had, weet je.'

'Dat weet ik, maar ik had er niets in te zeggen.'

'Begrepen; goed, waar kan ik je mee helpen?'

Tot zijn zichtbare opluchting zag hij dat ze weer bondgenoten waren.

'We hebben een lange nacht voor ons,' zei hij, terwijl hij zijn sportjasje uittrok. 'Ik moet aan de persverklaring van de korpschef werken, dus als jij de persvoorlichter van het hoofdkwartier kunt opsporen en aan de lijn krijgen, zou dat al heel fijn zijn. Dan moeten we alles wat we over de anonieme briefschrijver weten op een rijtje zetten. Schiet het speurwerk al een beetje op?'

'Helemaal niet. Het lab heeft niets kunnen vinden op het materiaal dat hij opgestuurd heeft. En de sorteerkamer van het postkantoor waar de brieven doorheen zijn gegaan, bestrijkt zo'n groot gebied, dat het geen aanwijzing geeft omtrent zijn verblijfplaats.'

'Oké. Dan moeten we het doen met wat we hebben – en dat is niet veel.' Hij trok een stoel naar achteren aan het eind van de tafel en nam een leeg vel van zijn notitieblok voor zich. 'Of je het gelooft of niet, ik vind het fijn dat we weer samenwerken, ondanks de omstandigheden.'

Ze beet op haar lip om zichzelf ervan te weerhouden 'ik ook' te zeggen. Toen ging ze op zoek naar de persvoorlichter.

25

Commissaris Quinlan kreeg in de pauze de boodschap dat hij de korpschef moest bellen en hij verliet onmiddellijk het concert, tot grote ergernis van zijn vrouw. Het was hun trouwdag, een van de weinige avonden die hij had toegezegd vrij te zullen houden. Hij trof Fenwick en Nightingale in de TGO-ruimte aan en ook de persvoorlichter van het hoofdbureau, die bezig was de opgestelde persverklaring te redigeren. Alles was onder controle. Als hij al verbolgen was te horen dat de korpschef zich ermee bemoeide en dat hij Fenwick boven zijn eigen onderzoeksleider had gesteld, liet hij het niet merken. Hij liet het aan hen over om te speculeren over wat er de dag daarop zou gebeuren.

Daar kwam Fenwick op zondagochtend achter, toen de korpschef hem nadat hij uit de kerk was gekomen, opbelde.

'Jij blijft het onderzoek leiden; Quinlan gaat akkoord.'

'En wat is de rol van Louise Nightingale?'

'Ik heb je gisteravond mijn opinie over haar al gegeven. Natuurlijk ben ik blij dat ze is gepromoveerd, hoewel ik er zelf verbaasd over was dat het zo snel ging, maar het was goed voor ons...'

Je bedoelt dat het goed is voor de statistische diversiteit, dacht Fenwick. Maar hij zei: 'Begrijpt u me niet verkeerd. Ik vind het fijn dat ik de zaak-Hill terug heb, maar Quinlan heeft hem gecombineerd met het onderzoek naar de dood van Malcolm Eagleton, waardoor het een dubbele moordzaak is. En nu er in operatie Koorknaap deze week waarschijnlijk een doorbraak komt...'

'Koorknaap? Denk je dat?'

Fenwick bracht hem snel op de hoogte van de ontdekkingen die ze hadden gedaan, wetend dat hij dat misschien eerder had moeten doen. Gelukkig was de korpschef te gepreoccupeerd met de publiciteit rond de kwestie Hill om zich daar druk om te maken.

'Ik heb het hele weekend lopen nadenken hoe het verder moet met Koorknaap, meneer, en ik denk dat het tijd wordt om tot actie over te gaan. Wat ik eigenlijk wil, is de man aan de top pakken, die de intelligentie en het geld heeft om het allemaal te organiseren. Daarvoor moet ik een van de mannen die we in de gaten hebben gehouden, aan de praat krijgen. Morgen om halfnegen hebben we een teamvergadering en dan ga ik het team opdragen Joseph Watkins op te pakken en een huiszoekingsbevel aanvragen voor zijn huis en zijn loods. Ik denk dat Watkins de zwakke schakel is. Hij is getrouwd, hij is grootvader en hij gaat naar de methodistenkerk; hij heeft dus een reputatie en een gezinsleven op het spel staan.

Ball is een man alleen. Hij heeft al eerder geweld gebruikt; dat kan betekenen dat hij een bullebak is en die zijn betrekkelijk gemakkelijk te breken, maar hij kan net zo goed een harde noot om te kraken zijn. Ik wil hem niet onnodig vroeg wakker schudden, omdat het interessant blijft om hem te observeren.'

'In wat voor zin?'

Fenwick vertelde hem over Balls bezoek aan Londen en het huis dat de Met in het oog hield. Harper-Brown scheen voor de verandering tevreden te zijn.

'Wat de zaak-Hill betreft,' vervolgde Fenwick, 'intussen zijn er twee afzonderlijke onderzoeksrichtingen ontstaan. We moeten de anonieme briefschrijver vinden, maar we moeten ook de zaak tegen Maidment afronden. Die twee onderzoeken gaan misschien verschillende kanten op en hoewel ik normaal gesproken beide onderzoeken graag zou leiden, denk ik dat ik back-up nodig heb, nu operatie Koorknaap ook in volle gang is.'

Hij kon de radertjes in het brein van de korpschef bijna letterlijk horen knarsen.

'Goed dan. Nightingale kan je nummer twee zijn in de zaak-Hill/Eagleton, maar ik wil dat jij die "succeswenser" opspoort en mij persoonlijk ondersteunt in de mediakant van de zaak.'

'Dat is zeker te doen,' zei hij, met de gedachte dat Nightingale op deze manier toch een belangrijke rol kreeg, zolang hij haar voldoende armslag gaf om zich te bewijzen.

Die zondag werd een hectische dag voor Fenwick, die opnieuw in de bewijslast voor de zaak-Hill dook en zich tegelijk moest voorbereiden op de vergadering van het Koorknaapteam van de volgende dag. Als hij onder zware werkdruk stond, schakelde hij onbewust over op een andere mentale versnelling en werd hij bijna griezelig efficiënt voor de mensen om hem heen. Hij nam snel details in zich op, vergat er niet één en ontwikkelde en verwierp de ideeën zo snel, dat anderen hem niet konden volgen. Vervolgens besloot hij dan plotseling wat de strategie uiteindelijk zou worden en deed dat met absolute overtuiging. Gelukkig voor het team in Harlden dat aan de zaak-Hill/Eagleton werkte, deed hij dat voornamelijk die zondag en alleen in gezelschap van Nightingale, die aan zijn werkwijze gewend was. Hij liet de rest van het team laat in de middag opdraven, zodat ze de week daarna een voorsprong hadden.

Nightingale was erg blij met de manier waarop hij de verantwoordelijkheden had verdeeld en ze vervulde haar rol perfect door zich zeer nauwgezet voor te bereiden en haar deel van de briefing zo helder en zelfverzekerd te houden, dat zelfs een paar van de ouwe treuzelaars aantekeningen maakten. Pas nadat de anderen waren weggegaan en zij met z'n tweeën in de TGO-ruimte stonden, maakte ze Fenwick attent op de memo die ze op zaterdag aan hem en Quinlan had geschreven.

'Weet je zeker dat het geld van Taylor en/of Paul is ontvreemd?'

'Nee, maar Black was corrupt – Cooper heeft dat zo goed als bevestigd. Hij werkte aan de zaak en ondertekende de inventarislijst van de spullen die tijdens de huiszoeking bij Taylor zijn gevonden. Moet je horen, ik heb er geen belang bij om een heksenjacht te openen. Ik wijs er alleen maar op om te benadrukken dat, áls er zoiets is voorgevallen, de waarschijnlijkheid groot is, dat Paul is vermoord. Het verklaart ook waarom sommige rechercheurs in de oorspronkelijke zaak zo hamerden op de theorie dat Paul een wegloper was. Misschien, en ik vind het vreselijk om te zeggen, is dat ook een reden waarom we de fotografische bewijslast niet kunnen vinden. Misschien heeft Black die doorverkocht. Ik laat het graag aan jou over, om dit met Quinlan op te nemen en het naar jullie goeddunken af te handelen.'

Fenwick zei dat hij dat zou doen en vergat het al snel weer, toen hij zijn aandacht richtte op de mogelijkheden om zo snel mogelijk de anonieme briefschrijver op te sporen. Tegen de tijd dat hij thuis was, lagen de kinderen al in bed, maar ze sliepen nog niet. Hij las hun allebei een verhaaltje voor, tot hij zelf zijn oogleden voelde zakken. Toen maakte hij een pizza en een salade klaar; dat had hij liever dan de zondagse lunch op te warmen die Alice voor hem had klaargezet.

Om zeven uur die maandagmorgen maakte Fenwick een korte stop in Harlden om Quinlan te spreken, omdat hij wist dat hij een vroege vogel was. Hij wilde er zeker van zijn dat de korpschef hem had gesproken en dat Quinlan de regelingen goedkeurde. Dat was zo, en hij was vooral in zijn nopjes met de fatsoenlijke rol die Nightingale was toebedeeld.

Fenwick had haast. Om halfnegen moest hij bij de vergadering van het team Zware Delicten zijn en hij hield het gesprek met Quinlan kort, waardoor hij de memo van Nightingale vergat. Hij zat al op de ringweg rond Harlden, toen zijn mobiele telefoon ging. Het was Quinlan, zag hij op de nummerweergave.

'Die ver... die brief van Nightingale, heb jij die gelezen?' klonk het kortaf. Fenwick herinnerde zich weer dat Quinlan het aanvankelijke onderzoek had geleid.

'Ja. Ik heb het er met haar over gehad. Sorry, het is me ontschoten. Zou het kunnen kloppen?'

Het bleef even stil.

'Ze speculeert, maar... ik denk dat het inderdaad zou kunnen kloppen, helaas. Ik had jaren geleden zelf ook zo'n vermoeden, maar er is nooit enig concreet bewijs geweest en Black ging vervolgens met vervroegd pensioen. Goddank dat Bacon dood is, anders hadden we het misschien met de Onafhankelijke Klachtencommissie Politie moeten opnemen.'

'Dus jij stelt voor het niet te doen?' Fenwick had wel verwacht dat hij niet zou willen dat de klachtencommissie aan de randen van een lopend onderzoek zou gaan snuffelen, maar hij was er niet blij mee. Wat hem betrof was de verjaringswet niet van toepassing op corruptie bij de politie.

'Wat schieten we ermee op? Het Hill-onderzoek is al zo'n puinhoop.' Zoals altijd was het volstrekt zinnig wat Quinlan zei.

'Als Black corrupt was, zou het kunnen betekenen dat hij bereid was ook met andere zaken te sjoemelen. Hij kan verantwoordelijk zijn geweest voor justitiële dwalingen. Misschien zitten er door hem wel onschuldige mensen vast.'

Er klonk een diepe zucht.

'Ik denk dat hij hebzuchtig was, dat is alles.'

'Het is jouw beslissing, maar...'

'Ik ben nog niet klaar. Daar heb je volgens mij geen gelijk in, dat hij onschuldige mensen heeft laten opsluiten. Ik herinner me juist dat zijn arrestatiecijfers nauwelijks het gemiddelde haalden. Maar zoals je zegt, het probleem is, dat als hij in één opzicht corrupt was, hij het ook in andere opzichten kan zijn geweest.'

'Dus?'

'Het is louter speculatie van Nightingale. Ze heeft geen greintje concreet bewijs... Ik zal je zeggen wat ik doe; ik zal persoonlijk naar die oude Hill-dossiers kijken en naar voorbeelden van andere zaken waar Black aan heeft gewerkt. Als er iets is wat ook maar op zijn minst... verdacht lijkt, laten we dan zeggen dat ik mijn besluit heroverweeg. Concentreer jij je in de tussentijd op het vinden van de anonieme briefschrijver en houd de korpschef op afstand.

Trouwens, waarom zit Nightingale zelf al die oorspronkelijke papieren door te nemen? Dat zijn geen werkzaamheden die ik van een inspecteur verwacht. Houd haar in de gaten, wil je? Het wordt tijd dat ze zich manifesteert, meer leiderschap toont, in plaats van zichzelf onder de details te begraven.'

Fenwick nam het fel voor haar op, maar toen hij gedag zei klonk zijn stem neutraal. Toch zou zijn vertrouwen in Nightingales oordeel wellicht geschokt zijn, had hij geweten waar zij op dat moment mee bezig was.

Zij zat achter een mok thee in de keuken van een zekere mevrouw Anchor, die samen met haar man en jongste zoon, Oliver, op een boerderij woonde.

Vanaf de weg zag het huis er idyllisch uit. Het had een rieten dak en vakwerk en een uitgestrekte cottagetuin. Als je dichterbij kwam, zag je kale, verveloze plekken, onkruid en een kapotte tractor. Het boerenbedrijf was zwaar getroffen door de mond- en klauwzeercrisis en er nooit meer helemaal bovenop gekomen.

'Ze komen ruim voor elf uur terug voor de koffie, omdat we ergens gaan lunchen. U moet dus even wachten, want ze zitten in Three Mile Field en als ik daarheen ga om ze op te halen en dan weer terug moet komen, duurt het net zo lang.'

'Dat is best, mevrouw Anchor. Overigens, misschien kunt u mij ook helpen.'

Het gezicht van de boerin werd argwanend; het was niet de behoedzaamheid van een wetsovertreder, dacht Nightingale, maar gewoon een afkeer van mensen op het platteland om met 'hun van de politie' in aanraking te komen.

'Ik zou eigenlijk niet weten wat ik u zou kunnen vertellen.'

Mevrouw Anchor stond op en begon de ontbijtborden af te drogen, die in het houten afdruiprek stonden. De keuken was oud, maar schoon, afgezien van de stenen vloer, waar die morgen al modderige laarzen en poten overheen gegaan waren.

'Ik werk aan een oude zaak, een jongen die meer dan vijfentwintig jaar geleden uit Harlden is verdwenen.'

'Paul Hill?' Mevrouw Anchor draaide zich half naar haar om en Nightingale kreeg een sprankje hoop.

'U herinnert het zich nog?'

'Alleen omdat het weer op de televisie was. Jullie hebben schijnbaar de een of andere vent uit het leger opgesloten, ondanks brieven en bewijzen dat hij onschuldig is.'

'Dat is niet de reden waarom ik hier ben,' zei Nightingale, vastbesloten om zich niet op een zijspoor te laten brengen, hoewel het televisieprogramma een klap was geweest, niet in het minst omdat het geheugen van de mensen inmiddels minder betrouwbaar was geworden. Ze schraapte haar keel. 'Toen Paul verdween, heeft uw man verklaard dat hij een auto heeft zien rijden met een man achter het stuur, die wij moesten ondervragen in verband met ons onderzoek.'

'Daar moet u hem naar vragen.'

'Dat zal ik ook. Maar kort daarna belde hij het bureau opnieuw, ditmaal om aangifte te doen van diefstal. Gaat u een lichtje op?'

'Diefstal van wat?'

Nightingale meende even iets van herinnering in de ogen van de vrouw te zien, maar toen nam de voorzichtigheid snel weer de overhand.

'Wat geld, eten en de een of andere tas. U bewaarde uw huishoudgeld altijd in een blauwe pot op de schoorsteenmantel boven het fornuis.'

De twee vrouwen keken allebei naar het fornuis en toen naar boven. Op de zwart geworden eikenhouten balk stond een kruik met het patroon van een wilg erop.

'Dat doe ik nog steeds.' Mevrouw Anchor legde de afdroogdoek, waarmee ze het aanrecht had drooggewreven, neer. 'Maar nu zit er alleen wat contant geld in om achter de hand te hebben, voordat ik naar de bank kan gaan.'

'En hebt u een grote voorraadkast met marmeren planken waar u verse producten bewaart?'

'Dat is altijd zo geweest, maar nu we de grote vrieskist hebben, gebruiken we die niet meer. Maar het kan zijn dat u gelijk heeft, ik meen me te herinneren dat er wat eten was verdwenen, en een jagerstas van Danny – dat is meneer Anchor. Ik wist niet dat hij daar aangifte van had gedaan. Het was niet veel, hoogstens vijf pond, wat brood, kaas – o ja, en een geroosterde varkensschenkel, die ik de dag daarvoor had klaargemaakt voor de lunch. Ik vraag me af waarom hij jullie daarmee heeft lastiggevallen, ook al was het zijn favoriete tas.'

'Hij dacht dat het misschien te maken had met Pauls verdwijning. Hij vertelde ons dat Bryan Taylor dit huis kende en de spullen misschien gegapt had, toen hij op de vlucht was.'

Toen ze de naam van Taylor hoorde, kwam er een trek van pure haat op het gezicht van mevrouw Anchor. Ze probeerde zich in te houden, maar slaagde er niet in.

'Ik wil de naam van die kerel niet in mijn huis horen. Ik hoop dat hij dood is en wegrot bij de duivel.' De vrouw realiseerde zich onmiddellijk dat ze te veel had onthuld. Met moeite trok ze weer een gesloten gezicht.

'Waarom reageert u daar zo heftig op? Kende u hem goed?'

Maar mevrouw Anchor schudde alleen haar hoofd en wilde niets meer zeggen. Nightingale besloot een videotape van het televisieprogramma te gaan bekijken, om te zien of, en hoeveel er over Taylor was gezegd. Dat kon de haat van mevrouw Anchor verklaren, maar zo niet... Haar gemijmer werd onderbroken door het geluid van een auto die stopte.

'Daar zullen ze zijn. Moet u eens goed horen, juffrouw,' mevrouw Anchor boog zich naar haar toe, zodat haar gefluister alleen door haar werd gehoord, 'mijn Oliver is een breekbare jongen. Een beetje simpel misschien, maar wel gevoelig, en hij was bevriend met Paul, voordat hij verdween. Ik wil niet dat hij weer helemaal van streek raakt. We hebben de vorige keer onze handen vol gehad om hem weer tot rust te laten komen. U moet gewoon wachten tot hij weggaat om de honden eten te geven, dan kunt u alles vragen wat u wilt.'

Nightingale had de vorige dag alle getuigenverslagen gelezen, waaronder ook die van de school, en Olivers naam stond er niet bij. Maar ze besloot te doen wat haar werd gevraagd – in ieder geval in het begin.

Oliver was langer dan een meter tachtig en woog ruim honderd kilo. Hij kwam binnen, pakte de zak met droogvoer voor de honden en liep meteen weer naar buiten, zonder een woord te zeggen. Het gesprek dat ze daarna met meneer Anchor had was na een paar minuten voorbij en voegde niets toe aan zijn oorspronkelijke verklaringen. Op vragen over Taylor reageerde hij door zijn mond stijf dicht te houden. Gefrustreerd ging ze weg, in de overtuiging dat de Anchors dingen achterhielden. Ze kon hun ogen in haar rug voelen, toen ze in haar auto stapte en bij het huis wegreed. Toen ze over de oprit reed, kwam ze Oliver tegen, die langs de kant van de weg stond. De inhoud van de zak hondenvoer lag op de grond bij zijn voeten. Ze zette haar wagen aan de kant en ging naar hem toe, maar ze hield wel afstand, alsof hij een groot, angstig dier was.

'Oliver?' zei ze zachtjes, maar hij schrok en deed een stap achteruit. Ze zag sporen van tranen op zijn wangen. 'Oliver, mijn naam is Louise. Ik ben van de politie. Mag ik even met je praten?'

Hij draaide haar de rug toe en ze hoorde hem zijn neus ophalen. Nightingale probeerde zich te herinneren wat ze op de politieopleiding had geleerd over het omgaan met minderjarige getuigen.

'Mijn taak is slechte mensen te vangen en ze op te sluiten, zodat ze niemand kwaad kunnen doen. Ik denk dat jij me daarbij kunt helpen, Oliver.' Opnieuw haalde hij luidruchtig zijn neus op. 'Ik ben op zoek naar een man die een vriend van jou pijn heeft gedaan, Paul Hill. Je herinnert je Paul nog wel, hè, Oliver?'

Opeens schoot haar iets te binnen.

'Ja, natuurlijk herinner jij je hem. Je hebt het televisieprogramma gezien – daarom ben je zo verdrietig.'

Knikte hij even? Zo moeilijk te zien, dat ze het bijna had gemist?

'Je zou ook graag willen dat de man die Paul pijn heeft gedaan gepakt wordt, denk ik, net zo graag als ik?'

'Tuurlijk.'

Nightingale haalde diep adem om haar stem vast te laten klinken.

'Toen de politie naar de school kwam om met de mensen te praten, hebben ze jou niet gezien, geloof ik, hè?'

Hij schudde zijn hoofd.

'Waarom niet? Was je niet op school?'

Geknik.

'Vind je het erg om nu met mij te praten?'

Niets. Ze wachtte en telde tot zestig, maar de kolos van een man voor haar bleef stokstijf staan.

'Luister, misschien herinner je het je niet meer; het is al lang geleden.'

'Natuurlijk herinner ik het me.' Oliver draaide zich met een ruk om. Zijn gezicht zag rood en nu was het Nightingales beurt om een stapje terug te doen. 'Ik ben niet achterlijk, hoor, ook al praat je alsof het wel zo is. Dat ben ik niet.'

'Natuurlijk niet. Dat dacht ik ook niet,' loog ze.

'De meeste mensen wel. Ze negeren me en ze praten over me alsof ik er niet bij ben. En ik heb een goed geheugen.'

'Mooi, daar ben ik blij om. Nou, kun je me dan helpen, door me te vertellen over Paul en over de periode waarin hij verdween?'

'Je bent knap.'

'Dank je wel. En je kunt me ook vertrouwen.'

'Mam zei dat ik het nooit mocht zeggen.'

'Wat niet zeggen?'

Maar Oliver schudde zijn hoofd en bukte zich om het hondenvoer op te rapen dat op de weg lag.

'Dus jij kunt goed geheimen bewaren?'

Hij knikte.

'Ik ook. Weet je, er is geen enkele reden waarom jouw moeder erachter zou moeten komen dat je met mij gepraat hebt. Ik vertel het haar niet als jij het niet goedvindt.'

'Ik weet het niet.' Hij was klaar met het oprapen van het droogvoer en tilde de zak met één hand op alsof hij niets woog.

'Je bent erg sterk, hè?' zei ze bewonderend.

Een blos kroop uit zijn smoezelige kraag naar boven en er kwam een sluwe grijns op zijn gezicht.

'Altijd geweest.'

'Weet je, als volwassene kun je zelf bepalen welke geheimen je wel wilt vertellen en welke niet. Dat kan je moeder niet meer voor je beslissen.'

Dit raakte hem, er kwam iets opstandigs op zijn gezicht.

'Dat is ook zo.' Hij kwam dichterbij en begon te fluisteren, zodat ze zich naar hem toe moest buigen om hem te verstaan. 'Er is een brand geweest, snap je. Een grote brand. Ik ben er gaan kijken en het was een auto.'

'Kun je je iets van die auto herinneren, Oliver?'

Hij sloot zijn ogen en schudde even met zijn hoofd, alsof hij probeerde een akelige herinnering te verjagen.

'Ik denk het wel. Volgens mij ben je verstandig genoeg om meer te weten.'

Het woord 'verstandig' had een buitengewoon effect. Zijn gezicht klaarde op en zijn rode kleur verdween. Hij opende zijn ogen en struikelde bijna toen hij nog een stap dichter naar haar toe deed. Ze meende de blik in die ogen te herkennen en ze kreeg pas goed in de gaten wat een reus hij was, toen hij zijn afhangende schouders rechtte en zijn borst vooruitstak. Hij was zeker een meter negentig en tegen de honderddertig kilo en dat was niet allemaal vet.

'Er heeft nog nooit een meisje tegen me gezegd dat ik verstandig was,' zei hij met een glimlach.

In andere omstandigheden had het lief bedoeld kunnen zijn, maar Nightingale had het nauwelijks in de gaten, omdat ze langzaam achteruit liep naar haar auto.

'Heb je een vriend?' Hij wachtte niet op antwoord. 'Mag ik je vriend zijn?'

'Ik heb... ik heb helaas al een vriend, Oliver. Maar het is aardig dat je het vraagt.'

'Kunnen we dan vrienden zijn – speciale vrienden? Zoals met Wendy, totdat ze verhuisde?'

'Dat is een beetje moeilijk. Begrijp je, ik ben van de politie en wij mogen geen speciale vrienden hebben. Dat is tegen de regels.' Ze was bijna bij het portier van haar auto, maar Oliver versperde haar met één grote stap de weg.

'Op tv is dat wel zo. In *The Bill* doen ze altijd van alles met elkaar. Jij moet mij niet.' Hij keek haar kwaad aan.

'O, jawel. En ik vind je ook heel verstandig, maar ik heb echt een vriend en wat je op de televisie ziet is niet hetzelfde als het gewone leven.'

Hij legde een hand met de omvang van een ham op de zijkant van de auto en hinderde haar bij het instappen.

'Ik moet nu gaan, maar als je je iets herinnert over die brandende auto, kun je me op het bureau bellen. Kijk, zie je? Hier is een kaartje met mijn nummer erop.'

'En kom je dan weer met me praten?'

'Als je je iets herinnert, ja, dan kom ik natuurlijk, maar het is wel een politiekwestie, niet omdat we speciale vrienden zijn, oké?' Ze stond er versteld van dat haar stem weer zeker klonk. 'Nu moet je bij de auto weggaan en me terug laten gaan naar mijn werk.'

Hij wachtte even en knikte toen, hij was weer gedwee geworden.

Ze deed het portier open en ging zitten, klaar om het contactsleuteltje om te draaien. Oliver tikte op het raampje en ze opende het een klein stukje.

'Als je wilt, kan ik je laten zien waar die brand is geweest, maar dan moet je me erheen brengen.'

Na een ogenblikje stemde ze erin toe en deed ze de portieren van het slot, hoewel haar hart bonkte. Ze hield zichzelf voor dat hij traag, maar niet gevaarlijk was en dat de interesse die hij daarnet voor haar had, kwam doordat ze hem een compliment had gegeven; maar dat grote lijf naast haar gaf haar het gevoel dat ze heel nietig was. Hij liet haar terugrijden naar de weg. Na anderhalve kilometer moest ze links afslaan, een onverharde weg op. Ze kon niet net doen alsof ze niet ongerust was, daarvoor ging haar hartslag veel te snel, maar ze concentreerde zich op het handhaven van een air van gezag.

'Hier stoppen.'

Hij wees naar een parkeerplaats die bijna geheel door braamstruiken was overwoekerd. Oliver stapte uit zonder op de doornen te letten. Nightingale opende haar portier en liep achter hem aan over een voetpad dat nauwelijks nog te onderscheiden was, omdat het dwars door de struiken liep waar nu al felgroene bramen aan zaten. Ze hield de verstuiver met pepperspray, die ze altijd in haar tas had, in haar handpalm verborgen. Oliver bleef plotseling staan en ze botste bijna tegen hem op.

'Daar is het.' Na ongeveer honderd meter was een prikkeldraadversperring, die om een weiland en een klein bos liep. Oliver maakte een zenuwachtige indruk en durfde niet dichterbij te komen.

Ze liep om hem heen en begon naar de rand van het veld toe te lopen. Het verschilde in niets van andere velden en er waren zeker geen tekenen van een uitgebrande auto.

'Er is hier niets,' riep ze, 'weet je het zeker?'

Maar Oliver zei niets meer. Zelfs toen ze weer bij hem kwam staan, bleef hij zwijgen en wendde zijn ogen af.

'Het is meer dan vijfentwintig jaar geleden, Oliver. Weet je het zeker? Alsjeblieft, ik heb je hulp nodig en ik weet zeker dat je een goed geheugen hebt.'

'Zeker, heel zeker.' Hij had het heel moeilijk. Het zweet stond op zijn voorhoofd en hij keek met een verwilderde blik overal om zich heen, behalve naar het nietszeggende gebied dat hij had aangewezen.

'Een paar vragen nog. Is dit land van je vader?'

Hij schudde zijn hoofd.

'Van wie is het land dan?'

Het was maar een doodgewone vraag, maar Oliver draaide zich om en nam halsoverkop de benen. Ze kon hem over het voetpad voelen stampen terwijl hij weg denderde. Onderweg morste hij het hondenvoer. Ze had vaker angst bij mensen gezien en er was iets met deze plek aan de hand, wat Oliver ontzettend bang maakte. Wat het ook was, ze besloot het te gaan uitzoeken.

Oliver was een vriend van Paul geweest, de enige die hem op het moment van zijn verdwijning nog aardig had gevonden, zo leek het. Op de avond dat Paul verdween was hij buiten geweest, want hij had een auto zien uitbranden. Toen mankeerde hem dus niets; toch was hij de volgende dag niet op school gekomen en hij was om de een of andere reden nooit ondervraagd. Maar er was iets niet in orde met hem en zijn moeder haatte Taylor. Was Oliver door Taylor misbruikt? Het was puur giswerk, want Oliver was vast geen aantrekkelijk kind geweest. Maar áls hij was misbruikt en áls ze hem ertoe kon brengen te praten, kon ze misschien meer te weten komen over die man en zijn methoden.

Nightingale was zo van slag door haar nieuwe theorie, dat ze bij het veld bleef staan. Om even rustig na te kunnen denken, wurmde ze zich tussen het prikkeldraad door en liep verder over de hobbelige grond van het weiland. Oliver had naar een bosje gewezen en ze liep er langzaam naartoe. Na al die tijd zou er natuurlijk niets meer zijn, maar ze was nieuwsgierig. Fenwicks haast bijgelovige behoefte zich onder te dompelen in plaatsen waar een misdaad was gepleegd, scheen ook op haar te zijn overgeslagen.

Dit stuk land verschilde nauwelijks van elk ander stuk land. Halverwege het bosje werd haar weg versperd door platanen, hazelaars en dichte brandnetels. Ze keerde op haar schreden terug en het viel haar op, dat de brandnetels aan één kant nog niet zo lang geleden platgetrapt waren en een pad vormden dat naar het midden van het bosje liep.

Ze volgde het. Toen ze op de grond drie verse sigarettenpeuken zag liggen, dacht ze, dit is een ontmoetingsplek voor minnaars. Maar toen ze zich omdraaide, zag ze verscheidene rode spetters op de brandnetelbladeren en ze bukte zich om te kijken. Ze snoof er aandachtig aan. Het rook duidelijk naar opgedroogd bloed. Waarschijnlijk een vos, die een beest had gepakt. Toch was het een vreemd toeval, dat er op de plaats die Oliver met Pauls dood associeerde, tekenen waren dat er nog niet zo lang geleden iets gewelddadigs had plaatsgevonden.

'Wat zou Andrew doen?' vroeg ze hardop aan zichzelf en ze begon toen te lachen. 'Waarschijnlijk het hele budget voor forensisch onderzoek op de plaats van het misdrijf opmaken om het bos te laten omspitten op zoek naar brandsporen en wie weet wat nog meer!'

Maar ze bleef er toch even bij stilstaan. Ze pakte een latex handschoen en een speciaal zakje voor bewijsmateriaal uit haar jaszak. Omzichtig pakte ze de sigarettenpeuken op en verzegelde die in het zakje. Toen maakte ze een houder met een steriel wattenstaafje open, wreef ermee over een bloedvlek en klikte het deksel er weer op. Daarna knipte ze een van de bladeren af en deed het in een ander zakje. Ze leek wel gek; straks stond ze voor schut als het lab met de mededeling kwam dat ze de dood van een fazant rechercheerde. Maar ze had les gehad van Fenwick en als er één ding was waar hij bij zwoer, dan was het wel aandacht voor details. Hij zou trots op haar zijn en bij dat idee glimlachte ze en dacht niet meer aan haar twijfels.

Rond het middaguur hadden ze Watkins opgepakt – hij was volkomen in een shocktoestand en zag ziekelijk bleek, ondanks zijn rossige uiterlijk. Fenwick besloot hem in zijn eigen vet te laten gaarkoken. Hij had twaalf uur voor hij weer bij de rechter-commissaris moest verschijnen en vertrouwde erop, dat wat hij in de loods zou vinden hem voldoende ammunitie zou geven om Watkins vast te houden. Clive was de opslagruimte binnengegaan op hetzelfde moment dat Watkins werd aangehouden en hij kon binnen een halfuur bevestigen wat ze al dachten. De ruimte die hij had gehuurd lag vol kinderporno: foto's, tijdschriften, films, dvd's en computerschijfjes.

'Het is walgelijk, meneer, walgelijk gewoon. Ik heb nog nooit zoiets gezien. Laat mij die Watkins alsjeblieft verhoren. Ik heb die smeerlap in een mum van tijd aan de praat.'

'Ik heb je daar nodig, Clive. Iemand die ik kan vertrouwen. We willen niet dat er iets misgaat met het veiligstellen van het bewijsmateriaal. En bedenk wel dat als Ball op komt dagen, jij uit het zicht moet blijven en ervoor moet zorgen dat niemand in de loods hem alarmeert. Het is van cruciaal belang wat jullie doen. Laat Watkins aan mij over; ik denk dat hij op instorten staat.'

Fenwick wilde die nerveuze, emotionele energie van Clive niet in de buurt hebben. Geleidelijk aan begon hij respect voor hem te krijgen en hij hield wel van zijn luchthartige gevoel voor humor, maar hij vertrouwde het hem nog niet toe, dat hij in een crisissituatie zijn hoofd bij elkaar hield. Hij vroeg hem onmiddellijk een agent met een deel van het bewijsmateriaal naar kantoor te sturen.

Om één uur die middag betrad Fenwick verhoorkamer één, waar Watkins zat te wachten, samen met een advocaat die de politie voor hem had opgetrommeld. Alison Reynolds ging mee naar binnen; de aanwezigheid van een vrouw tijdens het verhoor zou de schaamte van de man nog vergroten. Watkins wilde zijn eigen advocaat er absoluut niet bij hebben, aangezien deze ook een intieme vriend van de familie was.

'Goedemiddag, meneer Watkins,' zei Fenwick, die een zak met bewijzen op de tafel tussen hen in legde. 'Lawrence,' groette hij de advocaat opzettelijk bij zijn voornaam, wat de advocaat irriteerde en niet bijdroeg tot de stemming van Watkins.

'Heeft u beiden de gelegenheid gehad om het aanhoudingsbevel grondig door te lezen?'

Lawrence Parks knikte, Watkins keek wezenloos voor zich uit.

'Zo niet, meneer Watkins, dan kan het u ontgaan zijn dat ons huiszoekingsbevel zich uitstrekt tot loods 345 bij Storewell & Co, London Road, Harlden. Dit materiaal...'

Maar hij moest stoppen. Toen hij die woorden hoorde, stond Watkins moeizaam en met zijn hand voor zijn mond op van de tafel.

'Ik geloof dat mijn cliënt niet... o, te laat. Hij is onwel geworden.'

'Niet onwel, meneer Parks, gewoon in een shocktoestand. Agent, wil jij gaan kijken of een van de andere verhoorkamers vrij is en deze laten schoonmaken?'

Ze verhuisden naar kamer twee. Watkins werd naar de toiletten vergezeld om zichzelf schoon te maken en kwam groen in het gezicht terug. Hij kon zichzelf nauwelijks staande houden.

'We beginnen overnieuw, goed, meneer Watkins?'

'Wat heeft u daar?' slaagde Watkins erin uit te brengen, hoewel zijn stem bijna onhoorbaar was.

'Dat is een USB-stick, een van de vele die we in uw opslagruimte hebben gevonden. Ik stuur hem zo meteen naar onze technische recherche, om het materiaal als bewijsstuk te downloaden. Meneer Watkins, als u nou iedere keer wanneer ik iets zeg gaat overgeven, zitten we hier wel heel erg lang.'

Het klonk kil; de toestand van de man tegenover hem liet hem koud. Alison zat Watkins met openlijke walging aan te kijken.

'Gedraagt u zich op zijn minst een beetje waardig,' zei ze. 'Ik heb een zoon van twaalf; is dat uw favoriete leeftijd?'

Het gif in haar woorden was dodelijk. Zelfs Lawrence Parks aarzelde even voor hij iets ter verdediging zei.

'Een man is onschuldig tot het tegendeel bewezen is, onthoud u dat.'

'En ziet uw cliënt er onschuldig uit in uw ogen?' Fenwick wees naar de gebogen schouders van Watkins, die met zijn hoofd in zijn handen onbedaarlijk zat te snikken.

'Hier hebt u maar één foto uit de hele voorraad, die hij veilig uit de buurt van zijn huis en zijn gezin heeft opgeslagen.' Hij gaf een zwart-witfoto aan Parks, die zonder succes probeerde zijn gezicht neutraal te houden. 'Dit is al voldoende om een normaal mens kotsmisselijk te maken, maar het is spul waar uw cliënt op regelmatige basis bij masturbeert, zonder zich erom te bekommeren dat de kinderen die op deze foto's worden misbruikt, echte kinderen zijn en veel pijn lijden.'

Lawrence Parks was een pro-Deoadvocaat, die nog altijd werd gemotiveerd door de idealistische overtuiging dat voor iedereen gelijke rechten behoorden te gelden. Hij probeerde er vooral voor te zorgen dat ondervragingen van asielzoekers correct verliepen, of hij hield zich bezig met het voorkomen dat minderjarige veelplegers gevangenisstraffen opgelegd kregen die hun lot al bezegelden voordat ze de stemgerechtigde leeftijd hadden bereikt. Hij bestudeerde de foto opnieuw zorgvuldig, keek naar zijn grienende cliënt en vroeg aan Fenwick of ze even onder vier ogen konden praten.

'Hoofdinspecteur,' sprak hij bijna fluisterend toen ze buiten stonden, 'ik weet niet of ik deze man wel kan vertegenwoordigen. Weet u, ik heb een gezin, drie kleine jongens, ik... Zou u iemand anders kunnen zoeken?'

Fenwick voelde met hem mee, maar wilde geen tijd verknoeien met een valse start en riskeren dat Watkins zichzelf weer onder controle kreeg.

'Lawrence, ik heb zelf ook kinderen, een jongen en een meisje, allebei op een leeftijd die interessant is voor de Watkinssen van deze wereld. Als ik naar die smeerlapperij kijk, draait mijn maag om. Weet je wat mij helpt om me op mijn doel te blijven concentreren en die kerel niet helemaal verrot te slaan?'

'Dat je wordt ontslagen?' zei hij half als grap, half sarcastisch. Parks had al te vaak meegemaakt dat, wat in zijn optiek wreedheden van de politie waren, ongestraft bleven.

'Nee. Een sterk verlangen om mensen als Watkins van de straat te halen en op te sluiten, zodat ze nooit meer een kind kunnen laten lijden. De enige manier om dat te doen, in mijn boekje, is ervoor te zorgen dat ze een eerlijk proces krijgen. Ik heb jou nodig om hem te vertegenwoordigen. Die man heeft recht op een advocaat, om er zeker van te zijn dat hij volkomen correct en geheel volgens de wet een proces aan zijn broek krijgt. En zijn slachtoffers hebben er recht op dat hij vast komt te zitten.'

Lawrence Parks wendde zijn ogen af.

'Alsjeblieft, Lawrence. Laat me niet helemaal opnieuw starten. Tussen ons gezegd en gezwegen,' Fenwick keek naar beide kanten van de gang om de intimiteit van wat hij zei te benadrukken, 'ik denk dat hij straks instort, een bekentenis doet. Als hij dat doet, is jouw taak duidelijk; je wordt niet meer geconfronteerd met het bewijsmateriaal en je hoeft hem niet meer te verdedigen, terwijl alles in je ertegen in opstand komt.'

Parks was een slimme advocaat die het systeem door en door kende.

'Komt er een deal op tafel te liggen als hij meewerkt?'

'We moeten de mannen hebben die aan de touwtjes trekken. Hier zit een goed georganiseerde, goed gefinancierde bevoorradingsketen achter en wij denken dat hun activiteiten verder gaan dan het leveren van pornografie.'

'Prostitutie? Structureel kindermisbruik?'

Fenwick haalde zijn schouders op, hij had per slot van rekening met de tegenpartij te maken.

'Er zou een gevangenisstraf en tbs moeten worden opgelegd. We kunnen hem niet meer op vrije voeten laten. Maar afhankelijk van wat hij ons te bieden heeft, kunnen we er met de rechter over praten, zeggen dat Watkins heeft meegewerkt. Het is en blijft het besluit van de rechter, maar als hij informatie verschaft zou het hem kunnen helpen.'

'Geen beloften dus?'

'Als ik die al kon geven, zou ik het nog niet doen.'

Lawrence Parks liep de hele gang door en kwam weer terug. Toen hij bij Fenwick kwam, had hij een besluit genomen.

'Goed. Je bent in ieder geval rechtdoorzee. Als jij het kunt, kan ik het ook. Laten we weer naar binnen gaan.'

26

'Nathan Smith', zoals William en vele anderen in Londen en elders in het Verenigd Koninkrijk hem noemden, gooide met een luide verwensing de krant opzij. Het was pas tien uur, maar hij beende naar de bar en schonk een pittige whisky met een heleboel ijs voor zichzelf in.

'Verdomme nog aan toe!' zei hij en hij liet zich zwaar in een van de leunstoelen naast de open haard vallen, die opgevrolijkt werd door een boeket late zomerbloemen. Een dag eerder had hij zichzelf gedwongen de *Sunday Times* te lezen en dat had hem nog vóór de ontmoeting in zijn besluit gesterkt. Ball had zich, zoals te voorzien was, zeer wispelturig gedragen en het was nog behoorlijk link geworden ook, voordat hij in staat was geweest hem tot bedaren te brengen en tot zijn voorvaderen te verzamelen. Nathan wreef zelfmedelijdend over zijn pols, heel voorzichtig, om niet aan de pleisters te komen die hij over de schrammen had geplakt. Deze had hij opgelopen toen hij tussen de braamstruiken viel om een klap van Ball te ontwijken.

Naderhand had hij zichzelf in de veiligheid van zijn studeerkamer en met een geruststellend glas whisky in de hand voorgehouden dat de kwestie Hill wel zou overwaaien, evenals de media-aandacht voor Malcolm Eagleton. De aanhoudende speculaties in het artikel op pagina drie van de *Times* van die ochtend maakten hem dan ook behoorlijk van streek. Toen Maidment voor de eerste keer was gearresteerd voor de moord op Paul Hill, had hij een paar nachten niet zo lekker geslapen, maar toen de politie niet verscheen om hem in hechtenis te nemen, had hij zich weer kunnen ontspannen. Inmiddels was de verdediging van Maidments onschuld dagelijks in het nieuws en hij vroeg zich af wat er nu ging gebeuren. Maidment had absoluut niet gekletst, niet na al die tijd en met alles wat hij tegen hem kon inbrengen, maar als de politie gedwongen werd dieper te graven om een sterkere zaak te hebben, kon je nooit weten wat ze allemaal boven water haalden. Ze zouden zelfs, en bij die gedachte leegde hij in een teug zijn glas, op de waarheid kunnen stuiten, ondanks het feit dat hij die zo goed had begraven.

Nee, zei hij bij zichzelf, na zoveel tijd niet meer. Ze moesten werkelijk geniaal zijn om erachter te komen wat er een kwart eeuw geleden werkelijk was gebeurd, en hij kende de politie; die rekruteerden geen mensen met hoge IQ's. Hij was nog altijd veilig.

Onverwachts dwaalde zijn geest terug naar afgelopen vrijdagavond en het bezoek aan Williams winstgevende, maar verder zeer middelmatige etablissement. Er waren betere huizen in Londen, maar daar letten ze er veel strenger op of de artikelen na inlevering onbeschadigd waren gebleven. Ze hadden nogal eens kapsones, ook tegenover hem, als het een beetje uit de hand was gelopen. En William kon de eigenaar van het etablissement niet de deur wijzen. Nee, de ruige nachten bewaarde hij voor zijn eigen bordelen. Hij stond er versteld van hoe William er steeds in slaagde van die verrukkelijke jongens te vinden – er was tegenwoordig kennelijk geen gebrek aan vers vlees in de hoofdstad.

Hij haalde zich het beeld van Sam voor de geest. Wat een heerlijk schepsel was dat, bijna volmaakt; bijna als Paul. Hoe kwam hij daarbij? Paul was heel bijzonder geweest; was Sam werkelijk zo goed, of spiegelde zijn geest hem iets voor? Het maakte niet uit. Hij hoefde maar één ding te weten, namelijk dat Sam daar was en op hem wachtte wanneer hij er behoefte aan had.

William kon zich maar beter aan die verdomde belofte houden om de jongen exclusief voor hem te bewaren, maar nu hij eraan dacht was het niet waarschijnlijk dat de jongen de komende dagen tot veel in staat zou zijn. Het was alweer een beetje uit de hand gelopen. Hij moest er wel aan denken dat hij voor die tijd niet te veel zoop. Niet dat hij een gewelddadig mens was, verre van dat, het was de whisky die hem kwaad maakte; Sam was te goed voor het gebruikelijke ruige werk.

Ongevraagd drong zich de herinnering aan hem op hoe hij de jongen de vorige keer had achtergelaten. Dat zette hij snel van zich af. Ondanks zijn obsessie voor jongens in de vroege tienerleeftijd met een bepaald uiterlijk en zijn verslaving aan gewelddadige seks, beschouwde Nathan zichzelf niet als pedofiel en ook niet als een sadist. Als men hem zou dwingen zijn seksuele voorkeur te omschrijven, zou hij dat in kunstzinnige, zelfs liefdevolle bewoordingen doen. Het was volslagen zelfmisleiding. En dat maakte hem tot een buitengewoon gevaarlijke man.

27

De majoor beschouwde zijn detentie als een test van zijn uithoudingsvermogen. Oppervlakkig gezien kon hij het redelijk goed aan, maar innerlijk was hij ten prooi aan een slecht geweten en dat matte hem meer af dan fysieke uitdagingen of angst ooit hadden gekund.

Zijn houding jegens de andere gevangenen bleef dezelfde: hartelijk, ferm en afstandelijk, en ze hadden nog steeds respect voor hem. Niemand achtte hem schuldig, behalve de bewakers, maar toen het programma op BBC *News* en het artikel in de *Sunday Times* door de gevangenis circuleerden, ondanks pogingen van de directeur om dat te verhinderen, werd zelfs de houding van de bewakers wat milder. Bill zocht hem op in de bibliotheek, waar hij probeerde zichzelf af te leiden met een lesboek 'Leer jezelf Spaans'.

'Hebt u even, majoor?'

'Ja, Bill, wat is er?'

'Ik en de jonges hebben de koppen bij mekaar gestoken over uw toestand, om het zo maar te zeggen. Als wij nou es die gozer vonden die die knul echt heb vermoord, zou u binnen een mum van tijd hier weg zijn, ziet u? Wij hebben gabbers buiten lopen die het kunnen rondvertellen en een beetje gaan snuffelen, als u wil. Geen moeite en geen verplichtingen – we doen het graag.'

Maidment schrok zich wezenloos. Het was al erg genoeg dat de politie en de media oude koeien uit de sloot haalden, maar als mannen uit de onderwereld, want zo beschouwde hij hen, hun neus erin gingen steken, was dat een ramp. Maar als hij het van de hand wees, zaaide dat misschien twijfel aan zijn onschuld, ondanks de dingen die er over hem in het nieuws waren. Hij besloot zijn goede naam als rechtschapen burger als dekmantel te gebruiken.

'Dat is erg aardig van je, Bill, maar ik moet goed over je aanbod nadenken. Ik ben altijd gewend geweest op onze politie te vertrouwen, weet je.'

'En kijk eens waar het u gebracht heeft.'

'Inderdaad, maar geen enkel rechtssysteem is waterdicht en ik ga er nog steeds van uit dat ik te zijner tijd vrijgelaten word.'

Bill stond op en klopte hem op de schouder, ongeveer zoals een priester doet, die erg gesteld is op een hardnekkige zondaar in zijn kudde, maar weinig hoop voor hem heeft.

'Het aanbod staat. U zegt het maar.'

Maidment keek hem na toen hij met opgeheven hoofd wegliep. Was het leven maar zo simpel, dacht hij.

Juffrouw Pennysmith was tien minuten te vroeg. Ze wachtte op de vrijwilliger die haar naar de dagopvang voor bejaarden zou brengen. Meestal zag ze uit naar gezelschap, maar er zou natuurlijk over dat stuk in de *Sunday Times* worden gekletst en ze zouden naar haar mening vragen. Natuurlijk moest ze de waarheid zeggen.

Toen ze de hal binnenkwam, liep ze meteen Abigail Jones tegen het lijf, die een heel pak fotoalbums onder de arm had.

'De trouwfoto's van mijn achternicht Michelle!' zei Abigail blij. Juffrouw Pennysmith onderdrukte een zucht.

Na Abigail waren Jeff en Pam Seabright aan de beurt om hun vakantiefoto's rond te laten gaan. Juffrouw Pennysmith trok een beleefd geïnteresseerd gezicht. Ze had al snel geleerd dat elke opmerking als een verzoek om meer informatie werd opgevat, dus hield ze haar mond tot de bel voor de lunch ging. Omdat haar gewrichten stijf waren geworden, duurde het even voor ze overeind kon komen en toen ze de eetzaal binnenkwam, kon ze niet meer kiezen waar ze wilde gaan zitten. Naast Jasper was nog een plaats vrij.

Jasper was drieëntachtig en ging er prat op dat hij een meter tachtig was, hoewel juffrouw Pennysmith hem bijna recht in de ogen kon kijken. Hij beschouwde zichzelf als een zeer charmant man en genoot het voordeel van de getalsverhoudingen tussen mannen en vrouwen, wat vanuit zijn perspectief bezien alleen maar groter werd. Toen hij haar zag aankomen, trok hij de lege stoel met een hoffelijk gebaar en wat in zijn ogen een galante buiging was, naar achteren.

'Ha, de verrukkelijke Margaret Pennysmith vereert ons met haar aanwezigheid. U ziet er vandaag bijzonder charmant uit, als ik het zeggen mag, lieve.'

De verrukkelijke Margaret keek eens naar haar grijs-wit gestreepte jurk en riep een glimlach op terwijl de soep werd opgediend. Franse uiensoep, een delicatesse voor menigeen als je hem thuis kon eten, maar een lastige uitdaging voor je tafelmanieren en je kunstgebit als je in gezelschap was. Pas nadat ze zich een weg had gebaand rondom de gegratineerde kaas bovenop, stopte ze met eten om haar tafelgenoten in ogenschouw te nemen.

Rechts van haar zat Bettie, een opgewekte vrouw. Links zat Jasper. Links van Jasper zat Judy, een sympathieke, gepensioneerde lerares, met wie je een behoorlijk gesprek over boeken en films kon voeren. Dan had je Trudy, die maar zelden iets zei als het niet over haar kleinkinderen ging. George Stevens zat naast haar en was op dat moment over de tafel heen met Jasper in gesprek over de cricketwedstrijd die Engeland had gespeeld. En om de cirkel rond te maken, zat naast Bettie een hoogbejaarde vrouw, die ze nooit eerder had gezien. Alsof ze voelde dat er naar haar gekeken werd, liet de vrouw haar soep in de steek en keek op. Ze glimlachte naar juffrouw Pennysmith, waardoor er een heel web van lijntjes op haar gezicht kwam.

Toen de borden waren weggehaald, veranderden de gespreksgroepjes. Ze was bijna klaar met haar gebraden vlees en begon zich al te ontspannen, toen het gesprek de richting inging die ze had gevreesd. Judy verdedigde de kant van de publieke omroep en de noodzaak van een 'onafhankelijk geluid', toen Jasper nogal fel antwoordde: 'Onzin! Dus u vindt dat wij moeten betalen voor zulk waardeloos nieuws als afgelopen zaterdagavond. Verspilling van kijk- en luistergeld.'

Het was alsof de hele tafel had zitten wachten tot iemand het onderwerp aansneed. Iedereen deed een duit in het zakje, iedereen, behalve de oude vrouw naast Bettie, en Margaret zelf.

De meningen waren al snel verdeeld tussen degenen die geloofden dat de majoor schuldig was en degenen die dat niet geloofden. Juffrouw Pennysmith hield zich koest en concentreerde zich op het laatste stuk vlees op haar bord, dat ze in kleine stukjes sneed, zodat ze langzaam kon eten. Ze hoopte vurig dat het gesprek aan haar voorbij zou gaan, maar men wilde onvermijdelijk haar mening horen.

'En hoe denk jij erover, Margaret – jij hebt hem tamelijk goed gekend, nietwaar?' vestigde Jasper de aandacht op haar.

Juffrouw Pennysmith pakte haar glas water, nam een slok, en toen nog een, ondanks de groeiende stilte om haar heen. Ze zette het glas neer en keek niemand in het bijzonder aan.

'Ik denk dat hij onschuldig is,' was alles wat ze zei. Iemand hield zijn adem in.

'Hoe kun je dat zeggen?' vroeg Jasper verbaasd.

'Het is een misdaad tegen een kind,' zei Trudy met walging in haar stem.

'Ik vind het onfatsoenlijk om dat te zeggen waar Hannah bij is.' Bettie legde haar hand even op de arm van de oude dame.

'Hannah?' vroeg juffrouw Pennysmith en ze keek de vrouw aan.

'Ik ben Hannah Hill,' zei deze en ze stak haar een gebruinde hand toe. 'Hoe maakt u het?'

Juffrouw Pennysmith nam automatisch de hand aan, die aanvoelde als een versleten leren zak met droge stokjes erin. Toen pas drong de betekenis van die naam tot haar hersens door en voelde ze haar wangen rood worden van schaamte.

'O, mevrouw Hill, ik had geen idee wie u was. Wij moeten zo'n gesprek helemaal niet voeren waar u bij bent; dat is bijzonder onattent.'

'Ach kind, dat geeft toch niet. Ik ben zevenennegentig en ik leef al vijfentwintig jaar met dat gespeculeer over de verdwijning van Paul. Ik verzeker je, dat ik alles wat erover te zeggen valt, al heb gehoord. Trouwens, ik ben het met je eens. Ik denk ook niet dat majoor Maidment schuldig is. Wat zeg ik, daar ben ik wel zeker van.' En met die woorden ging ze verder met haar Yorkshire pudding.

Het gesprek viel abrupt dood. De smakelijke kwarktaart werd praktisch in stilte genuttigd, maar tegen de tijd dat de thee werd geserveerd, keerde de normale sfeer een beetje terug. Toen ze opstonden zocht juffrouw Pennysmith mevrouw Hill op.

'Neem me niet kwalijk dat ik er weer over begin, maar ik zou graag willen weten waarom u dat zei.'

'Over de majoor?'

Hannah Hill had opvallend blauwe ogen, die nog altijd helder fonkelden als ze glimlachte. Ze legde haar magere bruine hand op de arm van juffrouw Pennysmith en gebaarde haar mee te komen naar het terras, waar gerookt mocht worden.

'Laten we een rustig plekje zoeken, nietwaar? Dan zal ik het je vertellen.'

Ze kozen twee stoelen met kussens uit, op een plek waar het zonlicht werd gefilterd door een rek met klimrozen. Hannah stak dankbaar een sigaret op.

'Zoals ik al zei, ik ben zevenennegentig. Mijn Clem was negentig toen hij overleed. Wij waren negenenzestig jaar en twee maanden getrouwd. Clem begon als schoenpoetser bij het Savoy, in de nachtdienst. "Op mijn erewoord," zei hij altijd, "hoe sommige schoenen eruitzien – en geen woord van excuus, hoor." '

Juffrouw Pennysmith vond het gebabbel helemaal niet erg. Ze had gemerkt dat mevrouw Hill nog scherp van geest was, dus ze zou gauw genoeg ter zake komen.

'We trouwden en kregen twee jongens. Toen ging Clem de oorlog in en hij werd gevangengenomen – stomme zak. Ik heb bijna twee jaar niet geweten of hij dood was of leefde. Maar goed, toen hij weer thuiskwam en afgezwaaid was, was hij een ander mens geworden. Hij had meer pit gekregen. Een van zijn voormalige kampmaten leende hem wat geld om een zaak te beginnen. En wat denk je dat het was?'

'Ik zou het niet weten.'

Hannah Hill begon te lachen.

'Een schoenmakerij natuurlijk. Hij had nog altijd vrienden bij het hotel, die hem de schoenen stuurden die 's nachts gerepareerd moesten worden. Sinds die tijd kreeg hij wel eens een opdracht en voor we het wisten, was hij de schoenmaker van ongeveer de helft van alle voorname heren in West-Londen! Hemeltje, dat waren opwindende tijden.' Haar ogen schoten vol. 'Ik hielp mee waar ik maar kon, hoewel het grootbrengen van zes jongens – zes ja, we hebben de verloren tijd wel ingehaald nadat hij thuiskwam! – op zich al hard werken is.

Gordon, Pauls vader, was de jongste, een beetje een nakomertje, eigenlijk. Een lieve knul, echt een zachtaardige man. Tegen die tijd boerden we goed. Gordon ging naar de middelbare school, toen naar de universiteit. En daar heeft hij haar leren kennen.' Hannah trok een afkeurend gezicht.

'Pauls moeder?'

'Sarah Jane Anderson. Zij was ouder dan Gordon en ze studeerde aan de toneelschool. We mochten haar van het begin af aan niet. O, zeker, ze had wel iets. Gordon noemde het dramatisch potentieel, maar wij waren daar niet zo zeker van, wij vonden haar meer een komediant. Als zij op visite kwam, liep iedereen op eieren. Toch zetten ze door en trouwden, en ze kregen van ons hetzelfde als alle andere jongens, vijfduizend pond.'

'Tjonge, dat was veel geld voor die tijd, dat is het nog steeds.'

'Dat vinden jij en ik, maar juffertje Sarah vond van niet. We hadden hen wel meer kunnen geven, maar Clem vond, en daar had hij waarschijnlijk gelijk in, dat zoveel gemakkelijk verkregen geld Gordon te veel zou verwennen.

Maar goed, ik zie dat ze de kaarttafeltjes aan het klaarzetten zijn, dus zal ik een beetje opschieten.' Ze nam een flinke trek van haar sigaret en hield de rook lang in haar longen vast, voordat ze hem vol genot weer uitblies. 'Alle andere jongens namen een hypotheek voor een huis en het is hen door de jaren heen goed gegaan, maar Gordon niet. Hij ging een partnerschap met een zogenaamde schoolvriend aan en raakte alles kwijt toen de zaak failliet ging.

Hij en Sarah woonden in een flat in Londen die hun financiële middelen ver te boven ging. Ze hadden het zo hoog in de bol dat Clem zich eraan ergerde. Hij weigerde hun meer kapitaal te geven en zo kwam het dat Sarah niet meer met hem wilde praten.

Toen kreeg ze een miskraam, de eerste van een aantal, zo bleek. Nou, dat wens je geen enkele vrouw toe. Dergelijk verdriet heb ik zelf ook meegemaakt en ik voelde met haar mee. Ik ging naar haar toe om voor haar te zorgen, omdat het werkelijk heel slecht met haar ging en ondanks alles kwamen we heel dicht tot elkaar.' Hannah slaakte een diepe zucht. 'Maar zodra ze hersteld was, ging ze weer aan de zwier; ze deed weer audities en viel terug in haar oude patroon.

Gordon kreeg via een andere vriend een baan bij Lloyds of London. Het betaalde goed, maar ik kon merken dat hij die baan vreselijk vond. Ze verhuisden naar een kleine woning – piepklein, maar op stand, en met een enorme hypotheek. Clem en ik vonden het doodeng, zoveel schuld als ze bij de bank hadden.

Sarah kreeg binnen een jaar nog twee miskramen en ze ging er bijna aan kapot, niet alleen lichamelijk. Ze was altijd al een zenuwlijder geweest, maar ik kon zien dat het erger was dan dat. Ze sloot zich op en wilde met niemand spreken, behalve met Gordon en mij. Toen begon ze te zeggen dat ze vergiftigd werd en dat ze daarom de baby's verloor.

Ze wilde geen water uit de kraan drinken, het moest eerst gekookt worden; daarna at ze alleen nog maar uit nieuwe pakjes en blikjes, die ze zelf openmaakte. Uiteindelijk wisten we haar zover te krijgen dat ze naar een dokter ging. Ze kreeg tabletten waar ze wel rustiger van werd, maar ze werd nooit meer de oude.

Gordon besloot dat buitenlucht goed voor haar zou zijn, dus verkocht hij het huis en leende geld van een vriend om een boerderij te kopen.

Tot onze verrassing ging dat in het begin tamelijk goed. Sarah werd zwanger en Paul werd geboren. Ik was zó blij voor haar. Hij was een beeldschone baby. Dat zeg ik niet alleen maar omdat het mijn kleinzoon is; wildvreemde mensen bleven op straat stilstaan om het te zeggen.

Ik ben er wekenlang geweest om haar te helpen, omdat Sarah gauw moe werd. Paul groeide tot zijn zevende op de boerderij op. Toen ging er iets mis. Gordons vriend had zijn geld nodig, omdat hij zelf problemen had gekregen en de bank wilde hem niet steunen. Natuurlijk kwam Gordon bij Clem voor de financiering, maar het bedrag was inmiddels te hoog geworden. Clem vertelde me dat het in de zeven cijfers liep en dat kapitaal hadden we niet, omdat we de zaak aan onze tweede en derde zoon hadden overgedaan en zij zaten midden in een grote uitbreiding. Nou ja, toen Clem nee zei, was het gebeurd. Sarah kwam bij ons thuis, en wat ze allemaal zei! Ik word nog rood als ik eraan denk. Het eindigde ermee dat we Paul nooit meer mochten zien.' Hannah zweeg en sloot haar ogen.

'Ik heb nog meer kleinkinderen en ze zijn me allemaal even lief, maar hij was mijn kleine ventje. We hadden hem vanaf zijn babytijd zo vaak gezien, we waren erg aan hem gehecht geraakt.

Maar genoeg daarover... Ja, ja Bettie, we komen zo bij jullie.

Waar was ik gebleven? Ze moesten naar een vreselijk huis in Harlden verhuizen. Ik heb het nooit gezien, maar ik had met Paul te doen. Van een boerderij naar zoiets. Als we niet gebrouilleerd waren geraakt, weet ik zeker dat Clem hen omwille van Paul zou hebben geholpen, maar ze vroegen het nooit meer en hij heeft het nooit aangeboden.

Gordon belde mij af en toe op. Zo vernam ik ook dat hij studeerde om onderwijzer te worden. Toen Paul tien was, begon Gordon als invalleerkracht in het onderwijs. Het was duidelijk dat hij zijn roeping had gevonden en daar was ik blij om.

Toen gebeurde er iets heel vreemds. Ongeveer een jaar voordat hij verdween, stond Paul in Londen bij ons op de stoep. Het was op 27 juli 1981. Ik deed open en ik wist meteen dat hij het was. Hij was nog steeds zo'n mooi kind. We barstten allebei in tranen uit en ik omhelsde hem, tot ik dacht dat ik hem zou dooddrukken.

Hij had thuis verschrikkelijke ruzie gehad en was weggelopen. Hij had ontdekt waar we woonden en was op de trein gestapt. Natuurlijk moest ik het zijn ouders laten weten, hoewel hij me smeekte het niet te doen. Goddank nam Gordon op, niet zij, en hij vond het goed dat Paul een paar dagen bij ons bleef tot de storm een beetje was geluwd.

Het was een heerlijke week. Paul was eigenlijk heel vrolijk, maar ik kon toch merken dat er iets niet in orde was. Ik kende hem te goed om het niet in de gaten te hebben en ik begreep dat hij iets voor me achterhield. Maar hoe ik het ook probeerde, ik kreeg het niet uit hem voordat hij weer naar huis ging.

Sindsdien kwam hij iedere schoolvakantie een week logeren, en dan viel er nooit een kwaad woord tussen ons. Sarah zag ik nooit, niet tot de herdenkingsdienst die ze per se voor Paul wilde houden.'

Juffrouw Pennysmith vond dat ze het nu wel verdiend had ook iets te zeggen.

'Maar waarom denkt u nu dat de majoor onschuldig is?'

'O, omdat Paul nog leeft. Ik dacht dat u dat wist.'

Margaret probeerde haar teleurstelling niet te tonen. De hoop dat

Hannah op de een of andere manier de identiteit van Pauls ware moordenaar kende, verdween. In plaats daarvan werd ze geconfronteerd met de illusies van een oude vrouw. Ze was zo van slag, dat ze de rest van het verhaal voor een deel miste.

'... tegen de grond gegooid en ze sloegen me op mijn hoofd. Vanachteren aangevallen en beroofd, noemde de politie het, maar Clem zei dat het meer leek op een poging tot moord. Het haalde de koppen in de *Evening Standard* en ik heb een dag in coma gelegen voor ik weer bijkwam. Toen zag ik hem.'

'Zag wie?'

'Paul natuurlijk.'

'Wanneer was dat?'

'Zoals ik zei, bijna twintig jaar geleden. Toen ik bijkwam zat hij naast mijn bed en hield hij mijn hand vast.'

'Maar hoe oud moet hij dan geweest zijn, achttien?'

'Negentien, maar ik wist dat hij het was. Er is geen vergissing mogelijk, het waren zijn ogen. Hij zei iets wat ik niet kon verstaan – ik ben een tijdje doof geweest – maar ik denk dat het iets was als "je wordt weer beter, oma". Toen boog hij zich over me heen en gaf me een kus. Ik raakte weer weg en toen ik wakker werd was hij er niet meer. Dus je ziet, als hij nog leeft, kan jouw majoor die jongen niet vermoord hebben, hè?'

28

Watkins stortte in, nog voor hij zijn eerste ontbijt in de cel ophad en de dokter moest gebeld worden. Deze stelde vast dat hij een paniekaanval had gehad, schreef milde kalmeringstabletten voor en drong erop aan dat de ondervraging ophield. Elk bewijs dat Fenwick nu uit hem zou krijgen was verspilde moeite, dus besloot hij geduld te oefenen. Maar direct nadat de dokter weg was, wilde Watkins per se met Fenwick spreken, tegen het advies van zijn advocaat in, niets te zeggen tot hij hersteld was. De reden werd algauw duidelijk. Hij wilde een deal sluiten; hij zou alles vertellen wat hij wist over de aanvoer van kinderporno, maar in ruil daarvoor smeekte hij om iets wat Fenwick hem simpelweg niet kon geven: anonimiteit. Hij wilde dat zijn misdaden geheim bleven, zodat zijn familie en vrienden het nooit te weten zouden komen.

'Dat is erg onwaarschijnlijk, Joe,' verklaarde Fenwick, terwijl Alison vol minachting toekeek. 'Er komt een proces, zelfs als je schuld bekent. Ik kan je op geen enkele manier beloven dat het uit de pers blijft. Dat ligt buiten mijn macht.'

'Maar er bestaat toch zoiets als getuigenbescherming, nietwaar?'

'Ja, voor mensen die belastend bewijsmateriaal leveren tegen grote misdaadsyndicaten en waar een gerede kans bestaat dat hun leven in gevaar is. Wil je zeggen dat dit zo'n situatie is?'

Watkins' gezicht was één grote zenuwtic. Eén ooglid knipperde bijna constant en zijn ene mondhoek vertrok af en toe zomaar in een bizarre grijns. Toen Fenwick de woorden 'grote misdaadsyndicaten' gebruikte, schoot Watkins met een ruk naar achteren in zijn stoel en wapperde met zijn handen alsof hij een beroerte kreeg.

'Ik geloof dat het zo wel genoeg is, hoofdinspecteur,' zei Lawrence Parks, die zijn cliënt met toenemende bezorgdheid gadesloeg. 'Meneer Watkins is werkelijk niet in staat om hiermee door te gaan.'

'Mee eens.' Fenwick was zich te zeer bewust van de draaiende tape om het verhoor door te zetten, maar door de manier waarop Watkins reageerde, begon het vermoeden te rijzen dat hij over informatie beschikte die verder reikte dan de activiteiten van Alec Ball. Voor de eerste keer vroeg hij zich af, of ze door pure mazzel iemand hadden gearresteerd die iets wist van het pedofielennetwerk, dat volgens de FBI in Sussex opereerde. Maar als hij naar Watkins keek, zou het dagen kunnen gaan duren, voordat enig bewijs dat hij leverde als wettig toelaatbaar kon worden aangemerkt. Het laatste wat Fenwick wilde, nu hij er zo dicht op zat, was de man ondervragen vóór hij fit genoeg werd geacht om een geloofwaardige getuige te zijn. Hij merkte dat hij op zijn lip stond te bijten van frustratie en dwong zichzelf ermee te stoppen.

Parks, een ervaren, uitgekookte advocaat, sloeg hem met een flauwe glimlach gade, waaruit bleek dat hij exact wist wat Fenwicks dilemma was. Krijg wat, kerel, dacht Fenwick, helemaal niets voor hem, en hij trok een bestudeerd nietszeggend gezicht.

'We gaan over een paar uur naar de rechter-commissaris, Joe,' verklaarde Fenwick. 'Daarna word je in voorlopige hechtenis gehouden. Maar maak je geen zorgen, je wordt apart gezet van de andere gevangenen. Zodra de dokter en je advocaat je ertoe in staat achten, gaan we verder met je te ondervragen.

Als je tegen die tijd nog altijd een getuigenis tegen je medeplichtigen wilt afleggen en als wij dan ook vinden, dat wat jij te vertellen hebt waardevol is, kan het zijn dat er een deal op tafel komt.'

'En mijn anonimiteit? Gevangenisstraf vind ik niet zo erg – ik zou kunnen zeggen dat ik de bak indraai voor een ander misdrijf, belastingontduiking, fraude... het kan me echt niet schelen, als het maar geen pe... eh, geen... o, God, vergeef me!'

Watkins liet zijn hoofd in zijn handen vallen en begon te huilen. 'Waarom kan ik niet gewoon in een gesloten arrestantenwagen naar de gevangenis gaan om mijn straf uit te zitten?' kreunde hij, bijna onsamenhangend.

Lawrence Parks kwam tussenbeide.

'Het is nu echt genoeg geweest, hoofdinspecteur. Maar wees ervan verzekerd dat ik me dit gesprek zal herinneren als de tijd daar is.'

Fenwick kon er niet achter komen of de woorden van Parks een dreigement of een belofte inhielden, misschien wel allebei. Hij staarde Watkins, die over zijn hele lichaam beefde, na, toen hij de verhoorruimte uitliep om weer naar zijn cel gebracht te worden.

'Zeg tegen de brigadier van dienst dat hij hem goed in de gaten houdt. Ik ben niet gelukkig met de geestelijke staat waarin hij verkeert. En zorg ervoor dat een psychiater hem ziet, zodra hij in de gevangenis aankomt. Ik wil niet dat hij de hand aan zichzelf slaat, voordat wij hem als getuige kunnen gebruiken.'

Alison knikte, de hardvochtigheid van Fenwicks woorden liet haar koud.

'Gaat u terug naar Harlden, meneer?'

'Ja. Ik wil dat jij er in mijn afwezigheid een arrestatie- en huiszoekingsbevel voor Ball doordrukt. Denk je dat je dat voor elkaar krijgt?'

'Natuurlijk.' Alison knikte, maar aarzelde voordat ze wegliep.

'Wat is er?'

'Hebt u gehoord dat het team Ball gisteren is kwijtgeraakt?' vroeg ze, zonder iemand persoonlijk de schuld te geven, hoewel ze ook wist dat Fenwick dit soort details wilde horen.

'Nee, dat heb ik niet! Waarom is me dat niet meteen verteld?'

'Volgens mij hebben ze een boodschap op uw mobiele telefoon ingesproken.'

'Maar ik ben de hele dag thuis óf op het bureau Harlden geweest; waarom hebben ze me daar niet gebeld? Ik ga ervan uit dat ze me zoeken als ze zulk nieuws hebben en niet zomaar wat de ether ingooien, in de hoop dat ik het een keer oppik!'

'Ze hebben hem drie uur later thuis zien komen, dus er is niets onoverkomelijks gebeurd.'

'Daar gaat het niet om.'

Ze deed geen moeite om ertegen in te gaan.

Om vier uur was Alison met een huiszoekingsbevel onderweg naar de opslagplaats van Ball, terwijl Clive zich bij het observatieteam bij de flat van Ball voegde. Hun invallen waren op de seconde af gecoördineerd. Een team rechercheurs van Zware Delicten en een team van technisch rechercheurs stonden in de loods tegenover het depot haar komst af te wachten. Hun ongeduld was bijna tastbaar. Voor de mannen en vrouwen die Ball wekenlang schijnbaar zonder resultaat hadden geobserveerd, was dit het moment van rechtvaardiging. Hun twijfels omtrent die halsstarrige doordouwer van een Fenwick, die hen werk liet doen dat zij als volslagen zinloos en geestdodend hadden beschouwd, waren verdwenen. Sommigen waren zelfs bereid toe te geven, dat ze bewondering hadden voor de hoofdinspecteur. Zeldzame lof van een ploeg van geharde mensen, die geselecteerd waren uit de meest ervaren, sceptische rechercheurs in Sussex.

Maar op dat moment werd iemand, die al zo lang hij zich kon heugen wist hoe bijzonder Fenwick was, erg mistroostig, omdat hij het gevoel had dat hij zijn oude baas in de steek liet. Cooper had heel West Sussex doorkruist in een ijdele poging iets bezwarends tegen Maidment te vinden, en hij zag vreselijk tegen het maken van zijn rapport op. Hij was niet op de hoogte van de doorbraak in operatie Koorknaap, omdat zulk nieuws binnen het speciale rechercheteam Zware Delicten bleef; de enige uitzondering was Nightingale, die Fenwick wel in vertrouwen had genomen. Dus sjokte Bob met het gewicht van die oude onderzoeken op zijn schouders terug naar zijn auto. Zijn notitieboekje had net zo goed leeg kunnen zijn.

Zijn maag knorde, toen hij zich achter het stuur liet glijden en hij verwenste Doris' muesliontbijt. Hoe hield een mens het een hele ochtend vol op vogelvoer? Hij keek op zijn horloge. Bijna twaalf uur. Tijd voor een hapje eten, misschien? Zoals zo vaak als hij zich down voelde, besloot Cooper zichzelf te troosten met lekker eten. Het was maar tien minuten rijden naar de Hare and Hounds; de heerlijke boerenlunch die ze hem daar hadden geserveerd – plus de extraatjes die hij er als bij toverslag bij had gekregen – stond hem nog vers in het geheugen.

Toen hij binnenkwam was de pub bijna leeg, afgezien van een paar wandelaars, die buiten cider zaten te drinken. Jacob Isaacs stond achter de bar en nam clandestien een slok van iets wat verdacht veel op whisky leek. Zijn vrouw was nergens te bekennen.

'Brigadier Cooper! U vrolijkt mijn dag op. Moeder de vrouw is een paar dagen de hort op naar haar moeder en nu ben ik alleen met die chagrijnige Maureen.' Hij wees agressief naar een deur, die naar de keuken en de voorraadruimte daarachter leidde. Achter het glas nam Cooper een omvangrijk silhouet waar. 'Genoeg om een mens naar de fles te laten grijpen. Wat wilt u drinken? Van het huis!'

Cooper was de bar met goede bedoelingen binnengegaan, hij zou het bij een glas jus d'orange houden, of op zijn hoogst een shandy, maar de geur van bier alleen al ontlokte hem de woorden: 'Een pint is het lekkerste bij een boerenlunch.' Die werd hem dan ook prompt voorgezet en terwijl hij zat te bunkeren, klaarde zijn stemming wat op.

Tijdens het eten werd Isaacs afgeleid door een gestage stroom gasten, maar de brigadier kon zien dat hij hem vanuit zijn ooghoek gadesloeg, zodra hij dacht dat het niet werd opgemerkt. Misschien voelde hij zich schuldig over de whisky, maar misschien ook niet. Cooper besloot dat het geen kwaad kon lang over zijn lunch te doen.

'Wilt u een stuk appeltaart, meneer Cooper?'

Maureens aanbod onderbrak zijn gedachten en hij had al ja gezegd, vóór zijn brein er zelfs maar bij stilstond. Soms reageerde een mens nu eenmaal puur op zijn instinct. De taart werd warm geserveerd, met vanille-ijs erbij, dat wegsmolt door het warme, boterachtige gebak – en heel eventjes bevond Cooper zich in het paradijs.

Maar aan alles komt een eind en tegen kwart voor twee vond hij dat het tijd werd om te vertrekken. Toen hij zijn portemonnee trok werd die weggewuifd door een benevelde Isaacs, die iedere poging om net te doen alsof hij bediende, had opgegeven. Hij had zich op zijn favoriete plekje aan het eind van de bar teruggetrokken, ver uit het zicht van een afkeurende Maureen. Cooper liep naar hem toe, slechts met de bedoeling hem te bedanken voor deze tweede uitstekende lunch, maar toen hij bij de man kwam, viel het hem op dat hij er erg zwaarmoedig uitzag. Zijn natuurlijke reactie zou zijn te vragen of er iets aan de hand was, maar hij had genoeg ervaring om zijn mond te houden.

'Meneer Cooper...'

'Zeg maar Bob, hoor,' zei hij om de informele situatie te benadrukken.

'Bob, luister eens, wat betreft de dingen die ik de vorige keer heb gezegd toen je hier was...'

Isaacs nam nog een flinke slok whisky en trok een grimas. Maureen keek hem even aan en schudde haar hoofd. Cooper ging op een kruk zitten om zich ontspannen voor te doen.

'Nou ja, misschien kan ik maar beter niks zeggen...'

'Toe maar, Jacob, je hebt iets op je lever en dat is niet goed voor een mens. Je kunt beter gewoon je hart uitstorten.'

Isaacs zuchtte diep en knikte. Het was duidelijk dat hij het moeilijk had met het nemen van een besluit. Cooper gaf hem de tijd en wachtte zwijgend; dit was iemand die zelf zijn beslissingen nam en tegendraads zou reageren op een poging hem te beïnvloeden.

'Het punt is,' zei hij ten slotte, 'dat het onmogelijk is dat Jeremy geïnteresseerd zou zijn in jonge jongens.'

Cooper meende enige nadruk te horen. 'In jonge jóngens,' zei hij.

'Ja. De majoor was – is – volbloed hetero, met normale verlangens.'

'Toch moeilijk hoor, als je maandenlang in de actieve dienst zit, ver van de gemakken van thuis.'

Isaacs werd nog roder en leegde zijn glas. Hij gebaarde om een ander, maar werd genegeerd, zodat hij gedwongen was van zijn kruk af te komen en er zelf een in te schenken. Cooper vloekte binnensmonds, bang dat het moment voorbij zou gaan, maar hij hoefde zich geen zorgen te maken. De kroegbaas zat binnen een minuut weer naast hem en zijn gezicht stond vastbesloten.

'Je moet je indenken wat de actieve dienst met een man doet. Als je leeft met het besef dat je dood kunt gaan, wordt het leven heel erg kostbaar.'

'O ja, dat kan ik heel goed begrijpen,' zei Cooper welgemeend. 'Ik weet wat de opluchting naderhand met je doet.'

'Louter instinctief,' was Isaacs het met hem eens. Hij sprak heel zachtjes. 'En als je jong bent, in de twintig of in de dertig, giert het testosteron door je lijf en daar moet je iets op vinden.'

'Natuurlijk, heel normaal. Hoe levensbedreigender, hoe sterker de drang om je voort te planten. Zo werkt dat in de natuur, om ons te dwingen de soort in stand te houden.'

'Precies! Ik had het niet beter kunnen zeggen. Nou, wij zaten een kleine drie jaar midden in de strijd en hadden nauwelijks verlof. Dus haalden we er in onze vrije tijd uit wat erin zat.'

'Mij is het net zo vergaan,' zei Cooper en hij vroeg Dot zwijgend om vergiffenis. 'Wat moet je anders, als je niet gek wilt worden?'

'Zo is het. Een goed seksleven houdt je geestelijk overeind. Natuurlijk hebben sommige mannen er minder behoefte aan dan andere; we hebben allemaal een ander libido.'

'En Jeremy?' onderbrak Cooper hem, met het gevoel dat het nu tijd werd dat Isaacs wat specifieker werd.

'Die had het libido van een olifant en was ook behoorlijk toegerust!' Hij lachte en Cooper dwong zichzelf mee te glimlachen.

'Hoe hield hij het dan vol?'

Dit was de hamvraag en dat begreep Isaacs ook. Hij zat klem en de enige manier om er weer uit te komen was openhartig te zijn of anders voor schut te staan.

'Niet met jongens,' zei hij met nadruk, 'hoewel sommige dat wel deden. En als we met verlof waren, was er van alles in de aanbieding, en openlijk ook nog. Wij hadden wat geld en het amusement was goedkoop. Zolang we de vrede bewaarden en de inlanders niet voor het hoofd stootten, knepen de MP's een oogje dicht.'

'En wat voor smaak had Jeremy?'

Isaacs knikte bij zichzelf en blies langzaam zijn adem uit toen hij zijn besluit nam.

'Nou ja, hij had een verloofde thuis en hij nam zijn trouwbelofte serieus, zo iemand was hij wel. Maar uiteindelijk kwam hij toch in de verleiding.' Hij nam een versterkend slokje. 'Er was daar een gezin waar wij bevriend mee raakten. Ze hadden drie meisjes, alle drie schoonheden, zonder meer. De jongste was ongeveer tien. De majoor – behalve dat hij toen geen majoor was, natuurlijk, hoewel hij ongelooflijk snel tot kapitein werd bevorderd – was, nou ja, een soort held voor de Dajaks. Ze verwenden hem schromelijk. De familie vond dat hij een goede echtgenoot zou zijn voor een van de meisjes en begon hem in te palmen.

De rest van ons zag wel wat er gebeurde; wij vonden het een grote grap. Maar Jeremy was altijd een beetje naïef geweest, dus het drong maar langzaam tot hem door; en hij was veel te hoffelijk. Dus, zoals ik al zei, hij en de oudste kregen uiteindelijk verkering. Vervolgens hielden ze een soort plaatselijke ceremonie en was hij ten slotte met haar getrouwd – in hun ogen dan. Natuurlijk was het geheim. Als het kader het had ontdekt, zouden ze uit hun vel zijn gesprongen. Maar hij was niet de enige en hij liep er in ieder geval niet mee te koop.'

'Maar hij was al verloofd. Waarom betaalde hij tijdens zijn verlof niet gewoon om aan zijn gerief te komen?'

'Dan ken je Maidment niet. Hij zal wel gedacht hebben dat het eerzaam was om die ceremonie te ondergaan.'

Cooper hield zich in. Het was en het bleef bigamie toen hij later trouwde. Bovendien had Maidment het bedrog nog erger gemaakt, door het zo in te kleden dat het voor de plaatselijke bevolking acceptabel was, alleen maar om zijn verdomde geweten te sussen.

'Wat gebeurde er toen?'

'Het onvermijdelijke. Het meisje werd zwanger; hij werd vader. Het werd allemaal stilgehouden, niemand wilde iemand als Jeremy bij de leiding aangeven. Toen werd hij overgeplaatst naar Engeland. De familie verwachtte dat hij zijn "vrouw" en kind zou meenemen. In plaats daarvan kocht hij hen af. Hij betaalde een heleboel geld, meer dan hoefde, maar genoeg voor hen om hun gezicht te redden en een bruidsschat voor het meisje te hebben, die groot genoeg was om een plaatselijke man ertoe te bewegen het feit te negeren dat ze al getrouwd was en een kind had – maar of ze ervoor heeft gekozen nog een keer te trouwen, weet ik niet.'

'Haar hart zal wel gebroken zijn, wed ik.' Het was eruit voor Cooper zich kon inhouden.

'Ja, maar haar familie was er tevreden mee dat haar eer beschermd was en ze was jong genoeg om overnieuw te beginnen.'

'Hoe oud was ze toen hij haar verliet?'

'O, ze zal niet ouder dan zestien zijn geweest. Ze zijn daar vroeg rijp en trouwen jong.'

Dus Maidment had seks gehad met een minderjarige, een kind bij haar verwekt en zich daarna met geld uit de problemen gered. Cooper kreeg dat beroerde gevoel van verraad, dat een mens krijgt als een held achteraf een zwakkeling blijkt te zijn.

'Is zijn Engelse vrouw er ooit achter gekomen?'

'Nee! Nooit. Wat er op een buitenlandse missie gebeurt blijft daar, geloof mij maar. Je moet begrijpen dat hij erg populair was en de meesten van ons droegen wel een of ander geheim mee dat we maar liever achter ons lieten. Ik vertel je dit alleen maar, zodat je in de gaten hebt, hoe onwaarschijnlijk het is dat hij betrokken is geweest bij de dood van die jongen van Hill.'

Dat kan, dacht Cooper, maar een zwakte voor seks en zo'n geheim, misschien waren er door de jaren heen nog meer bij gekomen en dat maakte hem zeer chantabel. Hij nam afscheid van Jacob en verzekerde hem dat zijn onthullingen alleen onder extreme omstandigheden naar buiten zouden worden gebracht en in de tussentijd vertrouwelijk zouden blijven.

Hij had heel wat te verwerken, niet alleen een stuk appeltaart. Nightingale zou in de wolken zijn. Zij had vanaf het eerste moment dat ze Maidment ontmoette, geweten dat er iets niet in de haak was. Vrouwelijke intuïtie? Misschien voelde ze zijn seksuele begeerte aan en had dat haar weerzin opgewekt. Hoe dan ook, ze had gelijk gehad, en hij zag ernaar uit haar dat te gaan vertellen. Toen hij wegreed, drong het tot hem door dat hij Nightingale nog steeds als onderzoeksleider beschouwde, niet Fenwick.

Cooper was opgelucht geweest toen Fenwick het overnam – niet dat hij het erg vond dat Nightingale meer verantwoordelijkheden kreeg, natuurlijk niet, maar het vóélde gewoon goed dat de onderzoeksleider een man was die door het hele team werd gerespecteerd. En Fenwick had het slim aangepakt; hij gaf haar de ruimte om verantwoordelijkheden te nemen en had tegelijkertijd duidelijk gemaakt, dat iedereen die daar bezwaar tegen had, met hem te maken kreeg. En je moest haar eerlijk nageven, die meid kweet zich verdomd goed van haar taak. Met een glimlach trapte hij het gaspedaal in om vaart te maken en het nieuws met haar te delen.

In plaats van er even blij mee te zijn dat er door de arrestaties schot in operatie Koorknaap kwam, probeerde Fenwick het forensisch lab ervan te overtuigen dat er toch íéts van die brieven van de anonieme 'succeswenser' te identificeren moest zijn, zodat hij hem kon opsporen. Tom, het hoofd van het lab, had er wel begrip voor, maar wilde eigenlijk niet nog meer tests doen.

'Meer dan dit hebben ze ons niet te zeggen, Andrew. De brieven zijn praktisch steriel – zelfs de meest nauwgezette analyse heeft niets meer opgeleverd dan de bevestiging, dat ze zijn geschreven op massaal geproduceerd briefpapier, uitgeprint op een HP-printer, met inkt die in duizenden winkels in heel Engeland te koop is. De enveloppen zijn naar de afdeling vingerafdrukken gebracht, maar ik denk eerlijk gezegd dat ze hun tijd verdoen; de afzender is té intelligent geweest om een spoor achter te laten. In het boek zat helemaal niets verborgen – we hebben geen geheime boodschappen in de marges kunnen ontdekken – en van de afdeling vingerafdrukken weet je al dat Paul het in handen heeft gehad.'

'Ja, ik weet het; ik hoopte alleen dat er meer zou zijn.' Het klonk moedeloos.

Om hem op te vrolijken, zei Tom: 'Weet je wat, we geven prioriteit aan de monsters die we net van Nightingale hebben gekregen, als dat helpt.'

Ervaren als hij was liet Fenwick zijn verbazing niet merken, maar toen hij had opgehangen, drukte hij meteen de sneltoets met haar nummer in. Hij werd direct doorverbonden en vroeg haar wat ze had ontdekt. Nightingale vertelde van haar gesprek met de Anchors en dat ze met Oliver naar het veld was gegaan, waar hij op de avond van Pauls verdwijning de auto had zien branden.

'Het kan Taylors auto zijn geweest; dat verklaart waarom er geen spoor meer van te vinden was, nadat Anchor hem had gezien.'

'Dus je besloot na al die tijd wat bodemmonsters te verzamelen?' Fenwick werd heen en weer geslingerd tussen ongeloof en bewondering.

'Nee, dat niet helemaal.'

Nerveus vertelde ze hem van de sigarettenpeuken en het bloed, alsof ze verwachtte dat hij haar zou uitlachen. Hij zweeg.

'Het zal wel niets bijzonders zijn, natuurlijk. Als Paul niet recentelijk weer in het nieuws was geweest, zou ik het waarschijnlijk ook niet hebben gedaan, maar...'

'Je hoeft je niet te verontschuldigen. Jij dacht dat de moordenaar misschien naar de plaats van het misdrijf was teruggekeerd, gewoon om er zeker van te zijn dat alle sporen waren verdwenen. Volstrekt onlogisch, maar moordenaars doen wel stommere dingen.'

'Precies.' Hij kon horen hoe opgelucht ze was. 'En er is nog iets.'

Hij bespeurde een triomfantelijke klank in haar stem.

'Bob Cooper was hier zojuist. Hij denkt dat hij achter het geheim van Maidment is gekomen.'

Nightingale vertelde hem het verhaal over het eerste gezin van Maidment.

'Meer dan genoeg reden voor chantage,' merkte Fenwick op. 'Wat ga je met die info doen?'

'Nu nog niets. Maidment zit waar we hem hebben willen; we vermoedden al dat hij iets achterhoudt en we weten nu dat hij daar misschien toe gedwongen wordt of anders het risico loopt dat bekend wordt dat hij een bigamist is. Zijn vrouw mag dan dood zijn, maar ik betwijfel of zijn zoon er blij mee zal zijn een bastaard genoemd te worden. Eerlijk gezegd heb ik geen moment geloofd dat zijn zwijgzaamheid iets te maken had met eer of bescherming van het regiment; het gaat hem eerder om de bescherming van zijn reputatie. Ik weet niet precies wat voor reactie ik krijg als ik hem ermee confronteer. Ik heb de indruk dat zijn zwijgzaamheid na al die jaren een gewoonte is geworden. Hij heeft zichzelf wijsgemaakt dat hij geen ernstig kwaad heeft gedaan. Tot we met keiharde feiten kunnen aantonen dat hij bij een moord betrokken is, krijgen we niets uit hem.'

'Daar kon je wel eens gelijk in hebben. Waarom laat je Cooper niet nog een poging wagen om erachter te komen wie hij dekt?'

'Dat is precies wat ik hem heb opgedragen. Hij vergelijkt de lijst van vrienden en kennissen van Maidment met de mensen die zijn ondervraagd toen Malcolm en Paul verdwenen.'

'En als je eens probeert andere eventuele slachtoffers van seksueel misbruik te vinden?'

'Gebeurt al. Robin praat opnieuw met de schoolvrienden, maar heeft tot dusver niets. Maar ik had wel een idee.'

'Vertel.'

'Wat denk je van een persconferentie, waarin de slachtoffers van misbruik worden opgeroepen zich te melden?'

'Dat is een grote stap.'

Hij had het zelf ook al overwogen én verworpen. Ze moesten deugdelijker informatie hebben, om de uitspraken van mensen die beweerden misbruikt te zijn, aan de hand daarvan te kunnen beoordelen. Tussen de eventuele oprechte slachtoffers zouden onvermijdelijk mensen zitten die aan wanen leden, of geestelijk ziek waren, en ook bedriegers. Het vergde een enorme hoeveelheid mankracht om iedereen zorgvuldig te screenen, helemaal, omdat niet al zijn rechercheurs voor dit soort werk waren opgeleid. Het vereiste grote deskundigheid om het vertrouwen van een misbruikslachtoffer te winnen, hem zover te krijgen dat hij uitspraken deed en deze vervolgens te evalueren. En hij zou goed opgeleide ondervragers van buiten Sussex moeten lenen, om de werklast aan te kunnen.

Fenwick zei tegen Nightingale dat hij erover na zou denken. Er was nog een reden om zo'n openbare oproep even uit te stellen; het was misschien de enige mogelijkheid om meer informatie over de anonieme briefschrijver te krijgen. Hij zat juist de inhoud van zo'n persverklaring te schetsen en wat de beste manier was om de briefing af te handelen, toen de telefoon op zijn bureau en zijn mobiele telefoon tegelijkertijd overgingen.

'Fenwick,' zei hij, met aan elk oor één telefoon.

'We zijn binnen! Alles wat we nodig hebben, is hier.'

'Hij is dood!'

'Wat? Alison, blijf even hangen, Clive zit op de andere lijn. Wie is er dood, Clive?'

'Ball.'

Fenwick sloot in wanhoop zijn ogen, maar dwong zichzelf kalm te praten.

'Alison, bel over tien minuten terug.' Hij legde de hoorn van zijn bureautelefoon neer.

'Clive, ga door. Hoe is hij overleden?'

'Dat wordt uit het lichaam niet duidelijk. Er staan een bijna volle fles whisky en een glas naast hem, maar geen pillen, dus het lijkt niet op zelfmoord.'

'Wat voor whisky dronk hij?'

'Wat? Eh... ik... blijf hangen, ik ga even zoeken.' Fenwick kon hem horen roepen. Blijkbaar vond hij het een bizarre vraag. Toen kreeg hij antwoord: 'Oban, twaalf jaar oude single malt.'

'Erg lekker, maar niet zijn normale slokje. We weten na al die weken van observatie dat hij Bells dronk – en behoorlijk veel ook.'

'Hoe onthoud jij dat in godsnaam allemaal?' vroeg Clive en hij realiseerde zich toen, dat als Fenwick dit soort details wist, hij van zijn ondergeschikten die Ball zelf in de gaten hadden gehouden, verwachtte dat zij het ook onthielden. Hij ging snel verder. 'De patholoog-anatoom is onderweg en ook de technisch rechercheurs. Ik heb ze onmiddellijk gebeld.'

'En de plek zelf is verzegeld?'

'Ja.'

'Ik kom eraan zodra ik de korpschef heb gesproken. Intussen ga jij bij het team dat hem gisteren is gevolgd, uitzoeken waar en hoe ze hem kwijt zijn geraakt. Ik wil een volledige verklaring.'

Zijn telefoontje met de korpschef was kort; hij kon zijn teleurstelling niet verhelen, maar tot zijn verbazing leefde Harper-Brown met hem mee.

'Bij god, Andrew, je hebt al meer bereikt dan ieder ander hiervoor. Neem het jezelf niet zo kwalijk dat Ball ervoor gekozen heeft onder je handen dood te gaan.'

'Tenzij het moord was.' Fenwick vertelde hem dat de man die nu dood was, hen de vorige middag door de vingers was geglipt.

'Maar ze hebben hem gezond en wel naar zijn flat zien terugkeren. En daar is hij gebleven tot ze zijn lijk vonden.'

'Toch kan ik er alleen vrede mee hebben als uit de autopsie blijkt dat hij een natuurlijke dood is gestorven en er geen verband is met zijn verdwijning.'

Terwijl hij de deur uitging, belde Alison hem op zijn mobiele telefoon. Hij vertelde haar wat er met Ball aan de hand was.

'Hoe is hij doodgegaan? Is het moord?'

'Ik ben onderweg om daarachter te komen.'

Clive stond hem met een somber gezicht voor Balls flat op te wachten.

'Hier ga je hartgrondig de pest over in krijgen,' waarschuwde hij Fenwick. Toen begon hij te vertellen hoe brigadier Welsh Ball vlak na de lunch op zondag had laten ontsnappen. Hij had hem in zijn auto geschaduwd, volslagen routine, toen Ball plotseling in een straat met eenrichtingsverkeer was gekeerd en tegen de richting in was verdwenen.

'Had hij in de gaten dat hij gevolgd werd, denk je?'

'Welsh zweert van niet. Hij zat een aantal auto's achter hem, zegt hij, en tot die tijd was het schaduwen gewoon een routineklus geweest.'

'Hm. Het is onwaarschijnlijk, maar stel je even voor dat hij gelijk heeft, waarom zou Ball er plotseling op die manier vandoor zijn gegaan?'

'Uit voorzorg?' opperde Clive.

'Precies. Dat wil zeggen dat hij iemand ging ontmoeten, of iets anders belangrijks ging doen. En ik vraag me af of dat zijn dood is geworden.'

'De arts is binnen. Misschien kan hij er iets over zeggen.'

Fenwick had Pendlebury's auto voor de flats dubbel geparkeerd zien staan. Hij was een van de beste pathologen-anatomen in Sussex, volgens Fenwick de allerbeste, en hij liep hoopvol naar het afzetlint toe.

'Ik heb geluk vandaag, doc!' riep hij eroverheen. 'Hoe hebben ze jou uit je lab kunnen wegslepen?'

'Je doet alsof ik Frankenstein ben.'

'Dat brein zou ik niet gebruiken, als ik jou was. Enig idee over het tijdstip waarop de dood is ingetreden?'

'Je kent me beter. De huid is koud en voelt klam aan, de nek is niet stijf en de stijfheid in het lichaam is aan het verdwijnen. Dat wijst er allemaal op dat hij achttien tot twintig uur geleden is overleden, maar de kamer was gesloten en het is er warm, dus ik kan er ongeveer vier uur naast zitten. De lijkkleur is ingetreden en uit het patroon blijkt dat hij is overleden op de plek waar hij zat. Ik ben klaar met hem – je kunt hem laten weghalen.' Pendlebury kwam uit zijn geknielde houding overeind en trok zijn handschoenen uit.

Fenwick liep met hem mee naar zijn auto, een aftandse stationcar, die eruitzag alsof hij dolgraag uit zijn lijden verlost wilde worden.

'Kun je me ten minste iets zeggen?'

'Ik wil niet moeilijk doen, maar eerlijk gezegd niet. Ik betwijfel of het alcoholvergiftiging is, daarvoor zit er nog te veel whisky in de fles

– tenzij hij daarvoor al zwaar gedronken had. Het kan een natuurlijke dood zijn geweest – een hartaanval, hersenbloeding, embolie – het kan ook zelfmoord zijn, alcohol, samen met de een of andere drug. Is er iets dergelijks bij het lijk aangetroffen?'

'Nee. Kan het moord zijn?'

'Geen duidelijk aanwijsbaar letsel. Vergiftiging is een mogelijkheid. Is het waarschijnlijk dat hij een slachtoffer is?'

'Wij denken dat hij een aantal buitengewoon smerige criminelen kent en we stonden op het punt hem te arresteren.'

'Dan zal ik vragen of ze prioriteit geven aan het toxicologisch onderzoek.'

'Dank je, dat waardeer ik. Bel me, wanneer dan ook.'

'Wil je niet bij de autopsie zijn? Als het urgent is, kan ik het nu meteen doen.'

'Dat is het zeker, en nogmaals bedankt, maar laat Clive Kettering maar meegaan; het is goed voor hem en ik heb andere dingen te doen.'

Tot haar opluchting hoorde Nightingale van Clive dat hij later zou komen – of hun dinertje uitgesteld kon worden? Ze was bezig met het doorlezen van Coopers verhoorverslagen en probeerde er iets in te ontdekken dat wees op degene die Maidment beschermde. Ze wist dat Fenwick nog niet verder gekomen was met de anonieme briefschrijver en ze wilde ontsnappen aan nog meer media-aandacht die hen in verlegenheid kon brengen.

Cooper was aardig opgeschoten met het vergelijken van de lijst met mensen die in 1982 na de verdwijning van Paul waren verhoord, en de lijst van kennissen van de majoor uit het leger. Ze stak haar hoofd om de hoek van de rechercheursafdeling en vroeg hem bij haar te komen zitten voor een bespreking van wat hij had ontdekt.

'Er waren meer overlappingen dan ik had verwacht,' zei hij. 'Een paar van die mannen kenden Taylor ook, dus zij krijgen morgen de hoogste prioriteit. Er zijn in Sussex negen mannen die tegelijkertijd in het leger zaten en Maidment en Taylor hebben gekend. Toen Taylor verdachte werd, zijn ze allemaal verhoord. Een paar van hen heb ik vorige week nog gesproken, dus ze zullen niet overlopen van blijdschap me weer te zien aankomen.'

Nightingale nam de lijst door die hij haar gegeven had.

Adrian Bush
Alex Cotton
*Richard Edwards**
Vernon Jones
Ernest Knight
Patrick Murray
Ben Thompson
*Zach Smart**
**Zijn al ondervraagd*

Bij geen van hen begon een belletje te rinkelen.

'Wat gaan we doen?' vroeg ze.

'Opnieuw met hen praten. Ik ben er vooral op gebrand om bij Smart op bezoek te gaan. Hij had beloofd op het bureau te komen om een verklaring af te leggen, maar dat heeft hij niet gedaan. En hij heeft Paul gekend. Thompson krijg ik ook maar niet te pakken. En hoe is het met jou? Heb jij het een beetje naar je zin?'

'Jawel. Het is een lekker gevoel om de leiding te hebben. En wat zeggen die daar?'

Cooper haalde zijn schouders op en keek een beetje ongemakkelijk.

'Zeg het maar.'

'De meesten zijn oké – hun oordeel is opgeschort tot je klaar bent; ze werken voor je en ze doen hun werk behoorlijk.'

'En de anderen?'

'Dat zijn de bekrompen zeikerds met wie je al jaren te maken hebt. Maak je daar maar niet druk om.'

'Gek genoeg doe ik dat ook niet,' zei ze en ze meende het ook. 'Zolang ze hun werk doen en de bevelen opvolgen mogen ze denken wat ze willen. En als ze dat niet doen,' ze wachtte even en glimlachte toen, 'als ze het niet doen, zal ik ze met alle soorten van genoegen op het juiste spoor zetten.'

'Goed zo. Maar zorg er dan wel voor dat ik erbij ben om het mee te maken; die vertoning wil ik niet missen. Ik kan beter weer aan de slag gaan.' Hij maakte aanstalten om weg te gaan.

'O, Bob,' zei ze, net voordat hij bij de deur was, 'als je een weddenschap bij Dave McPherson hebt lopen, moet je wel zorgen dat je goed wedt. Ik zou niet willen dat je geld verliest.'

Coopers mond viel open; hij kon zelfs geen ontkenning bedenken.

'En als je wilt weten wat de juiste uitkomst is, moet je maar aan Dave vragen waar Blite op heeft gewed; ik heb hem even op de hoogte gesteld.'

Ze zat nog te lachen toen Fenwick belde.

'Jij klinkt opgewekt.'

'Ik moet even uitlachen om de grap die ik net met die arme Bob heb uitgehaald.' Ze aarzelde, dacht toen, ach, wat kan mij het schelen, en begon Fenwick te vertellen waar het over ging.

'Wát heb je gezegd?' klonk het ontzet.

'Waarom niet? Als je wegloopt voor je kwelgeesten, vreten ze je op. Ik hoop gewoon dat McPherson een heleboel geld verliest. Hij houdt het boek bij en als ik Bob een beetje ken, zorgt hij er wel voor dat Dave de laatste is die de waarheid te weten komt. Genieten is dat.'

Fenwick zweeg.

'Andrew, alles goed met je? Je bent toch niet kwaad, hè?'

'Niet op jou. Ik dacht gewoon even na. We zijn allebei erg laat; ik haal het toch niet meer om de kinderen naar bed te brengen, dus... Wat vind je, zal ik op weg naar huis even bij het bureau langswippen – zeg maar, rond negen uur – om samen een hapje te gaan eten?'

'Perfect!' lachte ze opnieuw. 'Ik zal ervoor zorgen dat McPherson weet wat er gebeurt.'

'Mijn idee.'

29

Jason MacDonald stond bij de bar te wachten tot de barman zijn uitgestrekte hand met het briefje van twintig pond zag. Van tijd tot tijd keek hij even achterom of Sarah Hill er nog zat, verscholen in een alkoof, uit de buurt van de grote lounge. Hij had haar liever thuis willen interviewen, maar om een reden die hem nog altijd ontging, stond ze erop het ergens anders te doen. Toen hij zijn bezwaren kenbaar maakte, had ze gedreigd de overeenkomst op te zeggen en hij zwichtte liever, dan dat hij het risico liep haar kwijt te raken.

In de pijnlijke week die eraan vooraf was gegaan, had hij haar versie van Pauls laatste dagen eruit gekregen, woord voor woord, een martelgang. Ze stortte regelmatig in en één keer had ze hem de deur uitgeschopt. Maar de dag daarop deed ze weer bijna normaal en had ze hem begroet alsof er niets gebeurd was.

'Twee gin-tonic, alstublieft, en een zakje pinda's.'

Ze waren bij de laatste dag van Pauls leven aangekomen en hij naderde de voltooiing van zijn allerbeste verhaal tot nu toe. Hij begon al met het idee te spelen een boek over Paul en de majoor te schrijven. Dat stond natuurlijk niet in het contract, maar ze moest eens proberen hem ervan te weerhouden. Dat was wel het minste wat hij had verdiend, na uren en uren met een volslagen gestoorde opgescheept te hebben gezeten. Hij pakte de drankjes, zette zijn glimlach op en manoeuvreerde terug naar hun tafeltje, klaar om voor de laatste keer het knopje 'record' in te drukken.

Er was een nieuw pakketje van de anonieme briefschrijver gearriveerd, ditmaal aan korpschef Harper-Brown geadresseerd. Er zaten een brief en een foto in, genomen vanuit een hoek alsof hij haastig afgedrukt was, en een jongensonderbroek, grijs van ouderdom. Harper-Brown riep Fenwick bij zich op kantoor, waar hij verbijsterd naar de nieuwste zending staarde.

'Op het lab zijn ze stand-by om alles met hoogste prioriteit te analyseren; er staat een motor klaar om het erheen te brengen, nadat jij het hebt bekeken.'

Fenwick trok beschermende handschoenen aan en maakte de zak voorzichtig open.

De foto was onscherp en was slecht genomen. Er stond een stuk van een muur op, omgeven door bomen, met een deel van sierlijk smeedwerk aan één kant.

'Dat kan een hek, of zelfs een poort zijn. Ik heb er verscherpte kopieën van laten maken en ze naar de verkeerspolitie in het hele land gestuurd, voor het geval ze het herkennen.' Van de anders altijd zo zelfvoldane toon van de korpschef was niets te merken; hij was een en al zakelijkheid.

'Goed, je weet maar nooit.' Fenwick draaide de foto om. Op de achterkant stond iets geschreven, erg vaag geworden door de tijd heen. 'Zijn dat namen?'

'Ja, maar doe geen moeite om je ogen in te spannen, want hij noemt ze in zijn brief, hier.'

Geachte korpschef Harper-Brown,
Ik schrijf u omdat u in reactie op mijn vorige brief een verklaring hebt afgelegd, waarin u er volkomen naast zit. Uw rechercheurs schijnen vastbesloten te zijn mijn correspondentie te negeren en de tijd van de politie te verdoen met zinloze pogingen mij te vinden. U hebt een reputatie van efficiëntie en een scherpzinnig oordeel, daarom wend ik me nu in mijn poging om de gerechtigheid te dienen, rechtstreeks tot u.

Majoor Maidment heeft Paul Hill niet vermoord, ook was hij niet betrokken bij de ontvoering. Ik weet dit als een vaststaand feit. Paul Hill heeft Maidment nooit ontmoet; hij was echter wel zo onfortuinlijk anderen uit het leger te ontmoeten, via de pooier Bryan Taylor. De majoor was niet onder hen en ik kan me alleen maar voorstellen, dat hij door een speling van het lot op de een of andere manier betrokken is geraakt bij de verdwijning van Paul Hill. Welke bewijzen u ook heeft, ze zijn vals, maar ik beken dat ik niet weet hoe dat kan.

In de tijd van Paul Hills verdwijning waarde er een groot kwaad in Harlden rond. U dient de man te zoeken die in dit huis woonde, of daar misschien nog steeds woont. Mijn verontschuldigingen voor de kwaliteit van de foto; ik begrijp dat hij genomen is onder tamelijk benarde omstandigheden.

Vraag de man die er woont/woonde naar Paul Hill en Bryan Taylor, en naar wat er werkelijk op 7 september 1982 is gebeurd. Hij zal u niet de waarheid vertellen, maar als u hem spreekt, zult u aan hem kunnen zien dat hij liegt. Het feit alleen al dat u hem die vraag stelt, zal hem met angst vervullen en met Gods hulp zult u de rest van de zaak kunnen afronden.

Ik vermeldde al, dat Taylor Paul ook bij andere mannen uit het leger introduceerde. De namen die ik heb gehoord zouden vals kunnen zijn, maar ik geef ze u toch: de man die in dit huis woonde, noemde zichzelf Nathan (hoewel ik hem ooit 'Tuitje' heb horen noemen). Daarnaast heeft Paul een zekere Alec en een zekere Joe ontmoet. Alec had een tatoeage van een octopus.

'Alec Ball heeft een tatoeage,' onderbrak Fenwick. 'Zou die "Joe" Watkins kunnen zijn?'

Als verder bewijs van mijn oprechtheid sluit ik een kledingstuk van Paul bij; ongetwijfeld zullen de vlekken van zijn zonden en van die van de anderen inmiddels vervaagd zijn, maar men hoort tegenwoordig zoveel over de enorme vooruitgang in het onderzoek op het gebied van DNA, dat ik mijn vertrouwen in u stel, opdat u iets zult vinden. Het is pijnlijk om afstand te doen van een eigendom van Paul. Ik heb een aantal van zijn spullen bewaard, als herinnering aan de jongen die hij ooit was. Dwingt u mij alstublieft niet, afstand te doen van nog meer spullen.

Nog een laatste woord. Ik wil geen onschuldige mensen leed berokkenen, maar u moet zich realiseren dat Taylors smerige handen ook hun sporen bij andere jongens hebben achtergelaten. Als u hen vindt, zullen ook zij zweren dat de majoor onschuldig is.

Het recht rust nu in uw handen, meneer Harper-Brown, en ik bid dat u er met grote urgentie en wijsheid voor zult zorgen dat het zegeviert. Want u volvoert het werk van de Heer.

Ik weet dat het analyseren van DNA en het zoeken naar overeenkomsten in uw datasysteem tijd vergt, daarom geef ik u vijf dagen, voordat ik een kopie van deze brief en foto's van de inhoud naar de pers stuur. Gebruik uw tijd goed.

Hoogachtend,

Iemand die u veel succes toewenst

Fenwick herlas de brief en bestudeerde de foto. Terwijl hij daarmee bezig was, werd er op de deur van de korpschef geklopt en Nightingale kwam binnen.

'Neemt u me niet kwalijk dat ik te laat ben, meneer, maar ik was bezig met het natrekken van een aanwijzing en hoorde zojuist dat er een bespreking was.'

De korpschef staarde haar hautain aan.

'Ik wist niet dat jij ook was uitgenodigd.'

'Ik heb een boodschap voor haar achtergelaten, meneer,' onderbrak Fenwick hem. 'De korpschef heeft opnieuw een brief gekregen,' deelde hij haar mee.

Ze las snel de kopie en er kwamen concentratierimpels in haar voorhoofd. Ze knikte, toen de inhoud bevestigde wat ze zelf dacht. Toen bestudeerde ze de foto.

'Heeft u iets op te merken, inspecteur?' Harper-Brown had zeker besloten haar het recht om te blijven, te laten verdienen.

'Ik stel me voor dat er weer een poststempel van Londen op zit; dat hetzelfde papier en dezelfde envelop zijn gebruikt, geen afdrukken, geen speeksel.'

'Waarschijnlijk. Het is nog niet door het lab onderzocht.'

'De namen zijn interessant. Als ze verwijzen naar Alec Ball en Joe Watkins, betekent het ten eerste, dat ze er vol vertrouwen van uitgingen dat Paul hen nooit meer zou identificeren, en ten tweede, dat ze de man die zich Nathan noemt, hebben gekend, evenals Taylor. Misschien is Nathan de man achter het pedofielennetwerk dat jullie onderzoeken.'

De korpschef trok een elegante wenkbrauw op en keek Fenwick aan toen de naam van operatie Koorknaap viel. Maar hij richtte het woord tot Nightingale: 'Allemaal voor de hand liggende opmerkingen, daar had u niet voor hoeven komen.'

Nightingale kreeg er ditmaal geen kleur van en scheen het zelfs met hem eens te zijn.

'Inderdaad, maar het is altijd het beste om eerst het voor de hand liggende uit de weg te ruimen. Wat me werkelijk interesseert, is de taal waarin de brief is geschreven. Er staan een paar vreemde, bijna archaïsche zinnen in: *Ik beken... Er waarde een groot kwaad in Harlden rond... zoek de man...* enzovoorts. Het klinkt bijna Bijbels.'

'Dat vind ik ook,' bracht Fenwick enthousiast naar voren, 'en dat zou het een en ander kunnen verklaren.'

'Dat ontgaat me.' De korpschef ging kalm naar achteren zitten in zijn tamelijk royale zetel, en deelde Fenwicks enthousiasme helemaal niet.

'Wij hebben geworsteld met het motief achter de brieven. Waarom geeft hij ons gefragmenteerde informatie, maar niet Taylors huidige adres, of de plaats van Pauls graf? Dat is niet logisch. We speculeerden dat de schrijver misschien een vroegere minnaar van Taylor is geweest, of een van zijn cliënten, die ontevreden is geworden, een misbruikte jongen zelfs, maar als dat het geval was, had hij ons wel meer verteld.

Maar stel dat de afzender een geestelijke is. Hij kan de informatie tijdens een biecht hebben verkregen, of in een gesprek waarop hij dezelfde regels van toepassing acht. Dus vertelt hij ons alleen dingen die niet binnen die gesprekken vallen!'

Fenwick was op steeds levendiger toon gaan praten, naarmate de aantrekkelijkheid van zijn theorie groeide. De korpschef moest toegeven dat het idee de moeite waard was om op door te borduren.

'Wat zegt de brief nog meer?'

Nightingale, die graag haar denkvermogen wilde demonstreren, zei: 'Deze brief gaat over meer mensen dan Taylor alleen. De schrijver wil dat wij dit huis zoeken. Taylor is jaren geleden uit deze omgeving vertrokken. Hij leidt ons naar de eigenaar ervan – Nathan, of "Tuitje", zoals ze hem noemden.'

'Het is een verschrikkelijk slechte foto,' zei Fenwick ontnuchterd, toen hij ernaar keek. 'Mijn zoontje doet het beter.'

Plotseling werd het stil en zijn woorden bleven hangen. Iedereen realiseerde zich opeens de betekenis van wat hij zei en hij sprak het hardop uit: 'Paul heeft hem genomen, hè? Hij heeft op goed geluk een foto van het huis willen maken. Dat verklaart de wazigheid en de vreemde hoek.'

'Dus die foto zat tussen de spullen die de anonieme briefschrijver heeft bewaard.'

'Maar hoe komt hij eraan?' Ondanks zijn vastbeslotenheid zich niet te laten meeslepen, was de korpschef intussen net zo opgewonden als zij.

'Dat,' zei Fenwick, 'is de hamvraag, een belangrijk punt. Wat denkt u, meneer?'

De lippen van de korpschef krulden iets omhoog. 'Tja, het voor de hand liggende antwoord is dat Taylor Pauls schooltas meegenomen heeft en hem niet heeft begraven bij het lichaam of de kleren. Hij is overvallen door berouw, is een priester gaan opzoeken, heeft gebiecht en hem de tas overhandigd. De priester, niet in staat zijn kennis met iemand te delen, heeft de tas met inhoud bewaard, als – hoe noemt hij het ook alweer – "herinnering aan de jongen die Paul ooit was".'

De korpschef leunde met een tevreden glimlach achterover.

'Dat verklaart een heleboel,' was Fenwick het met hem eens, 'maar niet de onderbroek. Er schijnt geen bloed op te zitten en waarom is hij niet bij de andere kleren begraven?'

'Dat is een detail dat jij vast en zeker wel zult gladstrijken.'

Harper-Brown drukte op een knop van zijn telefoon en riep zijn secretaresse binnen.

'Dit zijn de spullen waar ik het eerder over had. Het lab verwacht ze al en ze hebben de hoogste prioriteit. Ik weet dat een deel van het bewijsmateriaal oud en vervaagd is, maar ze hebben exact vier dagen om de resultaten rond te krijgen. Zodra ze beschikbaar zijn, moeten ze mij persoonlijk worden meegedeeld. Zeg tegen hen dat ze contact met mij moeten zoeken, waar ik ook ben, en verwittig hoofdinspecteur Fenwick meteen, zodat hij naar me toe kan komen.' Toen volgde er een bescheiden kuchje. 'O, ja, en inspecteur Nightingale eveneens, denk ik.'

'Vier dagen maar, hij gaf ons er vijf,' merkte Fenwick op, toen de secretaresse weg was.

'We hebben één dag nodig om tot een beslissing te komen en een reactie voor te bereiden. Als we de majoor vrijlaten en de brief blijft geheim, breekt de hel los. Als we dat niet doen gaat onze zogenaamde "succeswenser" ermee naar de media. Maidments advocaat zal de reden voor zijn arrestatie aanvechten, in ieder geval de reden waarom wij hem zo nodig in hechtenis willen houden. We moeten ons buitengewoon goed op beide mogelijkheden voorbereiden. Het is nu woensdag 31 augustus. Ik stel voor dat jullie de hele zondagmiddag en maandagmorgen vrijhouden.'

Hij richtte zijn aandacht op de weinige spullen op zijn angstvallig geordende bureau en Fenwick en Nightingale namen terecht aan dat ze konden vertrekken.

30

In eerste instantie leverde de autopsie van Ball niet veel op. Het lichaam vertoonde tekenen van een leveraandoening die op zwaar drinken wees, en arteriosclerose, maar geen van beide was ernstig genoeg om de doodsoorzaak te kunnen zijn. Op woensdagmiddag belde Pendlebury.

'Ik heb het toxicologisch rapport van het lab binnen,' deelde hij Fenwick mee. 'Dat zul je wel meteen willen hebben, denk ik. Hij had een dodelijke hoeveelheid Seconal en amylbarbituraat in zijn lichaam. Met die toestand van zijn lever moet hij binnen een halfuur na inname dood zijn geweest. Met Seconal alleen zou hij in coma zijn geraakt, maar samen met de alcohol en amylbarbituraat was de dood onvermijdelijk.'

'Jij zegt dat het in de whisky zat?'

'Dat zegt het lab; de fles was de bron en er zaten sporen van in het glas.'

'Wij hebben niets gevonden wat de aanwezigheid van barbituraten in zijn flat verklaart – geen voorschrift of lege pillenflesjes tussen het vuilnis, niets.'

'De patholoog-anatoom zal er wel van opkijken. Het is mijn taak jou mee te delen wat de doodsoorzaak is geweest, en dat is het innemen van een overdosis barbituraten, waarbij de werking versneld en versterkt is door een leveraandoening en alcohol.'

'Bedankt, doc. Ik zal Clive het gerechtelijk onderzoek laten voorbereiden.'

Hij stond net op het punt Tom Barnes van het forensisch lab te bellen, maar die moeite werd hem bespaard.

'Andrew, we werken keihard aan die haastklus van de korpschef, maar ik denk dat je wel zult willen weten dat we klaar zijn met het materiaal dat Louise Nightingale ons eerder had gestuurd. Ik was van plan haar onmiddellijk te bellen, maar volgens mij moet jij dit ook horen. Het DNA in het speeksel op de sigarettenpeuken is van Alec Ball.'

Fenwick ging rechtop in zijn stoel zitten.

'Van Ball? Dus toen hij ons observatieteam zijn hielen liet zien was hij op weg naar het bosje, waarvan de jongen van Anchor zegt dat er een auto is uitgebrand, op de avond toen Paul verdween. Dit kan geen toeval zijn. En wat weet je van het bloed?'

'Het is zeker van een mens afkomstig, maar we hebben nog geen kans gehad het DNA te analyseren, dus dat moet wachten tot we klaar zijn met het werk voor de korpschef. Het spijt me, maar we werken ons hier uit de naad.'

'Tom, je bent ons zoals gewoonlijk weer heel erg behulpzaam geweest en ik weet dat je je best doet. Ik zal Nightingale laten weten dat Ball op die plek is geweest.'

Hij belde haar op, legde uit wat er gebeurd was en belegde meteen voor die middag om vijf uur in Harlden een vergadering van de teams die aan operatie Koorknaap en de zaken Hill en Eagleton werkten.

De TGO-ruimte was volgepakt met ongeveer tien rechercheurs van alle rangen, onder wie ook commissaris Quinlan. Fenwick en Nightingale stonden aan het hoofd, met drie grote witte borden achter hen, volgehangen met foto's van de zaken. Op het middelste bord was een leeg silhouet met een groot vraagteken erin.

'Wij hebben vanmiddag nieuws ontvangen van het lab, dat een verband suggereert tussen de moorden op Malcolm Eagleton en Paul Hill en een lopend onderzoek van het regionale rechercheteam, naar een pedofielennetwerk in Sussex, onder de codenaam Koorknaap.

Koorknaap is een gevoelige operatie en voor degenen onder jullie die in Harlden werken moet ik benadrukken, dat wat ik jullie ga vertellen, strikt bínnen deze kamer moet blijven.'

Hij liep naar het bord aan zijn linkerkant en wees naar een van de drie foto's.

'Joseph Watkins. Tijdens een FBI-onderzoek geïdentificeerd als iemand die via het internet kinderporno bestelde. Hij is afgelopen week gearresteerd wegens bezit van dergelijk materiaal en zit nu in voorarrest. Vanmorgen kregen we informatie uit een onbekende, maar betrouwbare bron, dat een man genaamd Joe – mogelijk Watkins – betrokken zou zijn bij de moord op Paul Hill.'

Er ging een zacht gegrom op in de kamer, als het keelgeluid van een hond die voor het eerst de lucht van zijn prooi oppikt. Bij het team Harlden gingen collectief de nekharen overeind staan.

'Probleem: Watkins kreeg bij zijn arrestatie een zware zenuwinzinking en we kunnen hem niet ondervragen voordat de gevangenisarts hem fit heeft verklaard. Tweede probleem: zijn conditie is verslechterd sinds hij in de gevangenis zit en de psychiater heeft hem medicijnen voorgeschreven; dat houdt in dat elke verklaring die we nu uit hem krijgen niet toelaatbaar is. En dat is echt klote,' Fenwick schudde gefrustreerd zijn hoofd, 'omdat wij zijn bewijs hard nodig hebben. Maar in de tussentijd hebben we nog volop werk te doen.

Zware Delicten heeft Watkins maandenlang in de gaten gehouden en Alec Ball,' hij tikte op de foto ernaast, 'geïdentificeerd als een kennis van hem. Ball woonde in Brighton en is gisteren dood aangetroffen, vergiftigd met barbituraten.'

'Moord of zelfmoord, Andrew?' onderbrak Quinlan hem. Fenwick knikte naar Clive om antwoord te geven.

'Het is nog te vroeg om dat te zeggen, meneer. De drugs waren door de whisky gemengd die Ball op het moment van zijn dood dronk. De enige vingerafdrukken op de fles zijn die van hem, maar tot dusver hebben we de herkomst van de barbituraten niet in zijn huis kunnen vaststellen. Dat is weliswaar verdacht, maar biedt geen zekerheid.

Wij stonden op het punt Ball te arresteren, op grond van bewijzen die we hebben verzameld als resultaat van wekenlange observatie. Daar komt bij, dat dezelfde bron die ons de naam "Joe" gaf als een van Pauls moordenaars, ons heeft verteld dat een man met een tatoeage in de vorm van een octopus, Alec genaamd, ook aanwezig was. Ball heeft zo'n tatoeage.'

Er gingen kreten als 'laat die bron dan komen', 'wie is hij?' en 'wanneer kunnen we hem ondervragen?' op. Fenwick wachtte tot het weer stil was geworden.

'Ons volgende probleem,' sprak hij met een wrange grijns, wat liet doorschemeren dat zijn zelfvertrouwen geenszins geleden had door alle tegenslagen, 'is dat we de identiteit van deze bron niet kennen. Hij communiceert per brief, noemt zichzelf "iemand die ons veel succes toewenst", maar blijft ongrijpbaar. Maar hij heeft ons tastbare bewijzen toegestuurd, die zijn beweringen staven en die authentiek blijken te zijn.'

Nightingale, die aan de andere kant van het bord stond, nam de briefing over.

'Paul Hill en Malcolm Eagleton. Twee scholieren uit deze regio, die in het begin van de jaren tachtig zijn verdwenen. Zoals jullie weten zijn de stoffelijke resten van Malcolm in juli gevonden. In zijn graf zijn sporen aangetroffen die tot een opgraving bij golfclub The Downs in Harlden hebben geleid en waar het bebloede schooluniform van Paul Hill is gevonden. Ondanks een enorme hoeveelheid speurwerk hebben we nog niet kunnen vaststellen of Paul en Malcolm door dezelfde man of mannen zijn ontvoerd, maar we hebben genoeg indirecte aanwijzingen om de misdrijven aan elkaar te koppelen. Indertijd viel de verdenking van Pauls verdwijning op Bryan

Taylor, maar deze is sinds de dag van Pauls ontvoering niet meer gesignaleerd en we weten nog steeds niet hoe hij eruitziet, afgezien van deze schets.

Majoor Maidment is eerder deze maand gearresteerd wegens de moord op Paul, omdat zijn bloed en vingerafdrukken zijn aangetroffen op de zak met Pauls kleren. We hebben geen verdachte voor de dood van Malcolm; Maidment heeft een kloppend alibi voor de dag waarop hij verdween. Op basis van het verhoor van Maidment en een diepgaand onderzoek naar zijn achtergrond door Bob Cooper en zijn team, zijn we tot de conclusie gekomen dat de majoor de ware moordenaar dekt,' ze liep naar het middelste bord en tikte op het lege silhouet, 'om redenen die wij nog niet kennen. We boekten goede vooruitgang in de voorbereiding van een proces tegen Maidment, tot de anonieme briefschrijver zich er twee weken geleden mee ging bemoeien.'

De presentatie van Fenwick en Nightingale verliep vlekkeloos, wat de indruk van een hechte, professionele samenwerking tussen hen versterkte en een subtiele invloed op hun teams had.

'De briefschrijver heeft ons geloofwaardige informatie over de ontvoering van Paul verschaft,' legde Fenwick uit. 'Hij houdt vol dat Maidment geen schuld heeft en dat Bryan Taylor een pooier was, die de jongen in contact bracht met een aantal mannen van het leger, onder wie iemand die Joe heet,' hij tikte op de foto van Joe Watkins, 'een man genaamd Alec, met een tatoeage van een octopus,' Balls tatoeage was duidelijk zichtbaar op de foto op het bord, 'en een man genaamd Nathan, mogelijk ook "Tuitje" genoemd.' Fenwick ging bij het middelste lege silhouet staan.

'Hij is de ontbrekende schakel. Volgens de FBI is er in Sussex al jarenlang een omvangrijk pedofielennetwerk operationeel. Het kan heel goed zijn dat Paul, en mogelijk ook Malcolm, in dat netwerk terecht zijn gekomen en twee vroege slachtoffers zijn. Geen van de mannen die we tot dusver hebben kunnen identificeren is in staat of heeft de middelen om een misdaadorganisatie op poten te zetten van de omvang die de FBI suggereert. Helaas zijn noch Ball, noch Watkins in staat ons de naam van de man in het midden te geven. En hoewel we heel binnenkort twee andere mannen gaan aanhouden die we verdachte goederen van Alec Ball hebben zien kopen,' hij wees naar twee foto's die tijdens het observeren waren genomen en die onder de foto van Ball waren geprikt, 'lijken zij, op grond van de informatie die we hebben verzameld, afnemers te zijn, niet onze ontbrekende schakel.'

'Die ontbrekende schakel, Andrew,' vroeg Quinlan, 'wil je suggereren dat de man die door de anonieme briefschrijver Nathan wordt genoemd, achter dat pedofielennetwerk zit?'

'Dat kan ik niet zeggen.' Fenwick haalde zijn schouders op. 'Maar het zou kunnen. Maidment beschermt iemand, óf omdat deze hem chanteert, óf omdat hij zich buitengewoon loyaal jegens hem voelt. Zo'n persoon zou invloedrijk kunnen zijn en georganiseerd genoeg om de man achter het Koorknaapnetwerk te zijn, maar het is absoluut niet zeker dat het dezelfde persoon is.

Wat wel duidelijk is, is dat onze onderzoeken via Joseph Watkins en Alec Ball met elkaar verbonden zijn en dat was nog vóór er een nieuwe ontwikkeling in de zaak kwam, dankzij inspecteur Nightingale.' Hij draaide zich naar haar om en zei: 'Vertel jij het maar.'

'Vorige week hebben we een vriend van Paul opgespoord, die ten tijde van de verdwijning niet is verhoord. Oliver Anchor vertelde ons, dat er op de avond dat Paul verdween, op het land van een boer bij hem in de buurt, een auto is uitgebrand die er precies zo uitzag als de rode stationcar van Bryan Taylor. Deze week, na de nieuwsuitzending over de verdwijning van Paul, heeft Ball de exacte locatie waar de auto is uitgebrand, bezocht. Dat was op de zondagmiddag voordat hij overleed. Hij heeft er sigarettenpeuken met zijn DNA achtergelaten. Op die plaats hebben we ook menselijke bloedsporen gevonden, die niet van hem zijn.'

Haar nieuws bracht opschudding teweeg in beide teams en er volgden een heleboel vragen.

Fenwick liet eerst het lawaai wegsterven en ging toen verder.

'Wij moeten de antwoorden vinden – en snel ook. Vanaf nu worden de twee onderzoeken aan elkaar gekoppeld, maar we volgen twee afzonderlijke lijnen: we moeten andere slachtoffers van seksueel misbruik vinden. Ze kunnen door Taylor zijn verleid of deel uitmaken van het Koorknaapnetwerk, en ook die twee kunnen met elkaar in verband staan. We gaan over een paar dagen een landelijke oproep doen in verband met operatie Koorknaap en ik wil dat brigadier Alison Reynolds de leiding neemt.

De plaats waar de auto zou zijn uitgebrand moet nauwgezet worden onderzocht en we moeten bij Watkins in de buurt blijven, voor het geval hij herstelt. Deze actie gaat Clive Kettering leiden.

Het belangrijkste van alles is, dat we Nathan, alias "Tuitje", identificeren; hij kan degene zijn die Maidment beschermt. Bob Cooper was daar in opdracht van Nightingale al mee bezig en hij blijft eraan werken. Het heeft een hoge prioriteit.

En we moeten de resultaten van het forensisch lab met elkaar vergelijken, inclusief de resultaten van later deze week, die afkomstig zijn van het nieuwe materiaal van de anonieme briefschrijver. Dat neemt Nightingale op zich, zij werkt samen met zowel het team van Harlden, als het rechercheteam Zware Delicten.

In de tussentijd ga ik verder met mijn pogingen om de briefschrijver op te sporen. Ik zal contact blijven houden met de Met, in verband met de observatie van een huis in Londen, dat Ball de afgelopen week heeft bezocht. Ik heb een dagelijkse rapportage van al deze verschillende onderzoeken nodig en we zullen regelmatig coördinatiebijeenkomsten houden. Het wordt een zeer kritieke week. Beschouw geen enkel aspect van je werk als een routineklus, ook al lijkt het maar een kleinigheidje. Wat je ontdekt kan absoluut cruciaal zijn.'

Het forensisch lab draaide dagen van vierentwintig uur, met als hoogste prioriteit de zaak van de korpschef. Vrijdag tegen middernacht hadden ze een match van het DNA van de onderbroek van Paul in het datasysteem gevonden. Eén exemplaar van het laboratoriumverslag ging per motorpolitie naar het huis van de korpschef en één naar Fenwick.

Deze las de inhoud aandachtig door en belde Nightingale, hoewel het al twee uur 's nachts was. Ze klonk opmerkelijk wakker.

'Het rapport is binnen en de korpschef heeft voor morgenochtend vroeg een bespreking ingelast. Voor die tijd wil ik in Harlden even met je praten, wat zeg je van halfzeven?'

'Geen punt. Tot dan.'

Voordat ze had opgehangen wist hij zeker dat hij op de achtergrond een mannenstem hoorde zeggen: 'Wie was dat?' Het klonk vaag bekend. Hij zette de wekker om halfzes, maar kon de slaap niet meer vatten. Ook al hield hij zichzelf voor dat het kwam doordat hij lag te peinzen over de betekenis van de ontdekkingen van het lab, bleef de klank van die stem door zijn hoofd gonzen en toen uiteindelijk de vogels begonnen te zingen, dreef dat hem zijn bed uit.

Toen hij de TGO-ruimte binnenkwam, werd hij verwelkomd door de geur van sandwiches met bacon. Cooper was er ook, Nightingale had hem dus gebeld.

'Ook een geroosterde sandwich?' Nightingale wierp hem een warme, vetvrije zak toe. 'Ze zijn van het nachtcafé. Achter je liggen zakjes met saus en mosterd.'

Ze werkte met smaak haar eigen broodje naar binnen. Toen ze daarmee klaar was, had ze een beetje saus in haar mondhoek zitten en Bob Cooper veegde het weg. Fenwick hield zich bezig met zijn eigen ontbijt en probeerde niet te speculeren waarom Nightingale zo'n grote eetlust en zulke stralende ogen had.

'Je ziet er een beetje afgepeigerd uit, baas, neem me niet kwalijk dat ik het zeg.' Cooper keek bezorgd naar zijn voormalige superieur.

'Weinig slaap gehad. Hier is het rapport. Lees maar door, dan ga ik even een fatsoenlijke kop koffie zetten.'

Toen hij terugkeerde met drie dampende mokken – met melk en twee suiker voor Cooper, de andere twee zwart – was de stemming in de kamer veranderd.

'Zowel Ball als Watkins heeft Paul misbruikt voordat hij stierf,' zei Cooper, de woede was hoorbaar in zijn stem, 'plus nog twee andere smeerlappen.'

'Vermoedelijk Nathan en Taylor,' zei Fenwick, die de koffie ronddeelde. 'Maar niets wat wijst op misbruik door Maidment.'

'De briefschrijver is bona fide. Maidment heeft Paul niet vermoord.' Fenwick kon de teleurstelling in Nightingales stem horen.

‘Hij heeft ons de namen, de tatoeage en het DNA keurig in een pakketje afgeleverd.’

‘Niet zomaar DNA,’ merkte Fenwick op, ‘sperma op Pauls ondergoed. Het rapport bevestigt dat zijn DNA er ook op zit, kijk – hier staat het.’ Hij wees de alinea aan. Ze las het en werd er beroerd van.

‘Dat wil zeggen dat er een groepsverkrachting heeft plaatsgevonden voordat Paul werd vermoord.’

‘Daar lijkt het wel op, maar de belangrijkste ontdekking van vandaag is dat er geen enkel DNA-spoor van Maidment op de spullen zit die de briefschrijver ons heeft gestuurd.’

‘De korpschef zal hem op borgtocht willen vrijlaten, denk je niet – misschien zelfs de beschuldigingen intrekken.’ Gefrustreerd beet Nightingale op haar lip.

‘Dat vermoed ik wel, maar die beslissing ligt niet helemaal bij hem. Het Openbaar Ministerie neemt het definitieve besluit en gezien de aard en de ernst van de beschuldiging zal dit wel helemaal tot aan de hoogste baas gaan.’

‘Tot aan de directeur van het Openbaar Ministerie?’ Het kwam niet vaak voor dat Nightingale ergens van onder de indruk was, maar het idee dat het Openbaar Ministerie zich op het hoogste niveau met een van haar zaken bemoeide, schokte haar blijkbaar. Fenwick zag haar zorgelijk kijken naar de rijen met dossiers langs de muren en moest even inwendig glimlachen. Hij leefde met haar mee.

‘Ik heb Quinlan gevraagd over tien minuten hierheen te komen, vanwege het belang van deze beslissing. Hij en ik gaan ermee naar Harper-Brown.’ Hij ontkrachtte de protesten van Nightingale. ‘Het heeft geen zin dat een van jullie meegaat. Het besluit is een zaak van het Openbaar Ministerie en de korpschef. Het enige wat ik kan doen is proberen er enige invloed op uit te oefenen.’

‘In welke richting?’ Nightingale moest met tegenzin toegeven dat het logisch was dat ze niet meeging.

‘Dat is de reden waarom wij hier nu zitten. Ik wil jullie opinie horen. Gelooft een van jullie dat Maidment Paul of Malcolm heeft vermoord?’

‘Nee,’ zei Bob Cooper direct. ‘Hij is gewoon niet pedofiel.’

'Maar hoe zit het met zijn hulp om iemand dekking te geven?'

'Hm.' Cooper krabde aan zijn bolle buik, een teken dat hij diep nadacht. 'Hij is verdomd loyaal jegens zijn regiment, en als iemand had gedreigd zijn geheimpje aan zijn vrouw te verklappen... Maar hij is ook een godvrezend christen en ik zie hem niet een moordenaar van een onschuldige jongen beschermen, onder geen enkele omstandigheid.'

'Wou je zeggen dat christenen geen misdrijven plegen? Ze zijn niet beter of slechter dan een ander en Paul was nou niet bepaald onschuldig, hè? Misschien is tegen Maidment gezegd dat hij een prostitué was, misschien wel een chanteur, die van plan was een van Maidments kornuiten onder druk te zetten,' opperde Nightingale.

'Dat is een te hard oordeel over Paul. We weten niet wanneer Taylor hem begon te misbruiken, maar rond zijn veertiende jaar kan hij volslagen geconditioneerd zijn geweest.'

'Dat hoeft Maidment niet geweten te hebben,' ging Nightingale verder met het omver kegelen van Coopers argumenten.

'Maar...'

'Genoeg.' Fenwick streek met zijn vingers door zijn haar en onderdrukte een geeuw. Hij had zich nog nooit zo slecht voorbereid gevoeld op een zware dag. 'Onze taak is de bewijzen die we hebben in overweging te nemen en ze eerlijk te presenteren, niet om te oordelen over Paul of de majoor. En we moeten snel zijn ook; de commissaris kan elk moment binnenkomen.

Laten we teruggaan naar de hypothese dat Maidment iets in de schoenen is geschoven, gechanteerd is, zelfs; zijn vingerafdrukken en zijn bloed zijn op de zak terechtgekomen, maar hij is niet betrokken geweest bij de ontvoering of de moord. We weten dat hij een geheim heeft, van dien aard, dat het waarschijnlijk zijn huwelijk en zijn reputatie zou hebben verwoest als het ooit aan het licht was gekomen. Wat voor bewijzen hebben we, die deze theorie tegenspreken?'

'Niets. Het verklaart waarom hij niets ter zelfverdediging heeft aangevoerd. Ondanks al ons speurwerk, kunnen we geen bewijzen vinden dat hij Paul Hill of Malcolm heeft gekend en zijn enige bemoeienis met Taylor was hem te ontslaan,' gaf Nightingale schoorvoetend toe.

'Maar heeft hij geweten wat er in die zak zat?' wierp Cooper in het midden. 'Ik kan me niet voorstellen dat hij om wat voor reden dan ook een moord in de doofpot zou stoppen.'

'Zijn vingerafdrukken zitten overal op beide zakken en zijn bloed zit niet alleen aan de buitenkant. Als hij niets van de inhoud heeft af geweten, waarom zou hij dan de moeite hebben gedaan ze op die plek te dumpen en daarna, neem ik aan, de zak zodanig toe te dekken, dat hij niet door de werklieden werd gezien? Nee, ik denk dat hij wist wat hij deed,' ging Fenwick met Nightingales voor de hand liggende conclusie mee, dat Maidment op de een of andere manier medeplichtig was.

'En hoe luidt jouw advies dan?' vroeg ze, om hem uit te testen.

'Dat we de beschuldiging van moord laten vallen en hem opnieuw arresteren voor medeplichtigheid. Daar hebben we toch genoeg voor in handen, nietwaar, Nightingale?'

'Ja, en ik ben het ermee eens. Ik denk dat Maidment die zak heeft meegenomen om een ander een dienst te bewijzen, even afgezien van hoe hij daartoe is gebracht. Hij bergt hem ergens op – zeg maar, in de kofferbak van zijn auto – maar als hij hem eruit haalt, scheurt hij open. Misschien haalt hij zijn hand open aan het voorwerp dat ook de zak heeft opengescheurd en laat hij daardoor bloed en vingerafdrukken achter. En hij besluit een andere zak te gaan pakken.'

'Maar heeft hij de inhoud gezien? Misschien niet.'

'Cooper, je moet je zwak voor de majoor onder controle houden. Onze werkhypothese is dat hij het heeft geweten.'

'Zo is het,' ging Nightingale verder, 'en dat maakt het des te verwerpelijker dat hij ermee doorging die zak te dumpen. Het wil ook zeggen, dat hij degene die hem de zak heeft gegeven, voldoende vertrouwde om het voor hem af te handelen.'

'En toen het nieuws bekend werd dat Paul verdwenen was?' preste Fenwick haar.

'Hij zat in de val, nietwaar? De werklieden werkten door aan het terras. Wedden dat hij een plek uitkoos om de zak te dumpen, waar hij de volgende dag ingemetseld zou worden? Anders liep hij te veel risico. Om de zak weg te halen had hij het terras moeten laten opbreken en dat had beslist niet discreet kunnen gebeuren.'

'Ik zou er geld onder verwedden, dat hij een type is dat regelrecht naar de politie gaat,' hield Cooper vol.

'Maar dat heeft hij niet gedaan.' Fenwick dronk de rest van zijn koffie op en probeerde zijn geest te dwingen helder na te denken. 'Misschien was hij ervan overtuigd dat Paul niet is vermoord – dat hij per ongeluk is overleden of dat hij is weggelopen – het lijk is nooit gevonden. Hoe dan ook,' Fenwick stond op en rekte zich uitgebreid uit, 'ik denk dat we genoeg hebben. Nightingale, jij moet de documenten in orde maken die een arrestatie op grond van de lichtere beschuldiging ondersteunen.

We moeten ervan uitgaan dat Maidment op borg vrijkomt, omdat geen enkele rechter-commissaris een verzoek tot voorlopige hechtenis zal steunen. Maar ik wil hem wel onder druk houden. Ik kan niet geloven dat Maidment wist dat Paul verkracht en vermoord is. Ik wil hem hier vanmiddag hebben. Het wordt tijd om hard op te treden. Nightingale, neem jij de leiding van het verhoor op je. Het staat je vrij om zo agressief te werk te gaan als je wilt, als je hem maar niet fysiek aanpakt. Ik verwacht dat je hem breekt, begrepen?'

Ze glimlachte van plezier bij die onverwachte verantwoordelijkheid. 'Ik moet zijn vertrouwen in degene die hem ertoe heeft gebracht hem te dekken, onderuithalen. Daarom zal ik hem de tot nog toe bekende feiten over Paul meedelen... en ook de mogelijkheid dat er nog andere jongens zijn. Maar ik houd de informatie over zijn bigamie en zijn familie in Azië achter, helemaal tot aan het eind.' Ze stond op, popelend om te kunnen beginnen.

'En ik moet zeker mijn schoenzolen weer verslijten,' zei Cooper, maar het klonk niet zwartgallig. 'Ik ben er niet zeker van of hij wel zo gemakkelijk te breken is en dan hebt u mij nodig om de man te vinden die hij dekt; het moet iemand zijn die hij goed gekend heeft, en ik ga er niet van uit dat hij ons die naam geeft, hoe zwaar u hem ook onder vuur neemt, mevrouw.'

Fenwick knipperde met zijn ogen bij Coopers vertoon van respect, maar hij merkte dat Nightingale het als vanzelfsprekend beschouwde. Hij was opeens zó ontzettend trots op hen, dat hij besloot de rest van zijn plannen te onthullen, ondanks zijn gebruikelijke omzichtigheid.

'Trouwens, ik heb de korpschef ertoe weten te bewegen verder te gaan dan een eenvoudige oproep via de media en we hebben tijd gekregen in *CrimeNight*.' Hij lette niet op hun verbazing. 'Ik heb de voorbereiding en de filmopnamen aan het team Zware Delicten overgedragen; het wordt dinsdagavond uitgezonden. Dit is nog een reden waarom we het nieuws over de vrijlating van de majoor vandaag achter ons moeten hebben.'

'Goedemorgen samen. Jullie zijn vroege vogels, zeg.' Commissaris Quinlan zag er frisgewassen uit in het heldere zonnetje, dat de kamer binnenstroomde toen hij de deur opendeed.

'Ben je zover, Andrew? Het is weer rampzalig op de weg. Vertel me onderweg maar wat jullie conclusies zijn.'

Zaterdag, vroeg in de middag, werd majoor Maidment vrijgelaten uit de gevangenis, omdat de beschuldiging van moord jegens hem werd ingetrokken. Hij werd onmiddellijk opnieuw gearresteerd op beschuldiging van medeplichtigheid aan de moord op Paul. De politie diende een verzoek in om hem in bewaring te houden, op grond van de mogelijkheid dat hij verder onderzoek zou kunnen hinderen, maar dat werd geweigerd door de rechter-commissaris, die toch al woest was over de eerdere, onterechte beschuldiging. Maidment werd op borgtocht vrijgelaten, op voorwaarde dat hij zich dagelijks op het bureau Harlden zou melden, te beginnen met die middag.

Het was onvermijdelijk dat zijn vrijlating onmiddellijk in het nieuws kwam, maar uit de politieverklaring kwam duidelijk naar voren, dat hij hen nog steeds behulpzaam was bij het onderzoek. Tegen het advies in, weigerde Maidment het aanbod van politiebescherming, zoals hij ook had geweigerd apart gezet te worden, toen hij in voorarrest zat. Hij scheen te vinden dat zijn onschuld bescherming genoeg was.

De mannen waren erg blij voor hem dat hij werd vrijgelaten, maar Bill herhaalde nog eens nadrukkelijk zijn aanbod om hem te helpen als de boel fout liep. Hij reageerde daar gepast dankbaar op, maar ging er niet op in. Het zou niet handig zijn Bill van zich te vervreemden, nu hij wist dat hij waarschijnlijk opnieuw de gevangenis in zou draaien en misschien zijn hulp daarbinnen nodig zou hebben.

Maidment moest rechtstreeks naar het politiebureau van Harlden, ook al hing de gevangenislucht nog in zijn haar en zijn kleren. Met een volkomen leeg hoofd nam hij de trein naar het zuiden. Op een gegeven moment zou hij beslissingen moeten nemen, maar op dat moment was het enige wat hij kon doen, in vrijheid ademhalen. Het lawaai en de ruimte overdonderden hem, maar toch voelde hij zich opgetogen. Hij koos ervoor eerste klas te reizen, voor een deel om de aandacht van het publiek te mijden, maar ook omdat hij voor het eerst in een paar weken weer een kéús had, en daar wilde hij ten volle gebruik van maken.

De geur van de koffiebar in Victoria Station deed hem watertanden. Hij was geen mens die graag in het openbaar at en dronk, maar het idee van echt voedsel kon hij niet weerstaan. Toen hij de bediende om koffie met een koffiebroodje vroeg, had de man hem raadselachtig aangekeken maar niets gezegd, maar hij vond wel dat het eten en de koffie met een tamelijk harde klap op de toonbank werden gezet. Het water liep hem in de mond, toen hij naar zijn trein liep en tot zijn schaamte merkte hij dat ook zijn ogen vochtig waren. Dit kon zo niet; hij moest zichzelf onder controle hebben als hij zich bij de politie ging melden, niet staan snotteren als een sentimentele gek. Hij rechtte zijn rug.

Naarmate hij Harlden naderde, nam, ondanks zijn poging tot bravoure, het gevoel van paranoia toe. In de trein voelde hij dat er mensen naar hem staarden, maar hij werd tot zijn grote opluchting met rust gelaten. Hij pakte een krant die door een eerdere reiziger was achtergelaten, maar toen hij zijn foto op pagina vijf zag staan, met een artikel ernaast waarin de omstandigheden rond zijn arrestatie nog eens werden herkauwd, voelde hij zich net een misdadiger. Het was een goede gelijkenis en hij kreeg steeds meer het gevoel dat hij in het oog liep.

Toen de trein in Harlden aankwam, groeide zijn vrees. Hier zou hij zeker herkend worden. Hij trok zijn hoed iets verder omlaag dan normaal, maar hij weigerde zijn schouders te laten hangen. Hij ging wel via een omweg naar het politiebureau, die door rustiger straten en het park voerde.

Toen hij tussen zijn schouderbladen door een steen werd getroffen, dacht hij dat er iets uit een boom was gevallen, maar de lucht boven hem was leeg.

'Vuile smeerlap!' hoorde hij achter zich schreeuwen.

Hij draaide zich om en zag drie jongens ongeveer twintig meter bij hem vandaan staan. Zij hadden verwacht dat hij op hun aanval zou reageren door te bukken en weg te rennen, maar in plaats daarvan deed hij een stap naar hen toe en hief zijn wandelstok op. Een van hen deinsde inderdaad terug, draaide zich om en rende weg. En hij had alleen maar met zijn stok gezwaaid, net als wanneer hij de hond van mevrouw Nichol van zijn grasveld joeg, maar zij dachten dat hij kwaad in de zin had. De angstige trek op de gezichten van die knulletjes deed hem meer verdriet dan hij voor mogelijk had gehouden.

De majoor zette de pas erin. Toen hij bij de poorten van het park kwam en naar buiten wilde, bleef hij even staan om twee vrouwen met kinderwagens te laten passeren. Een van hen spuwde voor zijn voeten op de grond.

Voor hem lag een open stuk trottoir en daarna kwam er een brede hoofdstraat. Aan de overkant zag hij mevrouw Perkins uit de kerk, maar zij wendde zich af toen ze hem zag en ging een winkel binnen. Op een ander moment zou hij hebben geglimlacht, want het was Ladbrokes. In West Street mompelde een man van middelbare leeftijd 'vuile psychopaat', toen hij voorbijkwam. Hij liet hem achter zich toen hij Neal Yard insloeg, de kortste weg naar het politiebureau. Hij kon het gebouw van rode baksteen honderd meter verderop aan het eind van de straat al zien liggen en begon zich te ontspannen. Er was nog één obstakel, een groep tienermeisjes bij de bushalte aan de overkant van de straat.

Toen hij langsliep werd hij opgemerkt en de hele bende keek zijn kant op. Het meisje dat hen aanvoerde, kwam zijn richting uit en de anderen volgden als een troep jachthonden, die op een seintje wachtte. De majoor bleef in dezelfde tred en met opgeheven hoofd doorlopen. Ze staken de straat over voor een confrontatie.

'Perverse schoft,' schreeuwde het meisje aan het hoofd. Ze spuwde de woorden langs de piercing in haar onderlip. 'Lui zoals jij zouden ze hun ballen moeten afhakken!'

Een ander meisje liet zich tegen hem aanvallen en zijn hand ging langs haar blote middenrif toen hij probeerde haar van zich af te houden. Hij trok hem onmiddellijk terug, maar het was al genoeg.

'Hij betastte me verdomme, vuile pooier!'

Intussen werd hij door alle meisjes omsingeld, die met hun scherpe ellebogen in zijn ribben porden toen hij zich probeerde terug te trekken. Ze begonnen met hun onderarmen tegen hem aan te bonken, eerst terloops, daarna met meer kracht. Een van hen spuugde hem in het gezicht en het besmeurde zijn bril, zodat hij niet meer goed kon zien. Toen voelde hij een stomp in zijn rug, daarna nog een keer, en zijn hoed vloog af. Terwijl hij zich bukte om hem op te rapen, kreeg hij een harde trap tegen zijn dijbeen. Door een tik tegen de zijkant van zijn gezicht kwam zijn bril scheef te staan en uit de hoek van zijn ene onbeschermde oog zag hij lange, gelakte nagels op zijn gezicht afkomen. Hij bukte zich om die klauwen te ontwijken en kreeg een stomp in zijn nieren. Hij vertrok zijn gezicht van pijn en moest zich inhouden om niet terug te vechten. Hoe erg hij ook werd belaagd, vrouwen slaan, dat kon hij niet.

Toen hij met zijn vingers de rand van zijn hoed raakte en hem wilde oppakken, ging een van hen hard op zijn hand staan. Er verschenen bloedspatten op het trottoir en voor het eerst drong het tot hem door dat ze hem werkelijk iets wilden aandoen. Hij probeerde overeind te komen, maar één meisje wierp zich op zijn rug en hij viel bijna onder haar gewicht. Als ze hem op de grond kreeg, konden ze hem daar vastpinnen en hem openkrabben met hun nagels, en hem schoppen.

Hij probeerde het meisje van zich af te gooien, maar ze had haar armen om zijn nek geklemd, zodat hij geen lucht kreeg. Hij kreeg zoveel klappen dat hij de tel kwijtraakte en hij begon door zijn knieën te zakken. Hij viel voorover en een gelaarsde voet trof de zijkant van zijn borst, zodat de lucht uit zijn longen werd geslagen.

'Hé! Wat is hier aan de hand?' klonk een stem met gezag, maar de meisjes schonken er geen aandacht aan.

'Politie! Laat die man onmiddellijk met rust.'

Hij voelde het gedrang van lichamen om hem heen afnemen en haalde diep adem. Er flitsten pijnscheuten door zijn rug en zijn borst. Toen hij van de grond opkeek, zag hij twee agenten op hem af komen rennen. De meisjes holden weg, maar een van hen struikelde en de agent die het dichtste bij hen was, pakte haar zonder omhaal om haar middel en tilde haar van de grond.

'O, nee, jij loopt niet weg! Als we jou hebben, vinden we je gabbertjes ook. Geoff, meld dit even.'

Het schepsel dat hij te pakken had, krijste en vloekte. Ze schopte en probeerde te krabben, maar de agent hield haar stevig vast, terwijl de ander haar handen op haar rug in de boeien sloeg.

'Nog geen minuut van het bureau en die luie donders daar hebben het niet eens in de gaten.' Geoff schudde zijn hoofd en bukte zich om de majoor te helpen.

'Gaat het een beetje met u, meneer? Waarom vielen ze u aan?'

'Omdat hij een perverse smeerlap is, daarom. Jullie moeten die vuile flikker opsluiten!'

Geoff hielp hem overeind en gaf hem zijn hoed.

'U bent majoor Maidment, hè?'

Hij knikte slechts, want hij vertrouwde zijn stem niet. Hij had vreselijk veel pijn in zijn linkerzij, elke keer als hij probeerde adem te halen.

'U kunt het beste met ons meegaan. We zullen op het bureau een ambulance bellen als u wilt. Wilt u aangifte doen?'

'Nee,' fluisterde hij en hij schudde zijn hoofd om het te benadrukken, 'en een ambulance hoeft ook niet. Ik red me wel.'

'U moet toch door een arts worden onderzocht,' sprak Geoff hem bemoedigend toe, terwijl zijn belaagster nog altijd vloekend en tierend voor hen uit werd gesleept naar de hoofdingang van politiebureau Harlden.

Hij wachtte geduldig, terwijl de politiearts zijn niet al te zachtzinnige onderzoek van de verwondingen en kneuzingen voltooide, naar zijn pupillen keek en zijn bloeddruk opnam.

'Voor zover ik kan zien hebt u geluk; alleen wat lichte kneuzingen. Geen klap tegen het hoofd? Mooi. Als u later geen bloed in de urine of de ontlasting heeft, zou ik zeggen dat alles in orde is. Neem zo nodig pijnstillers in en u bent zo weer hersteld.'

Van alle gebeurtenissen die hem sinds hij de relatieve veiligheid van de gevangenis had verlaten, waren overkomen, voelde hij zich nog het meest gekrenkt door de verachting in de stem van de arts.

In plaats van te vroeg was hij nu te laat voor het politieverhoor. Hij werd naar een kamer gebracht en kreeg een kop thee uit de automaat, terwijl iemand op zoek ging naar de inspecteur. Tijdens het wachten sloot hij zijn ogen en probeerde zijn ademhaling uit. Zolang hij oppervlakkig ademde was de pijn draaglijk. Zijn moreel, toch al aangetast door de thuisreis, daalde nog verder toen Nightingale binnenkwam, gevolgd door een jonge man die hij niet kende. Ze werkte snel de formaliteiten af, bevestigde voor de tapes dat hij afzag van de aanwezigheid van zijn advocaat en zei vervolgens niets. Na de zakelijke introductie werkte die stilte op zijn zenuwen.

Hij probeerde haar niet aan te kijken, want hij zou waarschijnlijk de eerste zijn die zijn ogen afwendde, en dan was zij in het voordeel. Toch voelde hij zich onbehaaglijk onder haar starende blik en uiteindelijk keek hij onwillekeurig toch op. Zodra hun blikken elkaar kruisten schudde zij haar hoofd. De medelijdende trek op haar gezicht had een buitengewoon effect op hem. Hij voelde een brok in zijn keel komen en zijn ogen werden vochtig, en hij keek weg.

'Wilt u nog een kopje thee? Deze is koud geworden.'

'Graag, alstublieft.' Haar bezorgdheid verwarde hem.

'Robin, kun jij voor de majoor een kop thee met melk en suiker regelen en voor mij een zwarte koffie, alsjeblieft?'

Toen de deur dichtging zaten ze alleen, met slechts een geüniformeerde agent, die als een standbeeld achter hem stond. Er ontstond een sfeer van intimiteit in die voortdurende stilte, wat bijdroeg tot zijn gevoel van repressie. Het irriteerde hem dat ze dit effect op hem had en hij deed, ondanks zijn vaste voornemen om niets te zeggen, toch zijn mond open.

'U bent vast een drukbezet iemand, juffrouw Nightingale, en ik zou ook dolgraag naar huis willen. Hoe kan ik u helpen?'

'Dat is het juist, majoor, ik weet het niet.'

Hij staarde haar verbaasd aan.

'Ziet u, ik wéét dat u niet schuldig bent aan het kwaad dat Paul Hill is aangedaan.'

'Ik ben blij dat u eindelijk inziet dat ik onschuldig ben.'

'Maar dat heb ik niet gezegd, nietwaar?' Ze glimlachte en hoewel het vriendelijk was, had hij haar de kans gegeven het gesprek in de richting te sturen die zij wilde.

'Moet u horen, inspecteur, laten we niet over woorden twisten. U zegt net dat ik Paul Hill geen kwaad heb gedaan en dat hebt u bij het rechte eind.'

'Maar dat maakt u nog niet onschuldig. U hebt zich van zijn bebloede kleren ontdaan, u hebt tijd van de politie verspild door het onderzoek te belemmeren en,' ze wachtte even om ervoor te zorgen dat hij goed luisterde, 'u kent de identiteit van Pauls moordenaar, maar u weigert die aan ons mee te delen. Dat maakt u medeplichtig aan moord. Dat alleen al is voldoende om gevangenisstraf opgelegd te krijgen.'

'Ik ben níét medeplichtig aan de dood van Paul; zoiets zou ik helemaal niet kúnnen!'

'Er bestaat ook zoiets als medeplichtigheid ná het misdrijf, majoor, en dat is precies wat u bent. De schuld blijft hetzelfde.'

'Onzin! Ik zou absoluut nooit hebben geholpen bij de dood van die jongen.' Zijn onbeheerste uiting van verontwaardiging kostte hem een pijnscheut, omdat hij vergat zijn ademhaling onder controle te houden.

'En toch heeft u dat gedaan. Destijds door te zwijgen en nu helpt u de moordenaar door uw weigering om mee te werken.'

'Ik had Paul met geen mogelijkheid kunnen redden,' zei hij, woedend dat ze hem ertoe had verleid zichzelf te verdedigen.

'O, maar daar ben ik volkomen zeker van,' zei ze, opnieuw met dat treurige glimlachje op haar gezicht, 'maar hoe weet u of de mensen die u dekt, niet ook andere jongens kwaad hebben gedaan?'

'Mensen?'

'Wist u dat niet? Wij hebben intussen bewijzen in handen die bevestigen dat Paul, voordat hij werd vermoord, door vier mannen is verkracht.'

'Verkracht?'

'Zonder enige twijfel. U beschermt de identiteit van een man die een kind seksueel heeft misbruikt én vermoord. Ik heb een van zijn slachtoffers ontmoet, een die het heeft overleefd. Er zullen er nog meer volgen.'

Hij was er ontsteld van, maar toen het tot hem doordrong dat ze nog een getuige hadden, ging er een golf van opluchting door hem heen.

'Dus uiteindelijk hebt u mijn getuigenis niet eens nodig,' fluisterde hij en hij poogde lucht in zijn longen te laten stromen, ondanks de pijn in zijn borst.

'Hoe durft u!' Elk spoortje van begrip verdween. 'U wilt liever dat we een beschadigde man het trauma van het misbruik in zijn kinderjaren laten herbeleven, dan dat u die perverse klootzak die u beschermt, laat vallen?'

Maidment kon haar nauwelijks horen. Het bloed dreunde in zijn oren en hij had een brandende pijn in zijn longen. Hij kon haast niet zien vanwege de zwarte vlekken voor zijn ogen. Ze zat weer tegen hem te schreeuwen, maar hij kon haar niet horen, laat staan antwoord geven. Zijn mond ging wel open en ook weer dicht, als bij een vis op het droge. Zijn lichaam schreeuwde om zuurstof en zijn armen en benen begaven het.

'Ik...' Hij probeerde om hulp te vragen.

'Ja, toe maar, gooi het er maar uit.' Ze stond over hem heen gebogen, haar adem voelde warm op de kilte van zijn gezicht.

'Ik...' De woorden stierven weg in gekreun, toen de pijn op zijn borst hem beklemde als een band die steeds strakker aangetrokken werd en hem het zwijgen oplegde. Hij gleed van zijn stoel op de koude vloer. Zijn benen en zijn armen functioneerden niet meer.

'Majoor? Majoor, gaat het wel?'

Haar woorden zeiden hem niets, terwijl zij zijn stropdas losmaakte. Ergens rinkelde heel flauwtjes een alarm, toen stierf het weg, en het enige waarvan hij zich nog bewust was, was haar gezicht dat boven hem zweefde. Toen verdween ook dat in het grijs dat hem opslokte.

31

'Lieve hemel, Nightingale, het was toch niet nodig om die man een hartaanval te bezorgen!'

Fenwick probeerde tevergeefs zijn lachen in te houden. Hij had een boodschap voor haar achtergelaten, om op zondagmorgen direct naar zijn werkkamer in Harlden te komen.

'Het was geen hartaanval. Op het moment zelf dacht ik van wel, maar het ziekenhuis zegt dat zijn ECG in orde is. Hij heeft gebroken ribben en een klaplong. Dat, plus de zenuwen vanwege het verhoor, maakte dat hij een black-out kreeg. Hij blijft een week in het ziekenhuis en mag dan weer naar huis.'

'Ervan uitgaande dat hij dat wil. Het was dom van hem, dat hij onze bescherming afsloeg. Ben je in zijn huis geweest?'

'Ja.' Hoofdschuddend zei Nightingale: 'Ik mag hem niet, maar ik het is walgelijk hoe ver mensen gaan, alleen maar op verdenking. Ik dacht dat een mens in dit land onschuldig was tot het tegendeel werd bewezen.'

'Maar we weten allebei dat hij niet onschuldig is.'

'Dat maakt niet uit. Die lui die zijn huis overhoop hebben gehaald, zouden opgesloten moeten worden.'

'Ik ben het met je eens, aangenomen dat hij aangifte doet. Maar dat doet hij waarschijnlijk niet. Hij laat de meisjes die hem belaagden ongestraft lopen.'

'Dat weet ik.'

'Het verhoor zag er trouwens goed uit, vind ik.'

'Dank je. Ik was er zelf ook tevreden over en ik dacht dat hij op breken stond, toen hij buiten westen raakte.'

'Wat stel je nu voor?'

'Hem in het ziekenhuis bezoeken en dezelfde lijn volgen. Hopelijk beschouwt hij die inzinking als een korte kennismaking met de dood... misschien neem ik wel een bijbel mee.' Ze lachte, maar vroeg toen ernstig: 'Mag ik je een vraag stellen, informeel?'

'Ga je gang.'

'Denk jij dat we een kans maken om Malcolm Eagletons moordenaar te vinden?'

'Ik wou dat je me iets anders vroeg. Het is zo ironisch; we hebben zijn lijk, maar geen verdachten, noch aanwijzingen, en van Paul hebben we geen lijk en een overvloed aan bewijsmateriaal. Eerlijk gezegd, vestig ik mijn hoop op het vinden van Pauls moordenaar, om hem daarna in verband te brengen met de dood van Malcolm.'

'Dat is een slag in de lucht. De anonieme briefschrijver noemt hem helemaal niet.'

'Dat weet ik, maar wat kunnen we anders doen? Misschien kan de briefschrijver ons meer vertellen als we hem vinden. Waarom vraag je het eigenlijk?'

Nightingale aarzelde, deed haar mond open, maar schudde toen bijna onmerkbaar haar hoofd. Fenwick had het in de gaten, dus toen ze begon te praten wist hij dat hij maar een deel van de waarheid te horen kreeg.

'In die laatste brief stond een zin – "er waarde een groot kwaad in Harlden rond" – daar krijg ik de kriebels van.'

Het was een verklaring van niets, maar hij drong niet verder aan.

'Ik weet het; ik houd mezelf voor dat we tegenwoordig veel gevoeliger omgaan met misdrijven jegens kinderen, maar dan komen er weer verhalen boven over kinderen die langdurig zijn misbruikt en wordt je geloof in het systeem danig op de proef gesteld. We hebben onze technieken misschien wel verbeterd, maar de pedofielen zijn gewoon gewiekster geworden. Kijk maar, hier in Sussex – als die tip van de FBI er niet was geweest, hadden we nog steeds niet geweten wat er speelt.'

‘In ieder geval hebben we niet te maken met een seriemoordenaar, die kinderen te grazen neemt, dan zouden we het gemerkt hebben!’

‘Dat is waar. In bepaalde opzichten kloppen die sterfgevallen absoluut niet. Mijn theorie is, dat het ongelukken zijn geweest, of dat ze deel uitmaken van een dekmantel, zonder seksuele motivatie.’

Nightingale keek hem zeer sceptisch aan. ‘Dat hoop je. En voor de ouders wordt het er heus niet gemakkelijker op.’

Ze keek naar zijn bureau en zag de stapel foto’s van vermiste personen liggen. Hij had het team niets gezegd over het natrekken van de lopende zaken, maar ze kon zien dat ze door zijn hoofd spookten. Telkens wanneer ze over Paul of Malcolm spraken, dwaalden zijn ogen af naar de foto’s, alsof ze hem kwelden. Maar de politie kon alleen iets doen op grond van verdenking van een misdrijf.

‘Heb je al iets van de Met gehoord over het huis in Londen waar Ball is geweest?’

‘Ze belden gisteren en het lijkt veelbelovend. De zaak is overgedragen aan Jeugd en Zedenzaken en ze blijven het in de gaten houden. Tot dusver is hun enige houvast dat het pand verdacht vaak wordt bezocht door mannen alleen, maar het is voldoende om hun belangstelling vast te houden.’

Fenwick pakte de schoolfoto van Paul op en toen nog een foto, die boven op de stapel lag van wat hij als ‘zijn vermiste jongens’ beschouwde.

‘Wie is dat?’ vroeg Nightingale zacht.

‘Sam Bowyer, herinner je je hem nog? Hij is begin deze zomer van huis weggelopen en sindsdien niet meer gezien.’

‘Hij lijkt erg veel op Paul.’

‘Dat viel mij ook meteen op, maar behalve dat zijn ouders ervan overtuigd zijn dat hij ontvoerd is, heeft Brighton geen enkel spoor. Het kan zelfs zo zijn dat hij gewoon is weggelopen. Hij heeft een rugzak gepakt, al het geld uit zijn moeders portemonnee meegenomen en opzettelijk gespijbeld.’

‘Maar?’

Hij keek verbaasd op.

‘Er zit een maar in je stem.’

Fenwick trok spijtig zijn wenkbrauwen op. 'Zo'n jongen als Sam moet toch ergens terechtkomen? Ze verdwijnen niet zomaar. Hier is nog een jongen uit Sussex, die weggelopen is en naar Londen is gegaan.' Hij gaf haar de foto. 'Jack heette hij. Hij heeft in juni zelfmoord gepleegd – in de Theems gesprongen. Ze zien er zo jong en onschuldig uit. Maar toen deze foto van Paul werd genomen, zat hij al twee jaar in de kinderprostitutie.'

Fenwick nam de foto's terug en bestudeerde Pauls ogen, alsof hij daarin een teken zocht van wat er met hem was gebeurd, maar hij zag alleen iets van spot, alsof Paul een binnenpretje had. Misschien was dat zijn manier om de bittere realiteit van zijn leven onder ogen te zien. Zo ja, dan had hij vast een heel laag gevoel van eigenwaarde, als hij op zo'n luchtige manier met zijn uitbuiting omging.

'Een dubbeltje voor je gedachten.'

'Ik zat over Paul na te denken, waarom zijn leven op deze manier is geëindigd en wat hij zou hebben gedaan als hij nog had geleefd.'

Nightingale had Fenwick nooit verteld dat zij in een bepaalde periode van haar leven zelf van huis was weggelopen; dat was een geheim waar ze met schaamte aan terugdacht. Maar haar kijk op de wereld was er wel door gevormd, ze had er een dikke huid door gekregen en het had elke neiging tot sentimentaliteit uitgewist.

'Paul zou uiteindelijk voorgoed zijn weggelopen, vermoed ik, en jong zijn gestorven, net als Jack; gewoon weer een cijfer in de statistiek van een grootstedelijke nachtmerrie. Daar haalt onze pedo waarschijnlijk nu zijn hart op. Ik geloof niet dat Zedenzaken iets voor mij is,' huiverde Nightingale.

'Het zou ook niet mijn eerste keus zijn, zeker niet nu mijn kinderen groter worden. Ik vind het moeilijk om niet aan hen te denken als ik naar die dossiers kijk.'

Fenwick hield zich in. Ze waren in een semipersoonlijk gesprek verzeild geraakt, iets wat vroeger heel normaal voor hen was. Hij begon druk met de papieren op zijn bureau te schuiven, zonder in de gaten te hebben dat het een teken van onbehagen was dat de pientere mensen van zijn team duidelijk herkenden.

'Hoor eens, Nightingale, ik wil je al een hele tijd iets zeggen.' Hij bleef naar een memo over het hergebruik van afval zitten staren, dat toevallig boven op de stapel papieren lag waar hij plotseling zo in geïnteresseerd was.

'Ga door.'

'Het is eh, nou ja, je weet wel, het gaat over...'

'Jouw grillige gedrag jegens mij?'

Hij keek haar aan op een manier die blijk gaf van een zekere opluchting.

'Ja, inderdaad.'

'Laat maar zitten.'

'Maar ik moet... ik bedoel, het spijt me als ik me... eh, slecht heb gedragen.'

'Excuus aanvaard.'

'Gewoon, zomaar?'

'Ja. Waarom niet? Andrew, laten we gewoon doorgaan.'

Fenwick verlegde zijn papieren zonder ze te zien. Ten slotte zei hij: 'Is dat het?'

'Is het niet genoeg?'

'Nou, je hebt niets gezegd over onze... vriendschap... buiten het werk om.'

'En dat ben ik ook niet van plan. Als jij me in de afgelopen maanden één les hebt geleerd, dan is het dat je werk en plezier gescheiden moet houden. Je kunt er gerust van uitgaan dat de boodschap ontvangen en begrepen is.'

Ze was een en al zakelijkheid en hield hem daarmee op zijn plaats. Hij bedacht dat zij niet de enige was, die op de harde manier haar lessen moest leren.

Nightingale en Fenwick stonden tegelijkertijd op en botsten bij de zijkant van het bureau bijna tegen elkaar. Hun beider verlegenheid werd verbroken door een klopje op de deur. Een fractie van een tel daarna kwam Cooper binnenlopen.

'O, neem me niet kwalijk.'

'Nee, het is oké, we zijn net klaar. Wat is er?'

'Ik vond dat jullie dit meteen moesten zien.' Cooper overhandigde hem een exemplaar van de *Sunday Enquirer*.

Onder de paginabrede vette kop EXCLUSIEF stond: DE DAG WAAROP PAUL STIERF. Het onderkopje vervolgde: *Exclusief interview met Sarah Hill, de diepbedroefde moeder van Paul Hill, daags nadat de politie zijn vermoedelijke moordenaar vrijliet. Vervolg op pagina 5, 7 en 8. Verdachte in het ziekenhuis na politieverhoor, pagina 3.*

'O, mooi is dat! Precies wat we nodig hadden; er wordt ook nog gesuggereerd dat de majoor een hartaanval heeft gehad tijdens zijn verhoor. Ik moet Harper-Brown direct op de hoogte stellen. Kun jij de persvoorlichter op het hoofdbureau bellen, Nightingale; dit kan het best van daaruit worden afgehandeld. Die verdomde Jason MacDonald.'

'Hij doet het goed, dat moet je hem nageven,' zei Nightingale spijtig, die zelf pijnlijke herinneringen had aan zijn werkwijze. 'Ik had willen wedden dat Sarah Hill nooit een interview over Paul zou geven, zeker niet waarin ze accepteert dat hij dood is.'

'Ik ben niet in de stemming om me bewonderend uit te laten over de journalistieke trucjes van die wezel, als hij net mijn aanpak van de zaak onderuit heeft gehaald. Dit leidt gigantisch af.'

Nightingale en Cooper deinsden terug, zijn kantoor uit, en sloten de deur, terwijl er een stroom van verwensingen uitkwam.

'Dikke shit,' zei Cooper. 'Excusez le mot.'

'Geeft niet, beter kon je het niet zeggen. Voor het eind van de dag zitten we er tot over onze oren in.'

En dat was ook zo. Alle mensen die het team wilde ondervragen, hadden wel een mening over hoe de politie bij de verdwijning van Paul te werk was gegaan en over de arrestatie en de vrijlating van Maidment. Fenwick riep hen om halfzes bij elkaar voor een bespreking, meer om het moreel op te krikken, dan met de verwachting dat er vooruitgang was geboekt. Het was een deprimerende boel.

Om halfzes zat het hele team in de Dog and Duck en Fenwick gaf een rondje. Achter hun biertje zaten hij en Cooper te klagen over de afgelopen dag. Stukken uit het artikel in de *Enquirer* waren 's middags op het nieuws en ook in de grote nieuwsuitzending van zes uur geweest. De korpschef zag zich gedwongen een korte persconferentie te geven, in een poging de kritiek om te buigen, met de verklaring dat zijn onderzoeksleider belangrijke vooruitgang had geboekt. Als gevolg daarvan was Fenwick overspoeld door telefoontjes, die hij voor het merendeel doorverbond met de persafdeling. Maar hij besloot wel rechtstreeks met een verslaggever van de BBC te praten, in een interview op Radio 4. Cooper was verbluft.

'Waarom ben je in de uitzending geweest, baas? Je zei dat je het aan de persvoorlichter zou overlaten.'

'Ik heb over Maidment en Taylor zitten nadenken.'

'Wie niet.'

'Maidment dekt iemand en dat kan niet iemand als Taylor zijn, dat weten we gewoon. Dus ben ik in de uitzending geweest om te zeggen, dat wij met het onderzoek een aantal nieuwe, veelbelovende richtingen ingeslagen zijn; ik hoop dat de moordenaar(s) hierdoor zenuwachtig genoeg worden om iets stoms uit te halen.'

'Dat vind ik een slag in de lucht, neem me niet kwalijk dat ik het zeg.'

'Dat besef ik, maar jij en het team zijn tegelijkertijd bezig alle verhoren over te doen. Daarom zei ik daarnet bij de bespreking, dat jullie hun het gevoel moeten geven dat het géén routine is, dat ze het als iets speciaals moeten beschouwen; dat er een reden achter zit dat we belangstelling voor hen hebben.'

Hij kon aan Coopers gezicht zien dat hij nog altijd niet overtuigd was.

'Het is het enige wat we hebben, Bob, tenzij jij iets anders kunt bedenken?'

Er viel een lange stilte en Fenwick vatte het op als het zoeken naar de juiste woorden om het met hem oneens te zijn. Hij wachtte geduldig, genoot van zijn biertje en probeerde niet te laten merken dat hij het grappig vond.

'Het punt is,' zei Cooper eindelijk, 'dat ik me verbaas over de familie van die jongen. Zij zijn nauwelijks als verdachten aangemerkt. Tegenwoordig zouden we ons niet-aflatend met hen bezighouden, tot we zekerheid hadden.'

Daar zat iets in. Het irriteerde Fenwick dat hij het zelf niet in overweging had genomen. 'Je hebt gelijk.'

'Toen Nightingale gisteren de ouders van Malcolm ging opzoeken,' vervolgde Cooper, die de verbaasde uitdrukking op Fenwicks gezicht niet zag, 'tja, toen kwam dat bij me op, dat is alles.'

'En verdenkt zij de Eagletons van de dood van Malcolm?'

'Nee – ze is ervan overtuigd dat ze onschuldig zijn. Ik geloof dat ze alleen maar is gegaan om hen ervan te verzekeren dat we zijn dood nog altijd serieus onderzoeken en dat we door die hype in verband met Paul, hun zoon niet vergeten zijn.'

'Wat goed van haar,' mompelde Fenwick, gerustgesteld dat ze schijnbaar toch niet zo hard was geworden als hij had gevreesd.

'Ja, ze moest wel, eigenlijk – ze dreigden met een klacht,' grinnikte Cooper en Fenwick zuchtte.

'Maar over Pauls familie gesproken, Bob,' ging hij op een ander onderwerp over, 'misschien is het mijn beurt om eens een bezoekje te brengen. Ik moet meneer en mevrouw Hill toch een keer ontmoeten.'

De maandagochtend was al aardig gevorderd, toen Fenwick voor de tweede keer op de bel naast de houten voordeur drukte. Het zag ernaar uit, dat de vader van Paul goed had geboerd, in ieder geval vergeleken met het haveloze halfvrijstaande huis waar zijn ex-vrouw woonde. Daar kwam hij zojuist vandaan en het was een van de meest verontrustende gesprekken geweest die hij ooit in zijn carrière had gevoerd.

Hij had de indruk dat mevrouw Hill uitermate labiel was; dat ze wellicht zelfs voor haar eigen bestwil opgenomen zou moeten worden. Die vrouw kon nauwelijks een samenhangende zin formuleren en citeerde dan opeens Shakespeare, of regels uit een onbekend stuk van Brecht. Fenwick wist dat ze van Brecht waren, omdat mevrouw Hill hem dat zei. Hij maakte zich dusdanig zorgen over haar, dat hij direct daarop maatschappelijk werk belde. Daar deelden ze hem mee dat ze ernaar zouden kijken zodra ze een gaatje hadden en daar moest hij het mee doen. Maar hij had nog steeds de kriebels en probeerde ergens tussen zijn schouderbladen te reiken om te krabben, toen de deur ogenschijnlijk vanzelf openzwaaide.

'Kan ik u helpen?'

Zijn ogen zochten de bron van die stem. Van de ene griezel naar de andere, dacht hij, maar deze had een gezicht dat op een oude leren handschoen leek die te lang in de zon had gelegen, omlijst met zachte witte krullen die de roze schedel nauwelijks bedekten.

'Ik ben hoofdinspecteur Fenwick en zoek de heer Gordon Hill. Ik kom van de...'

'Van de politie, dat zie je zo. Ik ben zijn moeder, Hannah Hill. Komt u maar binnen.'

De oude vrouw ging Fenwick voor naar een zitkamer, die smaakvol was ingericht in lichtbruin en donkerrood leer, afgezien van een stoel met een paisleymotief naast de haard.

'Dat vuur is niet echt, hoor. Het is zo'n ding dat op gas brandt. Gemakkelijk, dat wel, maar het heeft niet de charme van echt vuur, als u begrijpt wat ik bedoel.'

'Ja, ja, dat begrijp ik.'

Fenwick mocht Hannah Hill meteen, al probeerde hij altijd neutraal te blijven. 'Is uw zoon thuis?'

'Nee. Ze zijn vandaag met het hele gezin op stap; Gordon, Michelle, zijn tweede vrouw – een schat van een meid – en de twee kleintjes. Ze zijn naar het strand, laten ze ervan genieten. Voor mij is het niets. De dagen dat ik zand tussen mijn tenen wilde voelen, zijn overgegaan in het simpele verlangen nog wat gevoel in die krengen te krijgen. En trouwens, vanmiddag zijn de paardenrennen op tv en ik heb twintig pond ingezet op Paul's Delight. Koffie?'

Fenwick aarzelde. Hij smachtte naar cafeïne, maar naar zijn ervaring kwam koffie van een oud iemand neer op een schep Nescafé in een mok heet water, waarna iedere smaak die er nog aanzat verzopen werd in veel melk.

'Ik zet behoorlijke koffie, daar kunt u van op aan,' lachte Hannah. 'Maar ik vind het niet erg dat u op uw hoede bent. In het bejaardencentrum schenken ze kousenwater. Nu ik het er toch over heb, het is...' ze keek op de klok op de schoorsteenmantel, die zeven voor halfelf aanwees, '... bijna elf uur en ik hoef mijn medicijnen nog niet in te nemen. Trek in een hartversterkertje? Goed spul, vijf sterren.'

'Ik moet nog rijden, maar bedankt.'

'Zoals u wilt, maar u vindt het toch niet erg als ik er eentje neem, hè?'

Ze gingen in het zonnige eetgedeelte bij de keuken zitten en dronken sterke zwarte koffie, eentje mét en eentje zonder een scheut cognac. Het zonlicht scheen vanuit een hoek op de betegelde vloer, waar een zwart-witte kat lag te spinnen in de hitte.

'Ik begrijp dat het misschien wat vreemd overkomt na al die tijd, maar...'

'U bent hier om vragen te stellen in verband met Paul. Ik zag op het nieuws dat u de majoor hebt vrijgelaten. Daar ben ik blij om. Die man ziet er niet uit als een moordenaar.'

De houding van die vrouw verbluftte hem. Hij had verwacht dat ze er boos om zou zijn, maar in plaats daarvan was ze opgelucht.

'Maar u wilt toch dat we de moordenaar van uw kleinzoon vinden, nietwaar, mevrouw Hill?'

'Zeg maar Hannah, en nee, dat wil ik niet. Weet u, ik moet u iets vertellen...'

En dat deed ze dan ook, uitgebreid. Hannah Hill herhaalde het verhaal, woord voor woord, en genoot volop van zijn onverdeelde aandacht. Fenwick probeerde respectvol en zelfs belangstellend te luisteren, maar na de eerste zinnen dreef zijn aandacht weg. Hij besefte dat hij vijftien minuten van zijn tijd had verspild, alleen maar door zijn behoefte aan fatsoenlijke koffie.

En het ging maar door; de kat viel in slaap. Fenwick dronk zijn koffie op, excuseerde zich en ging weg. Mevrouw Hill keek hem met een ietwat treurige glimlach na en nam toen haar medicijnen in.

Cooper en Nightingale wachtten hem in zijn tijdelijke werkkamer op het bureau Harlden op, om hem te helpen bij de voorbereiding van een verslag van hun vorderingen voor de korpschef. Alison en Clive werkten telefonisch mee. Fenwick vertelde hun hoe bezorgd hij was over de geestelijke gezondheid van Sarah Hill, maar zei niets over zijn teleurstellende gesprek met haar vroegere schoonmoeder. Hij was er volstrekt zeker van dat de familie niet betrokken was bij Pauls verdwijning. Zijn vader bleek een waterdicht alibi te hebben, de grootouders hadden het druk gehad in Londen en de moeder was oprecht van de kaart van verdriet, niet omdat ze schuldgevoelens had.

Cooper vorderde traag met het vergelijken van de geïnterviewden uit 1982 met de lijst van legerkameraden van de majoor. Nightingales dag was al niet veel beter geweest.

'Oliver Anchor was niet thuis, toen ik daar kwam en zijn moeder gooide me bijna het huis uit. Daar is absoluut iets aan de hand. Ik zal toestemming moeten vragen om de medische dossiers van Oliver te kunnen inzien, zonder dat geeft zijn dokter ze niet vrij. Maar ik heb op dit moment niet genoeg om naar de rechter-commissaris te stappen. Ik heb wel een paar schoolvrienden van Oliver opgespoord en gesproken. Hun namen stonden in het dossier van Paul. Zij vertelden dat Oliver traag van verstand was, maar verder prima in orde, tot Paul verdween. Toen kreeg hij een soort zenuwinzinking en werd hij voorgoed van school gehaald. O, en ik heb geprobeerd de majoor weer te verhoren, maar zijn dokter stond het niet toe. Hij zei dat hij nog te zwak was en dat ik van tevoren moest bellen als ik weer wilde komen, om geen tijd te verspillen.'

'Je hebt je dag niet bij de medische stand.'

'Verdomd als het niet waar is.'

'Clive, hoe sta jij ervoor?' vroeg Fenwick in de vergadertelefoon.

'We hebben in dat bosje een stuk van een oude autoband gevonden. Ik heb het naar het lab gestuurd. Verder niets.'

'Alison?'

'Wij nemen alle afbeeldingen door die we uit de opslagruimten van Watkins en Ball hebben meegenomen. Het zijn er meer dan tienduizend en we zijn nu nog in het stadium van gewoon sorteren op categorie – foto's waarop het kind misschien herkenbaar gemaakt kan worden, foto's waarop duidelijke kenmerken van de volwassene zichtbaar zijn en die tot identificatie kunnen leiden, en foto's met een achtergrond, die ons misschien duidelijk kan maken waar de foto of video is gemaakt. We hebben één foto gevonden waarop misschien de tatoeage van Ball zichtbaar is, maar dat was het hoogtepunt van de dag. Het is een ontzettend nauwkeurig karwei en het is absoluut weerzinwekkend. Ik heb twee mensen van het team moeten laten gaan, ze konden het gewoon niet aan.'

'Hebben jullie al contact opgenomen met de landelijke Taakeenheid Kinderporno en Pedoseksuele Misdrijven op het Internet? Zij hebben een heleboel ervaring en zijn zelfs misschien bereid ons een deskundige te lenen.'

'Ze hebben mij gebeld,' antwoordde Alison. 'Ons ICT-team moet alle vormen van kinderporno op het internet registreren, dus heb ik ervoor gezorgd dat ze de procedure volgen.'

Fenwick maakte een eind aan de telefonische vergadering, blij dat Alison exact de goede dingen deed, maar zijn gezicht stond donker, toen hij die bekende gezichten van zijn oude team aankeek.

'Hoe je het ook bekijkt, we zijn een dag verder en nog geen spat opgeschoten.' Fenwick nam een grote slok koude koffie. 'O, grote vreugde. Wat zal de korpschef dit heerlijk vinden. We mogen hopen dat we dinsdag na *CrimeNight* de aanwijzingen krijgen die we nodig hebben.'

DEEL VIJF

SEPTEMBER 1982

De drie mannen keken toe, terwijl de auto stond uit te branden. De lucht van benzine vermengde zich met de verstikkende stank van smeltend rubber en dat overheerste bijna de ziekelijk weeë lucht van brandend vlees.

Niemand zei iets. De tijd om elkaar over en weer de schuld in de schoenen te schuiven, zou nog wel komen. Voorlopig waren ze eensgezind in de noodzaak een misdrijf te verhullen en de bewijzen te vernietigen.

'Over een dag uur zal het wrak wel voldoende afgekoeld zijn om het te kunnen slopen. We kunnen de oude plek voor het kuilgras van de boerderij gebruiken; hij is verlaten en ik kan hem later opvullen,' zei Nathan, de oudste van hen, op een toon waaruit bleek dat hij gewend was bevelen uit te vaardigen en gehoorzaamd te worden.

'We hebben wel vervoer nodig.' De langste van de drie, die zichzelf Joe noemde, voelde zich het minst op zijn gemak. Hij keek alle kanten op, behalve naar het lijk.

'Dat is geen probleem. Ik heb een jeep met een aanhanger, maar ik maak me meer zorgen over de plek waar het gebeurd is. Die moet opgeruimd worden. Alec, ik wil dat jij daarheen gaat. Bryan heeft ons aanwijzingen gegeven, maar er kan beter een nieuw gezicht naartoe gaan; iemand die niet bekend is in de omgeving.'

Alec kon zijn ogen bijna niet van het lichaam in de auto afhouden. De opgeheven vuisten, zwart tegen de achtergrond van de vlammen daarbinnen, fascineerden hem.

'Het lijkt wel alsof hij ertegen vecht,' zei hij, bijna met ontzag voor de macht van een lichaam in de dood.

'Neem je lesboeken nog eens door,' zei Nathan laatdunkend. 'Dat noemen ze de boksershouding. De pezen worden stijf van de hitte. Heb je nooit een man zien bakken in iets van metaal?' Joe wendde zich af bij die terloopse opmerking over de dood van een mens in de hitte van een brandende tank.

'En nu aan de slag. Bryan was nauwelijks meer in staat om ons gerust te stellen dat hij niets had achtergelaten. Over drie uur zien we elkaar weer in het huis.'

Hij draaide zich abrupt om en liep weg. De twee achtergebleven mannen staarden elkaar aan. Ze wachtten tot hij uit het zicht verdwenen was, voordat ze iets tegen elkaar zeiden.

'Wat een arrogante lul! Hij verandert niet, hè? Soms heb ik zin om hem een keer goed op zijn plaats te zetten, één keer maar.'

'Vergeet het maar, Alec. Hij is de baas, of je het leuk vindt of niet. Trouwens, dit is niet het moment om ruzie te maken, we hebben elkaar nodig.'

'Misschien,' Alec klonk niet overtuigd, 'maar als hij een betere knul had uitgekozen, stonden we hier nu niet. Hij is degene die ons met zo'n tegenstribbelende zeikerd heeft opgezadeld. Preutse klootzak; het was zijn verdiende loon, dat we hem...'

'Hou je mond! Kun je er niet over ophouden? Sinds we hier zijn doe je niets anders dan klagen. Als jij nou eens niet zo ruw met die jongen was omgegaan, zaten we nu misschien niet met die...' hij gebaarde hulpeloos naar de auto, '... klotezooi,' eindigde hij fluisterend.

'O, nu heb ik het zeker allemaal gedaan. Typisch hoor, verdomme. Het is niet Bryans schuld dat hij zich niet van hem heeft ontdaan toen hij de kans had; en ook niet van Nathan, die hem in het zwembad de stuipen op het lijf joeg. Nee, ik heb het weer gedaan; ik word altijd genaaid. Daar word ik zo pissig van.'

Hij balde zijn vuisten en deed een stap naar Joe toe.

'Rustig maar, Alec. We hebben hier allemaal de hand in. Ik bedoel alleen, dat...' hij zweeg even om naar woorden te zoeken. 'Laat maar zitten, vergeet wat ik gezegd heb. Je hebt gelijk, het is een klotezooi, van begin tot eind.'

'Zo is het, verdomme. Wat vind je, zullen we gewoon de benen nemen en hem zijn eigen rotzooi laten opruimen?'

Dat idee was ook bij Joe opgekomen, maar hij had het verworpen. Hun beste kans om ongestraft onder datgene wat ze hadden gedaan uit te komen, was dat de auto en het lichaam nooit zouden worden ontdekt. Ze hadden hem mijlenver van de plek verbrand waarvan Bryan had gezegd dat het... was gebeurd. Hij kon nog altijd niet geloven in wat voor ellende ze zich bevonden, laat staan dat hij zich ertoe kon brengen hun misdaad een naam te geven.

'Nee. Onze beste kans is elkaar te dekken, net als in de goeie ouwe tijd. Niemand van ons doet zijn mond open en er bestaat een reële mogelijkheid dat ze de jongen nooit vinden. Zelfs als dat wel gebeurt, is er niets meer wat hem met ons in verband kan brengen.'

'Zijn ouders zullen hem missen. Hoe weten wij dat ze niet tegen de politie zeggen dat hij met Bryan bevriend was?'

'Sst!' Zelfs in de eenzaamheid van het bos keek Joe over zijn schouder, toen de namen van Paul en Bryan vielen.

'Hij heeft gezegd dat we die namen nooit meer moeten noemen, zelfs niet onder elkaar. Luister,' hij keek op zijn horloge, 'ga jij nou maar naar Wyndham Wood, zoals hij heeft gezegd, en zorg ervoor dat alle sporen gewist zijn nu het nog licht is.'

'Ga jij nou godverdomme geen bevelen lopen geven!' Alec kwam weer op hem af en bleef vlak voor hem staan.

Joe stak zijn handen met de binnenkant naar buiten omhoog, om de vrede te bewaren. 'Oké, oké, maar jij bent er beter in om het te controleren dan ik.'

Alec haalde zijn schouders op en stak een sigaret op. Toen hij voldoende had gerookt om te demonstreren dat hij niemands slaafje was, liep hij zonder een woord te zeggen weg. Zijn metgezel bleef achter en wachtte tot de vlammen uitdoofden. Toen pas keek hij weer naar de zitplaats voorin. Tot zijn opluchting begon het silhouet te verbrokkelen. As tot as, stof tot stof.

32

Hij luisterde de twee boodschappen nog eens af, terwijl hij de ijsblokjes in zijn whiskyglas liet ronddraaien. Ze stonden op zijn antwoordapparaat, toen hij terugkeerde van zijn driedaagse golfuitje.

'Met Maidment. Ik moet je spreken. Ze hebben me zojuist vrijgelaten. Ze hebben de eerdere beschuldigingen laten vallen, maar nu hebben ze me opnieuw gearresteerd op grond van medeplichtigheid. Luister, jij had me verzekerd dat het een ongeluk was, maar...' Er viel een lange stilte. De man die luisterde, zag voor zich hoe Maidment probeerde 'zichzelf in de hand te krijgen', zoals hij zou zeggen. Toen klonken de piepjes en hoorde hij iets bewegen. '... Er is nog meer, maar dat ga ik niet op dat stomme apparaat inspreken. Bel me thuis op als je dit hoort.'

De man was absoluut niet van plan om terug te bellen. Hij wist dat de politie telefoongesprekken kon vorderen. Als ze Maidment van medeplichtigheid verdachten, luisterden ze misschien de telefoon bij hem thuis af. Hij wiste de boodschappen, nam een stevige slok en genoot ervan hoe het geestrijk vocht in zijn keel brandde. Dit was een van de vele genoegens die een ongetrouwd bestaan bood. Toen zijn vrouw er eindelijk genoeg van had gekregen en hem verliet, was hij alleen maar opgelucht geweest. Hoewel ze elkaar aan het eind van die schijnvertoning die hun huwelijk was geweest, nog maar zelden zagen, had het feit dat ze nog wel in de buurt was, hem altijd bedrukt. Nu hij alleen was, genoot hij van ieder uur van zijn vrijheid.

Hij nam nog een slok en zijn glas was leeg, afgezien van het rinkelende ijs. Hij stond op om nog een maatje in te schenken. De flessen stonden op een serveerboy naast de openslaande deuren, die uitkwamen op zijn magnifieke tuin. Nadat hij uit het leger was gegaan, had hij zijn tegoeden verstandig geïnvesteerd in zowel legale als illegale projecten. Vooral de illegale hadden veel opgeleverd, waardoor hij zich het grote huis en de diensten van het echtpaar kon permitteren, dat in zijn behoeften voorzag en tegelijk praktisch onzichtbaar voor hem bleef. Precies zoals hij het graag had.

Hij vulde zijn glas bij en deed er nog een ijsblokje uit de geïsoleerde ijsemmer bij. Deze werd dagelijks om halfzes door de huishoudster gevuld, voordat ze wegging. Dan stond ook zijn avondmaal al zachtjes gaar te worden in de keuken. Zijn drankjes moesten ijskoud zijn, een gewoonte die hij zich in de tropen had aangewend. Terwijl hij over het zwembad uitkeek, dat voor de avond was afgedekt, wachtte hij tot de drank gekoeld was.

Maidments boodschap galmde nog na in zijn hoofd. Hij leek niet zichzelf te zijn, zo klonk het, en dat baarde hem de grootste zorgen, nog voordat hij de tweede boodschap had gehoord. Misschien had hij jaren geleden al moeten verkassen, ruimte scheppen tussen zichzelf en het verleden. Dat hij dat niet had gedaan, kwam voor een deel voort uit trots, besefte hij. Hij had een naam in de plaatselijke gemeenschap en hij mocht vervloekt zijn als zo'n hoerige schooier van een jongen hem zou verdrijven, alleen maar vanwege een ongeluk.

Het wás een ongeluk, zei hij tegen zichzelf. Dat joch was onrustig en rebels geweest vanaf het moment dat hij arriveerde. Dat kon je wel aan Bryan Taylor overlaten, de boel zo uit de klauwen te laten lopen. Er was niets wat hen met elkaar in verband bracht, daar had hij heel goed voor gezorgd en er was geen tastbaar bewijs achtergebleven. Hij had het zien verbranden en daarna hadden Joe en Alec hem geholpen de as te verpulveren en te begraven. Ball was intussen veilig buiten bereik van de politie en Joe – of Joseph, zoals hij zichzelf nu nadrukkelijk noemde, alsof de terugkeer naar zijn Bijbelse naam zijn schuld op de een of andere manier kon uitwissen – ja, de arrestatie van Joe was een enorme schok geweest. Hij had zijn financiën al in orde gemaakt, klaar om het land te verlaten, toen een toevallige opmerking bij de golfclub hem op zijn gemak stelde. 'Die arme, ouwe Joseph' had een totale, vermoedelijk onherstelbare zenuwaanval gehad en lag nu onder de kalmerende middelen in een gevangenishospitaal, nauwelijks bij bewustzijn. Wat had hij daarom moeten lachen, toen hij naar de privacy van zijn eigen huis terugkeerde! Nu hoefde hij zich alleen nog maar zorgen te maken over Maidment.

Hij zou veilig moeten zijn, vooropgesteld dat Maidment zijn kop bij elkaar hield. Zelfs het tweede bericht hoefde geen reden tot ongerustheid te zijn. Hij draaide zich om en liep terug naar zijn antwoordapparaat. De stem zonder lichaam die zijn zitkamer vulde had het een onmiskenbaar zangerig Sussex accent.

'Hallo, dit is brigadier Cooper. Ik wilde vragen of ik even met u kan komen praten, meneer. Het staat in verband met de verdwijning van Paul Hill. U bent destijds verhoord en ik weet dat we u naderhand opnieuw hebben gesproken, maar er zijn nog wat vragen gerezen die wij u noodzakelijkerwijs moeten stellen.'

Cooper had opgehangen en zijn telefoonnummer achtergelaten met het verzoek hem zo snel mogelijk terug te bellen. De vraag was of hij dat moest doen of dat hij het nog even zou uitstellen. Het was handiger om eerst te weten te komen wat Maidment te zeggen had, voordat hij contact opnam met de politie; aan de andere kant, uitstel kon verdacht lijken. Peinzend nam hij een slokje whisky en pakte toen de telefoon. En terwijl hij dat deed, ging hij over. Hij schrok er zó van, dat de whisky over zijn lievelingstapijt klotste, het tapijt dat hij in Tasjkent had gekocht.

'Verdomme!'

Hij liet het antwoordapparaat aanslaan.

'Ik ben het weer, Maidment. Luister, ik...'

'Ja, wat wil je toch?' zei hij bruusk, toen hij had opgenomen.

'Ik had een boodschap voor je ingesproken.'

'Dat heb ik gehoord.'

'Ik... ja, zuster, het duurt maar even... Ik lig in het ziekenhuis en ik mag vandaag helemaal niet telefoneren, maar ik moet je spreken.'

'En waarover?' Hij vroeg Maidment niet waarom hij in het ziekenhuis lag en wenste hem ook geen beterschap. Eerlijk gezegd zou het hem wel goed uitkomen als die ouwe zak doodging.

'Toen ik door de politie werd ondervraagd, stelden ze me een vreemde vraag, een heel vreemde vraag. Herinner jij je nog dat je een nieuwe parkeerkaart nodig had, het eerste jaar dat ik secretaris was?'

'Wat? Heb je een klap voor je hoofd gehad, of zo?'

'Die parkeervergunning – je moest een nieuwe hebben,' hield Maidment vol.

'Jij hebt wel een belachelijk goed geheugen voor trivialiteiten.'

'Het was in augustus 1981. Ik moet het zeker weten.'

'Ik heb geen idee. Waarom?'

'De politie vroeg aan mij of ik vervangende parkeerkaarten had uitgegeven.'

Het glas in zijn hand was zo koud geworden dat zijn vingers er wit van werden. Hij staarde ernaar en probeerde zijn glas iets minder stevig vast te houden.

'Wat heb je tegen ze gezegd?'

'Dat het best zou kunnen, maar dat ik het niet zeker wist.'

'Ik slaag er nog steeds niet in, het belang hiervan in te zien.'

'Maar het punt is dat ze me naar het jáár 1981 vroegen.' De stem van de majoor ging over in gefluister. 'Die jongen van Hill verdween in 1982, dus daar kan het niet mee in verband staan.'

'Precies.'

'Maar er is in 1981 nog een andere jongen verdwenen, nietwaar?' Hij sprak zo zacht, dat het bijna onhoorbaar was. 'De jongen van wie ze de resten eerder dit jaar hebben gevonden; zijn naam was Malcolm Eagleton.'

Bij het horen van die naam ging er een schokgolf door zijn lichaam, waardoor het glas in slow motion uit zijn gevoelloos geworden vingers viel en zonder te breken op de vloer stuiterde. Hij keek toe hoe de inhoud zich in een steeds groter wordende vlek over het tapijt verspreidde.

'Hoor je me wel? Ik moet het weten. Heb jij iets met zijn dood te maken?'

'Ik heb je gehoord. Dit is volslagen nonsens. Man, beheers je in godsnaam. Zeg niets tegen de politie tot we onder vier ogen met elkaar hebben gepraat. Wanneer kan dat?'

'Ze willen me hier een week houden...'

'Bel me op vanuit een cel, zodra je uit het ziekenhuis bent, dan kunnen we iets afspreken.' Het ijs begon te smelten en zou een watervlek achterlaten. 'En bel me in de tussentijd niet meer op.'

Met een trillende hand hing hij op. Hij moest nu echt een doek gaan halen om de gemorste drank op te nemen, maar hij kwam niet van zijn plaats. Voor een deel speet het hem dat zijn unieke en waardevolle antieke tapijt onherstelbaar beschadigd was, maar tegelijkertijd was hij al bezig te calculeren hoe snel hij in staat zou zijn dit alles achter zich te laten en overnieuw te beginnen als het moest.

Hij wiste het hele bandje van zijn antwoordapparaat en haalde het er toen uit om het te vernietigen. En al die tijd tolde zijn gewoonlijk zo koele, logische geest van de implicaties van wat Maidment gezegd had. Hij was die jongen van Eagleton bijna vergeten; dat was een miskleun geweest, een beginnersfout. Zijn gedachten hadden de afgelopen vijfentwintig jaar uitsluitend om Paul gedraaid; Paul, die hij in zijn fantasieën had geïdealiseerd tot de volmaakte jongen; Paul, degene die uiteindelijk zijn nemesis zou kunnen worden. Niet die stomme Malcolm, die achteraf zo teleurstellend bleek te zijn.

Nu was er geen sprake meer van dat hij de politie zou terugbellen voor hij met Maidment had gepraat, maar hij moest wel een reden opgeven waarom hij niet had gebeld. Hij was nog maar net terug van zijn lange weekend. Misschien kon dat als excuus dienen, maar dan moest hij nu direct weer weggaan. Maar waarheen?

Hij moest erom glimlachen toen het idee bij hem opkwam. Hij zou niet alleen een paar dagen kunnen onderduiken, hij zou zichzelf ook nog eens kunnen verwennen met die nieuwe jongen, net zo lang als hij wilde. Als zijn tijd opraakte en hij moest verkassen, zo redeneerde hij, was hij niet langer genoodzaakt de jonge Sam te ontzien, nietwaar? Als hij eenmaal met hem klaar was, maakte het eigenlijk niet meer uit wat er daarna gebeurde, maar het bevredigde wel zijn aangeboren bezitterigheid, te weten dat na hem geen ander meer van hem zou kunnen genieten. Toen hij dat besluit eenmaal had genomen, ging hij op zoek naar een lap, in een poging zijn kostbare tapijt te redden.

33

De regelmaat in het ziekenhuis beviel de majoor wel; vroeg wakker, een beperkt menu – voornamelijk bedoeld om de mensen te voeden, geen verrassende, gastronomische hoogstandjes – en de lichten op een christelijk tijdstip uit. Precies als in het leger, behalve dat hij geen andere verantwoordelijkheden had dan te herstellen. Natuurlijk was er wel de drukte van het bezoek dat hij te woord moest staan, hoewel hij niet zo veel bezoek had ontvangen in de zesendertig uur sinds zijn opname.

Margaret Pennysmith had een buitensporige fruitmand meegebracht waarvan hij wist dat zij die nauwelijks kon betalen, en dat gebaar ontroerde hem. Haar bezoek was veel prettiger dan hij een maand geleden zou hebben gevonden. Zij liet zich niet in verlegenheid brengen door gekreun op de slaapzaal of de starende blikken uit een paar andere bedden. En nu ze hem beter kende, hoefde ze zich niet over te geven aan het lege geklets dat vroeger voor een gesprek doorging. Tot zijn verbazing spraken ze over lopende kwesties en haar mening ging verder dan het herhalen van artikelen uit de roddelpers. Na een gesprek over de voortgaande conflicten in het Midden-Oosten, kwamen ze algauw op parallelle ervaringen die hij in het leger had gehad. Ze kon goed luisteren. Toen de verpleegkundige aankondigde dat het bezoekuur voorbij was, keken ze er allebei van op en hij merkte dat hij teleurgesteld was toen ze wegging.

Ze gaf hem een kaart. Binnenin las hij niet alleen haar goede wensen, maar ook die van de anderen in de kerk die nog altijd in hem geloofden, of hem misschien als vergeven beschouwden. Er stonden bar weinig namen op, maar wel die van de predikant, wat betekende dat hij op een bezoekje kon rekenen. Hij zette de kaart op zijn nachtkastje, vlak naast het telegram van zijn zoon en schoondochter in Australië. Van de golfclub had niemand iets van zich laten horen. Hij betreurde dat, maar het verbaasde hem niet en hij was eerlijk genoeg om te beseffen dat zijn reactie omgekeerd vermoedelijk precies hetzelfde zou zijn geweest.

De artsen hadden de politie bij hem weggehouden, om hem de gelegenheid te geven weer op krachten te komen. Ze wilden hem hier zes dagen houden, hadden ze gezegd, maar dat vond hij overdreven lang, ook al zag hij er erg tegen op naar huis terug te keren. Margaret had hem onomwonden (hij had er een grote hekel aan als iemand om de hete brij heen draaide) verteld, dat er vandalen hadden huisgehouden. Zij en de vrienden die nog in hem geloofden, hadden hun best gedaan om schoon te maken, maar ze moest toegeven dat er ook schade was aangericht die zij niet konden repareren.

Nee, hij had geen haast om naar huis te gaan. Het verblijf in het ziekenhuis was bijna een geschenk, een tijdelijk afscheid van een onvriendelijke wereld en een kans om na te denken. Nu hij een dag volkomen rust had gekregen, zou de politie hem weldra kunnen ondervragen. Voor die tijd moest hij nog veel op een rijtje zetten. Hij kon zich alles van het laatste verhoor herinneren. Elk woord had hem diep geraakt en de schuld die hij met zich meedroeg wakker geschud. Inspecteur Nightingale was intelligent. Zij had zijn betrokkenheid bij de dood van Paul zo goed als weggewuifd en dat had hem van zijn stuk gebracht. Geen van zijn uitgedachte verdedigingstactieken had gewerkt tegen haar aanval in de flank. De beschuldiging dat hij op de een of andere manier een verstokt kindermisbruiker en moordenaar had geholpen, had hem de adem reeds benomen nog voor zijn long het begaf. Als ze het bij het rechte eind had, dan kon hij goede daden verrichten tot hij een ons woog, maar ze zouden de schuld die hij droeg niet kunnen wegwassen.

Had ze gelijk? Zijn telefoontjes waren overhaast geweest en hadden minder dan niets opgeleverd. Zonder gelaatsuitdrukkingen die hem een aanwijzing hadden kunnen geven, had hij zich moeten inspannen om alleen uit de toon van de stem schuldigheid of iets ontwijkends op te maken. Het gevolg daarvan was, dat hij ieder woord, iedere stilte of snelle ademhaling had geanalyseerd en nu hij stil in zijn bed lag, merkte hij dat hij het gesprek nóg constant in zijn hoofd afdraaide.

Wat hem het meest hinderde was de nieuwe parkeervergunning. De sleutels van de kluisjes raakten regelmatig zoek, maar geen stickers die aan de binnenkant van een autoruit waren geplakt. De enige keer dat ze werden weggehaald, was jaarlijks in augustus, als er nieuwe kaarten werden verstrekt. Malcolm Eagleton was in augustus ontvoerd en gedood. Zelfs al kon hij zichzelf ervan overtuigen dat de dood van Paul Hill een ongeluk was, dan nog nam dat de samenloop van omstandigheden rond de moord op Malcolm niet weg. En als Malcolm door iemand van de golfclub van Harlden was meegenomen, dan was er maar één man van wie hij zeker wist dat hij betrokken was bij de dood van Paul. Was het waarschijnlijk dat er twee van zulke mannen bij één enkele golfclub zaten? Dat dacht hij niet en dat hield in, dat...

De majoor onderbrak zijn malende gedachten. Er was maar één grote vraag, hield hij zichzelf voor, die andere kwesties leidden hem alleen maar af. Had hij zich op de een of andere manier schuldig gemaakt, ook al was het onopzettelijk, aan het beschermen van een moordenaar van jonge jongens, die vervolgens nog meer jongens had misbruikt en de dood ingejaagd?

Deze vraag gonsde maar door zijn hoofd, waardoor de geluiden op de slaapzaal niet meer tot hem doordrongen. Toen hoofdinspecteur Fenwick hem ondervraagde over zijn betrokkenheid bij de dood van de andere jongen, had hij die vragen met gemak af kunnen doen. Hij was onschuldig en op dat moment zag hij het verband niet tussen de moord op Malcolm Eagleton en Paul Hill. Maar in de gevangenis hadden de onzichtbare zaadjes van de twijfel wortel geschoten en waren gaan groeien. In een gevangenis bestond zoveel pure slechtheid, dat het zijn ogen opende voor het feit dat op het oog doodgewone mensen in staat waren tot dingen die zo walgelijk waren, dat het zijn bevattingsvermogen te boven ging. In de strijd was hij getuige geweest van gruwelijkheden, maar die had hij op de een of andere manier toegeschreven aan de oorlogssituatie. Dat vijandelijkheden het slechtste in een mens naar boven konden halen, kon hij wel geloven, maar niet in vredestijd.

Achteraf bezien realiseerde hij zich dat zijn naïeve vertrouwen in een medeofficier zelfopgelegd was. Al zijn rationele argumenten van plicht en loyaliteit waren eigenlijk een dikke laag schone schijn boven op een bittere, duistere schuld. Percy had hem slim gemanipuleerd. Hij wist dat hij bereid zou zijn de bewijslast te verdonkeremanen; hij had hem immers in zijn macht nadat hij zijn bigamie had ontdekt. Toen ze nog samen in het regiment zaten, had Percy er goed gebruik van gemaakt om zijn eigen carrière te bevorderen en in één geval zelfs de bevordering van Maidment te blokkeren. Een telefoontje met het verzoek hem te helpen zich van wat gênante rommel te ontdoen voordat zijn vrouw terugkeerde, was dus heel simpel te accepteren geweest.

Percy's nauwelijks verholen dreigement om zijn bigamie wereldkundig te maken was de ware reden geweest waarom hij was blijven zwijgen, ondanks het groeiende besef dat hij had meegeholpen de dood van een kind te verbergen. En nu hadden de politieverhoren hem ontdaan van zijn beschermende zelfmisleiding. Toen de vrouwelijke inspecteur haar laatste aanval op hem had gelanceerd, had hij zich niet meer achter blinde onschuld kunnen verschuilen. Hij kreunde.

'Gaat het, majoor? Zal ik u een pijnstiller brengen? Daar heb u volkomen recht op, weet u.' De vriendelijke verpleegkundige bleef bij het voeteneinde van zijn bed staan met een urinekolf, die ondanks de doek die eroverheen lag, duidelijk te zien was.

'Nee, dank u wel, zuster Shah. Het gaat wel hoor.'

'U hoeft niet onnodig pijn te lijden.' Ze glimlachte naar hem op een manier die hem een brok in de keel bezorgde en hij verwenste het controleverlies dat hem telkens overkwam.

'Dat is zo, maar het hoeft echt niet.' Hij kuchte om zijn keel te schrapen en probeerde zijn gezicht niet te vertrekken van de pijnscheut die door zijn ribben ging.

O, lieve hemel, hij moest zichzelf in de hand krijgen. Hij moest belangrijke beslissingen nemen en snel ook. Hij had zijn woord gegeven dat hij nooit met iemand over de dood van Paul zou spreken en dat had hij ook nooit gedaan, zelfs niet met zijn vrouw, zelfs niet toen hij naar de persconferentie met de ouders van de jongen keek. Hun verdriet was vreselijk geweest en zijn schuldgevoel navenant, maar hij was blijven zwijgen en had zichzelf voorgehouden dat hij toch niets kon doen om de jongen terug te brengen.

Door de jaren heen begon de schuld te vervagen en daarmee ook de aandrang te onthullen wat hij wist. Eigenlijk was dat ook maar bar weinig. Hij had nooit het lijk gezien, alleen de kleren van de jongen. Een bebloede blazer en broek waren geen bewijzen van iemands dood en ze hadden onder tonnen steen en beton begraven gelegen, voor hij zich realiseerde waar ze eigenlijk op duidden. Indertijd had hij de plek waar hij ze had gedumpt als hermetisch afgesloten beschouwd; nu vervloekte hij het feit dat hij ze niet naar de gemeentelijke vuilstortplaats had gebracht.

Toen hij de zak uit zijn kofferbak trok, was hij achter de vergrendeling blijven haken en gescheurd, dus was hij een andere zak gaan zoeken. Het was een bewolkte avond geweest en de verlichting op de parkeerplaats van de club werkte op een tijdschakelaar, om geld te besparen, daarom liep hij in het donker naar de keuken, bekend als hij was met de weg erheen. Maar hij had er niet aan gedacht dat er rommel van de bouwlieden lag en hij struikelde erover, waardoor hij zijn handen openhaalde en het bloed op de nieuwe zak kwam.

Toen hij naar de auto terugliep, oriënteerde hij zich op het interieurlicht, terwijl zijn ogen aan het donker gewend waren. Pas op dat moment zag hij de inhoud van de zak voor het eerst. Het schoolembleem op de zak van de blazer was meteen herkenbaar, evenals de rode spetters die erop zaten meteen duidelijk waren voor een oude soldaat, die eraan gewend was bloed op een uniform te zien. Hij haalde het jasje tevoorschijn om het te bekijken en voelde de kleverige vochtigheid op het vervilte weefsel. Eén keer ruiken bevestigde dat het bloed was. Zijn eerste reactie was er een van verwarring geweest. Hij wist dat er een rationele verklaring voor moest zijn, maar hij kon niets bedenken.

Hem was verzocht wat 'gênante rommel' op te ruimen, 'zodat moeder de vrouw het niet zag' en hij dacht dat hij het een of andere sexy kostuum of seksspeeltjes weg moest brengen. Geconfronteerd met de aanblik van bebloede kleding had hij alles in de nieuwe zak gegooid en was linea recta naar Percy teruggereden. Deze had hem bij de voordeur opgewacht en meteen naar de werkkamer geloodst. De radio stond aan en hij hoorde nog net een nieuwsflits over een vermiste jongen uit de omgeving. Toen werd hij uitgezet. Hij had het er koud van gekregen en het deed hem besluiten recht op de man af te gaan.

'Heb jij iets met de verdwijning van die jongen te maken? Heb je zijn kleren aan mij gegeven om te dumpen?'

Percy had gewoon geknikt.

'Mijn god, zeg, hoe haal je het in je hoofd? We moeten meteen naar de politie.'

'Nee. Je snapt het niet. Die Paul Hill was een akelig stuk vreten.

Hij chanteerde een vriend van me, die zo stom was geweest zich met hem in te laten. Mijn vriend bracht hem bij me, om hem te overreden ermee op te houden. Hij dacht dat mijn gezag indruk op die knul zou maken.'

'Maar hij is vermist en dat bloed... Is hij dood?' Hij liet zich in een stoel vallen.

Percy zei niets.

'Nou?'

'Ik geloof het wel, ja.'

'Hoe is hij gestorven?'

'Mijn vriend zei dat het een vreselijk ongeluk was. Paul droeg een mes bij zich. Het zag er erg gevaarlijk uit en hij liep ermee te paraderen om te bewijzen dat hij niet bang was, neem ik aan. Ik weet niet hoe het gebeurde, maar op de een of andere manier verwondde hij zichzelf en ging er toen vandoor. Het was geen diepe wond, maar ongeveer een uur later stond mijn vriend bij me voor de deur om te zeggen dat Paul doodgebloed was, precies bij de rand van mijn bos.'

Terwijl hij zijn verhaal aan het vertellen was, schonk Percy twee grote whisky's voor hen in en ook toen vond hij het al vreemd dat de handen van zijn vriend helemaal niet trilden.

'Ik beloofde hem dat ik zou helpen. Hij was een oude kameraad. Ik kon hem absoluut niet in de steek laten.'

'Waarom ben je in hemelsnaam niet naar de politie gegaan? Het was een ongeluk, dat zouden zij ook wel hebben ingezien. Je reputatie is van dien aard dat ze je zouden geloven. Het is nog niet te laat, we kunnen ze bellen.'

'Nee!' Percy begon te ijsberen. 'Zo simpel ligt het niet. Iemands reputatie komt erdoor in het geding. Een fatsoenlijke kerel, die veel goeds voor de gemeenschap heeft gedaan. Ik heb hem mijn woord gegeven.'

'Maar hij kan het toch uitleggen – het is waanzin om het anders te doen.'

'Je begrijpt er niets van. Ik zei dat Paul een chanteur was. Waarmee denk je dat hij mijn vriend chanteerde?'

'Ik heb geen idee, maar dat doet er niet toe. Het zal de zaak van je vriend alleen maar goed doen als die jongen crimineel was.'

'Mijn god, wat ben jij soms achterlijk. Denk na, man! Wat kan er tussen een volwassen man en een tienerjongen zijn dat aanleiding geeft tot chantage?'

Maidment herinnerde zich hoe geschokt hij was bij die woorden, de golf van schaamte die over hem heen kwam en de walging, die op zijn gezicht moest hebben gestaan.

'Precies. Als dat naar buiten komt, is mijn vriend geruïneerd.'

'Hoe oud was Paul?'

'Dat is niet relevant. Hij was een tiener; een manipulerend, leugenachtig rotjong uit een slecht gezin; hij heeft gewoon gekregen wat hem toekomt. Ik laat het leven van een fatsoenlijke vent niet op die manier kapotmaken.'

'Maar het was een ongeluk. Dat zal de politie ook zien als ze het lichaam onderzoeken. Daar hebben ze methoden voor.'

'We hebben ons van het lijk ontdaan. Wat denk je dat ze daarvan denken?'

'Je ervan ontdaan? Maar dat maakt juist een belastende indruk. Waarom?'

'Een paniekreactie. Ik geef toe, het is vreemd gedrag voor mannen die onschuldig zijn, maar het was het idee van mijn vriend en ik ben erin meegegaan.'

'Dat kun je allemaal aan de politie uitleggen.'

'Je bent wel heel erg onnozel, zeg. Heel uitzonderlijk voor een man in jouw positie. Nou ja, ik heb je verteld dat we het lijk hebben laten verdwijnen.'

'Graaf het op.'

'Onmogelijk. We hebben het verbrand.'

'Wat? Maar... maar...' Hij was sprakeloos geweest.

'Exact. Nu is er geen bewijs meer dat zijn dood een ongeluk was. Denk je nou echt dat de politie ons nu nog gelooft?'

Maidment had lang nagedacht. Zijn whisky werd bijgeschonken en hij dronk gedachteloos zijn glas leeg.

'Toch moeten we naar de politie gaan,' zei hij ten slotte.

'Om ze wat te vertellen?'

'Dat wat je mij nu net hebt gezegd. Het zal wel moeilijk zijn, dat geef ik toe, maar er is geen alternatief.'

'Wat voor bewijzen heb ik om mijn verhaal te ondersteunen?'

'Ik zal je natuurlijk steunen, precies vertellen wat er gebeurd is.' Maidment had Percy recht aangekeken om zijn aanbod kracht bij te zetten. Maar wat hij zag, had hem doen huiveren. Percy bekeek hem met een mengeling van minachting en vermaak.

'En hoe zwaar weegt jouw woord, Jeremy? Als ze de waarheid over jouw verleden zouden weten, over jouw avontuurtje met een meisje dat minderjarig bleek te zijn...'

'Dat was ze niet, niet volgens de normen van haar stam. En ik had geen idee...'

Maidment rilde als hij nog aan zijn eigen miezerige excuus dacht en Percy had genoten van zijn beschamende gedraai. Toen zei hij, zo koel dat Maidment het er koud van kreeg, 'en bovendien, waarom zou ik me erin laten betrekken?'

'Ik begrijp je niet.'

'Denk eens na. Jij komt helemaal overstuur 's avonds laat bij mij aanzetten. Er ligt een zak met bebloede jongenskleding in jouw kofferbak en overal zitten jouw vingerafdrukken op. Die van mij zul je er niet op aantreffen, ik had handschoenen aan. Wat de tastbare bewijzen aangaat, en je weet hoe bezeten onze politie is van "harde bewijzen", ben jij schuldiger dan ik.'

'Maar je zou toch voor me instaan, nietwaar?'

'Dat kan niet. Ik heb mijn woord al gegeven. Hoe graag ik je ook zou helpen, ouwe jongen, ik zou moeten zwijgen. Wil je nu nog steeds de politie bellen? Ik neem aan dat je voor de hele middag en avond een alibi hebt om je van blaam te zuiveren?'

Dat had hij niet. Percy's hand zweefde al boven de telefoon.

'Wacht, laat me even nadenken.'

'Niet zo zeker van de onfeilbaarheid van ons beroemde rechtssysteem?' had Percy gelachen.

'Ik weet niet wat ik moet doen.'

'Heel simpel. Niets. Ik geef jou mijn woord dat ik niets zal zeggen over wat jij gedaan hebt en jij moet mij een plechtige eed zweren dat jij dat ook zult doen. Ga naar huis, ruim die zak op, maak je auto schoon en neem een lekker bad voordat je gaat slapen.'

'Maar er is een jongen dood.'

'Per ongeluk. Niet door onze schuld. En het is geen verlies, ga daar maar van uit.'

'Maar zijn ouders dan... die gaan eraan kapot. Ze moeten het weten. Al die onzekerheid...'

'Wat kun je tegen ze zeggen? De jongen is dood, maar er is geen lijk? Ik kan helemaal niets zeggen, dus moet jij weten wat jij meent te kunnen zeggen, maar dat is niet veel. Je was er niet eens bij toen het gebeurde. Nee, Jeremy, het is het beste om niets te doen en niets te zeggen.'

Hij had geen weerwoord gehad; hij had geknikt en Percy had erop gestaan dat ze elkaar de hand schudden, als bezegeling van hun wederzijdse eed.

Op de terugweg was hij doodsbenauwd geweest dat hij door de politie zou worden aangehouden. Toen hij het grote gat voor het fundament bij de golfclub zag, was het de simpelste zaak ter wereld geweest om de zak erin te laten vallen en er een laag kiezelstenen bovenop te gooien. Daarna was hij naar huis gegaan, had zijn vrouw ontweken, de auto uitgezogen en was met een fles whisky in het bad gaan zitten. De dag daarop had hij zo'n enorme kater gehad, dat hij nauwelijks had kunnen nadenken. Op de een of andere manier had hij zich door eindeloze vergaderingen en 's avonds nog een diner heen gesleept en zo was de eerste dag verstreken, bijna als vanzelf. De dag daarna verliep precies hetzelfde, die daarna net zo, en algauw was er een week van zwijgen voorbij.

De weken werden maanden, de maanden werden jaren. Soms probeerde hij zichzelf wijs te maken dat het een akelige droom was geweest, maar zijn geweten stond hem geen moment toe dat te geloven. Maar hij had zichzelf zo vaak voorgehouden dat er geen andere uitweg uit dit probleem was geweest, dat hij zijn eigen logica uiteindelijk wel geloofde. Met Hilary's ziekte had hij het gevoel gehad dat dát de straf voor zijn zonden was en dat die aan haar werd voltrokken. Met haar pijn en haar trage, langdurige sterfbed keerde de schuld terug. Hij was met pensioen gegaan en had het werk waarin hij helemaal zijn draai had gevonden, opgegeven, om bij haar te zijn. Uren had hij gewoon aan haar bed zitten wachten, met alleen de schuld als metgezel. Hij dacht dat hij misschien een zenuwinzinking zou krijgen, maar dat was hij te boven gekomen; vluchten in de waanzin was een bevrijding die hij zichzelf niet kon toestaan. In plaats daarvan wachtte hij, leed hij met haar mee en bad hij.

Toen ze op een zonnige middag in de lente in haar eigen bed overleed, had hij urenlang bij haar gezeten en haar verteld wat hij had gedaan, en hij had haar om vergiffenis gesmeekt. Toen had hij voor haar ziel gebeden, haar voor de allerlaatste keer heel lang vastgehouden, haar gekust en het telefoontje gepleegd dat haar voor altijd bij hem weg zou halen.

Bij haar graf had hij een stille eed gezworen dat hij voor de rest van zijn leven goede daden zou verrichten als een armzalig soort boetedoening voor zijn zonden, in de hoop op die manier de hel te kunnen ontlopen, opdat hij, na zijn tijd in het vagevuur weer bij haar kon zijn.

'Ik vind toch dat u een pijnstiller moet nemen, majoor Maidment.' Zuster Shah stond naast zijn bed.

Snel veegde hij zijn gezicht af en probeerde te glimlachen. 'Ik lag te dommelen. Het was een nare droom, dat is alles.'

'Zo klonk het niet. U hoeft geen pijn te lijden, echt niet,' zei ze, toen ze wegliep.

'O, jawel,' fluisterde hij en hij sloot zijn ogen.

'We hebben hem naar een andere kamer gereden, zodat u een beetje privacy hebt,' zei de verpleegkundige.

Nightingale en aspirant-rechercheur Stock volgden haar naar de kamer waar de majoor rechtop in het enige bezette bed zat.

'Goedemorgen, majoor.'

Hij merkte dat zij niet in de lage bezoekersstoel ging zitten en ook geen zogenaamde belangstelling voor zijn gezondheid toonde. Geheel onverwacht begon hij haar te mogen.

'Goedemorgen, juffrouw Nightingale.'

Geen van beiden had behoefte aan prietpraat.

'Ik heb betrekkelijk weinig vragen, maar wel belangrijke.'

Hij knikte instemmend.

'Ik wil u eraan herinneren dat dit een moordonderzoek is, dat het slachtoffer niet veel ouder was dan een kind en niet groter dan een meter tweeënvijftig toen hij stierf. U moet niet klakkeloos alle dingen aannemen die u ooit over Paul Hill hebt gehoord, of die u over hem zijn verteld. Denkt u in plaats daarvan goed na over de motieven van degene die u wenst te beschermen en ook over die persoon zelf. Kunt u er zeker van zijn dat hij u de waarheid heeft verteld? Is hij het waard dat u uw goede naam ervoor op het spel zet? Verdient hij uw loyaliteit?'

Ze zweeg om haar woorden te laten bezinken, maar hij was er klaar voor. Deze vragen en andere van gelijke strekking hadden hem al de hele nacht wakker gehouden. Nee, dat was niet waar – het waren de antwoorden die hem niet met rust hadden gelaten. In de vroege ochtenduren had hij eindelijk de geriefelijke deken van zelfmisleiding afgegooid en de waarheid onverbloemd onder ogen gezien: hij was erin geluisd door een leugenaar. Hij geloofde niet langer dat Percy een vriend had gered, maar zijn eigen hachje. Hij was de dupe geweest, een naïeveling, die te stom was om zijn eigen fout in te zien. Maar dat wilde nog niet zeggen dat hij de politie iets zou vertellen.

Die deden intussen net alsof ze hem onschuldig achtten aan de moord op Paul Hill, maar hij verdacht hen ervan dat het een list was. Als hij eenmaal had toegegeven wat hij wist, zouden ze hem te grazen nemen, hem ervan beschuldigen dat hij de jongen had gedood en dan hadden zij hun zaak rond. Percy zou doen waar hij jaren geleden al mee had gedreigd: ontkennen dat hij er ook maar iets van af wist en tegelijk zijn misdaad, die van bigamie, onthullen.

Hij was al een keer zo stom geweest zich in deze zaak bij de neus te laten nemen, dat zou hem niet weer gebeuren. Die nacht had hij besloten zijn mond te houden en de zaak op zijn eigen manier af te handelen.

'Mijn eerste vraag is simpel: weet u wie Paul Hill heeft vermoord?'

In de stilte die daarop volgde, werden ze zich bewust van de ziekenhuisgeluiden: gerammel van medicijnwagentjes, piepende rubberzolen op het linoleum en in de verte iets wat op gesmoord gekreun leek.

'Denkt u dat deze persoon in staat is tot andere misdaden jegens jongens in de tienerleeftijd?'

Ze was vasthoudend, dat moest hij haar nageven, maar hij liet zelfs niet merken dat hij haar gehoord had.

'Kunt u mij ook maar iets vertellen, wat me helpt die man te vinden en ervoor te zorgen dat hij voor de rest van zijn leven achter de tralies belandt?'

En nog zeer beheerst ook. Ze gaf geen blijk van enige emotie en zat de volgende stilte gewoon uit, ondanks het feit dat ze gedwongen was geweest haar verhoor uit te stellen.

'Wij weten wat er op Borneo is gebeurd, majoor. We hebben uw "echtgenote" getraceerd – ik neem aan dat we haar zo moeten noemen. Ze gebruikt nog steeds uw naam en de regelmatige afschrijvingen van uw bankrekening hebben ons rechtstreeks naar haar toe geleid.'

Maidment staarde haar geschokt aan. Ze had hem alweer op het verkeerde been gezet.

'Er staat gevangenisstraf op bigamie, wist u dat? Evenals het hebben van seks met een minderjarig meisje.'

'Dat is veertig jaar geleden!' kon hij nog net uitbrengen, hoewel hij nauwelijks in staat was adem te halen.

'Ze is niet opnieuw getrouwd, ondanks uw geld. Klaarblijkelijk heeft ze de hoop nooit opgegeven dat u bij haar en uw zoon zou terugkeren. Wie weet, waar ze uit wraak toe in staat is?'

Hij moest zich afwenden, hij kon de minachting op haar gezicht niet aanzien. Als ze zijn geheim kenden, wilde dat dan zeggen dat Percy het hun had verteld? Of hadden ze het ontdekt door zijn bankafschriften te controleren? Hij wist niet wat hij moest doen en merkte dat hij moest vechten om kalm te blijven.

'Wat zullen we nou krijgen!' De dienstdoende arts stond achter hen en keek ontsteld naar Maidment. 'Vijf minuten rústig ondervragen, geen compleet verhoor, heb ik gezegd. Zuster!'

Zuster Shah kwam haastig aan het bed van de majoor staan en pakte zijn pols. De manier waarop ze Nightingale aankeek zou Maidment aan het lachen hebben gemaakt, als hij zich niet zo slap voelde.

'Hij heeft een heel onrustige nacht gehad, dokter,' zei ze en ze boog zich zodanig over hem heen, dat ze haar patiënt aan de blik van Nightingale onttrok.

'U moet vertrekken,' beval de arts.

'Maar deze man bezit cruciale informatie met betrekking tot een moord. Het is van het grootste belang dat wij hem verhoren.'

'Ziet u niet dat hij te ziek is om te praten? Ik sta niet toe dat u hem ondervraagt tot hij erbij neervalt. Eruit.'

'Maar hij is verplicht...'

'Het kan me niet schelen wat hij moet doen, voor wie en waarom. Zolang hij in het ziekenhuis ligt, valt hij onder mijn verantwoordelijkheid en bepaal ik óf en wanneer hij vragen kan beantwoorden. U hebt vandaag al genoeg schade aangericht.'

Nightingale besefte dat hij zijn poot stijf zou houden en knikte aspirant-rechercheur Stock toe dat ze weg zouden gaan.

'Morgen zijn we er weer, majoor. Concentreert u zich op uw herstel, hè? We hebben u levend nodig.'

Zuster Shah legde een beschermende hand op de arm van de majoor.

Buiten op de parkeerplaats kon Stock zijn mond niet houden. 'Nou, dat was dus volslagen verspilde moeite.'

Nightingale negeerde de kritiek die erin besloten lag, want de mening van Stock raakte haar niet. Dit soort beoordelingsfouten zou ze hem uiteindelijk nog wel leren corrigeren.

'Het is niet erg.' Ze liep naar de bestuurderskant van de auto. 'Gooi mij de sleuteltjes toe, ik rijd. Zijn geweten heeft hem één keer bijna verraden, zodat hij op het punt stond zijn eed te breken. Hij deinst er misschien nog voor terug, maar het laat hem niet meer los. Als hij niet met ons praat, doet hij dat omdat hij heeft besloten de zaak op zijn eigen manier op te lossen. En als dat gebeurt, zijn wij erbij. Stap in.'

Op het bureau aangekomen ging ze meteen Cooper zoeken.

'Bob, ik wil dat de bewaking van Maidment rond de klok gehandhaafd blijft, zodra hij naar huis gaat. Daar zie jij persoonlijk op toe. Hij blijft nog een paar dagen in het ziekenhuis, maar ik wed dat hij zichzelf eerder zal ontslaan. Zorg dat je hem niet al kwijtraakt voor je begonnen bent. Ik vermoed dat hij ons naar de moordenaar zal leiden.'

34

De presentatoren van *CrimeNight* gingen zoals altijd professioneel te werk, vastbesloten alles te doen wat ze konden om de politie te helpen. Fenwick kreeg twaalf minuten zendtijd. Het kostte het samenwerkende team van de BBC en de eenheid Zware Delicten twee werkdagen om zich voor te bereiden – twee werkuren voor één minuut zendtijd – maar het was de moeite waard.

In de uitzending werd gerefereerd aan de brandende auto, die Oliver Anchor op de avond dat Paul verdween, had gezien en aan het misbruik van jongens uit Sussex in het begin van de jaren tachtig. Hij deed een beroep op de mannen die destijds ook slachtoffer waren geworden en beloofde hun volledige vertrouwelijkheid. Het programma eindigde met een oproep aan de anonieme briefschrijver zich bekend te maken.

Binnen dertig minuten waren er vijftig telefoontjes binnengekomen en rond middernacht meer dan honderd. Vele waren afkomstig van mensen die hun buren of collega's verdachten van kindermisbruik; iedereen werd te woord gestaan alsof hun informatie naar de moordenaar van Paul of Malcolm kon leiden. Er was een aantal reacties van echtgenotes en vriendinnen, die wisten of vermoedden dat hun partner als kind was misbruikt. Ze gaven meestal geen naam of adres op, maar de speciale hulpverleners wier hulp Fenwick had ingeroepen, slaagden erin twee van hen details te ontlokken die de dag daarop konden worden nagetrokken. En er waren drie telefoontjes van mogelijke slachtoffers zelf. Typerend was, dat ze bij de allereerste gelegenheid die zich voordeed, uit Sussex waren vertrokken.

Een van hen bekende dat hij verslaafd was en al voor de derde keer in een afkickcentrum zat; een ander was werkloos en stond op het punt uit zijn huis te worden gezet wegens huurschuld; de derde was kortgeleden vader geworden en was nu zo bang dat hij zelf zijn kind zou gaan misbruiken, dat hij zijn vrouw kort nadat hun baby geboren was, had verlaten en nu in een opvang voor thuislozen woonde. Terwijl hij naar de behoedzame interviews met elk van die mannen luisterde, nam Fenwicks woede toe. De kindermisbruikers hadden niet alleen de jeugd van die mannen weggenomen, ze hadden ook hun leven als volwassenen kapotgemaakt.

De slachtoffers konden de politie weinig vertellen over de mannen die hen hadden misbruikt, behalve dat Taylor hen had geïntroduceerd. Hij was ook degene die hen, in de woorden van Jeff, de bange kersverse vader, 'had ingewijd', voordat hij hen doorgaf aan een reeks van cliënten, die vaak gemaskerd waren en aliassen gebruikten om hun identiteit te verhullen. De politie maakte afspraken met de slachtoffers voor de volgende dag.

Fenwick bleef in de meldkamer zitten, om bij de hand te zijn als er een telefoontje binnenkwam dat bijzonder belangwekkend leek. Even voor enen 's nachts wenkte een agent hem bij zich.

'Deze man zegt dat hij de brieven heeft verzonden.'

'Dat is dan de negende vanavond, Abby.' De eerste keer was hij opgetogen geweest, maar dat was door de vorige teleurstellingen een stuk minder geworden.

'Maar hij kent details die we hebben achtergehouden. Dit voelt anders.'

'Goed dan.' Met een zucht zette Fenwick de koptelefoon met de microfoon wat comfortabeler op zijn hoofd.

'U spreekt met hoofdinspecteur Andrew Fenwick, met wie spreek ik?'

'Mijn naam doet er niet toe. Ik heb uw uitzending van vanavond gezien. U hebt mijn brieven vermeld. Waarom wilt u mij spreken?'

Het was een androgyne stem, gedempt, alsof de beller een zakdoek over het spreekgedeelte had gelegd.

De adrenaline tintelde door zijn bloed bij die vraag. Bedriegers kwamen meestal met sterke verhalen en nieuwe beweringen aanzetten, maar dit was anders. Fenwick gebaarde dat ze moesten traceren waar het telefoontje vandaan kwam.

'Op grond van de redenen die ik heb opgegeven. Wij geloven dat de man die de dood van Paul op zijn geweten heeft nog steeds een gevaar voor kinderen is.'

'U noemde Bryan Taylor.'

'Wij beschouwen hem nog steeds als verdachte.'

'Over hem hoeft u zich niet druk te maken. Taylor is dood. Lang geleden al.' De spreker klonk nu iets mannelijker.

'Hoe weet u dat?'

'Ik heb hem dood zien gaan, iets preciezer, ik zag dat hij stervende was. Technisch gezien leefde hij nog toen ik wegging, maar hij was zo zwaar gewond, dat hij het absoluut niet heeft kunnen overleven.'

'Hoe is hij gewond geraakt?'

'Dat doet er niet toe. Over Taylor hoeft u zich niet meer druk te maken,' vervolgde de stem kalm. Het wás een man. Fenwick hoorde verkeer op de achtergrond, maar probeerde daar niet op te letten en zich te concentreren op hetgeen er werd gezegd.

'Overleed hij als gevolg van de een of andere aanval?'

Fenwick merkte dat hij alle regels overtrad – hij ging recht op de informatie af in plaats van te proberen een verstandhouding te ontwikkelen. Hij moest het rustiger aan doen.

'Niet helemaal.'

'U hebt uw naam nog niet genoemd. Hoe moet ik u noemen?'

'Probeer dat maar niet. Daarnet deed u het beter. Laten we het zakelijk houden, nietwaar?'

'Was het zelfmoord of gebeurde het per ongeluk?'

'Geen van beiden. Taylor was gewetenloos en hij was geen sufferd. Hij werd tijdens een gevecht gestoken. Het was zijn eigen schuld. Hij probeerde iemand een mes af te pakken en raakte daarbij gewond.'

'Was u daar getuige van?'

'Ja.'

Fenwick koos zijn volgende woorden zorgvuldig.

'Was dat een gevecht met uzelf?'

Er volgde een hoorbare zucht. 'Laten we zeggen dat ik erbij betrokken was.'

'Hebt u Bryan Taylor gedood?'

'Nee. Ik zei al dat ik er niet bij was toen hij overleed; dat hij gestoken werd, was een ongeluk.'

'Wanneer en waar is dat gebeurd?'

'Dat kan ik u niet zeggen. Maar dat is nu toch niet meer van belang.'

'De details van een dodelijke steekpartij zijn altijd van belang.'

'In dit geval niet, gaat u daar maar van uit. Trouwens, ik bel alleen om te zeggen dat u Taylor uit uw hoofd kunt zetten. Goeden...'

'Wacht! Als u ons de brieven heeft gezonden, weet u ook van de foto.'

'Van het huis en de hekken, bedoelt u? Ja, heeft het geholpen? Er was overigens ook een zwembad bij het huis, dat heb ik vergeten te vermelden.'

'Het is geen goede foto. De focus is niet bepaald duidelijk.' Fenwick probeerde de opwinding uit zijn stem weg te houden. Ze hadden de details van de foto nooit bekendgemaakt.

'Wat had u dan verwacht? Hij is inderhaast genomen.'

'Op zichzelf genomen is het erg onwaarschijnlijk dat we er verder mee komen, vrees ik. Wij hebben meer nodig.'

'Zoals?'

Fenwick kon de terughoudendheid in de stem van de man horen, ondanks het gedempte geluid.

'Namen, een adres, meer details over wat er met Paul is gebeurd.'

'En laten jullie de majoor dan met rust?'

'Als we betere verdachten hebben; maar hij is er wel bij betrokken. We hebben tastbare bewijzen die hem ermee in verband brengen.'

'Ik heb zijn foto gezien en ik kan u zeggen dat hij er op die laatste dag van Paul in Harlden niet bij was. Dat weet ik zeker.'

'Was u daar? Vooruit, u weet zo veel. Ik moet u kunnen vertrouwen, maar u helpt me helemaal niet.'

'Dat probeer ik wel, geloof me, alleen...'

Fenwick hield zijn adem in.

'Ja, ik was daar, maar ik was bepaald niet een van de daders, de mannen die Paul hebben verkracht.'

'Maar u hebt het allemaal gezien. Bespioneerde u hen?'

'Dat is een manier om het uit te drukken. Moet u horen, ik moet ophangen. Het is laat en ik hoor binnen te zijn.'

'Wacht u nog even, alstublieft. U moet me helpen. Het is een zaak van gerechtigheid, voor Paul en misschien ook voor andere jongens.'

Er viel een lange stilte. Fenwick kon weer de geluiden van verkeer horen, ondanks het tijdstip, dus de anonieme briefschrijver moest zich in een bebouwd gebied bevinden, misschien een stad.

'Ik kan u geen adres geven, wel beschrijvingen. Smith, of "Tuitje", was de oudste. De anderen waren fitter, groter en gebruind, alsof ze in het buitenland hadden gewerkt. Alec had heel lichte ogen, bijna wit, en een tatoeage van een octopus, maar dat heb ik u al verteld.'

'Maar u was dicht genoeg in de buurt om het te kunnen zien. U deed meer dan spioneren, nietwaar?'

'Ik moet ophangen. Ik heb u meer dan genoeg gegeven om uw werk te doen.'

'Ik doe mijn werk wel, maar u kunt me helpen het beter en sneller te doen. Alstublieft. Wij moeten met elkaar afspreken. Via de telefoon kan ik geen deals met u sluiten, maar er is misschien een manier om u erbuiten te laten, ondanks de dood van Taylor.'

Een ironisch lachje.

'Ik ben er al buiten. Dit moet je zelf doen, Andrew.' Het was absoluut een mannenstem, licht en zonder opvallend accent.

'Maar ik heb uw hulp nodig. Misschien kom ik er alleen nooit achter.'

'U bent nooit alleen. God is met u en Hij zal u helpen. Ga in vrede.'

Toen was de lijn dood. Hij keek vol verwachting naar de mensen die het telefoontje hadden getraceerd.

'Een telefooncel in het centrum van Londen.'

'Krijg wat! Laat er onmiddellijk iemand van dat bureau naartoe gaan. Misschien heeft hij deze keer vingerafdrukken of speeksel achtergelaten.' Maar nog terwijl hij het zei, betwijfelde hij dat al.

Ook al was hij erin geslaagd de briefschrijver uit zijn tent te lokken, Fenwick voelde zich als een leeggelopen ballon. Als Taylor dood was, kon hij mankracht sparen en die zoektocht laten vallen, maar hij wist al dat Taylor niet alleen had gewerkt, en Maidment zou iemand als hem nooit hebben beschermd. Hoewel het programma een succes was, had hij het gevoel dat hij nog steeds niet dichter bij de identiteit van de moordenaar van Paul was gekomen of een verband kon leggen met de moord op Malcolm Eagleton.

Hij stuurde het grootste deel van het team naar huis en bleef met nog een paar mensen gedurende de kleine uurtjes zitten wachten. In de stilte begon hij te luisteren naar de massa minder interessante telefoontjes. Door het programma was een uiteenlopend publiek boven komen drijven; mensen die hun werkelijke herinneringen moeilijk konden losmaken van de dingen die ze via de media hadden gehoord of gezien: aandachttrekkers, mensen die oprecht wilden helpen, mensen met wanen, én bedriegers. Tegen drie uur die nacht had hij het gevoel dat hij tot zijn knieën in de aangespoelde rotzooi van publieke nieuwsgierigheid waadde. Ergens in die kilometers tape zat misschien een punt of een detail dat essentieel zou blijken te zijn, maar hij had geen flauwe notie waar. Het onbevredigende gesprek met de anonieme briefschrijver domineerde zijn gedachten. Hij besloot naar huis te gaan.

Tijdens zijn eenzame rit op dat late uur vroeg hij zich af wie de beller was geweest – iemand die in het huis werkte waar Paul was verkracht? Maar waarom hield hij dan zijn mond? Werd zijn zwijgen misschien afgekocht? Maar zo ja, waarom verbrak hij de stilte nu en waarom gaf hij hun niet gewoon het adres waar het allemaal was gebeurd? Fenwick bleef de hele verdere rit puzzelen en toen hij zich op bed liet vallen en direct in een duistere slaap viel, was hij de oplossing nog niet nader gekomen.

Het programma *CrimeNight* verontrustte hem zeer. De politie wist dat Maidment niet schuldig was en ze hadden een informant, die genoeg scheen te weten om hen op zijn spoor te zetten. Dit kwam hem allemaal erg slecht uit en het vereiste een wijziging van zijn plannen. 'Smith' nam een slok whisky en liet die door zijn mond rollen. Het kleine voorraadje in de minibar had hij al op toen het programma begon, dus moest hij het tijdens het kijken doen met het laatste restje. Dit bezegelde zijn toch al zo teleurstellende dag.

Het simpele idee om weg te gaan, alle telefoontjes te negeren en een paar dagen in Londen onder te duiken, bleek in het licht van de nieuwe dageraad toch niet zo simpel te zijn. Voor hij vertrok waren er nog dingen te doen en die hadden hem langer in beslag genomen dan hij had verwacht. Ook al wist hij dat er niets in huis was wat hem kon belasten, voelde hij zich desondanks gedwongen het te controleren. Alle verslagen, financiële regelingen en zijn eigen voorraadje 'pedokunst' bewaarde hij op een afzonderlijke locatie; zelfs zijn bankrekeningen waren onschuldig, omdat er vrijelijk contant geld door zijn verborgen bedrijven stroomde.

Tegen de tijd dat hij in Londen aankwam, was hij niet in de stemming om het huis te bezoeken. Hij boekte een kamer in een hotel aan Park Lane en dat verzekerde hem tot de volgende ochtend ten minste van luxe en anonimiteit. Hij had als afleiding de televisie aangezet, maar toen hij de naam Paul Hill hoorde vallen, kreeg hij een schok en vestigde hij zijn aandacht op het programma. Afgezien van het bestaan van een anonieme briefschrijver was er in het programma nog iets wat hem zorgen baarde – het was de intensiteit van de hoofdinspecteur die het onderzoek leidde. De naam Fenwick kwam hem niet bekend voor en hij had Maidment niet gearresteerd, maar die naam bleef hangen. Smith was goed in het doorgronden van iemands karakter en hij had vooral een neus voor iemands zwakheden. Zelfs via het televisiemedium kon hij de obsessie van de man voelen; die Fenwick was iemand die het niet opgaf. Hij zou naar de moordenaar van Paul blijven speuren, tot hij erin geslaagd was of met pensioen ging. Wat er het eerst kwam.

En dus concludeerde hij met tegenzin dat hij zijn plannen moest wijzigen. Nou, wijzigen misschien niet, maar wel versnellen. Hij was altijd al van plan geweest een tijdje naar het buitenland te gaan. Ver weg van die overdreven ontwikkelde gevoeligheid van de westerse wereld kon hij veel gemakkelijker aan zijn gerief komen. Er waren nog altijd plaatsen op deze wereld waar ze zijn speciale gewoonten niet als stuitend of als een misdaad beschouwden, maar als een legitieme voorkeur. In bepaalde landen was het zelfs betrekkelijk eenvoudig te regelen als het soms een beetje uit de hand liep en er iets opgeruimd moest worden. De jongens die hij gebruikte, werden als het laagste uitschot beschouwd, als een plaag bijna. Het was zelfs een prettig idee, dat hij met zijn interessegebied bijdroeg aan de bloei van de plaatselijke economie. Jazeker, hij had een aantal zeer geslaagde vakanties doorgebracht met het ontdekken van de meer exotische vormen van genot. Deze dierbare herinneringen waren wel enige compensatie voor de onvermijdelijke triestheid die hij voelde bij de gedachte dat hij Engeland moest verlaten, tenminste tijdelijk.

Het kwam slecht uit dat hij zijn vertrek moest verhaasten, het had iets van paniek en dat paste niet goed in zijn zelfbeeld. Het was het verstandigste om die ochtend direct een vliegticket te kopen en daarna rechtstreeks naar huis terug te gaan om te pakken. Maar dat zat hem niet lekker. Hij was niet zonder reden naar Londen gekomen en alleen al het idee om met de staart tussen de benen naar huis te vluchten, maakte hem kwaad. Maar hij was niet in de stemming voor Sam, wat moest hij dan doen?

Smith belde naar beneden voor een fles maltwhisky en meer ijs en begon toen in zijn kamer heen en weer te lopen om zijn opties te overwegen. Het liefst zou hij zijn oorspronkelijke plan doorzetten: morgen bij William op bezoek gaan, die dag zo lang als ze het beiden uithielden, van Sam genieten en daarna plannen maken om een aantal maanden naar het buitenland te gaan. Als ze hem daar opspoorden, kon hij een verklaring afleggen bij een plaatselijke advocaat, zelfs met de Britse autoriteiten gaan praten als ze erop stonden hem te bezoeken, maar ze konden hem niet weg krijgen van het paradijselijke eiland dat hij in gedachten had. Daar hadden de gezagsdragers begrip voor hem en was het Engels een algemeen gebezigde taal. Het verblijf was er goedkoop en de bedienden deden echt alles wat hun gevraagd werd. Hij zou er een hele tijd kunnen blijven, zonder het buitenlandse geld dat hij opzij had gelegd, uit te putten.

Er zouden geen bewijzen zijn om een uitlevering mogelijk te maken. Opnieuw prees hij zichzelf gelukkig, dat hij er destijds bij Bryan op aangedrongen had dat zijn ware naam nooit gebruikt werd waar de jongens bij waren en dat ze geblinddoekt en via veel omwegen naar het huis gebracht moesten worden. Zijn enige fout was geweest Paul met Alec en Joe te delen, sadistische beulen van kerels, die het niet kon schelen wie of wat ze pijn deden, als het maar jong vlees was. Dat was een zeldzame beoordelingsfout van hem geweest, eentje die hij weliswaar erkende, maar waar hij niet lang bij stil bleef staan.

Hij dacht terug aan die zeer betreurenswaardige dag, toen Ball opbelde om te zeggen dat hij en een vriend behoefte hadden aan wat actie tijdens hun verlof in Engeland. Hij had eraan voldaan, om te laten zien dat hij in staat was hen in hun behoeften te voorzien, net zoals hij dat tijdens zijn verschillende missies had gedaan. Eén telefoontje naar Bryan en het was geregeld. Pas later, toen Ball en zijn vriend er al waren, had Bryan gebeld om te zeggen dat Paul de enige jongen was die op zo korte termijn beschikbaar was.

Tot dat moment had hij hem exclusief voor zichzelf gehad, zoals hij altijd deed met zijn favorieten, want hij vond het onverdraaglijk dat iemand anders hun lichamen zou bezoedelen. En Paul was volmaakt geweest, een combinatie van de wulpsheid van een oudere jongen in een kinderlichaam. En wat voor lichaam. Sindsdien was hij in de gezichten van de jongens in wie hij behagen schiep, altijd naar een andere Paul blijven zoeken. In al die jaren kwam Sam er het dichtste bij en het zat hem dwars dat hij hem zo gauw moest verlaten. Aan de andere kant had die gelijkenis ook nadelen. Gewoonlijk kon hij de uitbarstingen die hij wel eens had onder controle houden, maar met Sam... nou ja, met hem was dat erg moeilijk en het maakte de jongen gevaarlijk.

Hij fantaseerde erover dat hij hem mee naar huis nam en hem daar in het geheim hield, zodat ze konden genieten van alle faciliteiten, zelfs het zwembad. Een paar van zijn beste herinneringen draaiden om jongens in het zwembad – en ook een paar van de allerergste.

Sinds Taylor er niet meer was, had hij zichzelf de discipline opgelegd, zich nooit meer in zijn eigen huis te laten verwennen.

Hij had zijn lesje geleerd moeten hebben, toen die jongen van Eagleton verdronk. Dat was een ongeluk geweest; Malcolm was als een vis in het water en hij had hem gemakkelijk met verhalen over zijn privézwembad kunnen verleiden uit het openbare zwembad met hem mee te gaan. Hij had hem op een hete namiddag in augustus mee naar huis genomen, toen zijn vrouw weg was op een van haar eindeloze bezoeken en hem ijverig op ijsjes, chocola en priklimonade met een flinke scheut wodka getrakteerd.

Later, toen ze samen in het zwembad lagen, had hij verwacht dat de jongen dronken zou zijn en mee zou werken. Als een boerenkinkel als Taylor jongens kon verleiden, was er geen reden waarom hij het met al zijn verfijndheid, niet zou kunnen, redeneerde hij. Maar zo was het niet gegaan. Het kind was gaan huilen, heel hard zelfs, en hij had hem moeten laten stoppen. Hij had hem met zijn gezicht onder water gehouden als dreigement, om hem zijn kop te laten houden, dat was alles. Maar hij hield zijn kop niet, dus had hij het nog een keer gedaan, en nog een keer. Toen het lawaai eindelijk ophield, liet hij de jongen los en draaide zich om, om het bad uit te gaan, bezorgd hoe hij moest voorkomen dat hij zou gaan praten. Hem doden was niet bij hem opgekomen, maar toen hij zich omdraaide en hem op de mozaïektegeltjes op de bodem van het zwembad zag liggen, had hij zich niet gehaast om hem te reanimeren.

In plaats daarvan had hij voor zichzelf een groot glas scotch ingeschonken. Later die avond had hij het lijk naar de North Downs gebracht. Die rit was het ergste wat hij in zijn leven had meegemaakt, erger nog dan het besef dat de jongen dood was. Hij was ervan overtuigd dat hij zou worden aangehouden en dat de auto helemaal doorzocht zou worden, alsof de schuldigheid als het ware van hem afstraalde. Maar het geluk was weer eens met hem geweest. Hij slaagde erin het lijk te begraven, niet zo diep als hij graag had gewild, vanwege de kalkgrond, maar diep genoeg. Vervolgens had hij gruis en stenen op de aarde gegooid en was daarna met een verlicht gemoed naar huis teruggekeerd.

Hij had het nieuws over de verdwijning van Malcolm op de voet gevolgd. Na een enorm stressvolle week, waarin echter niets was gebeurd, was hij op vakantie naar Brazilië gegaan, met achterlating van een kort briefje aan zijn vrouw. Na zijn terugkeer ging hij opnieuw met Bryan in zee, maar op voorwaarde dat hij betrokken zou worden bij de financiële kant van de zaak. Bryan, die vol ideeën zat, maar niet het geld had om ze uit te voeren, accepteerde hem als geldschieter en de onderneming groeide gestaag. Taylors bedrijf werd in een rap tempo radicaal veranderd; de aanvoer werd vergroot en het aanboren van nieuwe markten uitgebreid naar steden in heel Sussex.

Alles liep op rolletjes; Bryan introduceerde Paul bij hem en maandenlang was niets anders meer belangrijk. Zijn ogen werden vochtig. Paul ontroerde hem zoals nog nooit een jongen had gedaan, noch daarvoor, noch daarna. De honger om die speciale hunkering te bevredigen, had hem in de afgelopen vijfentwintig jaar gedreven in zijn zoektocht naar nieuwe jongens en had in Sam een hoogtepunt bereikt.

Zou het mogelijk zijn Sam met het vliegtuig het land uit te krijgen om zich bij hem te voegen? Hij vroeg zich af of hij William ertoe zou kunnen bewegen dat voor hem te regelen, maar het zou erop neerkomen dat zijn bestemming werd onthuld en dat kon hem rechtstreeks in verband brengen met het huis in Londen. Maar hoe kon hij de exclusiviteit van Sam en diens zwijgen zeker stellen? Hij kon hem niet als een los eindje achterlaten. Het enige alternatief was William te betalen om de kwestie af te handelen; die vent was van zeer laag allooi en deed alles voor geld – maar hoe kon hij er zelfs maar over denken die jongen te vernietigen?

Een klopje op de deur kondigde de whisky en vers ijs aan. De rest van die lange avond dronk Smith gestaag de hele fles leeg, tot hij vlak voor het aanbreken van de dag zijn besluit had genomen en eindelijk in bed kroop.

35

Op woensdagmorgen heerste er ondanks de vroegte een opgewekte stemming in de TGO-ruimte. Het hele rechercheteam dat betrokken was bij operatie Koorknaap – behalve Alison en haar mensen, die genoeg aan hun hoofd hadden – was naar Harlden afgereisd, popelend om iets mee te krijgen van de aanwijzingen die de uitzending van *CrimeNight*, de avond daarvoor, had opgeleverd.

Het meeste werk bestond uit het doornemen van en het terugkomen op telefoontjes die minder prioriteit hadden gekregen, maar dat vonden ze niet erg – het waren verse bewijzen, nadat ze wekenlang aan een moeizame, oude zaak hadden gewerkt. Er zouden drie uiterst belangrijke gesprekken worden gevoerd met eventuele slachtoffers van misbruik. Fenwick zou aanwezig zijn bij het gesprek met een man in Londen, die beweerde door Taylor te zijn misbruikt. Speciaal opgeleide mensen van de afdeling Jeugd en Zeden zouden de ondervraging leiden. Hij had in niet mis te verstane bewoordingen te horen gekregen, dat zelfs al zou hij tegenover een klerenkast van een kerel met een enorme tatoeage op zijn borst komen te zitten, het noodzakelijk was dat ze in het gesprek contact kregen met het beschadigde innerlijke kind.

Daarna was hij van plan een bezoek te brengen aan het team van de afdeling Jeugd en Zeden dat het huis in de gaten hield waar Ball naar binnen was gegaan. Vervolgens zou hij het team van het politiebureau Camden bezoeken, dat probeerde mensen op te sporen die de anonieme briefschrijver misschien hadden gezien; de telefooncel die hij had gebruikt, lag midden in hun district.

Een andere man die naar *CrimeNight* had gebeld, woonde in Edinburgh en zou ter plaatse worden geïnterviewd. Hij verzocht Clive erheen te vliegen, als het iets beloofde op te leveren. De derde beller zat in Brighton. Nightingale zou hem die middag bezoeken, na een poging Oliver Anchor te spreken te krijgen, zonder dat zijn moeder erbij was.

Voordat ze uit elkaar gingen, vroeg Fenwick aan Nightingale en Cooper hoe ver ze waren gekomen. Nightingale vertelde hem van het verhoor met Maidment dat afgebroken was en dat ze vermoedde, dat hij, zodra hij ertoe in staat was, zou proberen contact op te nemen met de man die hij beschermde.

'Bob laat hem de klok rond in de gaten houden vanaf het moment dat hij het ziekenhuis verlaat, en ik wil zijn telefoon thuis laten aftappen.'

'Daar moeten we toestemming voor kunnen krijgen op grond van de bewijzen die we tegen hem hebben.' Fenwick schreef het op, om eraan te denken dat hij een verzoek daartoe moest indienen.

'Wat denk je van het afluisteren van de telefoon in het ziekenhuis?' vroeg Nightingale hoopvol. 'Als hij het echt op zijn zenuwen krijgt, wacht hij misschien niet tot hij thuis is.'

'Ik zal mijn best doen, maar bij een openbaar gebouw wordt het lastig, dat weet je. Spreek je hem vandaag nog?'

'Als ik kan, nadat ik bij de familie Anchor ben geweest. Oliver heeft gisteravond een boodschap voor me ingesproken. Ik denk dat de uitzending hem aangegrepen heeft.'

'Mooi zo. Als het moet, kun je hem zeggen dat anderen zich ook hebben uitgesproken; het helpt hem misschien als hij weet dat hij niet alleen staat.' Zich bewust van het advies dat hij had gekregen, voegde hij eraan toe: 'Denk je dat je het gesprek alleen afkunt, of heb je er een deskundige bij nodig?'

'Het lukt me wel. Ik heb een speciale cursus gehad toen ik aan Brighton werd uitgeleend. Trouwens, ik denk dat ik een redelijke verstandhouding met hem heb opgebouwd.'

Toen was het Coopers beurt om verslag te doen van zijn gesprekken van de vorige dag.

'Zes afgewerkt, nog drie te gaan,' zei hij. 'Een van hen is op vakantie, twee hebben niet op mijn telefoontjes gereageerd. Ik heb ze opnieuw gebeld en ga er vandaag naartoe. Van de zes die ik gesproken heb, kende alleen Adrian Bush – hij stond erop dat ik hem Bushy noemde – de majoor. Hij was blij dat we de beschuldiging van moord hadden laten vallen; hij kon zich niet voorstellen dat de majoor een moord zou plegen, zeker niet op een kind. Toen ik hem vroeg of Maidment een vriend zou dekken, werd hij een beetje stil, maar toch zag hij hem dat ook niet doen, niet voor moord.'

'En je had ook niet de indruk dat Bush zelf die vriend kon zijn?'

'Nee, absoluut niet. Kan ik verdergaan?' Fenwick knikte. 'Alex Cotton heeft nooit met Maidment samen gediend. Hij is in de Falklands een oog kwijtgeraakt en kan zijn linkerarm niet meer gebruiken. Hij is nogal verbitterd, maar ik pikte geen gevoelens van onbehagen bij hem op en naar het soort kalenders dat hij heeft hangen te oordelen, zou ik zeggen dat hij volbloed hetero is.

Vernon Jones, of Jonesy voor zijn kameraden...'

'Even wachten. Je had al een Bushy, nu een Jonesy, doen ze niet aan voornamen in het leger?' vroeg Fenwick.

'O, het wordt nog mooier, luister maar. Ernest Knight staat bekend als...'

'Ernie?' opperde Nightingale.

'Nee, Milky, naar dat typetje van Bennie Hill, je weet wel: "Ernie, met de snelste melkwagen van het westen," weten jullie nog?' Cooper grijnsde, maar zowel zij als Fenwick keek nietszeggend. 'Laat maar zitten. Dan heb je Patrick Murray, bekend als,' hij wachtte even theatraal of er een opmerking kwam.

'Paddy,' zei een van hen.

'Nee. Minty voor zijn maatjes. Ik zal je zeggen, alleen Alex Cotton heeft het bij zijn eigen naam gehouden.'

Fenwick keek zorgelijk op zijn horloge.

'De tijd dringt. Zaten er nog onthullingen bij, Bob?'

'Eigenlijk niet. Cotton is lid van de golfclub; Jones heeft Taylor gekend en mocht hem niet; Murray is vrijgezel en doet een beetje geaffecteerd, als je snapt wat ik bedoel, maar dat is nauwelijks een reden om hem op te laten pakken, niet in deze tijd.'

'Wie blijven er dan nog over?'

'Richard Edwards, Ben Thompson en Zach Smart.'

'Nou, laat het me weten als er iets bijzonders uitkomt. Ik ga eerst achter de telefoontaps aan, voordat ik naar Londen vertrek. Ik ben het grootste deel van de ochtend bezet, maar ik wil wel dat jullie het me laten weten als er ook maar iets gebeurt dat interessant lijkt. Mijn mobiele telefoon staat aan.'

Deze opmerking werd begroet met gefronste wenkbrauwen; Fenwick stond erom bekend dat hij vergat zijn telefoon op te laden en vervolgens anderen de schuld gaf dat ze hem niet hadden kunnen bereiken.

Nightingale stak haar hand op om hem tegen te houden. 'Voor u gaat, meneer, dat telefoontje met de anonieme briefschrijver; we staan te trappelen om te horen waar ze hem hebben opgespoord.'

'In Londen, in een telefooncel in Bloomsbury. De Met heeft er meteen een team naartoe gestuurd, maar hij was leeg en de hoorn was schoon, evenals alles eromheen. Ze voeren ter plaatse een onderzoek uit, maar tot nog toe is er niets bekend. Het is een buurt waar veel daklozen komen, dus er is een kans dat iemand iets heeft gezien, ondanks het tijdstip waarop hij belde.'

Toen hij wegliep, hoorde hij achter zich geschater losbarsten. Iemand had ergens mee gegooid en weer een ander zei gevat tegen Cooper: '"Een beetje geaffecteerd." Wat bedoel je dáár in godsnaam mee? Geaffecteerd! Jij hebt ze niet op een rijtje, hoor. Het is allemaal de schuld van Doris.'

'Ik heb ze heel goed op een rijtje, kijk jij maar...'

Fenwick liep snel verder met een glimlach op zijn gezicht. Hij was blij dat de stemming in zijn team in de lift zat.

Toen ze na het vertrek van Fenwick de taken hadden verdeeld, vroeg Nightingale om een vrijwilliger die een paar uur lang de observatie van Maidment kon overnemen, omdat Stock voor een spoedbehandeling naar de tandarts moest. Cooper, die vond dat hij net zo goed daar zijn lunch kon opeten en de krant lezen, bood zich aan, als hij maar om drie uur zou worden afgelost, omdat hij de laatste gesprekken nog moest voeren. Nightingale stemde meteen in, opgelucht dat er een verstandig iemand aanwezig zou zijn tot Stock terugkeerde. Cooper stopte bij de kantine om een vleespastei te kopen als extraatje, boven op de boterhammen met mager beleg, die Doris hem voor de lunch had meegegeven. Maar toen zwichtte hij voor een jumbo worstenbroodje en een plak Dundeecake, redenerend dat het laatste goed voor hem was, omdat er vruchten en noten in zaten, en die waren gezond. Hij had het worstenbroodje al op toen hij Harlden uitreed en nam de rest van zijn eten mee naar het zitje aan het eind van Maidments afdeling.

Na de lunch werd de majoor naar de zaal gebracht. Hij wilde liever in een met vinyl beklede leunstoel gaan zitten om te lezen. Cooper kwam in de verleiding om zelf ook te gaan lezen en tikte op de krant in zijn zak, maar dan zou hij binnen een paar minuten in slaap vallen. In plaats daarvan dronk hij een beetje water, dwong zichzelf vijf minuten te wachten en at toen zijn cake op. Hij telde tot driehonderd in een poging wakker te blijven, maar moest toen in de gang heen en weer gaan lopen en de schilderijen bestuderen, om het laatste uur door te komen, tot Stock het van hem overnam. Na nog geen twintig minuten begon zijn rug pijn te doen en was hij weer gedwongen te gaan zitten. Om twee uur begonnen de eerste bezoekers te arriveren, net toen Cooper de strijd met zijn oogleden verloor.

Sarah Hill keek naar zichzelf in de spiegel en voelde zich op geen enkele manier verbonden met de vreemde die ze daar zag. Iemand anders staarde haar aan: een lange vrouw van middelbare leeftijd, met een magere hals, lijnen in het gezicht en lege ogen. Het beste wat je van haar kon zeggen was, dat ze er netjes uitzag en nieuwe schoenen aanhad. Als Sarah Hill om zulke dingen zou geven, dan zou ze in de gaten hebben dat ze vorige week een te donkere haarkleur had uitgekozen die niet meer bij haar leeftijd paste; dat het getailleerde broekpak haar gebrek aan figuur benadrukte en dat de blouse scheef onder het jasje zat. Maar zulke details had ze niet in haar hoofd zitten. In feite was haar hoofd zo goed als leeg. Wat overbleef was enkel en alleen de daad die ze voornemens was uit te voeren. In haar zwartleren handtas zaten een portemonnee, de huissleutels, een opvouwbare paraplu en een keukenmes van twaalf en een halve centimeter lang.

Cooper moest even een frisse neus halen, deed hij dat niet, dan zou hij wegdommelen. Het zag er niet naar uit dat de majoor ergens naartoe zou gaan, hij zat immers nog aan een infuus en las tevreden in zijn boek; hij kon best even de benen gaan strekken. Hij schoot naar de lift en liep met ferme tred naar buiten en rechtsaf, waar hij een houten bankje had zien staan.

Hij knapte onmiddellijk op van het zonnetje en de frisse lucht en pakte de *Enquirer* uit zijn zak. Die melkten nog steeds het verhaal van Paul Hill uit. Hun 'exclusieve' interview met de arme moeder van dat joch had hun dag in dag uit vele pagina's opgeleverd en als er nauwelijks nieuws was, herkauwden ze het en vulden er een paar kolommen mee. Vandaag ging het over Sarah Hill zelf: 'Het tragische verhaal van een verloren moederliefde'. Cooper keek naar de kop en begon het artikel toch te lezen.

Haar leven mocht dan verwoest zijn, zoals de krant het noemde, maar toen hij naar de foto's van vroeger en van nu keek, dacht hij dat ze het waarschijnlijk voor een deel ook aan zichzelf te wijten had. Toegegeven, als jonge vrouw was ze best mooi geweest om te zien, maar hij meende ook dat er achter die glimlach een feeks schuilging. En hij kreeg de kriebels van die ogen, die heel verrassend waren, maar te intens. Met een huivering sloot hij de krant en keek om zich heen. Hij had zijn vijf minuutjes pauze gehad en het werd tijd om weer naar binnen te gaan.

Bij de ingang van het ziekenhuis liep een keurig, maar smakeloos geklede vrouw hem voor de voeten. Hij week uit, om een klap van haar grote handtas te vermijden en liep achter haar aan naar binnen. Ze bleef staan om de borden te bestuderen en hij liep langs haar heen naar de lift. Maar tegen de tijd dat die eraan kwam, stond ze naast hem. Hij drukte op het knopje van de derde etage. Zij drukte er ook op, hoewel het lampje al brandde.

Die vrouw was zo'n type dat te dicht op je ging staan, die geen respect had voor iemands persoonlijke ruimte. Cooper voelde zich niet op zijn gemak met haar in de buurt. Hij keek even naar haar profiel, maar hij hoefde haar niet snel in zich op te nemen, want ze keek recht voor zich uit. Ze bewoog met haar lippen, alsof ze in zichzelf mompelde. Hij kreeg het er Spaans benauwd van en onbewust deed hij een stapje bij haar vandaan. Zijn beweging trok haar aandacht. Ze draaide zich om en keek hem recht in het gezicht. Volkomen verrast herkende hij haar. Wat deed Sarah Hill hier, terwijl hij net had gelezen dat ze nog maar weinig familie en vrienden had?

Toen de liftdeuren opengingen liet hij haar voorgaan. Iets, noem het de gevoelige neus van een politieman, deed hem besluiten op een discrete afstand achter haar te blijven lopen. Ze schuifelde naar de receptie.

'Majoor Maidment, alstublieft?' sprak ze met een volkomen normale stem.

'Daar, op de Meltonzaal, mevrouw. Hij ligt in het bed links in het midden. Het gaat vandaag een stuk...' De vrouw sprak niet verder, omdat Sarah Hill zich omdraaide en wegliep.

Cooper was intussen ongerust geworden. De *Enquirer* had haar woorden geciteerd, dat zij de majoor de schuld gaf van de dood van haar zoon. Wat voor reden ze ook had om naar het ziekenhuis te komen, het was niet om hem beterschap te wensen.

Hij bleef in de buurt en verwenste het feit dat uitgerekend hij de pech had, de majoor in de gaten te moeten houden als er een gestoorde binnenkwam om zijn verdachte de huid vol te schelden. Hij had het nooit erg gevonden om opstootjes uit elkaar te halen, maar als er een vrouw in het spel was, vond hij het gênant, zeker als ze ook nog sterker bleken te zijn dan hij.

Mevrouw Hill rommelde wat in haar handtas toen ze de zaal inliep. Cooper interpreteerde het als nervositeit. Ze bleef bij het voeteneinde van het bed van de majoor staan en hij keek op.

'Mevrouw Hill,' zei hij op kalme toon, maar Cooper was dicht genoeg in de buurt om de schrik in zijn ogen te zien. 'Goedemiddag. Gaat u zit...'

'Praat niet tegen me, gemene oude man.' Ze zei het zacht, maar de bezoekers aan weerskanten keken toch op. 'Je hebt mijn kind vermoord, maar jij loopt vrij rond! Er is geen gerechtigheid in deze wereld.'

Ze begon luider te spreken en een verpleegkundige aan de andere kant van de zaal kwam naar hen toe lopen.

'Ik heb hem niet vermoord, Sarah. Op mijn woord van eer.'

'Leugenaar! Mijn zoon is dood vanwege jou, maar jíj zit hier, je krijgt de beste verzorging en je ademt Gods frisse lucht in. Dat is onrecht!'

'Sarah.' De majoor kwam stijfjes overeind uit zijn stoel naast het bed en hij strekte zijn hand smekend naar haar uit.

'Mijn Paul is dood en dat komt door jou!' schreeuwde ze. 'Je bent een slechte, oude man, je bent een smeerlap en je verdient te sterven!'

Cooper begreep dat hij iets moest zeggen, maar hij bleef op de achtergrond, bang dat hij het alleen maar erger zou maken. In plaats daarvan ging hij aan de andere kant van het bed staan en zei, in de hoop dat er enige autoriteit van uitging: 'Mevrouw Hill, laten we kalm blijven, alstublieft.'

Ze negeerde hem, snikte en probeerde op adem te komen en te praten tegelijk. Toen ze in haar tas keek, dacht Cooper dat ze een zakdoek zocht. De onverwachte aanblik van een scherp lemmet van tegen de vijftien centimeter, overrompelde hem dan ook.

Mevrouw Hill zwaaide er woest en verblind door tranen en woede mee in de richting van Maidment, maar ze miste. Dat dreef haar nog dichter naar de majoor toe, die geen kant op kon. Hij zat in de val tussen de stoel, de muur achter hem en een krankzinnige vrouw voor hem. Hij wierp zich zo ver mogelijk naar achteren en het mes ging rakelings langs zijn wang, maar sneed wel de slang van het infuus in zijn arm door. Hij trok de standaard voor zich om de volgende slag af te weren en tilde hem op om haar weg te duwen. Maar ze ontweek, belandde bijna op het bed en stak naar zijn onbeschermde kant. De punt van het mes raakte zijn arm en gleed omhoog in de richting van zijn schouder. Ze trok het terug om nogmaals uit te halen en vestigde al haar aandacht op zijn onbeschermde hals. Toen kwam Cooper in actie. Hij wierp zich over het bed en greep haar om haar middel, net toen ze haar arm ophief om toe te slaan. Met zijn ene arm hield hij haar stevig vast en met zijn andere hand probeerde hij bij het mes te komen. De majoor reageerde direct en wist Sarah het mes te ontfutselen.

'Bel de politie,' schreeuwde Cooper, die de tegenspartelende vrouw in bedwang hield. 'Ik heb assistentie nodig.'

'Nu staan we quitte,' zei Maidment met trillende stem en hij liet het mes op de grond vallen. 'Dank u wel, brigadier Cooper.'

‘Dus Cooper heeft de majoor het leven gered? Zo, wat een zoete gerechtigheid.’

Typisch een opmerking van Nightingale, toen het nieuws op bureau Harlden de ronde deed. Tegen de tijd dat Cooper zijn verklaring had afgelegd en op de rechercheursafdeling terugkeerde, was het gerucht zodanig opgeblazen, dat het mes intussen langer was dan twintig centimeter en Sarah Hill een reuzin die onder de pep zat. En hoewel hij van nature een bescheiden mens was, kon hij niet anders dan zich hierin koesteren, met een kopje thee met extra suiker en een stuk zelfgebakken cake van een van de secretaresses.

Sarah Hill was weliswaar gearresteerd, maar zou een grondig psychiatrisch onderzoek moeten ondergaan en Cooper ging ervan uit dat ze daarna zou worden opgenomen. Om de een of andere reden belde hij Maidment om het hem te vertellen en aan diens antwoord kon hij horen, dat het hem verdriet deed.

‘Brigadier, ik wil niet dat ze in zo’n afschuwelijke overheidsinstelling terechtkomt. Als ze geen geld heeft om een particuliere behandeling te betalen, dan zorg ik daarvoor.’ Hij bleef dat volhouden, ook al wist Cooper dat hij niet meer over zo’n groot inkomen beschikte. Daar klonk schijnbaar iets van door, want Maidment voegde eraan toe: ‘Ik kan altijd nog een schilderij verkopen.’

Cooper besefte hoezeer dat hem aan het hart zou gaan en hij liet zich de kans dan ook niet ontglippen.

‘Dan moet u wel een enorm slecht geweten hebben, majoor Maidment. Waarom doet u niet iets wat nog veel waardevoller is, ons alles vertellen wat u weet? U bent het mevrouw Hill ook verplicht ons te helpen.’

Maar wederom weigerde Maidment iets te zeggen en Cooper werd steeds gefrustreerder door dat verstokte zwijgen. Nadat Fenwick toestemming had gekregen voor het afluisteren van Maidments eigen telefoon, maar niet voor de afdeling in het ziekenhuis, organiseerde Cooper een ploegendienst van rechercheurs om hem te observeren, in de overtuiging dat de majoor hen hoe dan ook naar Pauls moordenaar zou leiden.

Maidment besloot direct na de arrestatie van Sarah Hill het ziekenhuis te verlaten, volgens de redenatie, dat de politie nu alle aandacht op haar had gevestigd. De hoofdverpleegkundige van de afdeling zei hem wel, dat hij daarmee zijn herstel, zo niet zijn leven riskeerde, maar hij luisterde niet, en ook niet naar de dienstdoende arts. Zijn hand trilde toen hij zijn ontslagverklaring ondertekende, maar hij ging desondanks.

Aspirant-rechercheur Wadley, die zijn instructies rechtstreeks van Cooper kreeg, volgde Maidment op veilige afstand, toen deze trekkebenend en zwaar op zijn stok leunend naar de taxistandplaats voor het ziekenhuis liep. Wadley had zijn wagen vlak bij de ingang op een parkeerplaats voor artsen gezet en zat al achter het stuur, voordat de majoor zich in een taxi had geïnstalleerd en het portier dichtging. Terwijl hij het koppelingspedaal liet opkomen, moest Wadley niezen van nerveuze opwinding. Dit was zijn eerste echte rechercheursopdracht sinds hij vorige week zijn uniform had uitgetrokken. Hij voelde zich enorm verantwoordelijk en daar rekende Cooper ook op. Wadley hield zichzelf continu voor, dat als inspecteur Nightingale het bij het rechte eind had, zij Pauls moordenaar binnen een paar uur zouden inrekenen en dat hij degene was die de arrestatie zou verrichten.

Het woongedeelte van de boerderij van de familie Anchor was verlaten, toen Nightingale er aankwam. Ze neusde wat rond bij de bijgebouwen en bleef ver uit de buurt van de fel blaffende honden in hun kooien. Er was niets anders te zien dan opgedroogde modder, oude tractoronderdelen en volle werkbanken. Oliver was er niet, ondanks zijn belofte, en de moed zonk haar in de schoenen. Waarschijnlijk verdeed ze haar tijd, maar ze was er zo op gebrand hem te ondervragen, dat ze toch op het erf bleef hangen.

Het zonnetje scheen lekker warm op haar gezicht. Een van de wilde boerderijkatten had blijkbaar gejongd, want in de open deur van een oude schuur speelden drie grijsgestreepte haarballen met blauwe ogen met een stuk touw. Ze kon de moederpoes half verscholen achter een zinken emmer zien zitten. Ze zat zonder met haar ogen te knipperen naar haar te staren, besloot toen dat het veilig was en ging verder met het likken van haar achterpoot, als onderdeel van een uitgebreide wasbeurt.

'O, je bent er nog,' verbrak Olivers teleurgestelde stem haar dagdromerij.

'Natuurlijk, ik wachtte op jou. Waar is je moeder?'

'Naar de boerenmarkt. Wij hebben er een kraam.' Het klonk smalend. 'Stomme troep, maar het verkoopt.'

'Waar kunnen we naartoe gaan om te praten?'

Olivers gezicht had een hoogrode kleur gekregen. Ze dacht dat hij moed verzamelde om haar te zeggen dat hij van gedachten was veranderd en niet met haar wilde praten, dus ging ze snel verder.

'Ik snak naar een kop koffie. Zullen we hier koffiedrinken of in de stad?'

'Ik kan koffiezetten, hoor!'

'Geweldig.' Het bieden van een alternatief faalde nooit. 'Ik heb koekjes in de auto liggen.'

Zijn gezicht klaarde op.

De keuken was minder netjes opgeruimd dan de eerste keer toen ze hier was. De vuile vaat van het ontbijt stond in de gootsteen en op tafel stonden lege theemokken. Boerenmarkt of niet, ze gingen er hier blijkbaar van uit dat mevrouw Anchor de afwas deed. Ze zag enorm op tegen Olivers koffie, maar hij maakte het zorgvuldig en geconcentreerd klaar. Toen hij een koekje nam stelde Nightingale hem de eerste vraag.

'Heb je *CrimeNight* gezien?'

Het was duidelijk aan hem te zien dat het zo was, en ze ging snel verder: 'We hebben enorm veel reacties gehad. Er hebben een heleboel mensen gebeld, om te vertellen dat ze Bryan Taylor hebben gekend. Sommige zeiden zelfs dat hij hen had aangerand.'

Haar woorden hadden het verwachte effect, want Olivers gezicht begon te branden van schaamte.

'Jij bent ook een van die bellers geweest, nietwaar?'

'Ik? Nee, hoor.' Hij schudde zijn hoofd en de koekkruimels vielen op zijn shirt.

'Wat jammer, want het zou veel gemakkelijker voor je zijn geweest om dingen via de telefoon toe te geven.'

'Dingen?'

'Ja, bijvoorbeeld dat je een van Taylors... speciale vriendjes was. Ik weet zeker dat het al jaren voor Pauls verdwijning was. Zo'n sterke vent als jij is meestal vroeg rijp. Het hield zeker al lang vóór de brandende auto op. Klopt dat?'

Oliver had geen trek meer in de koekjes; hij zat ongelukkig naar zijn samengebalde handen te kijken.

'Eigenlijk doet het er niet zo veel toe of je het me vertelt of niet, weet je. Ik ken de feiten, ik moet alleen de details weten.'

'Hoe ben je erachter gekomen?' vroeg hij onschuldig. Nightingale liet geen spoortje van triomf merken, nu ze hem precies had waar ze hem hebben wilde.

'De politie heeft manieren om ergens achter te komen; dat is ons werk. Het is natuurlijk wel zo, dat als we dingen niet rechtstreeks horen,' en ze besloot het te herhalen, 'dat wil zeggen, als je ons de dingen niet zelf vertelt, wij het op sommige punten bij het verkeerde eind kunnen hebben, en dat is niet goed voor je.'

'Waarom niet?' zei hij bijna onhoorbaar. Ze moest haar medelijden onderdrukken, dat zou haar niet verder helpen.

'Omdat mensen wreed kunnen zijn en dingen zeggen die niet helemaal kloppen – bijvoorbeeld, dat je het eigenlijk wel lekker vond wat je met Bryan deed.'

'Ik? Niet!' Oliver sloeg hard met zijn vuisten op tafel, zodat de mokken begonnen te dansen.

'Wat heb je niet, Oliver?' vroeg Nightingale vriendelijk en ze hield haar adem in.

'Ik heb het nooit lekker gevonden. Helemaal nooit.' Hij keek haar even aan en ze ademde langzaam uit.

'Dat dacht ik ook niet. Maar je moet me wel zo veel mogelijk vertellen als je kunt, voor als ik nog meer dingen fout heb.'

Hij had zijn ogen gesloten en schudde zijn hoofd.

'Moet je horen, is het makkelijker voor je als ik jou gewoon de vragen stel? Op die manier hoef je alleen maar ja of nee te zeggen. Ik moet wel een paar dingen opschrijven. Dat vind je toch niet erg, hè?'

Oliver schudde zijn hoofd en staarde uit het keukenraam. Zijn gezicht stond zo in- en intriest, dat Nightingale een brok in haar keel kreeg. Ze slikte het weg.

'Dus je was elf, toen jij en Bryan vrienden werden?'

'Negen.' Zijn ogen waren weer op zijn vuisten gericht. 'Hij werkte aan onze schuur. Ik moest hem te drinken brengen zonder te morsen.'

'En wanneer was het dan dat Bryan,' ze wachtte even om de juiste woorden te zoeken, 'zo heel aardig tegen je begon te doen?'

'Diezelfde week.' Oliver zuchtte als een oude, wijze man. 'Hij zei dat ik heel bijzonder was. Het moest ons geheimpje blijven. Er had nog nooit iemand tegen me gezegd dat ik bijzonder was, alleen mijn moeder – maar dat telt niet, hè?'

'Het is altijd fijn om zulke dingen ook eens van een ander te horen. Ik neem aan dat Bryan aardig voor je was?'

Oliver glimlachte zo zielig, dat Nightingale even moest wegkijken.

'Hij kon goochelen. Hij had een keer een ei uit mijn oor laten komen, een écht ei!' De magie van het ogenblik klonk nog door in zijn stem. 'Wij waren vrienden.'

'Natuurlijk waren jullie dat, maar hij wilde meer zijn dan vrienden, nietwaar?'

Oliver knikte, maar zei niets.

'Oliver, je moet me een paar details vertellen, maar wij gaan het zo doen, dat ik jou iets vraag en jij met ja of nee kunt antwoorden. Wil je nog een koekje?'

Hij pakte er automatisch een, maar begon het te verkruimelen, tot Nightingale het ten slotte maar uit zijn vingers pakte.

'Zat Bryan aan je?'

Hij knikte.

'En raakte hij je ook op intieme plaatsen aan?'

Met halfgesloten ogen knikte hij, nauwelijks zichtbaar en met knalrode wangen van schaamte.

'Wilde hij dat jij dat ook bij hem deed?'

'Ja.'

Ze zag tranen in zijn ogen.

'Je doet het heel goed, ik ben trots op je. Wilde hij dat je meer deed dan hem alleen maar aanraken?'

Hij snotterde.

'Het spijt me, maar dat kon ik niet horen.'

'Ja.'

'Hoe lang is dat doorgegaan?'

'Weet ik niet; tot nadat de school begon.'

'Wat gebeurde er toen?'

'Hij kwam me op een zaterdag ophalen. Hij zei dat ik hem kon helpen, er was alleen geen werk.'

'En toen was het weer hetzelfde liedje?'

'Erger. Hij gaf me snoepjes en speelgoed, maar ik moest huilen en hij zei dat ik dat niet moest doen, omdat ik bijzonder was en dat hij van me hield en hij liet me allemaal cadeautjes zien.'

'Heeft hij je ooit geld gegeven?'

'Eén keer, toen hij vergeten was snoep voor me te kopen.'

'Hoeveel geld was dat, weet je dat nog?'

'Weet ik niet; al zijn kleingeld, denk ik.'

Nightingale moest slikken om haar woede in te houden.

'Zagen jullie elkaar vaak?'

'Op zaterdag en als mam op de markt stond.'

'Alleen jij en Bryan?'

Hij aarzelde en knikte toen.

'Oliver, het is echt nodig dat je de waarheid zegt.'

'Eerst was het ik en hij, maar...'

'Ga door.'

'Vlak voor Kerstmis zei hij dat we naar de Kerstman gingen kijken. We gingen naar een groot huis. Daar stond een kerstboom in de hal die groter was dan Bryan.'

'Waar was dat huis?'

'Weet ik niet – hij bedekte mijn ogen, het was geheim, zei hij.'

'Wie heb je daar ontmoet?'

'De kamer was donker.' Oliver keek weg, de tranen liepen over zijn gezicht. 'Maar het was niet de Kerstman.'

'Had die man seks met je?'

Oliver kromp in elkaar bij haar woorden, maar knikte toen.

‘Ik moet het je horen zeggen.’

‘Ja.’

‘Hoe vaak is dat voorgekomen?’

‘Een paar keer, maar toen werd ik ziek. De dokter kwam naar me kijken. Hij... hij zei iets tegen mam.’

‘Heeft hij je onderzocht?’

‘Ik had uitslag; het jeukte als een gek. Mam dacht dat ik de mazelen had en hij keek en toen... zei hij iets tegen mam.’

‘En daarna?’

‘Toen heeft mam met me gepraat.’

‘Heb je haar over Bryan en die andere man verteld?’

‘Op het laatst wel, ja. Mam hield er niet over op.’

‘Vast niet. Wat deed ze toen?’

‘Ze is naar Bryan toe gegaan en daar was ik blij om, want daarna heb ik hem of die andere man nooit meer gezien.’

‘Is ze naar de politie gegaan?’

‘Dat weet ik niet. Ze was zó kwaad.’

‘Je zat in dezelfde klas als Paul, nietwaar?’

Die verandering van onderwerp verraste hem en hij moest er even over nadenken.

‘Ja. Hij was jonger dan ik, want ik was een jaar blijven zitten. We waren vrienden. Ik paste op hem en hij paste op mij.’ Het klonk als een eed.

‘Is dat wat Paul altijd zei?’

‘Ja, hij was mijn vriend.’

‘Wat dacht je toen je hem met Bryan zag?’

‘Ik probeerde hem te waarschuwen!’ Oliver raakte van streek. Zijn gezicht stond schuldbewust.

‘Wilde hij niet luisteren?’

‘Paul niet. Hij was knap, knapper dan ik, ook al was hij jonger. Hij zei dat hij op zichzelf kon passen. Ik probeerde echt op hem te passen, hoor, eerlijk waar.’

Daar kwamen de tranen weer. Ze klopte eventjes op die enorme handen van hem, die hij van innerlijke pijn tot een bal had samengeknepen.

'Ik weet zeker dat jij je best hebt gedaan.'

'Echt waar, ik heb het echt geprobeerd.' Er rolde een dikke traan over Olivers wang en toen nog een.

'Natuurlijk heb je dat, maar het probleem met zulke pientere mensen als Paul is, dat ze vaak slimmer zijn dan goed voor ze is.'

'Paul was bijzonder,' snikte Oliver.

'Dat weet ik. Je zult hem wel erg missen.'

'Nog steeds,' snoof hij, 'hij was mijn beste vriend; ik heb nooit meer zo'n vriend gehad.'

Ze gaf hem een papieren zakdoekje en wachtte tot het huilen overging. Toen pakte ze de draad van de ondervraging snel weer op.

'Op de dag dat Paul verdween heb je een auto zien branden. Vertel daar eens wat over.'

Hij veegde zijn gezicht af met de mouw van zijn overhemd en het liet een slijmerig spoor op het blauwe denim achter.

'Het was Bryans auto.'

'Weet je het zeker?'

'Heel zeker. Ik kende die auto. Ik kon het nummerbord zien.'

'Was je er dan zó dichtbij?'

Oliver keek naar het plafond en knipperde een traan weg. Toen schudde hij zijn hoofd.

'Waarom niet?'

'Er stonden mannen te kijken.'

'Mannen? Wie waren dat?'

'Ik kon hun gezicht niet zien. Ze stonden met hun rug naar me toe.'

'Hoeveel waren het er, en hoe zagen ze eruit?'

'Het waren er drie. Een van hen was klein; een van hen was een soort worstelaar; de andere man kon ik niet goed zien.'

'Waarom stonden ze naar de auto te kijken?'

Oliver boog zich voorover met zijn gezicht in zijn handen. Ze kon de tranen tussen zijn vingers door zien sijpelen.

'Alsjeblieft, Oliver, je moet het me vertellen. Doe het voor Paul.'

'Laat me... heel even maar.'

Nightingale wachtte ongeduldig tot Oliver met zijn hand over zijn gezicht veegde en haar aankeek. Zijn oprechte verdriet schokte haar.

'Oké, vooruit dan maar, ik kan het wel,' zei hij tegen zichzelf en hij knikte. Er kwam een andere trek op zijn gezicht, een van concentratie. 'De auto stond in de hens. Ik kon de hitte ervan voelen op de plek waar ik stond. Het verschroeide de bomen.'

Zoals hij het zei, klonk het als een verontschuldiging en opeens begreep Nightingale wat er ging komen.

'Ga eens door. Ik begrijp heel goed dat jij absoluut niets kon doen.'

'Nee, dat kon ik niet! Als het alleen om die mannen ging, zou ik hebben geprobeerd hem eruit te krijgen, maar het was veel te heet.'

'Wie eruit krijgen, Oliver?'

'Paul.' Intussen stroomden de tranen zonder dat hij het merkte over zijn gezicht. 'Er zat een lichaam voorin; het moet Paul zijn geweest. Het was helemaal verbrand, alsof het onder de zwarte verf zat.' Er viel een pijnlijke stilte, toen vervolgde hij fluisterend het laatste deel van zijn bekentenis.

'Ik ben weggerend... ik was echt heel bang.'

'Er moeten toch ook andere mensen zijn geweest die de brand hebben gezien. Ik snap niet waarom daar geen melding van is gemaakt.'

'Dat pad waar wij hebben gelopen was er in die tijd nog niet. Het was in de bossen.'

'Maar er moet toch zeker rook te zien zijn geweest?'

'In die tijd had je vaak stoppelbranden. Dat was toen normaal. Mag niet meer.'

'Ben je daarna nog teruggegaan?'

'Heel lang daarna. Toen ik thuiskwam... ik kan me niet herinneren wat er gebeurde, maar ik weet wel dat ik naar een soort ziekenhuis werd gestuurd. Toen ik terugkwam, was de auto weg; er waren op die plek alleen maar zwartgeblakerde bomen.'

Oliver ging weer met zijn mouw over zijn gezicht en dronk zijn mok koffie leeg.

'Was Bryan een van de mannen die naar de brandende auto stond te kijken?'

'Ik geloof het niet.'

'Weet je het zeker?'

Oliver knikte. 'Ik denk dat ik hem van achteren wel zou hebben herkend. Ik geloof dat hij er niet bij was, maar ik kan het niet zweren.'

'Wat zullen we nou krijgen!'

Nightingale en Oliver gingen zo in hun gesprek op, dat ze mevrouw Anchor niet hadden horen binnenkomen.

'Wij voeren het gesprek dat ú vijfentwintig jaar geleden met de politie had moeten voeren, mevrouw Anchor. Waarom bent u niet bij ons gekomen, toen de dokter vertelde wat hij vermoedde dat er met uw zoon was gebeurd? U had in ieder geval melding behoren te maken van die brandende auto!' Nightingale deed geen moeite om de afschuw die ze voelde te verbergen. 'U hebt de familie Hill al die jaren laten lijden en ook nog eens wie weet hoeveel jongens door Taylor en zijn gabbers laten misbruiken.'

Mevrouw Anchor beet op haar lip, maar antwoordde verontwaardigd: 'Oliver was helemaal over zijn toeren. Hij was in een verschrikkelijke toestand toen hij thuiskwam. Mijn enige zorg was mijn jongen. En trouwens, sorry, schat,' zei ze met een snelle blik naar Oliver, 'het sloeg nergens op, wat hij zei. Hij draaide compleet door, hij krijste, we konden hem nauwelijks in bedwang houden. Toen de dokter kwam, kreeg hij een kalmerend spuitje en de volgende dag hebben we ermee ingestemd dat hij naar het ziekenhuis ging.'

'Maar toen u later het nieuws over Paul hoorde, moet u zich toch gerealiseerd hebben dat Oliver misschien getuige van iets was geweest. Uw man heeft alleen maar gemeld dat hij de auto van Taylor zag, verdorie!'

Mevrouw Anchor liet zich zwaar op de stoel aan het hoofd van de tafel vallen. Haar blos was verdwenen en ze zag er afgetobd uit.

'Oliver, ga je vader halen. Hij moet vroeg thuiskomen, zeg hem dat.'

Nightingale keek Oliver na, toen hij de keuken uitsjokte; zijn moeder viel in het niet naast haar grote zoon. Tot haar verbazing pakte de boerin een pakje sigaretten en stak er een op.

'In die tijd heb ik me niet gerealiseerd wat de betekenis was van wat Oliver heeft gezien, tenminste, een aantal dagen niet.' Ze begon automatisch de koekkruimels van de tafel te vegen.

'Dat is onzin. Wat houdt u voor me achter? Denkt u dat ik er niet achter kom, in zo'n ernstig geval als dit? Desnoods vraag ik toestemming om zijn medische rapporten in te zien.'

Mevrouw Anchor nam een stevige trek van haar sigaret en hield de rook een tijdje in haar longen, voordat ze uitademde.

'Het is echt waar. Toen Oliver naar het ziekenhuis ging, waren we ten einde raad. Ik wist dat er iets met die jongen aan de hand was, maar dat weet ik aan zijn eerdere... problemen en aan het feit dat hij altijd al heel stil was. Toen hij die zenuwinzinking kreeg, raakten we totaal van de kook – we hadden geen idee dat hij er zo slecht aan toe was.

Tijdens zijn opname hebben de artsen Oliver volledig onderzocht. Ze ontdekten sporen van vroeger seksueel misbruik. Ik vertelde hun dat er in het verleden problemen waren geweest, maar dat het nu voorbij was. Het probleem is, dat ik het nooit bij de politie heb aangegeven en Arthur wist het niet. Onze huisarts was een oude vriend en getrouwd met mijn schoonzuster, dus toen hij me vertelde dat Oliver misbruikt was, smeekte ik hem zijn mond te houden en het zelfs niet aan Olivers vader te vertellen. Hij kende ons en wist dat wij Ollie nooit iets zouden aandoen, dus heeft hij ter wille van mij zijn mond gehouden en het ook nooit bij maatschappelijk werk of de politie aangekaart, wat hij wel had behoren te doen.'

'Als u alleen maar de moed had opgebracht uw man en de autoriteiten over dat seksueel misbruik te vertellen, zouden Paul Hill en Malcolm Eagleton misschien nog hebben geleefd!' De vrolijk grijnzende jongensgezichten op de foto's vulden Nightingales gedachten. 'Het ging niet alleen úw gezin aan.'

'Dat weet ik nú ook wel, denkt u soms van niet? Maar toen wilde ik maar één ding, míjn gezin beschermen; dat is alles wat telde. Als destijds maatschappelijk werk zich ermee had bemoeid, wie weet wat er dan gebeurd zou zijn. Ze hadden Arthur kunnen beschuldigen en Ollie en mijn andere jongens bij ons weghalen. Dat hebben ze later ook bijna gedaan, toen Oliver het ziekenhuis in ging na de verdwijning van Paul.' Ze drukte haar sigaret uit en stak een nieuwe op.

'Ga verder.'

'Toen ze ontdekten dat hij misbruikt was, kreeg Arthur ruzie met de dokters. Hij zei dat dat onmogelijk was. Dat bleek een grote vergissing te zijn. Maatschappelijk werk stelde een onderzoek naar hem in en daarna de politie ook nog.' Haar stem liet haar in de steek, maar zij was van sterker makelij dan haar zoon en hield haar ogen droog. 'Het was afschuwelijk. Oliver zat nog onder de medicijnen en kon dus niets zeggen om ons te helpen. Die maanden waren een verschrikking. Daarna ging het wat beter met Oliver en begon hij een psychiater te bezoeken. Het verhaal over Bryan Taylor kwam naar buiten. Wij waren niet langer verdacht en toen mijn zoon voldoende hersteld was, mocht hij weer bij ons terugkomen.

Ik moet tot mijn spijt zeggen dat ik in al die tijd geen moment aan Paul heb gedacht. Wij leefden in onze eigen nachtmerrie en ik had niet de energie om ook aan een ander te denken. Nadat Oliver thuisgekomen was, hebben we nooit meer gepraat over wat er gebeurd is. We hoopten dat hij die Taylor helemaal zou vergeten.'

'Natuurlijk niet! Hij heeft het alleen maar opgekropt, omdat jullie er een taboe van maakten. Hij is nog steeds niet helemaal in orde, nietwaar? Hij moet een goede behandeling krijgen,' sprak Nightingale op barse toon.

Mevrouw Anchor keek haar uitdagend aan.

'Hij is prima in orde. Hij kan de wereld aan en wij zijn er om voor hem te zorgen. Verder heeft hij nergens behoefte aan.'

'Behalve aan vrienden van zijn eigen leeftijd, misschien zelfs wel aan een relatie met een meisje,' zei ze wreed.

'Jij hebt het recht niet om zomaar een oordeel over ons uit te spreken, juffie. Je hebt gekregen waar je voor kwam; lees me niet de les in mijn eigen huis en doe niet net alsof je ene moer geeft om het welzijn van mijn zoon. Hij is ons probleem, niet dat van jou, en wij gaan er op onze eigen manier mee om.'

'Maar hij heeft hulp nodig, mevrouw Anchor. Zeker nu hij in staat is gebleken toe te geven wat hem is overkomen. En dat is heel moedig van hem.'

'U bent van de politie, geen arts. Laat ons met rust.'

‘Hij moet een volledige verklaring op het bureau afleggen; brengt u hem daarnaartoe, of zal ik hem nu meteen meenemen?’

Mevrouw Anchor staarde haar opstandig aan, maar besefte dat ze verslagen was.

‘Ik breng hem zelf.’

‘En als u hem op andere gedachten probeert te brengen, laat ik u arresteren wegens belemmering van de rechtsgang. Dat niet alleen, ik druk er een voorlopige hechtenis doorheen. Wie zorgt er dan voor uw jongens, mevrouw Anchor?’

Nightingale stond op om te vertrekken en moest haar uiterste best doen om haar boosheid in bedwang te houden en enig medeleven voor die vrouw op te brengen, maar mevrouw Anchor had het laatste woord.

‘Vraagt u zichzelf eens af, waarom uw collega’s er in die tijd niet meer moeite voor hebben gedaan om Taylor te vinden. Ze hadden ruim voldoende informatie, daar heeft mijn Arthur wel voor gezorgd, maar ze hebben hem nooit gepakt. Als iemand mijn zoon en Paul Hill in de steek heeft gelaten, dan is het wel dat zooitje van de politie!’

Nightingale stapte in haar auto en reed weg.

36

Sinds het tweede bezoek van Nathan had Sam diep nagedacht over een ontsnapping. Op zijn elfde vond hij zichzelf oud en wijs genoeg om weg te lopen uit een liefdeloos ouderlijk huis waar het ook veel te vol was, en nu, op zijn twaalfde verjaardag, die onopgemerkt en zonder feestelijkheden voorbij was gegaan, had hij er alle vertrouwen in dat hij in zijn eentje kon overleven.

Hij keek vol verachting terug op zijn timide gedrag van nog maar een maand geleden. Het was stom geweest deze plek als een toevluchtsoord te beschouwen en te denken dat William zich om zijn veiligheid zou bekommeren. Hij was alleen maar goed om geld in het laatje te brengen – zolang hij er goed uitzag en zijn lichaam het volhield. Als dat voorbij was, zou hij op de schroothoop belanden, net als Jack.

Toen hij aan Jack dacht, werd hij weer heel erg bang. Hij had zich niet gerealiseerd dat Jack voor hem de jongen van Nathan was geweest, maar achteraf gezien was dat heel logisch. Jack had niet hard hoeven werken; hij had een kamer voor zichzelf gehad, compleet met een kleine badkamer zoals deze, en William had hem een tijdlang uitzonderlijk behandeld. Dat was een van de redenen waarom Sam en de andere jongens zich niets van zijn lijdensweg hadden aangetrokken. Ze hadden niet in de gaten gehad wat er werkelijk speelde.

Jack was geen vervelende klier geweest. Een stille jongen, die goed op zichzelf kon zijn. Dus hadden ze het nooit gemerkt toen hij zich helemaal terugtrok. Pas toen hij er ziek uit begon te zien, hadden ze zich afgevraagd wat er met hem aan de hand was. Ze dachten dat het door de drugs kwam. Jack had er aldoor over opgeschept dat hij clean was en ze hoonden hem dan ook in stilte, toen duidelijk werd dat hij er slecht aan toe was. Nu hij erop terugkeek, besefte Sam dat Jack vermoedelijk niet verslaafd was, maar gewoon zwaar mishandeld door Nathan. Het werd hem ook duidelijk waarom hij zo vaak afwezig was. En daarna was hij verdwenen.

Sam wreef in zijn hals en nek, en hij keek in de spiegel naar de vervagende bloeduitstortingen. Ze waren bijna verdwenen; om de acht uur had hij dat naar kruiden ruikende spul erop gesmeerd, zoals William hem had opgedragen, en dat scheen te helpen. De andere kneuzingen, die je niet kon zien, maar die veel meer pijn deden, zaten er nog, en als Nathan weer met hem zou doen wat hij eerder had gedaan, zou hij uiteindelijk zwaar, misschien wel dodelijk gewond raken. Die gedachte maakte hem 's nachts aan het huilen, maar het was niet de oorzaak van de nachtmerries. Dat was het gevoel dat hij stikte. Als hij in het donker wakker werd en geen adem kon halen bij de herinnering aan Nathans handen om zijn keel, wist hij absoluut zeker dat hij de volgende keer zou sterven. Tijdens het vorige bezoek had hij zichzelf niet meer in de hand gehad en was pas opgehouden toen William op de deur begon te bonken.

Sam móést ontsnappen. Hij had geprobeerd het raam open te maken, maar dat zat stevig op slot. Zelfs als hij het zou breken, zei één blik naar beneden hem dat het te hoog was om te springen. Er zat geen brandtrap en ook geen regenpijp, waarlangs hij naar beneden kon klimmen en als hij zijn laken en zijn dekbedovertrek aan elkaar zou knopen, dan zou hij nog hoog boven de kapotte tegels van de binnenplaats hangen.

Hij dwong zichzelf terug te denken aan de dag dat hij hier gekomen was, met alle kleine dingen die hij nog wist over de buitenkant van het huis, plus zijn twee eerdere zwakke pogingen om te ontsnappen. Op het bordje boven de deur stond Hotel Madeira, maar op een ander bord, achter het raam, stond 'Vol'. Het hotel was een front. Er waren geen gasten, alleen de jongens, een paar personeelsleden en hun bazen. Voordat ze hem verhuisden, had hij samen met drie andere jongens in een grote slaapkamer op een lagere etage gezeten. Voor de ramen zaten tralies en de branduitgangen, nog uit de tijd dat het een hotel was, zaten op slot.

Hij had toen weinig aandacht aan zijn omgeving besteed en hij had geen idee hoe de etages waren ingedeeld. Sinds hij naar boven was verhuisd, had hij in zijn kamer vastgezeten. Hij wist wel dat hij op de vierde etage zat en dat de andere kamers door het personeel werden gebruikt – koks, barpersoneel en bewaking – en door William, die, naar hij had horen zeggen, zijn kamers in een vleugel van het hotel had. Het was de ergste etage om uit te proberen te ontsnappen, want tussen de ploegendiensten door lagen er altijd mensen in hun kamers te slapen. William vond het prettig zijn personeel bij elkaar te houden; dan kwamen ze niet op een dwaalspoor, zei hij. De meesten van hen waren buitenlanders; waarschijnlijk illegale immigranten, dacht Sam.

Hij lag in zijn bed na te denken. Hij was slim genoeg om geen vluchtpoging te ondernemen zonder eerst plannen te maken, zoals daarvoor. Hij moest eerst een reden verzinnen om van zijn kamer af te komen.

Op de ochtend van de twaalfde dag van zijn gevangenschap, zo beschouwde hij het, werd hij nog voor de dag was aangebroken wakker. Hij stond op om te gaan plassen. Bij het doortrekken kwam er een idee bij hem op. Als zijn wc kapotging, moesten ze hem er wel uit laten. Hij tilde het deksel van de stortbak op en keek erin. De tank zag er bruin en smerig uit. Er dreef een bal op het water met een hefboom eraan, die aan het doortrekmechaniek vastzat. Hij probeerde het mechaniek een paar keer uit en lette heel goed op. Toen hij nog een keer doortrok, hield hij de bal zo stevig als hij kon naar beneden en merkte dat het water bleef stromen, tot de bal weer naar boven schoot en de watertoevoer op de een of andere manier afsloot.

De verbinding tussen de drijver en de hefboom zag er niet al te sterk uit. Hij pakte de bal vast er rukte eraan. Hij trok heel hard, maar hij brak niet. Hij probeerde het nog een keer, met zijn volle gewicht naar achteren hangend. Hij voelde wel dat er iets meegaf, maar het was maar heel weinig. Buiten zijn kamer hoorde hij mensen over de gang lopen. Het huis kwam tot leven. Hij zette zijn radio aan, hard genoeg, om het geluid van zijn pogingen te overstemmen en bleef trekken. Op een gegeven moment sneed hij zich aan een stuk metaal, maar hij lette niet op het bloeden. Al zijn energie ging uit naar het lostrekken van de drijver.

Toen hij het geknars van een sleutel in het slot hoorde, rende hij terug naar zijn bed. Hij lag er net op tijd in, toen een van de beveiligingsmensen hem zijn ontbijt kwam brengen. Hij kreeg een compleet Engels ontbijt, met toast en melk. De man ging weg, zonder naar hem te kijken. Sam schrokte het lauwe eten naar binnen, maar proefde het nauwelijks; hij besefte dat hij al zijn kracht nodig zou hebben voor zijn vlucht. Meteen toen hij klaar was ging hij terug naar de stortbak. Na een eeuw, zo leek het, maar volgens de radio maar tien minuten, hoorde hij iets knappen en dreef de bal los in de stortbak. Hij trok door en zag hoe het water bleef stijgen en de stortbak tot boven het normale niveau vulde. Zijn moreel steeg mee. Hij zou het toilet laten overstromen! Maar toen het water bijna tot het randje van de bak was, stopte het. Om de een of andere reden, ook al hoorde hij dat het water in de wc stroomde, ging het niet over de rand.

Sam kon wel huilen, maar hij beet op zijn onderlip. Hij dwong zichzelf opnieuw naar de stortbank te kijken. Er liep een afvoerpijp, waar hij zich nog niet eerder mee bezig had gehouden. Hij had geen idee waar die voor was, maar toen hij zijn handpalm ertegenaan drukte, zag hij tot zijn voldoening dat het water weer begon te stijgen. Dus dat was het; een afvoerpijp voor overtollig water. Wilde hij zijn plan laten slagen, dan moest hij die pijp op de een of andere manier blokkeren.

Hij rolde zijn mouw op, pakte een groot stuk toiletpapier en propte dat in de opening van de afvoerpijp, zo ver als hij kon. Dat herhaalde hij drie keer en drukte het papier goed ver naar binnen. Toen de pijp dichtzat, stopte hij en zag het water naar de rand stijgen. Daar leek het eeuwen te blijven hangen, tot de oppervlaktespanning brak en het langzaam over de zijkant begon te sijpelen en op de vloertegels spetterde. Sam gaf een gilletje van opwinding en maakte een dansje. Toen werd hij snel weer nuchter.

Dit was nog maar de eerste stap. Hij moest nu zorgvuldig nadenken over wat hij ging doen. Er zou maar één kans zijn om te vluchten en die moest hij ten volle benutten. Hij kleedde zich voor het eerst sinds dagen helemaal aan, trok zijn sportschoenen aan, borstelde zijn tanden en zijn haren en stopte de rest van zijn toast in zijn zak. Hij pakte zijn radio op en hield hem stevig vast. Toen telde hij tot duizend om het water de tijd te geven de hele vloer te bedekken, voordat hij op de deur begon te bonken. Het duurde even voor er iemand kwam. Het bleek Jan, de barman, te zijn, die hij wakker had gemaakt na een lange nacht.

'Wat moet je, verdomme nog aan toe?'

'Het stroomt daar over!' zei hij theatraal en hij wees naar de badkamer.

Jan begaf zich naar de badkamer en keek naar binnen. Toen hij zich vooroverboog om de vloer te inspecteren, sloeg Sam hem zo hard als hij kon met de radio op zijn hoofd. Zonder naar het resultaat te kijken, rende hij naar de deur, sloeg hem dicht en draaide hem op slot. De sleutel stak hij in zijn zak. Hij keek heel even rond om zich te oriënteren. Op de rest van de etage was het stil en de deuren waren gesloten. Achter hem, in zijn kamer, was het stil.

Aan beide kanten van de gang waren bordjes die naar de branduitgang wezen en hij rende naar de uitgang die het verst bij Williams kamers vandaan lag. De deur ging open, zoals hij al had gehoopt. Ze mochten de jongens dan opsluiten, maar hij had er al rekening mee gehouden, dat William echt het risico niet zou nemen levend te verbranden als er in huis brand uitbrak.

Hij rende lichtvoetig en geluidloos de betonnen trappen af en keek telkens om naar boven, of er tekenen waren dat ze achter hem aan zaten, maar hij was nog steeds alleen. Elke etage had een eigen overloop met een nummer. Toen hij op de eerste verdieping kwam, meende hij boven zich een deur open te horen gaan. Hij bleef rennen, zo hard als hij kon. Het was zinloos om een van de gangen in te vluchten, want de deuren op deze etage zouden afgesloten zijn. Hij bereikte de begane grond en duwde een nooduitgang open. Die kwam uit op een binnenplaatsje achter de keuken.

Sam keek verwilderd om zich heen. Hier kon hij niet weg! Tegenover de deur stonden hoge vuilcontainers, groter dan hij, maar het had geen zin om zich daarin te verstoppen; het zou de eerste plek zijn waar ze hem zochten. Hij hijgde van angst en dwong zichzelf een paar keer diep adem te halen. Denk na, zei hij tegen zichzelf. Als er vuilnisbakken staan, moeten ze hier ook opgehaald kunnen worden.

Hij keek langzaam om zich heen op de binnenplaats. Meteen rechts van hem zat een houten poort. De vergrendeling zat vast met een stevig hangslot, maar de poort was niet zo hoog, op zijn hoogst twee meter. Sam zette zijn rechtervoet tegen het hout en reikte naar een van de dwarsbalken die de planken op zijn plaats hielden. Hij trok zichzelf op en was er bijna, maar zijn voet gleed weg en hij stootte hard zijn knie. Het kreetje dat hij gaf was meer van angst dan van pijn. Hij merkte niet eens dat de tranen over zijn wangen liepen.

Hij probeerde het nog eens; rechtervoet omhoog, rechterhand op de dwarsbalk; linkerhand ernaast. Hij trok zich op en tilde snel zijn linkervoet op de dwarsbalk. Met de neus van zijn sportschoen vond hij houvast en hij leunde met zijn hele gewicht tegen de poort. Toen grabbelde hij met zijn rechterhand naar de bovenkant en kreeg die te pakken. Nu kon hij zichzelf helemaal ophijsen.

Hij ademde gejaagd, zijn hart bonkte onder zijn T-shirt, maar hij slaagde erin zijn linkerhand naast zijn rechterhand te krijgen en zijn volle gewicht te laten dragen. Nu hing hij aan de bovenste plank en had zijn hoofd hoog genoeg om over de poort heen de vrijheid te zien, maar de onderste helft van zijn lichaam bungelde daar nog en leek onmogelijk zwaar. Grommend van inspanning trok hij zichzelf omhoog, zodat hij met zijn buik boven op de poort lag en zijn gezicht en zijn arm over de andere kant hingen. Hij balanceerde op zijn middel en het hout sneed in zijn huid, op de plek waar zijn volle gewicht lag. Eén akelig moment voelde hij zijn lichaam naar achteren hellen door de zwaartekracht die hem terugtrok naar de binnenplaats, maar hij trok zijn schouders naar voren en herstelde zijn evenwicht.

Daar hing hij onzeker te wiebelen. Ook al was de poort niet hoog, de grond onder hem leek een heel eind weg en hij kon zijn lichaam er op geen enkele manier overheen zwaaien, zodat hij met zijn voeten op de grond zou landen. Als hij viel, zou zijn schedel kapotslaan op het trottoir. Een hele lange tel bleef hij daar hangen, vastgepind door zijn eigen angst. Toen werd de nooduitgang opengegooid en kwam een van de veiligheidsmensen naar buiten rennen, op de voet gevolgd door Jan. De deur knalde helemaal open, zodat hij tegen Sams hand aansloeg op de plek waar hij zich vasthield en waar hij dus ook even uit het zicht was. De man liep meteen naar de vuilnisbakken en dat gaf Sam een paar seconden om een besluit te nemen. Hij greep de nooddeur vast, trok zijn bovenlichaam er gedeeltelijk bovenop en trok toen zijn andere hand omhoog onder zijn lichaam.

Met behulp van de openstaande deur, slaagde hij erin zijn lichaam helemaal over de bovenkant van de poort te krijgen en zijn voeten aan de andere kant te laten zakken. Hij had net zijn hele lichaam eroverheen gewerkt, toen de beveiligingsman zich omdraaide en hem zag.

'Hé, jij daar! Blijf staan, rotjoch. Ik maak je af!'

Na die aanmoediging liet Sam zich vallen en kwam zwaar, maar stevig op de stoep van de steeg achter het hotel neer, terwijl de beveiligingsman tegen de poort ramde. Hij hoorde hem aan het slot rammelen en daarna het gebonk van zijn voeten, toen hij eroverheen begon te klimmen, maar Sam nam de benen. Hij sloeg links af, weg van de voorkant van het hotel en rende een verlaten zijstraat door. Aan het einde ervan was een straat vol oude, verwaarloosde huizen uit de periode van de vorige eeuwwisseling, maar daar lette Sam niet op. In de verte zag hij een drukke straat met mensen en bussen en daar sprintte hij naartoe.

Achter hem landde de beveiligingsman aan de andere kant van de poort. Hij voelde het eerder dan dat hij het hoorde, maar hij verdeed geen tijd met achteromkijken. De man gromde toen hij neerkwam en er klonken geen achtervolgende voetstappen; hij had zich dus bezeerd. Dat was een gelukje dat Sam hard nodig had. Zijn stemming steeg en dat verleende hem vleugeltjes. Hij ging zo hard, dat hij de donkerblauwe Alfa Romeo niet in de gaten had, die stopte en waar een man uit sprong. Dus toen William zijn arm uitstak en hem bij de schouders greep, werden zijn voeten van de grond getild en spartelde hij hulpeloos in zijn greep.

Sam deed zijn mond open om te schreeuwen, maar de hand van William lag er al overheen. Daarna werd hij in de auto geduwd alsof hij een boodschappentas was. Toen hij overeind schoot en naar de deurhendel greep, ging de automatische vergrendeling op slot.

'Stilzitten.'

Dat was alles wat William zei; hij keek niet eens naar hem, toen hij het kleine stukje terugreed naar de houten poorten en toeterde om binnengelaten te worden.

'Help me!'

'Houd je kop!'

'Help me!' schreeuwde Sam keer op keer, tot een klap op zijn achterhoofd hem tot zwijgen bracht.

William ontgrendelde de auto en de zware handen van de beveiligingsman en een bloedende Jan grepen Sam vast om hem eruit te trekken. Hij stribbelde uit alle macht tegen, maar het was vechten tegen de bierkaai. Toen ze het huis binnengingen, kwam iemand van het personeel naar William toe.

‘Nathan is aan de telefoon,’ zei hij met dringende stem.

‘Ik neem hem wel. En laat dit hier zijn kop houden, terwijl ik aan het bellen ben; hij moet de kunst van het stil zijn leren.’

Er werd een vuile zakdoek in Sams mond gepropt en een zak over zijn hoofd getrokken. Ze droegen hem de trappen op, terwijl zijn voeten over de tot op de draad versleten tapijten sleepten.

‘Wacht,’ hoorden ze van beneden de stem van William. ‘De plannen zijn veranderd. Sluit hem op in het hok, ik haal hem er later wel uit.’

Sam werd in een kleine, kale kamer zonder ramen gegooid en de deur werd achter hem op slot gedraaid. Hij bleef daar lange tijd zitten schreeuwen en op de deur bonken, maar het hielp niet. Ten slotte viel hij uitgeput in slaap.

37

Fenwick en de speciaal opgeleide rechercheur van Jeugd en Zeden namen samen de verklaring door van een van de misbruikslachtoffers die zelf hadden gebeld. Het was heel goed mogelijk dat een flink deel ervan waar was, concludeerden ze, maar soms was het voor de slachtoffers moeilijk om de realiteit los te maken van hun nachtmerries. Er zouden nog verscheidene omzichtige, meelevende vraaggesprekken nodig zijn, voordat Fenwick met zekerheid kon zeggen of hij een betrouwbare getuige voor een vervolging had.

Maar het goede nieuws was, dat het slachtoffer Taylor geïdentificeerd had, uit een hele reeks computergelijkenissen die ze hem hadden voorgelegd. Hij beschreef ook zijn auto, hij kende het kenteken en hij sprak van een groot huis met versierde poorten.

Na het gesprek had Fenwick behoefte aan een frisse neus en ging naar buiten om voor een late lunch een sandwich en fruit te kopen. Hij stelde zijn volgende bezoek uit met een wandeling door St. James’s Park. Zijn gedachten gingen naar de anonieme briefschrijver en de identiteit van de moordenaar van Paul. Hij zag een bank staan en nadat hij zijn eten ophad, belde hij Harlden. Hij merkte dat de batterij van zijn mobiele telefoon alweer bijna leeg was, hoewel hij zeker wist dat hij hem had opgeladen. Er werd snel opgenomen en men verbond hem meteen door naar de TGO-ruimte.

'We hebben Sarah Hill opgepakt, wegens poging tot moord op Jeremy Maidment,' zei Bob Cooper op zo'n vlakke toon, dat Fenwick zeker wist dat het opgelegd was.

'Echt?' Niemand kon laconieker reageren dan hij. 'Ja, we wisten dat ze labiel was. Wie heeft hem gered, of heeft hij haar zelf ontwapend met de beddenpan?'

'Nou, dat was ik, baas.'

'Lieve hemel!'

'Echt waar, er zijn getuigen,' lachte Cooper.

Fenwick lachte mee, maar werd algauw ernstig.

'Arm mens. Het is voor haar waarschijnlijk beter dat ze wordt opgenomen, maar het is zo triest.'

'De majoor laat haar niet vervolgen, ook al is het duidelijk dat zij een bedreiging voor hem is. En desondanks weigert hij nog steeds bescherming.'

'Een schuldig geweten.'

'Hij heeft besloten het ziekenhuis nu al te verlaten, tegen het advies van de arts in. Nightingale denkt dat het nu niet lang meer duurt, of hij zal ons naar de man leiden die hij beschermt.'

'Als jullie denken dat het vandaag al gebeurt, kom ik terug.'

'Doe geen moeite, hij gaat absoluut nergens heen; hij kan nauwelijks lopen. De dokters zijn woedend op hem, dat hij zichzelf heeft ontslagen en zijn herstel in gevaar brengt.'

'Misschien ziet hij het als een soort boetedoening. Als Nightingale zijn geweten heeft opgeschud, wordt hij opgevreten door een schuldgevoel en dat is erger dan fysieke pijn.'

'Dus u denkt toch dat hij een fatsoenlijke kerel is,' zei Cooper met enige voldoening.

'Ik denk dat hij in het begin een fatsoenlijk mens was, Bob, en innerlijk is hij dat misschien nog steeds, maar hij heeft een zwakke plek in zijn karakter. Hij dekt een kindermoordenaar en verstokte kindermisbruiker. Alle goede bedoelingen en liefdadigheid wegen daar niet tegen op. Een mens wordt gekenmerkt door zijn daden, is mijn opinie.'

'Maar de echte smeerlappen zijn de mannen die Paul hebben verkracht en Malcolm hebben vermoord. Watkins en Ball hebben we, misschien wel drie als je de anonieme briefschrijver in verband met Taylor gelooft...'

'Dat doe ik.'

'Dan blijft toch nog die vent Nathan of "Tuitje", of hoe hij zich ook noemt, over. Dat is de schoft die ik wil vinden.'

'Ik ook. Zo meteen ga ik naar Camden, om te zien wat ze hebben ontdekt in verband met de briefschrijver. Trouwens, wie is de eigenaar van het land waar de auto is uitgebrand? Heeft Clive daar al een verslag van opgestuurd?'

'Wacht even; ik ben nu in de TGO-ruimte.'

Hij kon Cooper naar een van de rechercheurs horen roepen.

'Ja. Hij heeft vanochtend een update gegeven. Het is van de gemeente, die het vijftien jaar geleden heeft gekocht als eventuele locatie voor afvalverwerking. De vorige eigenaar staat niet in de database, want die gaat niet verder terug dan 1995, maar ze zijn nu bij het kadaster aan het zoeken. We zullen het wel gauw weten. O ja, er is een boodschap voor jou of voor Nightingale, om Tom van het lab te bellen. Hij zegt dat het dringend is.'

Fenwick gebruikte wat van zijn kostbare batterijlading voor het telefoontje.

'Andrew, mooi zo. Ik heb net Louise Nightingale gesproken. Ze had haar telefoon uitgezet vanwege een lastige ondervraging, naar het schijnt. Maar ik ben blij dat je belt, want ik heb fascinerend nieuws.'

'Nou, laat me dan maar niet langer in het ongewisse.'

'Herinner je je het bloed dat Nightingale in het bosje heeft gevonden, samen met de sigarettenpeuken?'

'Je bent klaar met je analyse en je hebt iemand gevonden.'

'Verknal mijn pleziertje niet! Zoveel krijg ik er niet.'

'Toe maar, Tom, laat me paf staan.'

'Nicolette heeft het ontdekt. Zij had het DNA geïsoleerd uit het monster dat Nightingale ons heeft gegeven en deed toen iets heel pienters. In plaats van het te vergelijken met alle gegevens in de databestanden, besloot ze het te vergelijken met alles wat we tot nu toe hebben onderzocht in de zaken Hill en Eagleton. En ja hoor, ze had beet.'

'Wie is het, niet Ball?'

'Nee. Een andere verkrachter van Paul.'

'Wat? Dan moet het van "Tuitje" zijn. Ball is dood; Taylor is vermoedelijk dood; Watkins was in hechtenis toen die ontmoeting plaatsvond... Weet je wel wat dat betekent? Ball heeft "Tuitje" ontmoet op de dag voordat hij werd vermoord. Misschien heeft hij de vergiftigde whisky die zijn dood werd, wel van hem gekregen. Maar hoe is "Tuitje" gewond geraakt?'

'Gelukkig ben jij degene die dat moet uitzoeken, niet ik,' zei Tom opgelucht.

'Dit is fantastisch. Wil je Nicolette mijn complimenten overbrengen?'

'Natuurlijk. En ook goed werk van Nightingale. Als zij die monsters niet had genomen, was je nog niets wijzer geweest.'

Fenwick belde haar onmiddellijk op, maar moest een boodschap inspreken, omdat haar mobieltje niet aanstond. Zij had een belangrijke schakel ontdekt tussen het onderzoek inzake Koorknaap en Paul Hill. 'Tuitje' leefde nog en was de afgelopen veertien dagen binnen een straal van een paar kilometer van Harlden geweest. Misschien was hij zelfs wel schuldig aan de dood van Ball.

Fenwick had weer dat gekke gevoel dat altijd op kwam zetten, vlak voordat een onderzoek ten einde liep. Het was een gevoel dat er iets cruciaals stond te gebeuren. Dan leek het alsof de feiten die diep in zijn onderbewuste waren doorgedrongen, door elkaar gehusseld waren en een soort modderige brij zonder aanknopingspunten vormden. Maar ongemerkt was in die ongrijpbare mix een proces aan het werk geweest, waarbij elementen verschoven werden, opnieuw gerangschikt en aan elkaar gepast, waardoor nieuwe ideeën ontstonden. Het was een soort alchemie, waarin een geval zijn eigen DNA creëerde. Toms bericht dat het DNA herkend was, was in die gistende massa gevallen en het leek erop, alsof er nu een kettingreactie op gang kwam, die maar weinig extra elementen nodig had om zichzelf te voltooien.

Desgevraagd, zou Fenwick uiteraard antwoorden dat de zaak op zijn plaats begon te vallen. Hij vertelde nooit aan iemand hoe zijn geest ondergronds te werk ging.

Toen hij terugliep tintelde zijn huid. Hij was hypergevoelig voor alles wat er om hem heen gebeurde: de stroom toeristen en vroege forensen; de zware lucht van uitlaatgassen, zweet en ranzig eten; terloopse aanrakingen van mensen, die te druk bezig waren in hun hoofd om de man in hun midden, die langzamer liep dan de rest, op te merken.

Toen hij bij Scotland Yard kwam, vroeg hij naar de man die de observatie van het hotel leidde, dat Ball kort voor zijn dood had bezocht.

Ed Firth bleek jonger te zijn dan hij na hun telefoongesprekken had verwacht. Hij schatte hem ongeveer vijfendertig jaar en met zijn lengte, tengere postuur en bril leek hij eerder een docent aan een universiteit dan een rechercheur. Toch stond hij aan het hoofd van het Oost-Londense team van de landelijke recherche-eenheid Jeugd en Zedenzaken, die zich bezighield met kinderporno en pedoseksuele misdrijven. Zijn team had de observatie overgenomen, toen de gewone rechercheurs ervan overtuigd waren geraakt dat het huis een bordeel voor pedofielen was.

Firth gaf hem een hand en kwam direct ter zake. Hij was niet bepaald een grappenmaker en Fenwick kreeg de indruk dat hij meer begaan was met de slachtoffers die hij moest beschermen en redden, dan goed voor hem was.

'Wij hebben al vastgesteld dat Hotel Madeira inderdaad een bordeel voor pedofielen is en er kortgeleden iemand naar binnen weten te sluizen. Hij zorgt er voor de drankjes en hapjes, maar het is moeilijk voor hem om verslag uit te brengen, zonder argwaan te wekken. Tot vanochtend hadden we nog niets gehoord, maar toen belde onze man op, om te zeggen dat een van de klanten anders is; het gerucht gaat zelfs dat hij de eigenaar is. Het is deze man.'

Firth gaf Fenwick een zwart-witfoto van vierentwintig bij achttien. We weten niet hoe hij heet en hij is er, sinds wij de zaak in de gaten houden, maar één keer geweest. Ken je hem? Ze houden klaarblijkelijk één jongen speciaal voor hem apart. Geen van de andere bezoekers mag gebruik van hem maken.'

Fenwick nam de tijd om de foto te bestuderen. Er stond een korte, tengere man van in de zeventig op, met dun wordend haar en een korte snor. Hij verliet zichtbaar woedend het pand. Hij herkende hem niet, maar hij verzocht Firth een kopie ervan naar Harlden te sturen, zodat ze hem daar konden vergelijken met hun lange lijst van geïnterviewden.

'Weet je ook welke jongen ze voor hem hebben gereserveerd?'

'Deze knaap.'

Firth overhandigde hem een foto van een jongen die uit het raam op de vierde etage van het hotel keek.

'Dit is een verbeterde versie. Hij zit al in die kamer, zo lang wij de boel in de gaten houden. We beginnen ons ongerust te maken over zijn welzijn. Volgens onze bron heeft de jongen vanmorgen geprobeerd weg te lopen. Hij is over de achterpoort geklommen, maar ze hebben hem weer gepakt. Wij kennen zijn naam niet.'

'Maar ik wel. Dit is Sam Bowyer, geboren in Cowfold, West Sussex, nog maar twaalf jaar oud. Hij is twee maanden geleden van huis weggelopen. Hier.' Fenwick opende zijn aktetas en gaf Firth het dunne dossier van Sam. 'Waarom maken jullie je ongerust?'

'Kijk hier eens – op de verbeterde foto. Zie je die kneuzingen?'

'Mijn god, het lijkt wel of hij gewurgd is. Waarom hebben jullie die tent nog niet bestormd?'

'Hoe langer wij de boel in de gaten houden, hoe meer van die schoften we op film kunnen vastleggen en hoe meer informatie onze man binnen kan verzamelen. Als we te snel naar binnen gaan, hebben we straks misschien te weinig om strafvervolging in te stellen.'

'Maar intussen worden die jongens daarbinnen aan de lopende band misbruikt, misschien wel vermoord.' Fenwick hield zijn stem vlak, maar iets van zijn gevoelens sijpelde toch door in de woorden die hij sprak. Firth werd rood.

'Denkt u dat ik dat niet weet, meneer?'

'Wie bepaalt er wanneer er een inval wordt gedaan?'

'Mijn baas, het hoofd van de recherche, en de officier van justitie. Ze hebben toevallig vanavond een bespreking. Ik zal hun – opnieuw – mijn bezorgdheid overbrengen, maar ik denk niet dat ze hun beleid zullen wijzigen, en dat is wachten en zo veel mogelijk informatie verzamelen.'

'Ze mogen niet langer wachten. Het is heel goed mogelijk dat er in dat huis gemoord wordt, en dat zeg ik niet zomaar. Wij onderzoeken een pedofielennetwerk dat de dood van al twee jongens op zijn geweten heeft, misschien meer. Deze knaap kan de volgende zijn.' Met een van woede vertrokken gezicht pakte hij de foto van Sam op.

Firth keek hem bevreemd aan, maar Fenwick zei niets om zijn heftige uitspraak te verklaren. Hij kon toch niet tegen een vreemde zeggen dat de gelijkenis tussen deze jongen en Paul Hill zo sterk was, dat hij meteen een gevoel van dreigend onheil had gekregen, toen hij zijn foto tussen de stapel met vermiste personen had gevonden?

'Ik zal mijn best doen, maar ik ben er zeer mee geholpen als u me precies op de hoogte brengt van de andere gevallen.'

'Bel dit nummer en vraag naar Alison Reynolds. Zij kan u alles geven wat je nodig hebt. En stuur haar ook kopieën van de observatiefoto's. Ze zit tot aan haar strot in een moeras van pornografie waar je kotsmisselijk van wordt; een van die mannen zou wel eens overeen kunnen komen met de verdachten die wij proberen te identificeren. Nu ik hier toch ben, zou ik de andere observatiefoto's mogen zien, voor het geval me een lichtje opgaat?'

Tegen de tijd dat hij wegging, was de verstandhouding tussen hem en Firth verbeterd, hoewel het halfuur dat hij met de foto's bezig was, geen flits van herkenning had opgeleverd. Het was spitsuur en hij overlegde bij zichzelf of hij een taxi of de metro zou nemen naar zijn volgende afspraak. Voor hem zag hij auto's in de file staan, dus besloot hij de metro te nemen.

Hij stapte over op de lijn naar Piccadilly en nog geen halfuur later zat hij tegenover brigadier Ben Woods op bureau Holborn. Woods was té ervaren om te laten merken dat hij het gek vond, dat een rechercheur van zijn rang zich persoonlijk bezighield met het onderzoek naar zo'n detail.

'Wij hebben alle video-opnamen van de bewakingscamera's in het gebied afgedraaid, maar er zijn plekken die niet door de camera's worden bestreken, waaronder ook de telefooncel zelf. U kunt ze uiteraard zelf nog eens bekijken, meneer; u mag ze ook meenemen.'

Hij wees naar zeven videocassettes, niet zoveel als waar Fenwick op gehoopt had.

'Ik kijk ze nu snel even door en neem ze mee als ik wegga. En het gebied zelf, waren daar veel mensen in de buurt?'

'Tussen één en halftwee 's nachts? Heel weinig. We hebben er kleine aanplakbiljetten met een verzoek om informatie opgehangen en navraag gedaan in de hotels en bars in de buurt, maar zonder succes, helaas.'

'Heeft niemand ook maar iets gezien?'

'Niets, sorry.'

Fenwick nam de video's mee naar de mediaruimte. Hij vond zichzelf een sukkel. Waarom deed hij dit soort dingen nog steeds? Achter details aangaan, terwijl hij simpelweg iemand anders kon sturen? Hij wist het niet. Maar hij was hier nu toch en hij zocht een excuus om nog niet terug te gaan naar zijn werkkamer.

Hij beschouwde het managementgedeelte van het politiewerk als een noodzakelijk kwaad. Op het kantoor van de eenheid Zware Delicten had hij een burgerambtenaar ontdekt, die dolgraag wat meer betrokken wilde zijn bij het actieve politiewerk en die het heerlijk vond om, naast zijn secretaresse, officieus administratief werk te verrichten. Door hun inspanningen had hij zijn reputatie verbeterd én de tijd gekregen, om zonder dat het in de gaten liep, achter dingen aan te gaan die hij zélf prioriteit gaf.

Hij moest toegeven, dat er nog een reden was dat hij in Londen kon zijn en niet naar Harlden hoefde: Nightingale kon het grote onderzoek uitstekend zonder hem af. Hij voelde zich nog steeds schuldig over zijn optreden jegens haar aan het begin van het onderzoek en probeerde dat te compenseren door haar de ruimte te geven zichzelf te bewijzen.

Hij spoelde alle tapes snel door en vertraagde ze tot normale snelheid zodra er een persoon in beeld kwam. Na een halfuur, met een heel korte pauze om iets te drinken wat koffie moest heten, maar op kousenwater leek, had hij vijf opnamen geselecteerd. Daarop liep een en dezelfde man vanaf Montague Place achter het British Museum langs naar Russell Square en terug. Dat was tussen 01.20 uur en 01.39 uur. De tijdsspanne waarin hij niet in beeld was, kwam overeen met de tijd van het telefoontje met *CrimeNight*.

Helaas gaven de opnamen geen van allen een goed beeld van het gelaat van de man en kon hij diens lengte alleen maar schatten op rond de een meter tachtig. Hij zocht Ben Woods op, die kopieën liet maken van de relevante gedeelten en opdracht gaf de originele banden naar het forensisch lab van de Met te sturen, om het beeldmateriaal met dringende spoed te laten verbeteren.

'Is daar in de buurt veel vertier?' vroeg Fenwick, terwijl hij nog zo'n mok giftig bruin spul opdronk.

'Niets wat 's nachts om die tijd open is; een paar winkels, een pub op de hoek, maar de kroegbaas heeft niets gezien. Een eindje verderop staat een kerk en in Huntley Street is een opvangtehuis voor daklozen, maar ook die sluiten hun deuren ver vóór enen.'

'Zijn er ook lui die in de openlucht slapen en aan wie je wat zou kunnen hebben?'

'Onder de blote hemel – ja, er wordt in deze tijd van het jaar heel wat buiten in de parken gepit, maar er wat aan hebben, nee. Rond die tijd hebben ze allemaal een stuk in hun kraag en zelfs als ze iemand gezien hebben, horen wij het als laatste. Maar áls we wat horen, dan hebben we uw gegevens, meneer.'

Fenwick wachtte tot hij een paar stilstaande beelden van de beste opnamen op foto had en ging toen weg. Het was even na zevenen en prima weer. Een blauwe hemel, hier en daar een wolkje en genoeg wind om de lucht wat op te frissen, zonder dat er direct kippenvel op de blote armen van de kantoormensen kwam, die op de zonnige plekjes voor de pubs een biertje of een gekoeld drankje dronken.

In een opwelling begon Fenwick in de richting van Russell Square te wandelen. Hij liep langs het kinderziekenhuis en bedacht dat daar, ondanks al het goede dat ze daar deden, verderop in de straten van Londen, buiten hun bereik, té veel beschadigde kinderen tegenover stonden. Bij het plein staarde hij naar de telefooncel op de hoek, alsof hij de anonieme briefschrijver tevoorschijn wilde toveren, maar in plaats daarvan probeerde een bedelaar geld voor een kop thee van hem los te krijgen. Hij was al door de lucht van de man op hem attent gemaakt en nog voordat hij iets zei, had Fenwick zich omgedraaid.

'Hebbie wat geld voor me, m'neer? Heb nog geen thee gezien vandaag.' Naar de slechte adem van de man te oordelen had deze al in jaren geen thee meer gezien en hij betwijfelde of het geld dat hij hem gaf, werkelijk in de buurt van een theezakje zou komen.

Fenwicks collega's zouden verbaasd opkijken, als ze wisten dat hij altijd wat los geld in zijn zak had zitten, om terloops uit te delen: collectebussen, bedelaars, zwerfjongeren. Het was altijd een gok of de ontvanger een muntje van twintig pence of een pond, of iets daartussenin kreeg, omdat hij nooit keek naar wat hij weggaf. Maar hij gaf altijd wat. De man voor hem leek zestig, maar zat waarschijnlijk dichter bij de veertig, versleten door het jarenlange zwerversbestaan. Toevallig kreeg hij zeventig pence. Als dank tikte de man met zijn knokkel tegen zijn voorhoofd, een gebaar dat té onderdanig was om je prettig bij te voelen.

'Is dit uw stekkie?' vroeg hij de man, niet helemaal zeker van het jargon, want daarvoor was hij al te lang geen diender aan de zelfkant van de maatschappij meer.

De zwerver keek geschrokken toen hij werd aangesproken, maar bij het zien van de zilverglans in zijn vuile hand, knikte hij.

'Voor 'n paar weekies, ja. Maar dan weer verder. Beetje zwerven, hè.'

'Is het hier populair?'

'Ja hoor. Daar verderop heb je de Missie. Best handig als er niks anders is.'

'Als laatste toevlucht?'

''t Is er droog,' spuwde de man eruit, 'en ze willen hebben dat je in bad gaat.'

'O, het Leger des Heils.'

De man krabde op zijn hoofd, waardoor er een golf ranzigheid in Fenwicks richting woei, maar hij hield zijn gezicht in de plooi.

'Nee, ze dragen gewone kleren. Ze vinden het goed dat je rookt en er is tv, maar een avond zonder slokkie, hè...' Hij deed alsof hij Fenwick een por gaf. 'Da's hunkeren, hè?' Hij grijnsde vriendelijk, zodat de gevolgen van een jarenlang gebrek aan tandheelkundige zorg zichtbaar werden.

'Dat is zo. Hebt u deze man hier in de buurt gezien?'

De vriendelijke glimlach verdween en maakte plaats voor argwaan. Fenwick liet het geld in zijn zak rammelen, maar dat had geen effect. Hij pakte een munt van een pond. De argwaan bleef, maar de man likte zijn lippen af, alsof hij de drank al proefde. Hij keek naar de foto.

'Kan zijn. Niet zo duidelijk, hè?'

'Kijk eens wat beter.'

Het A4'tje werd uit zijn hand gepakt en bestudeerd.

'Ziet er bekend uit. Meer door die jas eigenlijk. Die heb ik gezien.'

'Hier in de buurt?' Fenwick deed er nog een pond bij. De zwerver knikte. 'Enig idee waar precies?'

''k Zou liegen as ik ja zei, m'neer, maar k eb geholpen, niet?'

'Een beetje. Luister, als u me iemand kunt noemen die hem wel kent en me naar hem toe brengt, krijgt u het geld.'

Eerst een heel korte aarzeling, toen zei hij: 'Jacko. Heb een stek in 't park. Kom maar mee.'

Het park bestond uit een lap gras en een paar struiken, met wat banken hier en daar, naast een pad dat nodig van onkruid ontdaan moest worden. Op de achterste bank had iemand zich geïnstalleerd om te slapen en daar liepen ze heen. Toen ze naderden, kwam de bundel in beweging en nam vagelijk de gestalte van een man aan.

'Hé, Jacko. Die pief heb poen voor je, as je 'm zegt hoe deze gozer heet. Kan geen kwaad, is niet een van ons.'

Jacko gromde wat, haalde zijn neus op en zei iets wat Fenwick niet kon duiden.

'Eerst geld, zegt-ie.'

'Nee. Eerst de naam, dan het geld. En er zit vijf pond voor jullie in als hij meewerkt.'

De voddenbaal mompelde iets wat verdacht veel leek op 'klotesmeris', maar hij deed alsof hij het niet had gehoord. De twee mannen mompelden onderling wat. Fenwick inspecteerde een struik in de buurt en probeerde zijn ongeduld in toom te houden.

'Geef die foto dan es hier,' snoof zijn helper en Fenwick overhandigde hem. Na wat gebrom zei Jacko, heel duidelijk, 'het zal Peter van de Missie wel zijn. Die draagt zulke kleren.'

Fenwick overhandigde zijn magere beloningen en volgde hun aanwijzingen naar de Missie bij Gordon Square Gardens. Daar aangekomen zag hij dat die door een aantal kerkgenootschappen werd ondersteund, waaronder de Methodistenkerk, de Katholieke Kerk en de Anglicaanse Kerk. Op het bord aan de buitenkant stonden de openingstijden vermeld: in de zomer vanaf halfacht tot elf uur 's avonds, in de winter van vier uur 's middags tot elf uur 's avonds. De deur was op slot en de ramen waren geblindeerd, dus drukte hij op de bel aan de zijkant. Geen reactie. Hij probeerde het nog eens, nu wat langer. Nog altijd gebeurde er niets, maar toen hij zich bukte om door de brievenbus te kijken, zag hij iets bewegen.

'Politie,' riep hij naar binnen.

Er werden grendels verschoven en er rammelde een ketting. Een jonge kerel met een fris gezicht en een gemillimeterd hoofd glimlachte opgewekt naar hem.

'Sorry. Er komen dag en nacht zo veel lui aan de deur, dat ik de bel meestal negeer. Ik ben Charles, Charlie voor mijn vrienden; ik ben van de schoonmaakploeg.' Hij stak zijn hand uit. Fenwick nam hem aan en voelde eelt.

'Hoofdinspecteur Fenwick,' zei hij. 'Is Peter hier?'

'Peter?' zei Charlie met een frons op zijn voorhoofd. 'O, pater Peter. Nee, hij is hier niet eerder dan na de vespers. Kan ik u helpen? Als het over de uitzending van *CrimeNight* gaat, wij hebben een collega van u al gezegd dat we u niet kunnen helpen. Het spijt ons. Is er iets anders van uw dienst?'

Fenwick was erg blij dat de plaatselijke politie zo grondig te werk was gegaan als ze zeiden, maar hij besloot het desondanks met de foto te proberen.

'Ja. U kunt me zeggen of dit iemand is die u kent.' Hij overhandigde hem de foto van de videobewaking.

De herkenning was duidelijk op Charlies gezicht te lezen, maar maakte snel plaats voor een verwarde trek.

'Is er iets niet in orde?' vroeg Charlie.

'Nee hoor, maar wij moeten deze man nodig spreken en zijn identiteit bevestigen.'

'Ik begrijp het. Dan lijkt het mij misschien het beste als u, eh, met een van de broeders gaat praten. Ik ben maar een vrijwilliger.'

'Maar volgens mij ken jij die man, Charlie. Luister, hij heeft niets verkeerds gedaan, maar het is van het grootste belang dat ik hem te spreken krijg. Hij kan ons enorm helpen bij een moordonderzoek.'

Charlie leek nu nog veel meer in de war.

'Nou, dat weet ik niet, hoor.'

'Ik weet zeker dat de broeders van je verwachten dat je meewerkt met de politie, als wij iemand proberen te helpen. En zoals ik zei, pater Peter heeft niets verkeerds gedaan.'

Charlie begon te knikken en deed toen zijn mond open. 'Het is geen erg goede foto, maar ik ben er vrijwel zeker van dat hij op pater Peter lijkt. Is alles goed met hem?'

'Voor zover ik weet, ja. Waarom zou dat niet zo zijn?'

'Hij is zo toegewijd,' antwoordde Charlie. 'Hij werkt dag en nacht, soms in heel ruige buurten. Hij is altijd in de weer.'

'En waarom zijn de deuren dan op slot?'

'Hier, bedoelt u? Om veiligheidsredenen, dat is treurig genoeg. Dit is maar een van de opvangtehuizen die we hebben en we kunnen niet de hele dag personeel hebben rondlopen. Sommige van de andere tehuizen zijn vierentwintig uur per dag open. Pater Peter zal wel in een daarvan zijn, maar ik kan u niet zeggen in welk tehuis. Ik weet alleen dat hij hier rond acht uur naartoe komt, om te kijken of alles in orde is. Daarna gaat hij naar St. Olaf. Daar ligt echt zijn hart. Dat is een voorziening voor de tijdelijke opvang van weggelopen jongeren. Peter heeft er campagne voor gevoerd en strijdt ervoor binnen de Kerk zelf. Er wonen er nu bijna veertig. Ze worden verzorgd, schoongehouden, goed gevoed en desnoods aangemoedigd om in therapie te gaan. Het is in de buurt van King's Cross Station. Misschien is hij daar – wilt u het adres?'

'Graag.'

Charlie krabbelde het neer en gaf het aan Fenwick. Voordat hij de deur weer dicht en op slot deed, pakte hij een collectebus van de grond.

'Zou u een donatie willen doen, hoofdinspecteur, nu u hier toch bent?'

Fenwick gaf hem een briefje van tien pond en vervloekte zichzelf erom dat hij zich schuldig voelde, in plaats van deugdzaam. Dat had hij nou altijd.

38

Het nieuws van de arrestatie van Sarah Hill ging als een lopend vuurtje door Harlden. Binnen een paar uur was het hét onderwerp van het gesprek in de winkels, pubs en huiskamers. De meningen waren wederom gelijkelijk verdeeld tussen degenen die blij waren dat haar eindelijk niets ergs meer kon overkomen en anderen, die het jammer vonden dat ze niet in haar poging was geslaagd.

Onder dekking van dit rookgordijn glipte majoor Maidment uit het ziekenhuis naar huis. Toen hij bij zijn voordeur kwam, was het hem meteen duidelijk dat Margaret Pennysmith niet had overdreven. Het raam op de begane grond was dichtgetimmerd, de bloembedden in zijn voortuin waren uitgerukt en sporen van graffiti ontsierden het perfect gevoegde metselwerk. Er was iets ontzettend smerigs door de brievenbus geduwd, dat vervolgens was opgeruimd en schoongemaakt met desinfecterende middelen. De lucht van beide hing nog in het halletje. Hij had met opzet tegen niemand gezegd dat hij naar huis zou gaan. De koelkast was leeg, maar er lag een briefje op de tafel dat er stoofschotels en panklare groente in de vriezer lagen.

'Dank je wel, Margaret,' zei hij diep geroerd hardop. Toen ging hij moeizaam de trap op om te douchen.

Terwijl hij onder de warme waterstraal zat en de inwendige pijn van zijn pak slaag eronder probeerde te krijgen, dacht hij na hoe hij zijn plan ten uitvoer zou brengen. Hij was er weliswaar van overtuigd dat de confrontatie niet in een letterlijk handgemeen zou uitmonden, maar voor zijn moreel zou het beter zijn als hij zich in een betere conditie voelde, voordat hij die trip ondernam. Hij besloot dus op te bellen voor een afspraak voor de volgende dag. Hij droogde zich voorzichtig af en trok kleren aan die zo los mogelijk zaten. Ondanks zijn verwondingen meed hij zijn kamerjas die achter de slaapkamerdeur hing, omdat hij die niet vertrouwde.

Er stonden tien boodschappen op zijn voicemail. De eerste drie waren scheldpartijen, maar de vierde was van een zekere Jason MacDonald, die hem verzocht terug te bellen in verband met belangrijke informatie die hij had. Hij had nog nooit van die man gehoord, dus wiste hij het. De boodschappen vijf tot en met acht waren opnieuw anonieme uitingen van haat; negen en tien waren weer van MacDonald. Nu maakte hij zich bekend als verslaggever van de *Enquirer* en het buitengewone, fotografische geheugen van Maidment hoestte meteen de krantenkoppen op, waar hij op de dag van zijn vrijlating uit de gevangenis een glimp van opgevangen had. Met die man, die Sarah Hill op zo'n gemene manier had uitgebuit, wilde hij absoluut niet praten.

Hij zette de kleinste maaltijd die voor hem was klaargezet in de magnetron om te ontdooien en zette de oven aan om hem op te warmen; hij vertrouwde het niet dat zo'n magnetron het eten behoorlijk zou garen. Toen pakte hij zijn hoed en wandelstok en ging heel voorzichtig op weg naar de telefooncel aan het eind van de straat, naast de kasteelmuur. Misschien werd zijn telefoon afgeluisterd; daar zag hij inspecteur Nightingale wel voor aan. Hij kende het nummer uit zijn hoofd en toetste het in. De telefoon ging lang over, toen vroeg het antwoordapparaat hem een boodschap in te spreken.

'Jeremy Maidment aan de lijn. Percy, als je thuis bent, zou je dan alsjeblieft willen opnemen?'

Hij hoorde dat er werd opgenomen.

'Ik vroeg me al af of je zou bellen. Je bent eruit, hè?'

'Ja. Ik wil je graag spreken – morgen, als dat kan.'

'Nee, dat gaat niet, ouwe rakker. Vanavond is je enige mogelijkheid, zeg maar, zo rond zeven uur?'

'Dat komt me niet zo goed uit. Wat zeg je van overmorgen?'

'Nee, dan ben ik er niet. Nu of nooit; neem een besluit.'

Maidment nam het besluit meteen.

'Goed dan, vanavond om zeven uur.'

Beiden hingen zonder verdere plichtplegingen op, dat zou hypocriet zijn geweest. De majoor besefte dat hij niet in staat was om te rijden en bestelde, voordat hij naar huis terugkeerde, een taxi voor halfzeven. Daar dwong hij zich de maaltijd verder klaar te maken. Hij had geen trek, maar hij wist dat hij iets moest eten.

Hij knapte ervan op en begon na te denken. Als hij vermoedde dat zijn telefoon werd afgeluisterd, moest hij er dan niet ook van uitgaan dat hij werd gevolgd? Onderweg naar huis had hij niemand gezien, maar toen had hij zich erop geconcentreerd zo min mogelijk op te vallen. Maidment stond op van tafel en vertrok zijn gezicht, toen zijn rug en zijn ribben protesteerden. Heel rustig liep hij naar het erkerraam aan de voorkant van het huis. Alleen de zijramen van de erker waren niet dichtgetimmerd, dus kon hij maar weinig zien.

Zachtjes vloekend liep hij naar boven en moest bij iedere tree wachten om op adem te komen. Vanachter de gordijnen van zijn slaapkamerraam tuurde hij de hele straat af. Die was leeg, afgezien van de gebruikelijke geparkeerde auto's. De meeste kende hij; ze waren van de buren. Maar er stonden er drie die hij niet kende. Vanaf de plaats waar hij stond kon hij niet goed zien of er iemand in zat, maar het zou best kunnen. Hij besloot het risico niet te nemen. Ondanks zijn protesterende lichaam dwong hij zich terug te lopen naar de telefooncel. Deze keer nam hij de lokale telefoongids mee en pleegde twee telefoontjes. Het trottoir terug naar huis leek eindeloos, maar hij haalde het ten slotte wel.

Hij hinkte naar zijn lievelingsstoel en stortte daar bijna in. De klok op de schoorsteen sloeg het derde kwartier. Hij sloot zijn ogen. De kussens waren zo comfortabel, hij voelde dat hij direct in slaap zou vallen. Dus ging hij rechtop zitten en zette de wekker van zijn horloge op kwart over zes. Dan had hij genoeg tijd om de vaat te wassen en zich gereed te maken om op de afgesproken tijd weg te gaan.

Cooper besloot over te werken. Doris was naar een whistwedstrijd, dus zij verwachtte hem niet thuis en hij was gefrustreerd omdat hij niet opschoot. Na dagenlang hard werken had hij nog steeds geen geluk gehad in het vinden van Nathan/'Tuitje'. Hij had de namen naast de negen legerkameraden van Maidment die in de omgeving woonden gelegd, zonder resultaat. Twee moesten nog ondervraagd worden: Ben Thompson en Richard Edwards. Zach Smart had die middag teruggebeld en zich uitgeput in verontschuldigingen, omdat hij niet, zoals beloofd, op het bureau was gekomen om zijn verklaring af te leggen. Hij was net van vakantie terug, verklaarde hij, of hij nu meteen bij hem langs wilde komen. Die open, meewerkende houding overtuigde Cooper al half van zijn onschuld, nog voor hij hem had gesproken. Aan het eind van de verklaring wist hij zeker dat hij hem van het lijstje met mogelijke verdachten kon schrappen, vooral omdat hij kon bewijzen dat hij in 1981 in Duitsland had gezeten en in september 1982 op vakantie was geweest. Cooper was weggegaan en had onmiddellijk Ben Thompson opgebeld. Daar kreeg hij nog steeds geen gehoor, dus was hij naar diens huis gereden en had met een buurman gepraat, die bevestigde dat Thompson niet thuis was. Dan bleef Edwards over. Zijn telefoontjes van die dag waren weer niet beantwoord en ditmaal kon hij ook geen boodschap inspreken. Dat vond hij vreemd, maar het bandje van het antwoordapparaat was waarschijnlijk vol.

Edwards woonde een paar kilometer buiten Harlden. Misschien moest hij daar snel even langsgaan, om hem opnieuw te spreken. Dan had hij in ieder geval iets te doen en zou hij zich niet zo nutteloos voelen. Cooper keek op zijn horloge. Het was al na etenstijd en hij werkte altijd beter met een volle maag, dus besloot hij eerst langs de kantine te gaan en op weg naar huis langs Edwards te rijden.

Hij kon nog net de laatste biefstukpastei met ui bemachtigen en er was ook nog een stuk aardbeientaart over. Als gevolg daarvan was hij in een tevreden, hoewel slaperige stemming toen hij naar zijn bureau terugkuierde. Het was bijna zes uur en hij was geneigd zijn eerdere plan te laten varen en rechtstreeks naar huis te gaan. Toen zijn telefoon ging, vloekte hij. Het was de meldkamer.

'Stock voor je aan de lijn, Bob.' Cooper ging rechtop zitten en zette zijn koffie neer om een pen te pakken. Stock was een van de rechercheurs die hij erop uit had gestuurd om Maidment in de gaten te houden.

'Cooper,' zei hij, toen hij werd doorverbonden.

'Met mij, baas. Maidment is buiten geweest.'

'Waar is hij nu?'

'Weer in huis, maar hij heeft twee keer vanuit de telefooncel aan het eind van de straat gebeld. Nogal verdacht, hè?'

'Dat zou kunnen.' Cooper krabde peinzend aan zijn buik en onderdrukte een boer. 'Wat had hij aan?'

Het bleef even stil, omdat Stock deze onverwachte vraag moest verwerken. 'Eh, normale kleren, denk ik.'

'Buitenkleren, geen kamerjas?'

'Nee, hij was keurig gekleed, maar hij liep erg langzaam en leunde op zijn stok. De tweede keer dacht ik dat hij in elkaar zou zakken.'

'Toch is het mogelijk dat hij later vanavond weer naar buiten gaat. Bel me onmiddellijk als hij weggaat. Misschien ben ik dan nog hier. Je hebt mijn doorkiesnummer en ook mijn mobiele nummer, hè?'

Stock bevestigde dat die nummers in zijn telefoon geprogrammeerd stonden en hing op. Cooper belde Nightingale in haar werkkamer en toen haar mobiele telefoon, maar hij kreeg geen contact. Met een gevoel van ongeloof belde hij haar thuis op. Het antwoordapparaat sloeg al aan toen ze opnam. Op de achtergrond hoorde hij zachte jazzmuziek, terwijl hij haar vertelde over het telefoontje van Stock.

'Hij vermoedt dat hij wordt afgeluisterd,' zei ze. 'Het moet een belangrijk telefoontje zijn geweest om er helemaal voor naar een cel te lopen. Denk je dat hij een afspraak heeft gemaakt?'

'Ik weet het niet, misschien, maar Stock zei dat hij er niet best uitzag. Je zou toch denken dat hij wel wacht tot hij zich wat beter voelt. Dat zou ik tenminste doen.'

'Ik ook, maar hij is misschien wanhopig. Hij heeft al zo lang zijn mond gehouden, dat hij vast en zeker ongeduldig is geworden nu hij vrij is. Zeg tegen de meldkamer, dat ze jou én mij moeten bellen zodra hij iets onderneemt.'

Cooper hing op. Hij was weer klaarwakker en had geen zin meer om naar huis te gaan, maar hij wilde ook niet naar zijn computerscherm zitten staren. Dan had hij nog maar één keus. Hij zou naar het huis van Edwards rijden, een beetje rondneuzen en een praatje met de buren proberen te maken. Maar dat moest hij wel omzichtig aanpakken. Edwards was de hoogste officier in rang op Coopers lijstje, luitenant-kolonel, en leek boven elke blaam verheven. Mensen als Edwards hadden meestal goede connecties en waren snel geneigd een klacht in te dienen bij elk vermeend gebrek aan hoogachting. Hij reed Harlden uit en hoe langer hij erover nadacht, hoe beter hij zijn plan vond: een rustig wandelingetje, zonder enig opzien te baren. Achteraf bezien was het buitengewoon jammer, dat hij net vijf minuten weg was toen de foto's uit Londen op zijn bureau arriveerden. Als hij die onder ogen had gehad, zouden de daaropvolgende gebeurtenissen heel anders zijn uitgepakt.

Die avond was er verrassend weinig verkeer op de weg en hij kwam goed vooruit. De klok van de kerk sloeg halfzeven, toen hij het dorp binnenreed waar Edwards woonde. Hij kwam langs de plaatselijke pub en nam zich voor daar op de terugweg, nadat hij wat had rondgesnuffeld, een babbeltje te gaan maken. De pub lag aan een klein dorpsplein met een ornamentele pomp en een rijtje aardige aalmoeziershuisjes ertegenover. Het huis van Edwards stond op een heuvel boven het dorp, een flink eind van de stenen muur met een elegant smeedijzeren hek. Cooper parkeerde naast het grasveld op een prettige loopafstand van zowel de pub als het huis.

De poorten waren dicht, maar niet op slot. Daarachter liep een grindpad naar een laatvictoriaans huis met een dubbele gevel en leidde eromheen naar een omheinde tuin. Er was geen auto te bekennen, maar aan één kant van de oprit was een dubbele garage, dus dat zei niets. Het huis leek verlaten, maar hij duwde desondanks de poort open, zodat hij wat kon rondkijken op het terrein. In zijn zak had hij een kopie van de vage foto die de anonieme briefschrijver had opgestuurd, maar het ijzeren hekwerk was vanuit geen enkele hoek te herkennen.

Zijn voetstappen knarsten op het grind. Halverwege flitste de beveiligingsverlichting aan, veel te vroeg voor een zomeravondschemering. Hij schrok ervan. Hij voelde zich verdacht en was net van plan om te keren, toen de lamp in de hal van het huis aanging – hij zag het schijnsel door het bovenlicht boven de deur. Voordat hij kon kloppen werd deze opengegooid en riep een stem als een glassnijder: 'Je bent wel verdomd vroeg!'

Hij stapte de stenen stoep op en keek naar de man wiens silhouet tegen het licht afgetekend stond.

'Pardon?' zei hij. Toen zijn ogen gewend waren, herkende hij Edwards.

Er kwam een blik van verbaasde arrogantie op het gezicht van de man en hij maakte aanstalten om de deur dicht te doen. Cooper stak zijn maat vijfenveertig ertussen.

'U bent Richard Edwards.'

De man keek woedend naar Coopers voet.

'Verdwijn uit mijn huis of ik bel de politie. Ik ben niet in de stemming om iets te kopen van een colporteur.'

Het was typisch een stem van iemand die gewend was gehoorzaamd te worden, maar die hautaine toon maakte Coopers ergernis alleen maar groter.

'Ik bén de politie, meneer. Wij hebben elkaar vorige maand ontmoet, weet u nog? Ik ben brigadier Cooper van de recherche in Harlden. Misschien heeft u mijn boodschappen ontvangen.'

Er kwam even een berekenende trek op het gezicht van de man, zo snel, dat Cooper niet met zekerheid kon zeggen of hij het goed had gezien – maar zijn hart begon sneller te kloppen.

'Ik ben Edwards, inderdaad. Maar het komt me nu niet uit, brigadier.'

‘Ik dacht toch dat uit mijn boodschappen duidelijk blijkt dat ik u dringend moet spreken,’ sprak hij op gedecideerde toon.

Robert Courtney Cooper was gevormd door generaties soldaten uit Sussex en hij liet zich niet zomaar commanderen door de een of andere gepensioneerde legerhotemetoot. Hij nam de man voor hem met opzet uitgebreid op. Ze keken elkaar recht in de ogen en Cooper was toch echt geen grote man. Edwards had sluik, dunner wordend haar dat ooit zandkleurig kon zijn geweest en een gecultiveerd snorretje, waarachter een vlezige mond schuilging en dat de aandacht afleidde van een zwakke kaaklijn. Maar hij was fit, had een zeer correct voorkomen en hij droeg uitstekende maatkleding.

‘Mag ik binnenkomen?’

Zonder op antwoord te wachten, stapte Cooper de drempel over, de hal binnen. Links en rechts waren deuren en bij de achtermuur liep een trap met een bocht naar boven. Daarnaast was een gang naar de achterkant van het huis.

‘Dit is bijzonder lastig, brigadier. Ik verwacht gasten en ik heb u al gezegd dat ik u vanavond niet kan ontvangen. Ik kan later deze week met u afspreken.’ Cooper merkte dat Edwards zijn onderlip naar voren stak als hij zich ergerde, waardoor hij net een verwende schooljongen op leeftijd leek.

‘Ik zal u niet lang ophouden. Even een paar vragen nu, dan zetten we de rest een andere keer voort. Zullen we erbij gaan zitten?’

Cooper liep onwillekeurig in de richting van de zitkamer, waar ze tijdens zijn vorige bezoek ook hadden gezeten en hij was al binnen, voordat Edwards hem kon tegenhouden. Midden op een fraai tapijt stonden een grote hutkoffer en twee grote handkoffers, ingepakt en gelabeld en de riemen waren al vastgegespt. Hij liep erheen.

‘Dus u gaat op reis, zie ik, meneer?’

‘Ja, dat is nog een reden waarom ik het erg druk heb. Als u er echt op staat die stomme vragen te stellen, kunnen we naar mijn werkkamer gaan.’

Cooper hoorde hem nauwelijks. Hij mocht dan een leesbril nodig hebben, van een afstand was zijn gezichtsvermogen uitstekend en hij had de datum en de bestemming op de labels zien staan. Na al die jaren in het leger was Edwards geconditioneerd om de bestemming van zijn bagage heel precies aan te geven en morgen zou hij het land al verlaten.

Coopers brein werkte in een rap tempo, toen hij de gang doorliep naar de werkkamer. Als Edwards van plan was binnen vierentwintig uur te vertrekken, waarom stelde hij dan voor later in de week verder te praten? Dat deed een onschuldig mens, die niets te verbergen had, niet. En hij ging naar een gedeelte van Zuidoost-Azië, waarvan Cooper uit bittere ervaring wist, dat ze daar niet aan uitlevering deden.

Toeval? Waarschijnlijk niet. Tegen de tijd dat Cooper de deur van de werkkamer opende, wist hij twee dingen zeker: ten eerste, Edwards had iets op zijn geweten, ten tweede, hijzelf zat zwaar in de penarie. Hij was alleen in het huis van een man die tot moord in staat geacht kon worden en die op hete kolen zat om het land te verlaten. En op het bureau wist niemand waar hij was. Nerveus liet hij zijn hand in de zak van zijn colbert glijden, op zoek naar zijn mobiele telefoon en vervloekte het, dat hij dat ding niet automatisch aan liet staan, omdat hij er zo'n hekel aan had, gestoord te worden.

'Brigadier, gaat u daar even zitten?' Edwards wees naar een stoel aan de andere kant van een elegante open haard. Terwijl hij erheen liep, voelde hij een pijnscheut tussen zijn schouders, zodat hij door zijn knieën zakte. Bij de daaropvolgende tik op zijn hoofd gingen de lichten uit.

Edwards keek naar de man aan zijn voeten en zag het straaltje bloed uit zijn neus op het tapijt sijpelen.

'Hè, verdomme. Ik vond het nou juist zo'n mooi tapijt,' zei hij en hij begon met bagageriemen en koorden Coopers benen bij de knieën en de enkels vast te binden. Daarna bond hij zijn armen stevig op de rug.

Die ellendige kerel kon wel dood zijn, maar hij betwijfelde het. Om er zeker van te zijn trok hij een ooglid omhoog en keek of de pupil op het licht reageerde. Mooi. Hij had nog nooit met opzet iemand gedood en daar wilde hij ook geen begin mee maken. In de tijd dat

Cooper zijn bagage stond te bestuderen, had hij het plan opgevat om hem na het bezoek van Maidment gebonden naar het bos te brengen en William op te dragen een paar dagen nadat hij het land had verlaten, met hem af te rekenen. Hij zou wel een andere methode moeten gebruiken, want de haardpook maakte deel uit van een antieke haardset, waar hij nogal op gesteld was. Hij nam zijn wapen mee naar de keuken en waste het zorgvuldig af, voordat hij het terugplaatste in het rek. Toen pakte hij de rest van het taaie plakband dat hij had gebruikt om zijn hutkoffer mee dicht te tapen, plakte een stuk over Coopers mond en drukte het stevig aan. Hij gebruikte het tapijt om hem achter de zitbank vlak bij het raam te slepen, zodat Maidment hem niet kon zien als hij op bezoek kwam. Ze zouden in deze kamer moeten gaan zitten, want hij had geen tijd om de bagage uit de zitkamer te slepen en hij wilde niet dat zijn volgende bezoeker doorhad hoe snel hij van plan was het land te verlaten.

Het was wel ontzettend irritant, hoe de mensen hem voortdurend voor de voeten liepen bij zijn plannen. Maar hij kon tenminste op William rekenen. Die zou inmiddels al met de jongen onderweg zijn. Bij die gedachte huiverde Edwards. Nog één keer, beloofde hij zichzelf, hier in huis, misschien zelfs in het zwembad, dat hij direct nadat hij 's morgens thuisgekomen was, had laten opwarmen. En daarna, tja, dan zou hij Sam aan William overlaten – letterlijk en figuurlijk.

Hij had hem duidelijke instructies gegeven voor de aflevering van de jongen; door hem op een veilige plek in zijn bos achter te laten, bleef zijn adres buiten schot, want zelfs William wist niet waar hij woonde. William moest Sam naar de ijskelder brengen en hem daar opsluiten. Hij moest beide deuren goed op slot doen met de sleutels die hij in het slot had laten hangen. De jongen moest gedrogeerd zijn, maar niet buiten bewustzijn, want wat had je daar nou voor lol aan? Nee, net genoeg om hem gedwee te maken. Om het zekere voor het onzekere te nemen, had hij William opgedragen ook zijn handen te binden, zodat hij beter te hanteren was. Edwards' plan was Sam op te gaan halen, zodra hij zich van Maidment had ontdaan. Hij zou hem voor de rest van de avond hiernaartoe halen en hem daarna weer naar de ijskelder brengen, waar William hem kon ophalen. Op dit punt was hij niet zo nauwgezet geweest, maar hij meende dat William genoeg hersens had om te snappen, dat wat hij daar aantrof, weggewerkt moest worden, zodat ze niet het risico liepen dat die knul ooit zou onthullen wat hem was overkomen.

Hij besefte wel dat hij een risico nam, maar het was een klein risico, gezien de medewerking van William, en hij vond dat hij wel een laatste sessie van onbeperkt genieten verdiend had. Het was zo moeilijk geworden, sinds de 'seksvakanties', zoals ze bespottelijk genoeg genoemd werden, als een misdaad werden beschouwd. Belachelijk gewoon; seks was normaal voor dat ellendige Club 18–30 tuig, dat zich zuipend en neukend een weg baande door de goedkope mediterrane resorts. Dat schorem hield orgiën die hij veel walgelijker vond dan zijn eigen verfijnde handelingen.

Hij zorgde ervoor dat hij privé aan zijn gerief kwam en koos daarvoor mooie jongetjes uit. In die zalige prepuberale leeftijd waren ze ideaal; dan was hun huid nog zacht als een konijnenvelletje, hun hoofden stonden als prille bloemkelken op hun ranke nekjes, op het punt zich te openen voor de zon van de ervaring. Paul en Sam waren volmaakte exemplaren geweest. Wat hij met die jongens deed, was volstrekt tegenovergesteld aan dat zweterige, grommende, door alcohol opgehitste paargedrag, wat belachelijk genoeg ook nog 'normale' seks heette.

Hij rilde; hij had het koud. Hij was gaan transpireren door het gesleep met die zware brigadier. Het was niet goed om Maidment verfomfaaid tegemoet te treden, aangezien hij zo snel mogelijk van hem af wilde zijn. Daarvoor moest hij een stalen zelfbeheersing en zelfvertrouwen uitstralen. Als hij op 's mans schuldgevoel over zijn verleden en zijn koppige eergevoel kon blijven rekenen om hem zijn mond te laten houden, dan mocht de majoor blijven leven. Zo niet, dan zou William onvermijdelijk nog een karweitje voor hem moeten opknappen. Helaas.

Hij friste zich in het toilet beneden op, spetterde koud water tegen zijn gezicht en kamde zijn lange, dunne haar zorgvuldig naar achteren over zijn schedel.

Precies om zeven uur ging de bel. Hij ging Maidment voor naar zijn werkkamer, hun gebruikelijke ontmoetingsplaats.

'Whisky?' Hij wuifde met de kristallen karaf.

'Nee, bedankt.'

'Vind je het erg als ik er wel een neem? Ik heb me toch een klotedag achter de rug!' Hij merkte dat Maidment een pijnlijk gezicht trok bij zijn woordkeuze, maar het kwam misschien wel door de pijn in zijn toegetakelde lichaam. 'Je ziet er vreselijk uit, ouwe baas. Is dit het gevolg van de klappen die je van die meiden hebt gekregen? Potverdorie, zeg. Moet je horen, ik heb nooit gevonden dat zij het zwakke geslacht waren. Hier blijkt maar weer uit dat ik gelijk had. Kom op, een scheut whisky zal je geen kwaad doen.'

'Nee, dank je. Ik ben hier niet voor een gezellig babbeltje, Edwards. Je weet waarvoor ik kom.'

Hij stond er even van te kijken, dat iemand die lager in rang was hem zomaar bij zijn achternaam aansprak.

'Nou, eigenlijk niet. Wil je me niet even inlichten?'

Edwards nam zijn glas mee naar de kant van de haard, van waaruit hij zowel Maidments stoel als de bank in de gaten kon houden, waarachter hij het bewusteloze lichaam van de politieman had verstopt. Het lag helemaal uit het zicht in de ruimte tussen de muur en de rugleuning van de bank, en de gordijnen bij de ramen maakten het onmogelijk om het van opzij te kunnen zien liggen. Hij ontspande zich wat.

'Paul Hill,' zei Maidment.

'Ga door.'

'Je hebt Paul Hill vermoord.'

Edwards gooide zijn hoofd naar achteren en schaterde het uit.

'Mijn god, Maidment. Wat ben jij stom. Vijfentwintig jaar geleden heb ik je gezworen dat het niet zo was en ik zweer het nu opnieuw. Ik zeg je dat ik Paul Hill absoluut niet heb vermoord.'

'Wát zeg je?'

Nightingale sprong woedend overeind van tafel en gooide daarbij haar wijnglas om. Clive pakte het kalm op en depte de steeds groter wordende vlek met keukenrol.

'... dan bel je elk taxibedrijf in het telefoonboek op en je zoekt uit welke chauffeur hem van de golfclub heeft opgepikt en waar hij hem naartoe heeft gebracht.'

Ze ramde de telefoon op de haak en ging verwoed met haar handen door het haar.

'Ze zijn hem kwijt. Het is toch niet te geloven. Ze zijn hem kwijt.'

'Hoe dan?' Clive kende haar goed genoeg om te weten dat hij niet meelevend hoefde te doen.

'Hij heeft een taxi naar de golfclub genomen, heeft betaald en is naar binnen gegaan. Ik moet fair zijn tegenover Stock; hij besloot naar binnen te gaan om te controleren waar hij was. En op dat ogenblik kreeg hij in de gaten dat Maidment ervandoor was. Anders had hij er nog altijd in zalige onwetendheid gezeten; wat een klotezooi.'

Ze pakte haar glas op, zag dat het leeg was en nam toen een slok uit zijn glas.

'Ik kan het maar beter tegen Fenwick en Cooper gaan zeggen en ik moet zelf ook weg. Ik weet wel dat ik weinig kan uitrichten, maar...'

'Natuurlijk. Dat zou ik ook doen.'

Ze boog zich naar hem toe en gaf hem een snelle kus.

'Soms is het heel prettig dat jij ook een smeris bent.'

Hij knikte slechts en stond op. 'Ik laat je met rust. Bel me maar als je kunt. Als er van alles te gebeuren staat, is het misschien een goed idee als ik Alison vanavond toch ga helpen.'

Nightingale knikte afwezig, zonder te horen wat hij zei toen hij de deur uitging, en ze hing al aan de telefoon voordat hij de deur achter zich had dichtgetrokken. Cooper was niet op het bureau en er werd bij hem thuis niet opgenomen, dus moest ze een boodschap op zijn mobiele telefoon achterlaten. Met Fenwick had ze evenmin geluk, ondanks het feit dat hij tegen iedereen had gezegd dat ze contact met hem moesten opnemen als er iets gebeurde. Ook bij hem moest ze dus een boodschap inspreken. In een verschrikkelijke stemming en met een heel eenzaam gevoel, schraapte ze de rest van het avondmaal in de etensbak van de kat, pakte haar autosleuteltjes en gooide de deur van de flat achter zich in het slot.

39

Onderweg naar het bureau probeerde Nightingale tevergeefs Cooper via de mobilofoon op te roepen en ze slaakte een zucht van verlichting, toen ze voor de tweede keer zijn privénummer belde en een bekende stem aan de lijn kreeg.

‘Bob! Hè gelukkig!’

‘Nee, u spreekt met zijn zoon. Pa is niet thuis en ma ook niet. Kan ik een boodschap doorgeven?’

‘Nee, vraag hem alleen of hij me terugbelt zodra hij binnenkomt. Je spreekt met Louise Nightingale. Het is dringend.’

‘Is alles in orde?’

Ze hoorde iets van ongerustheid in zijn stem en ze dwong zichzelf kalm te blijven.

‘De normale dingen, maar ik moet hem dringend spreken.’

Nightingale wachtte vol ongeduld tot de beveiligingshekken van de parkeerplaats bij het politiebureau opengingen en scheurde daarna direct naar de parkeerplaats die voor de commissaris gereserveerd was. Ze rende met twee treden tegelijk de trap op. Ze móést Cooper vinden. Ze had hem nodig als klankbord, nu ze beslissingen moest nemen, om de schade als gevolg van Maidments verdwijning zo veel mogelijk te beperken en deze zo snel mogelijk te vinden. Zij was dan wel hoger in rang dan Cooper, maar zijn ervaring was evenveel, zo niet meer waard dan haar rang, en ze was eerlijk genoeg om dat te erkennen.

Ze stopte bij de kamer van Fenwick, maar die was leeg en de TGO-ruimte ook. Brigadier Robin was op de rechercheursafdeling toen ze binnen kwam rennen.

‘Wat is er? Problemen?’

Ze zag iets van leedvermaak in zijn ogen en begreep dat hij genoot van haar verwarring. Het kon haar niet schelen.

‘Ik ben op zoek naar Bob Cooper, heb jij hem gezien?’

‘Hij was in de kantine toen ik om zes uur terugkwam, maar dat is een uur geleden. Nu je het zegt, sindsdien heb ik hem niet meer gezien. Zal wel thuis zijn.’

‘Nee, daar is hij niet en ik moet hem dringend spreken. Ken jij de pubs waar hij onderweg naar huis langskomt?'

'Sommige, ja.'

'Goed, begin die dan maar te bellen om te zien of hij daar zit.'

Robin pakte zonder een woord te zeggen de beduimelde telefoongids. Hij was een fan van Cooper, maar vond wel dat de brigadier een beoordelingsfout maakte door die gemaakte trut, die hen allebei voorbij gepromoveerd was, te steunen. Maar als Bob in de nesten zat en zij hem te grazen wilde nemen, zou hij doen wat hij kon om hem te vinden en te waarschuwen.

Terwijl Robin Coopers meest bezochte tentjes afbelde, doorzocht Nightingale zijn bureau in de hoop daar een aanwijzing te vinden waar hij zou kunnen zitten. Hij zat vast en zeker ergens een biertje te drinken, hield ze zichzelf voor, maar dat verklaarde niet waarom hij niet bereikbaar was voor zijn observatieteam en hij had haar nog gezegd dat hij zou overwerken. Stel, dat hij in zijn eentje iets had ontdekt en er zonder haar op af was gegaan.

Die volkomen mislukte arrestatie van Chalfont kwam weer bij haar boven. Ze hadden in die zaak moeten samenwerken, maar hij had besloten de arrestatie zelf te verrichten. Zij had hem er nooit mee geconfronteerd, ervan uitgaande dat hij zijn les op een harde manier had geleerd, maar nu wilde ze dat ze er wel een punt van had gemaakt. Vanbinnen begon er iets te knagen dat op ongerustheid leek, en het wilde maar niet overgaan.

Er lagen wat half voltooide rapporten op zijn bureau. Ze keek ze snel door en legde ze even snel weer opzij. Ernaast lagen een paar papiertjes met zijn handschrift.

~~*Adrian Bush (Bushy)*~~
~~*Alex Cotton*~~
Richard Edwards – weer gebeld, nog steeds geen antwoord
~~*Vernon Jones (Jonesy)*~~
Ernest Knight (Milky)
Patrick Murray (Minty)
Ben Thompson – nog een week weg?
~~*Zach Smart – gebeld en gesproken – hij is het niet*~~

Cooper was geobsedeerd geraakt door die namen. Als hij hiermee bezig was geweest voordat hij wegging, hielp dat misschien hem te vinden.

In de privacy van haar eigen kantoor en onhoorbaar voor Robins grote oren, belde ze Zach Smart. Een paar minuten later had ze alweer opgehangen en wist ze zeker dat Bob met die lijst bezig was geweest, terwijl hij wachtte tot Stock zich meldde. Ze stond net op het punt Edwards' nummer in te toetsen, toen haar eigen mobiele telefoon op haar bureau begon te zoemen.

'Nightingale.'

'Fenwick. Heb je hem al gevonden?'

'Nee. Robin probeert het momenteel bij de pubs in de buurt, maar...'

'Waarom? De majoor spreekt echt niet in een bar af met een man die hij ervan verdenkt een moordenaar te zijn.'

'Sorry, ik bedoel dat hij op zoek is naar Bob. Wat de majoor aangaat, we werken alle taxibedrijven af. Nog geen nieuws. Hij is voor het laatst om halfzeven gezien, toen hij de golfclub binnenging. Hij is er kennelijk dwars doorheen gelopen en aan de achterkant direct in een andere taxi gestapt.'

'Wat is er nou eigenlijk met Cooper aan de hand?'

'Ik kan hem niet vinden. Hij is hier niet, thuis ook niet en hij neemt zijn mobieltje niet op...'

'Vind je het gek? Hij zit vast ergens in een pub.'

'Misschien wel, en Robin is al aan het rondbellen, maar hij zei dat hij zou overwerken. Stel je voor dat hij ergens in verzeild is geraakt?'

'Daar is Bob veel te ervaren voor. Hij lijkt misschien een trage oude baas, maar hij is door de wol geverfd.'

'Dat weet ik wel, het is gewoon...'

Ze kreeg het niet over haar lippen dat ze vanbinnen zo'n rotgevoel had.

'Vrouwelijke intuïtie?'

'Spot er niet mee, Andrew.'

'Dat doe ik ook niet,' zei hij, onmiddellijk serieus. 'Als je denkt dat hem iets is overkomen, moet je alles in het werk stellen om jezelf gerust te stellen, maar laat het zoeken naar de majoor er niet door verslappen.'

'Natuurlijk niet. Waar zit jij trouwens?'

'Nog steeds in Londen, dus ik kan zeker niet binnen anderhalf uur terug zijn, zelfs niet als ik nu vertrek – tenzij ik om een helikopter vraag. Moet ik dat doen?'

'Dat hoeft niet; ik heb alles onder controle. De meldkamer heeft een boodschap doorgegeven aan alle patrouillewagens om naar de majoor te zoeken en we zijn over een halfuur klaar met het controleren van alle taxi's.'

'Heb je Quinlan al gesproken?'

Ze aarzelde. 'Nog niet.'

'Je moet hem opbellen en bespreken hoe jullie gaan samenwerken tot ik in Harlden terug ben.'

'Maar ik heb het allemaal in de hand; ik hoef hem er echt niet bij te betrekken.'

'Met dit geharrewar en zonder Bob heb je hem nodig. Ik weet dat je het uitstekend kunt, maar het kan te veel worden om alleen af te handelen. Je moet wel bedenken dat Maidment een dienstrevolver had. Als hij een gabber uit het leger beschermt, kan die er ook een hebben. Je denkt er toch wel aan, gewapende assistentie achter de hand te houden?'

'Eh, ik... ja, voor als we de majoor hebben gevonden. Hoor eens, Andrew, ik kan dit heus wel aan.'

'Nightingale, ik leid het onderzoek en ik draag je op de commissaris te bellen. Discussie gesloten.'

'Ja, meneer.'

'Goed. Over ongeveer vijf minuten heb ik de man van wie ik denk dat hij de anonieme briefschrijver is en ik ben er zeker van, dat hij weet wie Maidment beschermt. Zodra ik uit hem heb gekregen wat ik kan, bel ik je. Dan kunnen we beoordelen of ik met een helikopter terug moet komen. Er moet ook een foto van de Met binnengekomen zijn; dat is de man van wie ze denken dat hij de eigenaar is van het huis in Londen dat Ball heeft bezocht. Het zou "Tuitje" kunnen zijn. Ga erachteraan en onthoud dat je mij kunt bellen als het nodig is. Veel succes.'

Hij verbrak de verbinding en Nightingale bleef naar haar telefoon zitten staren. Ze haalde diep adem en belde toen commissaris Quinlan. Zijn privénummer was in gesprek. Fenwick, zeker, die kennelijk vond dat ze niet te vertrouwen was. Wat zou hij zeggen? Maar voor deze ene keer verdeed Nightingale haar tijd niet met speculeren. Cooper vinden was belangrijker. Ze toetste het nummer achter de naam Edwards in en wachtte. Er werd niet opgenomen. Quinlan was nog steeds in gesprek, dus belde ze de meldkamer en vroeg naar de leidinggevende.

'Ik wil dat je nu meteen een oproep uit laat gaan. Ze moeten zoeken naar de groene Volvo stationcar van Bob Cooper, kenteken RCC 157. Ja, hij staat op zijn naam. Een cadeau van zijn vrouw, denk ik. En er zijn een paar adressen waar de patrouillewagens zich het eerst op moeten concentreren; klaar?'

Quinlan zat aan een van zijn zeldzame avondmaaltijden thuis, toen Fenwick hem stoorde om uit te leggen wat er aan de hand was in de zaak-Maidment.

'Allemaal goed en wel dat je de verantwoordelijkheid voor de operatie aan Nightingale delegeert, Andrew, maar als onderzoeksleider ben jij degene die hangt.'

'Dat weet ik heel goed.'

'Als ik jou was, zou ik de korpschef bellen. Als het fout gaat, kun je tenminste nog zeggen dat je je baas om raad hebt gevraagd.'

'Maar dat is een smoes. Hij kan me niet helpen. Wat er gebeurt is mijn kopje thee, trouwens. Als er iets misgaat, en ik zie niet in waarom het mis zou gaan, ben ik degene die de schuld op me moet nemen; dat is niet meer dan terecht.'

Quinlan zuchtte en Fenwick zag hem al geërgerd zijn hoofd schudden.

'Het is jouw carrière.'

'Klopt. En met dat in mijn achterhoofd wil ik je om een gunst vragen. Zou je het erg vinden om op Nightingale toe te zien, terwijl ik in...'

'Ben je dan niet op het bureau?'

'Eigenlijk niet. Ik zit in Londen.'

'Wat doe je dáár in godsnaam?'

Fenwick vertelde het hem en de stilte aan de andere kant werd steeds sceptischer.

'Ik ben van plan hier zo snel mogelijk te vertrekken en terug te gaan naar Harlden. Ik zal kijken of ik een helikopter kan charteren.'

'Nee, doe dat in godsnaam niet! Daarmee vestig je alleen maar de aandacht op je stomme onderzoek. Lieve hemel, Fenwick, leer je het dan nooit? Van al je doldwaze escapades is dit wel de...'

'Toen ik wegging was alles rustig en ik heb hier heel veel te doen.'

'Dat zou op je grafsteen moeten komen te staan.'

'Maar ik...'

'Hou je mond. Laat me nadenken.'

Fenwick hield zijn mond.

'Goed. Luister, dit is wat we gaan doen.'

Dat woordje 'we' en zijn automatische behulpzaamheid, herinnerde Fenwick er weer eens aan wat een mazzel hij had met Quinlan als bondgenoot.

'Je kunt maar op één manier je kont redden, en dat is dat de korpschef je persoonlijk verantwoordelijk heeft gesteld voor het vinden van de anonieme briefschrijver en dat is wat je nu doet. Als je hem kunt vinden, zorg dan dat je hem aan de praat krijgt en maak hem tot een eersteklas getuige tijdens het proces. Dan red je jezelf en je carrière misschien nog nét uit die puinhoop. Blijf in Londen. Kom niet overhaast terug. Als het moet kun je altijd nog zeggen dat ik me er absoluut mee wilde bemoeien. Het was per slot van rekening toentertijd mijn onderzoek; ik heb er veel belang bij Paul Hills moordenaar achter de tralies te krijgen.'

'Bedankt. En Nightingale?'

'Die bel ik nu op, om te zeggen dat ik onderweg ben. Concentreer jij je op een goed resultaat in Londen.'

Toen Cooper zijn ogen opendeed, had hij ondraaglijke hoofdpijn. Het was zo erg, dat hij dacht dat hij over moest geven, dus sloot hij zijn ogen weer, uit vrees dat hij zou stikken. Hij was schijnbaar opnieuw weggeraakt, want toen hij voor de tweede keer zijn ogen opende, begon de hemel buiten donkerder te worden. Iedere beweging, zelfs met zijn ogen knipperen, was een kwelling, dus bleef hij, opgebonden als een zondagse kalkoen, stilliggen en probeerde na te denken. Dat was moeilijk. Afgezien van het gevoel dat er spijkers in zijn hoofd werden getimmerd, protesteerde zijn lichaam met een brandende pijn in zijn schouders, armen en heupen tegen de boeien.

Ik ben hier te oud voor, dacht hij, kwaad omdat hij zich deze toestand zelf op de hals had gehaald. Zomaar zonder back-up naar een verdacht iemand toe gaan. Het zou nog uren duren voor hij werd gemist en ook al was dat zo, op het bureau wist niemand waar ze hem moesten zoeken. Wat een blunder. De pijn in zijn hoofd werd niet minder, niet zoals in de film, waar de held binnen een paar tellen weer op zijn benen stond en het gevecht aanging. Daar lag hij, zo ziek als een hond, vervloekte stommeling die hij was.

Het zou naar alle waarschijnlijkheid zijn dood worden. Je verdiende loon, dacht hij bij zichzelf. Hij was ontzettend bang en het idee dat hij misschien als een lafaard zou sterven, maakte hem witheet. Hier had hij nooit uitgebreid over nagedacht, zo zat hij niet in elkaar, maar áls hij er al eens aan dacht, stelde hij zich voor dat het kalm en waardig zou zijn, niet dat hij het in zijn broek zou doen van angst. Wat zou de Zebra doen, vroeg hij zich af. Niet dat het er iets toe deed, want Fenwick zou zichzelf nooit ofte nimmer in een dergelijk hachelijke situatie begeven.

Maar aan zijn baas denken hielp wel. Ze waren goede maatjes geweest, vond hij. Wat hij voor Andrew voelde was meer dan respect, het was een diepe genegenheid, en hij nam zich vast voor, hem niet in de steek te laten. Maar dat was precies wat hij nu gedaan had, hè? Cooper schudde zijn hoofd van walging, wat een golf van pijn veroorzaakte, zodat hij weer buiten westen raakte.

Hij werd wakker van twee mannen die ruziemaakten. Hij herkende de stemmen onmiddellijk.

'... wil verdomme niet ingepalmd worden met je whisky. Ik wil de waarheid horen.'

'O, Jeremy, Jeremy. Wat ben je toch een dwaas. De waarheid! Alsof de waarheid een absoluut feit is, dat je zo uit het verleden of het heden kunt plukken. Doe niet zo idioot.'

'Ik laat me niet afschepen, Edwards. Ik vraag het je opnieuw, heb je Paul Hill nou wel of niet vermoord?'

'Nee. Dat heb ik verdomme niet.'

De waarheid was zó duidelijk hoorbaar in de stem van Edwards, dat Cooper met een ruk klaarwakker was. Hij sloot zijn ogen weer vanwege het elektrische licht en probeerde zich te concentreren.

'Als jij het niet gedaan hebt, wie dan wel? Ik eis een antwoord.'

'Ga in godsnaam zitten, Jeremy.'

Cooper voelde aan het gewicht dat er iemand op de bank ging zitten waarachter hij verscholen lag. Hij werd er een stukje door tegen de muur gedrukt en hij probeerde zijn knieën om te rollen, zodat hij tegen de rugleuning kon schoppen. Dat was onmogelijk en de inspanning veroorzaakte een braakneiging. Maar door zijn beweging voelde hij iets uit zijn zak op het tapijt achter zijn rug glijden. Het was zijn mobiele telefoon. Als hij zich rekte, kon hij er net met zijn vingertoppen langs strijken, maar niet voldoende om de toetsen in te tikken. Terwijl Edwards en Maidment ruzie bleven maken, reikte hij naar het gladde metalen voorwerp en slikte het braaksel dat achter in zijn keel kwam weg, tot hij erin slaagde zijn duim om het onderste hoekje te buigen en het apparaatje dichter naar zijn handpalm toe te laten glijden. Zijn handen waren praktisch verdoofd, maar hij balde zijn vuisten en strekte ze weer om de bloedstroom op gang te laten komen, blij dat zijn knevel voorkwam dat hij het uitschreeuwde van de pijn toen dat gebeurde. Eindelijk had hij de telefoon in zijn hand. Hij begon eraan te wriemelen met zijn onhandige vingers en hoopte maar dat hij dat rotding aankreeg.

'Wil je weten hoe het gegaan is op de dag dat Hill verdween?'

'Ja.'

'En als ik het je vertel, wat doe jij dan met die informatie?'

'Dat hangt helemaal af van wat je zegt.'

'Maar je kunt er niet mee naar de politie gaan. Je hebt me je woord gegeven.'

'Ik heb je mijn woord gegeven op grond van wat jij mij toen vertelde. Als dat één grote leugen is geweest, heb ik alle recht mijn woord te breken.'

'Het wás geen grote leugen. Je zult merken dat je je aan je woord moet houden. En zo niet, wie denk je dat de politie zal geloven: jou, met jouw verleden?'

Er viel een korte stilte en Cooper stelde zich voor dat Edwards een slok whisky nam, terwijl Maidment probeerde te beslissen wat hij zou doen. Hij had kennelijk geknikt als acceptatie van Edwards' voorwaarde, omdat deze op een tevreden toon vervolgde: 'Goed dan. Wat gebeurde er op 7 september 1982? Paul Hill was die dag inderdaad hier in huis; hij was door Bryan Taylor met de auto gebracht. Dat was een reguliere afspraak. O, trek in godsnaam niet zo'n gezicht, Jeremy. Die jongen was een slet, een misselijke hoer, die het voor geld deed en het op mannen had voorzien. Hij was geen onschuldig jochie dat het leven ingelokt was, neem dat maar van mij aan. Hij had volledig ontwikkelde seksuele verlangens en een verslindende geldhonger.'

'Dit is heel walgelijk.'

'Dat vind jij misschien, maar niet iedereen is het daarmee eens. Homoseksualiteit is geen misdaad en ik kan je verzekeren dat hij het goedvond, jazeker.'

'Hij was een kind, Percy, een jongen van veertien. Ik heb zijn foto gezien, hij lijkt nog geen twaalf.'

'Schijn bedriegt, in zijn geval zeker. Trouwens, ik doe niet anders dan wat de Grieken ook deden. In oudere beschavingen waren jongens op die leeftijd al getrouwd. Dat moet jij toch weten met je klassieke opleiding.'

'Er bestaat geen excuus voor kindermisbruik, Edwards. Geen enkel.'

In Maidments stem klonk de woede door die Cooper in zijn eigen binnenste ook voelde koken, maar die woede maakte hem blind voor het gevaar waarin hij verkeerde. Als Edwards ertoe bereid was een politieman te doden, en daar was Cooper van overtuigd, dan deed de dood van een andere man er ook niet toe.

‘Mijn god, wat heb jij het hoog in de bol, zeg. Haal toch die hypocriete walging van je gezicht; je bent bepaald Sneeuwwitje niet. Moet ik nog doorgaan?’

‘Ga maar door. Je bent begonnen, maak het dan ook maar af.’

‘Paul en Bryan kwamen. Het was die dag bloedheet, dus we lagen allemaal in het zwembad. Het liep een beetje uit de hand; Bryan was altijd al zo’n lompe sufferd. Maar goed, Paul rende weg naar de kleedkamers en wij vonden dat het beter was als Bryan hem vroeg naar huis bracht.

Ik zweer je, toen ik Paul voor het laatst zag had hij zijn schooluniform nog aan en zat hij naast Taylor in de auto.’

‘Wat gebeurde er toen?’

‘Ongeveer een halfuur later, net toen we aan tafel wilden gaan voor een vroeg avondmaal...’

‘Dus jij en Bryan waren niet alleen met Paul, er waren anderen bij! Geen wonder dat het “een beetje uit de hand liep”, zoals jij het zo fijntjes noemt.’

‘Jeremy, word eens volwassen! Er was niks heftigs aan de hand, gewoon een beetje loltrappen. Paul is op geen enkele manier iets aangedaan.’

‘Dat vind jij. Dat arme joch!’

‘Ho, ho! Niks arm joch. Dat ettertje verdient je medelijden totaal niet. Weet je wel zeker dat je geen whisky wilt? Ik sta droog.’

‘Nee.’

Er klonk gerinkel van een fles tegen een glas en een scheut soda. Vervolgens een diepe zucht toen Edwards een slok nam.

‘Waar was ik? O ja, een halfuur later – ik was toevallig hier – zag ik Bryans auto voor het hek stoppen. Het is nu weg – het was antiek, maar vorig jaar is de een of andere gek ertegenaan gereden en toen was het naar zijn grootje. Ik wachtte even, maar hij bleef stilstaan, dus liep ik naar buiten. Hij lag over zijn stuur heen, nauwelijks bij bewustzijn. Overal zat bloed. Taylor vertelde dat er in de auto gevochten was en dat Paul een mes had getrokken. Hij had het hem afgepakt, maar toen had die jongen van Hill hem al gestoken.’

‘Waar was Paul?’

'Ergens in de bossen, waar Bryan hem had achtergelaten.'

'Je zegt dus, dat hij Paul uit zelfverdediging heeft gedood?'

'Exact, hoewel Bryan er slecht aan toe was en moeilijk te verstaan. Wij vroegen hem aldoor waar hij het lijk had verstopt, maar hij mompelde iets over de bossen.'

'En hoe kwam je dan aan Pauls blazer en broek?'

'Die lagen op de grond vóór de voorbank. Bryan heeft niet verteld hoe ze daar terecht zijn gekomen. Ik deed het hek open en we slaagden erin Bryan in zijn auto om het huis heen, uit het zicht te manoeuvreren. Joe, een van de mannen die bij me logeerde, was opgeleid tot hospik, dus verzorgde hij Bryan, terwijl ik de auto probeerde schoon te maken. Ik stopte Pauls kleren in een zak en zette die bij de vuilnisbak om ze later weg te gooien. Toen ging ik hem helpen met Bryan.

Hij overleed om zeven uur. Joe meende dat hij zodanig in de lever was gestoken, dat hij dood was gebloed.'

'Brachten jullie hem dan niet naar het ziekenhuis?'

'Doe niet zo stom. Daar hadden ze toch niets meer voor hem kunnen doen. Joe vertelde me dat het een dodelijke steekwond was.'

'Hoe hebben jullie je van het lijk ontdaan?'

Cooper luisterde naar de stilte. Hij kende het antwoord en wenste hartgrondig dat de majoor weg zou gaan nu het nog kon.

'Hoe? We hebben hem in de auto gezet en zijn ermee naar een afgelegen stuk land aan de rand van mijn terrein gereden. Je had in die tijd vaak stoppelbranden; het was wat vroeg in het jaar, dat weet ik, maar het was een goede oogst geweest. We hebben de auto in brand gestoken en het lichaam verbrand.'

'Lieve god... Maar lijken verbranden nooit helemaal; ik heb de gevolgen van mortiervuur gezien, dus dat weet ik.'

'Ja, dat klopt. We hebben de resten van het autowrak en van die arme Bryan later, toen ze waren afgekoeld, weggehaald. Ze liggen ergens op mijn land begraven, waar niemand ze per ongeluk kan opgraven.'

'Maar hoe komt het dan dat ik uiteindelijk met de zak met kleren van Paul werd opgescheept? Dat slaat nergens op.'

'Omdat ik die verdomde troep vergeten was!' snauwde Edwards, hoorbaar geïrriteerd. 'Ik ging zitten en nam mijn welverdiende slokje, en ik zette de radio aan, gewoon voor de afleiding. Je kunt je voorstellen wat er door me heen ging, toen ik het nieuws over die verdwijning hoorde. Ik kreeg bijna een hartverzakking. We hadden Bryan op zijn woord geloofd, maar stel dat hij het lijk gewoon had gedumpt en dat er nog iets lag dat hem rechtstreeks met ons in verband bracht? Pas toen herinnerde ik me de kleren. Ik kon de zak niet zomaar in de vuilnisbak gooien en ik wilde hem ook niet tot de volgende dag bij me houden, gesteld dat iemand Bryan en Paul samen had gezien en zou gaan melden dat hij die auto bij mijn huis had zien staan. En ik wilde ook het risico niet nemen ermee rond te gaan rijden, terwijl het hier overal wemelde van de speurders.'

'Daarom belde je mij en nam ik al die risico's.'

Edwards lachte. 'Maar natuurlijk. Ik wist dat jij je verplicht zou voelen me uit de nesten te helpen. Overigens, voor jou was het helemaal niet zo riskant, want jij was nooit bij die jongen in de buurt geweest. Ik ging er helemaal van uit dat je wel een of ander alibi zou hebben.'

'Dat had ik dus niet, zoals de politie tot haar grote voldoening aantoonde. Je hebt me er middenin gegooid en helemaal niets gedaan om me te helpen mijn onschuld te bewijzen.'

'Ik snap best dat je kwaad bent, ouwe reus, maar het is nu allemaal verleden tijd. Je bent uit de gevangenis; ze hebben geen harde bewijzen tegen je. Het komt wel goed met je.'

'Mijn reputatie is naar de haaien, mijn vrienden laten me in de steek en ik hoor dat ze me misschien zullen verzoeken me uit de club terug te trekken. En jij zegt dat het wel goed komt? Ik dacht het niet, meneer, ik dacht het niet.'

'En wat was je nou van plan te gaan doen?' vroeg Edwards op een vreemde, onbezorgde toon.

Cooper wachtte met ingehouden adem op het antwoord van de majoor.

'Ik weet het niet.'

Om zestien over zeven belde de meldkamer Nightingale, met de mededeling dat een patrouille Coopers auto had gevonden. Hij stond in een dorp, op minder dan twee minuten lopen van het huis van Edwards. Ze zei hun te blijven waar ze waren en belde onmiddellijk Quinlan. Hij was al onderweg naar het bureau en droeg haar op een gewapende eenheid paraat te houden en verder niets te ondernemen tot hij er was.

Nog geen tien minuten later zaten ze in zijn kantoor via de vergadertelefoon met het hoofd van het arrestatieteam te overleggen. Twee van zijn mannen zouden het huis van Edwards verkennen. Een van hen zou zich gedragen alsof hij een routineonderzoek uitvoerde, terwijl de ander buiten rondkeek. Nadat zij verslag hadden uitgebracht, zouden ze beslissen hoe ze te werk zouden gaan, vooral óf en hoe ze het huis zouden binnenvallen.

Nightingale stond meteen op toen het gesprek was afgelopen.

'Waar ga je naartoe?'

'Ik moet ernaartoe. Ik haal heus niets stoms uit.'

Quinlan nam haar besluiteloos op.

'Het gaat me nu om Bob Cooper, meneer.'

'Goed,' knikte Quinlan, 'maar met mijn auto zijn we er sneller.'

De stilte werd verbroken doordat Edwards' telefoon ging. Hij reageerde er niet op; er was al een boodschap van William gekomen dat het 'pakketje' was afgeleverd en dat hij zou terugkomen om het weer op te halen, zodra hij daartoe instructies ontving. Cooper probeerde opnieuw met zijn knieën tegen de bank te rammen, maar zijn benen waren gevoelloos geworden en hij kon zijn lichaam nauwelijks bewegen. Hij hoorde het zachte gerinkel van ijsblokjes in Edwards' glas en vervolgens niets meer. Daarna hoorde hij Maidment zuchten en het geluid van Edwards die opstond.

'Als je mijn advies wilt horen: houd gewoon je mond dicht. Paul Hill is niet door mij vermoord. In feite is hij door niemand vermoord als Taylor hem uit zelfverdediging heeft gedood. Het waait allemaal wel weer over, net als de vorige keer, en dan herneemt het leven zijn normale gangetje.'

'Voor mij niet.'

'Nee, dat snap ik. Maar mij erbij lappen voor een misdaad die ik niet heb begaan, helpt ook niet, toch?'

Cooper slaagde erin een knop op zijn telefoon in te drukken. Hij kon absoluut niet weten of het niet steeds hetzelfde cijfer was, want hij had weinig gevoel in zijn vingers. Voor Cooper was het overduidelijk, dat Maidment Edwards er nooit toe zou kunnen bewegen het juiste te doen, maar dat zag hij kennelijk niet in. Hij bleef proberen hem op morele gronden te overtuigen.

Voor Cooper, die gebonden en gekneveld en praktisch immobiel was, bracht die verhitte discussie tijd om na te denken, maar niet veel hoop. Hij was er zeker van dat Edwards hem zou moeten doden om het land uit te kunnen. De enige vraag was, of hij de majoor ook zou vermoorden. Het leek erop dat hij dat niet wilde, waarom zou hij anders zoveel tijd verdoen met zo'n futiel debat? Hij betwijfelde of hij zich om sentimentele redenen beheerste. Het was waarschijnlijker dat hij zich er zorgen over maakte of hij misschien met de moord in verband zou kunnen worden gebracht, samen met het praktische probleem, om de majoor de baas te worden en vervolgens twee lijken te moeten opruimen.

Beide mannen begonnen nu erg kwaad te worden en stonden letterlijk naar elkaar te schreeuwen. Als Maidment fit genoeg was geweest, dacht hij, zou het op knokken zijn uitgedraaid. Hun ruzie werd onderbroken door luid geklop aan de voordeur.

'Verdomme, wat nou weer. En om deze tijd nog!' Edwards draaide zich om naar Maidment. 'Ben je gevolgd?'

'Nee, ik heb voorzorgsmaatregelen getroffen.'

Coopers laatste hoop verpulverde. Er werd opnieuw geklopt.

'Laat ik maar even gaan kijken wie dat is. Blijf hier.'

Edwards verliet de kamer en trok de deur van de studeerkamer achter zich dicht. Cooper hoorde Maidment opstaan, erheen lopen en hem opendoen. Er klonken gedempte stemmen, maar hij kon het niet duidelijk genoeg horen om woorden te onderscheiden. De voordeur werd met een klap dichtgegooid en Maidment keerde naar de bank terug. Coopers hernieuwde poging om de achterkant van de bank met zijn knieën te raken, mislukte.

'Wie was dat?'

'O, niemand.'

'Ik had de indruk dat het de politie was en ik meende de naam van die brigadier te horen vallen, je weet wel, Cooper.'

De brigadier in kwestie schreeuwde luid tegen zijn knevel en stikte bijna.

'Speel je luistervinkje, majoor? Een smerige gewoonte.'

'Niet zo smerig als sommige andere gewoonten.'

'Luister, ik ben het zat. Laat me je de simpele feiten nog één keer uitleggen. Eén: Paul Hill was een prostitué; twee: ja, hij was nog een beetje minderjarig, maar niet veel; drie: ik heb hem niet vermoord en ik heb hem ook niet zien vermoorden. Taylor was de schuldige partij en Taylor is dood. Vier: ik heb me van Taylors lijk en zijn auto ontdaan, maar ik heb hém ook niet vermoord. Ik geef toe dat dat technisch gesproken een misdaad is, maar geen zwaar vergrijp. Paul Hill en Bryan Taylor zijn dood en begraven; het wordt een keer tijd om ze in het verleden te laten rusten, waar ze horen.'

'En Malcolm Eagleton dan?'

'Wie?' Op de plek waar hij lag, kon hij horen dat Edwards zich in zijn whisky verslikte.

'De jongen die een jaar vóór Paul verdween. De jongen van wie de politie een paar maanden geleden de botten heeft gevonden.'

'Waarom zou ik hém in hemelsnaam gekend hebben?' Opnieuw gerinkel; de ijsblokjes gleden naar zijn mond en weer terug.

'De politie noemde hem tijdens mijn verhoor. Ze vroegen me, of ik in 1981 vervangende parkeervergunningen heb afgegeven. Ik heb er maar één afgegeven en dat was aan jou. Toen heb ik één en één bij elkaar opgeteld.'

'Ik zie het verband echt niet, ouwe jongen.' Edwards' stem klonk gedempt, alsof hij zich naar de haard omdraaide.

'Dus je ontkent dat je hem kende.'

'Absoluut.'

Cooper, ervaren en door de wol geverfd, en ertoe veroordeeld alleen zijn oren te gebruiken, merkte duidelijk het verschil in toon op toen Edwards antwoord gaf op de vragen van Maidment. Over Paul Hill had hij de waarheid gesproken, maar over Malcolm Eagleton loog hij. Hij vroeg zich af of Maidment dat ook had opgemerkt.

'Als ik naar de politie zou gaan...'

'Dan zou ik evengoed alles ontkennen; ik zou zeggen dat ik niets van Hill of Eagleton af wist en dat jij probeert mij erbij te lappen, om je eigen schuld te ontlopen. Het zijn jouw bloed en jouw vingerafdrukken die ze hebben gevonden, weet je nog, niet de mijne.'

'Zou je dat doen?' vroeg Maidment ontsteld.

'Natuurlijk, ik zou wel moeten. Doe niet zo gechoqueerd, dat zouden de meeste mensen doen.'

'En waarom zou ik mezelf en mijn goede naam dan nog langer op het spel zetten voor zo'n walgelijke smeerlap als jij?' Maidment stond op en deed een stap naar Edwards toe.

'Ik had toch zó gehoopt dat je dit niet zou doen, Jeremy.'

Cooper hoorde Maidment naar adem happen en met een plof weer op de bank terugvallen, zodat die naar één kant schoof. Als hij zijn nek uitrekte, kon Cooper nu voor het eerst de kamer inkijken. Het enige wat hij kon zien was een deel van de vloer, de voeten van Maidment in zijn gemakkelijke golfschoenen en Edwards vanaf de knieën naar beneden. Cooper lette niet op de hamerslagen in zijn hoofd en het brandende gevoel dat door zijn schouders en armen schoot, en slaagde erin op zijn billen een paar centimeter op te schuiven, zodat hij de bovenkant van zijn hoofd tegen de gordijnen kon duwen, die de rest van zijn uitzicht belemmerden. Nu kon hij Edwards bijna helemaal zien. Hij stond met zijn rug naar de haard, met zijn whiskyglas in de ene hand en een revolver in de andere. Te laat realiseerde Cooper zich dat hij zijn telefoon niet langer in zijn hand had en er vermoedelijk bovenop zat.

'Allemachtig, wat doe je?'

'Ik had gehoopt dat je zou meewerken, maar dat wil je klaarblijkelijk niet.'

'En daarom vermoord je me maar? Hoe stel jij je voor dat ongestraft te kunnen doen?'

Maidment stond op en deed een stap naar voren.

'Nee, Jeremy, laat me niet iets overijlds doen. Blijf waar je bent.' Edwards dronk zijn glas leeg en zette het op een zijtafeltje.

'Steek in hemelsnaam dat ding weg, Percy. Je bent nooit een erg goede schutter geweest.' Een mooie poging tot bluf, maar Cooper kon zijn stem horen trillen.

'Zelfs ik heb er van deze afstand geen moeite mee. Hier.' Er plofte iets op de bank. 'Doe me een lol en bind je voeten met dat tape vast, wil je.'

'Nee, ben jij belazerd. Als je me wilt vermoorden, doe het dan als een kerel.'

'Goed, maar niet hier. Dan gaan we naar buiten als je het niet erg vindt.'

Maidment stond op en deed een stap in de richting van de haard.

'Daar blijven, Jeremy, dat is ver genoeg.'

'En het lawaai dan?'

'Daar heb je een punt. Ik kan niet voorzichtig genoeg zijn.' Cooper zag hoe Edwards een kussen met brokaatomslag van een stoel pakte.

'En als je dan nu...'

Toen galmde de elektronische *Primavera* uit Vivaldi's *De Vier Jaargetijden* door de kamer en begon het onder Coopers derrière vreemd te trillen. Maidment en Edwards keken elkaar aan en tastten automatisch naar hun mobiele telefoons, maar het geluid kwam bij geen van beiden vandaan. Het kwam vanachter de bank.

'Wat krijgen we nou?' Edwards liep erheen en keek op Cooper neer. Hij begon te lachen. 'Ha, dat is mijn slapende politieman. Daar had ik aan moeten denken. Ik kom zo bij je, brigadier,' zei hij met een grijns. 'Niet weglopen.'

Hij lachte nog steeds, toen Maidment toesloeg met zijn wandelstok en zich op de grond liet vallen. Edwards draaide zich om met zijn wapen en schoot, maar miste het bewegende doelwit. Maidment zat al op handen en voeten op het tapijt en sloeg wild met zijn stok om zich heen, terwijl hij naar hem toe kroop. Edwards haalde opnieuw de trekker over en sloeg een splinter van de marmeren schoorsteenmantel af. De kogel ketste af en plofte in de muur boven Coopers schouder. Toen Edwards voor een derde keer de trekker overhaalde, rolde Maidment naar hem toe en duwde tegen zijn benen, zodat hij automatisch zijn armen gebruikte om zijn evenwicht te bewaren. Het schot ging ver naast. Met zijn linkerarm greep Maidment Edwards bij zijn kuiten in een rugbytackle, waardoor deze door de knieën ging, maar hij kon de man zijn revolver niet ontfutselen.

Maidment hief zijn rechterarm op om Edwards' wapen te blokkeren en duwde het weg van zijn hoofd. Hij kreunde van pijn toen de beschadigde spieren in zijn borst gedwongen werden in actie te komen. Een volgend schot ketste opnieuw af, ditmaal op het zijtafeltje en boorde zich in iets zachts. Tegen alle verwachtingen in had Maidment tot nu toe het vege lijf weten te redden, maar de kracht die de adrenaline hem had gegeven, vloeide nu snel uit hem weg. De adem bleef in zijn keel steken en de pijn in zijn longen vertelde hem dat zijn recent opgelopen verwondingen enorm verergerd waren.

Hij had zijn handen stevig om de loop van Edwards' revolver geklemd en probeerde wanhopig de vuurmond bij zijn hoofd vandaan te houden. Edwards klauwde met zijn vrije hand naar zijn vingers. Hij voelde iets knappen, maar het deed geen pijn. Maidment hield vol en drong met alle kracht die nog in hem was het wapen van zich weg. Maar langzaam en meedogenloos daalde de loop in de richting van zijn linkeroog. Het wapen schudde, onzeker, maar hij voelde hoe Edwards' vinger zich om de trekker sloot, terwijl het wapen dichter en dichter bij zijn gezicht kwam. Maidment had geen kracht meer over, niets meer, om de kogel die in het magazijn gereedlag, af te buigen. Hij ging sterven. Vertwijfeld drukte hij zijn lichaam onder dat van Edwards omhoog, in een vergeefse poging hem van zich af te schudden. Hij hoorde de haan klikken ter voorbereiding van het schot.

'Politie!'

De gewapende eenheid stormde de kamer binnen, terwijl het schot afging en zich vlak naast Maidments oor in de grond boorde. Edwards stak zijn handen omhoog, zodra hij het geweer op zijn borst gericht zag. Zijn armen waren in een mum van tijd achter zijn rug gebonden. Maidment deed zijn uiterste best om overeind te komen, maar zakte op de grond in elkaar. Zijn hoofd zat vol bloed.

'Rustig aan maar,' zei een agent, die hem zachtjes hielp te gaan liggen.

'Dank u wel,' mompelde Maidment, de eeuwige heer. Nightingale kwam de kamer binnenrennen en knielde naast hem.

'Waar is Bob?'

'U zult brigadier Cooper achter de bank aantreffen, denk ik. Hopelijk is alles in orde met hem.' Toen raakte hij buiten westen.

Twee agenten trokken de bank bij de muur vandaan, terwijl Edwards geboeid werd afgevoerd.

'Bob!' Nightingale was binnen een tel bij Cooper. Ze trok zo voorzichtig mogelijk de tape van zijn mond en haalde de prop uit zijn mond. 'Goddank, je leeft nog.'

Ze draaide zich om en schreeuwde naar de deur: 'Laat een ambulance komen! We hebben een gewonde collega.'

'Het spijt me zo, meisje. Ik heb je in de steek gelaten. Ik had hier nooit alleen naartoe moeten gaan.'

'Niet praten. We brengen je naar het ziekenhuis en we zoeken het later wel uit.'

Nightingale bukte zich, kuste hem op zijn voorhoofd en deed alsof ze de tranen in zijn ogen niet zag.

SEPTEMBER, HEDEN

Het was erg donker in de kelder, zo donker dat Sam geen hand voor ogen kon zien. Hij wist niet hoe laat het was en vroeg zich af hoeveel tijd er was verstreken, sinds William hem hier had opgesloten. Hij worstelde met het touw om zijn polsen en negeerde de pijn, tot hij voelde dat het wat mee begon te geven en hij zijn handen iets beter kon bewegen. Door te wrikken en te draaien slaagde hij erin het touw over zijn duim te schuiven en daarna martelend langzaam over de knokkels van zijn rechterhand. Toen had hij binnen een minuut zijn boeien verwijderd.

Ondanks de warme avond was het onder de grond erg koud en hij had alleen maar een T-shirt en een spijkerbroek aan. Hij was op blote voeten, want nadat hij was weggelopen, hadden ze hem zijn schoenen afgepakt. Hij rilde. Tot iemand hem kwam halen moest hij warm zien te blijven. Sam probeerde op en neer te springen en op de plaats te rennen. Dat werkte even, maar hij werd draaierig en hij moest gaan zitten om niet flauw te vallen. Hij had zo'n raar gevoel. William had hem achtergelaten met een fles cola en een rietje, maar hij werd er misselijk van, dus dronk hij het niet op.

Waar was hij? William had een zak over zijn hoofd getrokken en een prop in zijn mond gestopt, en had hem toen bij de auto weggedragen. Dat had niet langer dan vijf minuten geduurd, dus zat hij nog ergens in de bossen die hij had gezien toen ze over de onverharde bosweg reden, maar waar? Hij deed een nieuwe poging om zijn gevangenis te onderzoeken en dacht er ditmaal aan zijn stappen te tellen: vijftien, vanaf de plek waar hij stond naar het ruwe hout van de deur. Hij bonkte erop en schreeuwde tot hij hees was. Niets. Toen hij zijn oor ertegenaan drukte, kon hij aan de andere kant niets horen; hij was misschien te dik. Nee, wacht eens, misschien waren er twee deuren. Ja.

Hij probeerde zich de geluiden te herinneren die hij had gehoord toen hij werd opgesloten. Toen ze bij deze plek aankwamen, had hij gerammel van sleutels gehoord, geknars, daarna waren ze een paar treden afgegaan. William was blijven staan en toen was de lucht veranderd. Het kon zijn dat hij een andere deur had geopend. Die gedachte maakte dat hij zich nog beroerder ging voelen.

Vijftien passen. Hij stak zijn rechterhand zo ver als hij kon uit, langs de muur naast de deur. Met zijn gezicht in de richting van de ruimte gekeerd, volgde hij hem. Na tien passen kwam hij bij een soort houten plank en betastte die met zijn vingers. Na een paar centimeters voelde hij een rechtopstaande plank en daarna nog een. Hij telde er twintig, voor hij bij het koude steen van een volgende muur kwam. Met zijn andere hand gleed hij over het oppervlak van de planken. Ze zaten dicht op elkaar en waren in hokjes verdeeld die te klein waren voor boeken. Waar zat hij in hemelsnaam?

Zonder in paniek te raken draaide hij zich negentig graden om en liep langs de andere muur. Ook deze was bedekt met houten planken. Hij bleef ze aftasten met zijn vingers, maar trok ze plotseling terug toen hij iets kouds en slijmerigs voelde. Het was glas. Een fles. Hij trok hem van de plank en bevoelde hem over de hele lengte, tot hij bij de flessenhals kwam met folie aan het eind. Wijn; hij bevond zich in een wijnkelder.

Die gedachte gaf hem een beter gevoel. Hij zat niet in een of ander verlaten gebouw of mijnschacht. Die wijn moest van iemand zijn. William had er de sleutels van; hij zou terugkomen; hij zou hier absoluut niet achtergelaten worden. Maar stel dat de kelder niet meer in gebruik was? Het werd ineens heel belangrijk, te weten hoeveel flessen hier nog lagen. Sam zocht. Hij zocht een tweede keer.

Er waren maar twee flessen, meer niet. Misschien werd de kelder niet meer gebruikt. Bij die gedachte begon hij te jammeren. Was hij eruit gegooid, net als Jack, om een reden die hij niet begreep? Sam begon te huilen en het geluid weergalmde in het donker. Het besef drong tot hem door, dat ze hem hier hadden achtergelaten om te sterven.

40

Meteen nadat ze Cooper veilig aan de hoede van de arts in het ziekenhuis had toevertrouwd, belde Nightingale Fenwick met het nieuws van de arrestatie van Richard Edwards.

'Edwards heeft nu al een advocaat, en een peperdure ook. Hij beweert dat hij in de val is gelokt en dat de politie geweld heeft gebruikt. Niet te geloven, hè? In eerste instantie ontkende hij alles, maar gelukkig hadden wij de observatiefoto die je uit Londen had opgestuurd. Meteen toen hij die zag, hield hij zijn mond en heeft daarna niets meer gezegd.'

'Nou, ik heb nieuws dat je nog verder zal helpen. De Met heeft zojuist het huis hier bestormd. Ze hebben gewacht tot het druk werd en toen zes cliënten en het personeel opgepakt. Ik ga er helemaal van uit, dat een van hen Edwards zal identificeren als hem een deal wordt geboden.'

'Dat is schitterend; waarom klink je dan niet blij?' Nightingale hoorde alleen maar teleurstelling in Fenwicks stem.

'Sam Bowyer was er niet en de manager, die William Slant heet, ook niet. Ze zijn om halfzes samen vertrokken en Slant heeft de rechercheur van de Met die hem schaduwde op de M23 afgeschud. Ze hebben geen idee waar Slant naartoe gereden is, maar dat speurwerk laat ik aan hen over; zij hebben de manschappen en het was hun zaak. Maar ik heb Brighton ook op de hoogte gesteld en zij nemen het werk in Sussex over, wat ik best vind.'

'Ze vinden Sam wel, maak je geen zorgen.'

'Misschien, maar we waren er zó dichtbij de jongen te bevrijden. Als de Met die inval eerder had gedaan...'

'Hoor eens, pieker niet zo. Je hebt alles gedaan wat je kon... O ja, oké,' hoorde hij haar tegen iemand anders zeggen. 'Sorry, ik moet ophangen. Tweede ronde met Edwards. O, mán, wat ga ik daarvan genieten.'

'Kijk of je iets ontdekt in verband met Sam. Ik ga de man verhoren van wie ik zeker weet dat hij de anonieme briefschrijver is. Daarna kom ik meteen terug.'

‘Goed. Want ik denk, dat we onze vijfsterrengetuige nodig zullen hebben om Edwards veroordeeld te krijgen wegens moord.’

Hij verbrak de verbinding. De opluchting over de afloop werd overschaduwd door een schuldgevoel dat Bob Cooper bijna was gedood. Waarom hadden ze zich niet gerealiseerd dat ‘Tuitje’ Percy was, nog zo’n stomme legerbijnaam van Edwards? Het zou ongetwijfeld nog een vervelend staartje krijgen dat Cooper in een levensgevaarlijke situatie was beland. Maar als Edwards, zoals hij vermoedde, achter het Koorknaapnetwerk zat, zou de lof wel opwegen tegen de kritiek op de betrokkenen. Hoe vaak hij zichzelf ook voorhield dat hij blij moest zijn, kon hij alleen maar aan Sam denken, die nog vermist was, en dat hij er niet bij was geweest om Edwards persoonlijk te arresteren. Er was geen enkele reden voor dat hij erbij had moeten zijn; hij had er tenslotte zelf op gestaan dat Nightingale de leiding in de zaak-Paul Hill kreeg, en haar optreden rechtvaardigde dat besluit. Desondanks werd zijn stemming steeds somberder, terwijl hij zich door de drukte haastte.

Volgens een telefoontje van Charlie van de Missie, die nadat Fenwick was weggegaan met een van de broeders had gesproken, leidde pater Peter een dienst in een kerk even ten zuiden van Euston Road.

De vespers waren al begonnen toen Fenwick daar aankwam, dus liet hij zich in een van de oude banken achterin glijden en wachtte. Hij probeerde zich op de dienst te concentreren, maar hij merkte dat hij op de zijkant van zijn duim zat te bijten en zich zorgen maakte om Cooper en om Sam. Na de laatste zegening verdween pater Peter in de consistoriekamer en Fenwick liep met gedecideerde passen achter hem aan.

Toen hij de volgepropte ruimte binnenging was alleen de kapelaan er nog. Pater Peter was ijlings naar St. Jerome gegaan, waar potentiële nieuwkomers voor de opvang waren gearriveerd en die hij moest zien te overreden van de straat te blijven. De kapelaan wees Fenwick de plaats van de kerk in zijn stratenboekje en hij vertrok. Hij deed zijn best de priester niet te vervloeken, voor het geval dat ongeluk zou brengen.

St. Jerome lag helemaal aan de andere kant van Clerkenwell, een korte taxirit of een stevige wandeling van twintig minuten te gaan. Er was geen lege taxi in zicht, dus zag hij zich gedwongen in looppas over te gaan. Hij kon ergens een kerkklok acht uur horen luiden.

Op de hoek van Farringdon Road en Saffron Street stopte hij even om het ziekenhuis te bellen waar Cooper naartoe was gebracht. Nightingale had gezegd dat het ambulancepersoneel ter plaatse er bijna van overtuigd was dat hij geen schedelbasisfractuur had, maar hij wilde het zeker weten. Van een verpleegkundige, die net zo chagrijnig was als hijzelf, kreeg hij te horen dat Cooper nu op de röntgenafdeling was en dat het nog uren kon duren, voordat ze zeker wisten hoe het er met hem voor stond. En met enig leedvermaak deelde ze hem ook mee, dat hij dergelijke informatie toch niet zou krijgen, omdat hij geen familie was. Hij hing op, uitte enige creatieve verwensingen en belde naar het huis van Cooper. Daar was natuurlijk niemand. Doris en hun zoon zouden in het ziekenhuis zitten. Hij liet een boodschap achter om Bob beterschap te wensen en verzocht hen, zodra ze iets meer wisten, hem op zijn mobiele telefoon te bellen.

Toen belde hij opnieuw het ziekenhuis, want hij bedacht dat hij niet naar Maidment had gevraagd. Ditmaal kreeg hij een receptioniste aan de lijn. Zij was veel behulpzamer, toen ze hoorde dat hij een senior rechercheur was. Wat hij hoorde klonk niet best. Maidment had opnieuw een geperforeerde long, zijn oor was praktisch afgescheurd door een kogel en hij had vermoedelijk nog ander inwendig letsel. Hij lag in ernstige toestand op de operatietafel. Fenwick verbrak met verwarde gevoelens de verbinding. Evenals Cooper kon hij niet anders dan sympathie voor Maidment voelen; zijn moed en fatsoen waren boven alle twijfel verheven. Maar hij had wel langer dan vijfentwintig jaar een kinderverkrachter en moordenaar beschermd en de familie van Paul in onzekerheid gelaten, waardoor diens moeder waanzinnig was geworden. Maidment mocht dan een held zijn, maar wel een held met grote fouten.

Hij moest nog één telefoontje plegen en dat nummer kende hij uit zijn hoofd, dus toetste hij onder het snelle lopen de cijfers in. Quinlan zat in een opgetogen stemming op kantoor. Richard Edwards, Percy ('Tuitje' voor zijn kameraden, omdat hij zo goed kon fluiten, hoewel geen van de jongere leden van het team ooit van de echte Percy Edwards had gehoord) zat in verzekerde bewaring op grond van poging tot moord op Maidment en Cooper, zodat ze de tijd hadden om aan een uitgebreidere tenlastelegging te werken.

'Bedankt dat je Nightingale onder je hoede hebt genomen. Dat heeft beslist heel veel uitgemaakt.'

'Zo veel heb ik niet gedaan. Tegen de tijd dat ik het arrestatieteam had gebeld, ontdekte ik dat jij hen al had gesproken en vanaf het moment dat Coopers wagen was gevonden, liep alles op rolletjes.'

'Ik ben blij dat te horen. Ik kan nu geen geknoei gebruiken. Nightingale zal zich uiteraard met de moorden bezighouden. Kun jij ervoor zorgen dat ze contact houdt met Clive en Alison, zodat we het Koorknaapgedeelte ook rond krijgen?' Fenwick had volstrekt niet in de gaten dat hij opdrachten aan zijn vroegere baas liep uit te delen en miste dan ook het veelbetekenende lachje, toen Quinlan antwoord gaf.

'Natuurlijk. Moet je horen, als Edwards ziet wat voor bewijzen we tegen hem in handen hebben, zou het me niet verbazen als hij een deal probeert te sluiten. Een lichtere straf voor volledige medewerking.'

'We hebben meer dan voldoende bewijs voor poging tot moord, kinderprostitutie en pedofilie, maar we hebben hem nog niet voor moord. Die rotzak verdient alles wat het systeem hem maar kán opleggen; dat zijn we Paul, Malcolm en god mag weten hoeveel families nog meer, verplicht.'

'Dat ben ik met je eens, maar het is een stuk eenvoudiger om hem te vervolgen op grond van de andere aanklachten. Zonder de anonieme briefschrijver zal het moeilijk worden een zaak tegen hem aan te spannen wegens moord op Paul en Malcolm, dus een schuldbekentenis in ruil voor strafvermindering is niet zo'n weerzinwekkende oplossing als je zou denken – zeker als hij ons de namen van zijn handlangers geeft. Tenzij jij de briefschrijver vindt en hem hier kunt brengen als de belangrijkste getuige à charge. Ik verwacht dat het OM een deal in overweging zal nemen als dat wordt bepleit.'

'Ik zal mijn best doen, maar volgens mij is die briefschrijver een priester.'

'Verdomme.'

'Inderdaad. Maar ik ga toch proberen een verklaring uit hem te trekken.'

'Je moet wel,' zei Quinlan op een toon die hem deed denken aan hun eerdere gesprek en zijn impliciete kritiek op Fenwicks 'uitstapje naar Londen'. 'Ik heb overigens nog geen contact met de korpschef opgenomen – ik ging ervan uit dat jij dat wilt doen.'

'Nee, ik wil graag dat Nightingale dat doet. Het overgrote deel van de complimenten komt haar toe.'

'Als jij dat per se wilt, maar hij zal absoluut met jou willen praten. Ik hoef je niet te vertellen dat je met een verdomd goede verklaring moet komen waarom je was waar je was op zo'n cruciaal moment.' Met die vrolijke woorden maakte Quinlan een eind aan het gesprek.

Fenwick was bij St. Jerome aangekomen en werd binnengelaten in het achterste deel van een grote, schaars verlichte kerk. Pater Peter zat met twee jongens in de tienerleeftijd in een van de voorste banken. Hij hoorde alleen gedempt gemompel, maar meende bij de jongens een toon van capitulatie te beluisteren, dus wachtte hij tot het gesprek was beëindigd. Hij moest erg zijn best doen om de sombere stemming die, ondanks het succes van zijn team, over hem was gekomen, te benoemen en van zich af te zetten. Tot zijn opluchting merkte hij, dat die gevoelens maar weinig te maken hadden met het missen van de arrestatie; hij was oprecht blij voor Nightingale en had er het volste vertrouwen in dat Quinlan de korpschef ervan zou kunnen overtuigen dat zijn reis naar Londen terecht was geweest. Ook de zorg om zijn carrière knaagde niet aan hem; het was meer een gevoel dat hij verkeerd aangesloten was, ondanks de succesvolle afloop van twee belangrijke onderzoeken.

Tijdens het wachten probeerde hij erachter te komen wat dat toch kon zijn, maar het ontglipte hem. En het kwam niet alleen doordat het voor zijn eigen gemoedsrust noodzakelijk was dat Sam Bowyer gevonden werd; er was nog iets.

'Alsjeblieft, kerel.' Hij schrok zich wild, toen opeens iemand achter hem begon te fluisteren en hem een plastic beker sterke thee over zijn schouder aanreikte. Het was een gezette man van rond de veertig, met een onverzorgde baard en ingesleten vuil rond de nagels.

'Omdat je wacht en hem niet onderbreekt bij zijn werk. Dan ben je een goeie vent, ook al ben je een smeris.' Hij praatte zacht, met een vet East End accent. 'Gerald is de naam, zeg maar Gerry.'

'Dank je wel, Gerry, ik ben Andrew Fenwick,' antwoordde hij op dezelfde gedempte toon. De man kwam naast hem in de bank zitten.

'Proost, Andy.' Gerry tikte met zijn beker tegen de zijne en begon thee te slurpen, wat luider klonk dan zijn woorden. Een van de jongens bij het altaar keek om.

'Moedigen jullie hen aan om hier te komen?' Fenwick gebaarde met zijn beker naar het groepje dat voorovergebogen bij elkaar zat.

'Ja. Een goeie vangst, vanavond, bij wijze van spreken.' Hij grijnsde zijn zwart geworden tanden bloot.

'Hoe heb je hen ertoe overgehaald?'

'Niet zo moeilijk. Ze zijn nog niet verslaafd, de jongste in elk geval niet. Ik heb hem vanmorgen uit de bus geplukt, moet je nagaan. De conducteur wilde hem eruit zetten wegens zwartrijden. Maar ik heb voor hem betaald en hem meegenomen naar het Centrum. Het probleem is die oudere jongen. Die is al op het verkeerde pad en heeft een slechte invloed op die andere. Daarom heeft Peter er zo veel werk aan.'

'Waarom doe jij dit?' Fenwick moest op het antwoord wachten, omdat Gerry zich luidruchtig verslikte. Hij had een rochelhoest en stond op het punt de fluim uit te spugen, toen hij bedacht waar hij was en het dus hoorbaar wegslikte.

'Pater Peter heeft mijn leven gered, Andy, daarom. Ik had tbc, weet je, en ik legde bijna het loodje. Maar hij heeft me naar een kliniek gebracht. Daar hebben ze me opgelapt. Het duurde meer dan een jaar voor ik weer beter was en in al die tijd heb ik geen druppel meer gedronken. Tegen de tijd dat ik eruit kwam, dacht ik dat ik ervan af was, daarom heeft hij me deze baan gegeven. Het is niet zo veel en ik word er nu een beetje te oud voor.'

'Hoe oud ben je, als ik vragen mag?'

'Negenentwintig.' Fenwick vertrok geen spier. 'Jong genoeg om nog steeds te weten hoe het voor die knulletjes daar is, maar straks moet ik oudere zielen gaan redden. Ik kan niet zo goed meer met tieners overweg. Ze vinden me te oud.'

'Zij toch niet,' zei Fenwick vriendelijk en hij wees naar de twee jongens voorin. 'Hoeveel denk je dat je er hebt gered?'

'Redden doe ik ze niet, Andy. Dat doet pater Peter. Ik vis ze gewoon van de straat; Gerry de Visser, dat ben ik. Hij is degene die de wonderen verricht. We winnen trouwens niet altijd. Van iedere vijf die ik binnenbreng, eindigen er vier weer op straat. Die kunnen de knop niet omzetten, snap je, maar Peter geeft het niet op. Sommigen zijn wel tien keer naar zijn opvanghuizen gekomen en hij verwelkomt ze altijd met een glimlach en een maaltijd. Alleen de echte lastposten die lopen te leuren en de pooier uithangen, die mogen niet binnen, die worden er meteen weer uitgeschopt. Hij is misschien niet groot, maar wel verdomd sterk, sorry dat ik het zo zeg.'

'Je had het over zijn "opvanghuizen". Worden die niet door de Kerk geleid?'

'Kerken. Ja. Dat was een van de problemen die hij heeft rechtgezet. Er waren Missies die mekaar beconcurreerden, ruziemakers, zou je kunnen zeggen. Toen kwam hij, pas aangesteld en vurig als het maar kan, hebben ze me verteld. Voor mijn tijd, hoor, maar dat is het verhaal dat we allemaal hebben gehoord.

Hij komt binnen, niet ouder dan twintig en nog wat, en roept al die Missies ter verantwoording. Zegt dat ze moeten samenwerken, niet elkaar tegenwerken. Dat heeft hem een paar jaar gekost, maar hij heeft ze stuk voor stuk binnengehaald. Nu is alles goed georganiseerd, met een gezamenlijk bestuur, goede inkomsten uit liefdadigheid, contacten met maatschappelijk werk en justitie, en zo. Je kan het zo gek niet noemen, of hij heeft het geregeld.'

'Heeft hij dat allemaal zelf gedaan?' Fenwick probeerde niet sceptisch te klinken, maar dat lukte niet helemaal.

'Je hoeft niet sarcastisch te worden, hoor. Hij is geen heilige en ik hemel hem ook niet op.'

'Sorry, Gerry. Maar zoals je over hem praat lijkt het er wel een beetje op.'

'Nou, volmaakt is-ie niet – hij kan verdomd link worden – maar ik zweer je, zonder hem zouden tientallen jongens die nu een behoorlijk leven leiden, dood zijn geweest en honderden op straat wegkwijnen, in plaats van een kans te krijgen hun plekkie in de wereld te veroveren. Hij is een leider, snap je. Hij mag dan klein en rustig zijn als hij niet kwaad is, maar bij God, je zou hem eens moeten zien als hij iets recht moet zetten. Dan is-ie niet te houen.'

'Gerry!' klonk een heldere tenorstem voor in de kerk. 'Kun jij Reg en Ben naar St. Olaf brengen? Ik heb ze al gebeld en ze maken een plaatsje vrij, dus laat je niet afschepen als je er komt. En morgenochtend vroeg haal je ze meteen na het ontbijt op en brengt ze hierheen. We gaan een rondje maken.'

'Voor elkaar, pater. Kom op maar, jongens. Wat een mazzel, in St. Olaf hebben ze het beste eten. Tot kijk maar weer, Andy.'

Gerry loodste hen de deur uit. Fenwick pakte de lege bekers en stond op.

'Blijft u maar zitten, inspecteur, ik kom naar u toe,' zei pater Peter, terwijl hij langzaam over het middenpad aan kwam lopen.

Fenwick had het liever andersom gehad. Bij het altaar was meer licht; hier achter bij de gesloten deur was het somber. Het eerste wat hem opviel, was dat pater Peter inderdaad klein was, niet langer dan een meter zestig. Het tweede was, dat zijn dikke, golvende haar helemaal grijs was, hoewel zijn stem jeugdig klonk. Dat maakte het moeilijk zijn leeftijd te schatten. En toen het gedempte licht op zijn gezicht viel, zag hij het litteken. Het liep van de buitenkant van zijn linkerooghoek schuin naar zijn mondhoek, die permanent opgetrokken was in een flauwe glimlach; het zag er eerder ironisch uit dan sinister.

'Dus u weet wie ik ben?'

'Natuurlijk. Daar heeft Charlie wel voor gezorgd. Goed dat u bij mij gekomen bent.'

Fenwick kreeg een stevige hand, veel steviger dan hij had verwacht. Hij merkte dat de priester hem niet aankeek, maar zijn ogen op het kruis boven het altaar gericht hield.

'Wat kan ik voor u doen?' Hij had een prettige, lichte stem.

'Ik ben op zoek naar een man en ik hoop dat u me misschien zou kunnen helpen.'

'Dat is een tamelijk ondergeschikte taak voor iemand van uw rang, nietwaar?'

'Het gaat ook om een heel bijzonder iemand.' Hij pakte een kleine dictafoon en stak er een minicassette met het telefoontje van de anonieme briefschrijver naar *CrimeNight* in. 'Herkent u dit?'

Hij drukte op de knop en een doodse stem vulde het schip van de kerk.

'Het klink nogal gedempt. Het spijt me zeer, maar ik kan u niet helpen,' zei pater Peter en hij wilde opstaan.

'Alstublieft; misschien helpen deze foto's.' Fenwick gaf hem de beelden van de bewakingscamera en wachtte. Pater Peter verstijfde, maar zei nog steeds niets.

'Dat bent u, hè, pater? Die bandopname en de beelden. U bent degene die ons probeerde duidelijk te maken dat majoor Maidment onschuldig is. Gaat u alstublieft zitten. Ik kan u vragen mee te komen naar het bureau Holborn of naar Harlden; daar zou het op uit kunnen draaien, maar ik handel het liever beschaafd af.'

Met merkbare tegenzin ging de priester zitten. Hij had zich van Fenwick afgekeerd en keek naar het altaar met het fraai versierde kruis.

'Achttiende-eeuws zilver. Dat houdt in dat we de kerk moeten afsluiten als er niemand is. Het zou in een mum van tijd verdwenen zijn als we er niet op letten. Ik wil het verkopen, maar daar krijg ik geen toestemming voor. De opbrengst zou minstens drie maanden de kosten van alle centra dekken.'

'Waarom was het geen populair idee?'

Pater Peter lachte, maar het klonk opmerkelijk bitter.

'Het kruis was een gift van een adellijke familie, die ik dankbaar behoor te gedenken in mijn avondgebeden, maar er zijn vele anderen die het meer verdienen, dus staan ze onder aan mijn lijstje.'

'Weldoeners van destijds, neem ik aan.' Fenwick merkte dat hij ondanks zijn beste bedoelingen in een debat terechtkwam.

'Ha! Zelfverheerlijking is het motief van dit soort giften, geen liefdadigheid. Het was heel wat beter geweest als ze de armen, die in de straten rondom hun huizen aan ondervoeding stierven, geld hadden gegeven.'

Fenwick ging snel op een ander onderwerp over.

'Zijn dit beelden van u, pater?' Hij duwde hem de beelden van de bewakingscamera weer onder de neus, maar pater Peter bleef met een strakke rug naar het kruis zitten staren. 'Alstublieft, het gaat om de toekomst van mannen, over gerechtigheid en vergelding. U moet mij helpen.'

'Er is geen sprake van moeten, Andrew. Ik doe mijn werk hier. Dit is waar God me toe geroepen heeft en dat gaat boven de toekomst van een aantal welgestelde mannen die inmiddels bejaard zijn en die het in hun leven beter hebben gehad, dan waar de jongens die in St. Olaf slapen ooit op mogen hopen.'

'Dat oordeel is toch zeker niet aan u. De Kerk staat niet boven de wet waar het de rechten van burgers betreft.'

Pater Peter zweeg.

'Heel goed, nu u God toch in ons gesprek heeft betrokken, zal ik u ook uit Zijn naam vragen: waarom heeft God mij naar u toe geleid? Waarom heeft hij mij hier gebracht, als Hij niet van u verwachtte dat u mij zou helpen?'

De priester schudde alleen maar zijn hoofd en liet het toen zakken alsof hij begon te bidden. Fenwick beet op zijn lip en hield zich in. Zijn gebrek aan geduld was een zwak punt van hem.

'Ik begrijp, dat wat u heeft gehoord misschien onder het biechtgeheim valt, misschien komt het zelfs van een van Edwards' andere slachtoffers; een jongen die van huis is weggelopen en naar Londen is gegaan, en die u heeft gered, wellicht? Kunt u me tenminste een naam zeggen?'

'Edwards?' De priester ontspande zijn schouders een beetje en hief zijn hoofd op.

'Dat is de naam van de man die Paul Hill en zijn vriendje Oliver Anchor heeft misbruikt, en nog vele anderen ook.'

'Edwards,' zei pater Peter, alsof Fenwick een van de mysteriën van het leven had opgelost. 'En heeft hij veel jongens misbruikt?'

'Wij zijn nog bezig de bewijsstukken aan elkaar te passen. Nu we een naam en een bijbehorend gezicht hebben, hopen we ook andere slachtoffers te bereiken. Tot nog toe hebben we er vier gevonden.'

‘Dan heeft u geen bewijzen van mij nodig om uw zaak rond te krijgen.’

Dat was een bekentenis. Fenwick werd gespannen.

‘Misschien niet wat het misbruik betreft, maar voor moord wel degelijk, en ook om te bevestigen wat er uiteindelijk met Paul Hill is gebeurd. Dat doen we om de moeder, de vader en de grootmoeder van Paul een kans te geven de kwestie af te sluiten. Wat u weet kan zeer waardevol zijn.’

‘Leeft Pauls grootmoeder dan nog?’

‘Dat kun je wel zeggen,’ grinnikte Fenwick. ‘Het is een tamelijk krasse oude dame.’

‘Heeft u haar ontmoet?’

‘Ja. Ze woont in Harlden, bij haar zoon en zijn tweede vrouw en zijn gezin.’

‘Werkelijk waar? Wat een vreemde wereld.’ Pater Peter maakte zijn schouders los en wreef zijn nek. ‘Tja, het spijt me, inspecteur, maar over Paul Hill kan ik u niets vertellen.’

‘Wij willen zijn stoffelijk overschot vinden, zodat zijn familie hem kan begraven. Pater, alstublieft, u moet ons helpen.’

‘Ik zal bidden voor zijn familie. Dat doe ik al jaren, maar het is het enige wat ik kan doen. Het spijt me, maar u doet vergeefse moeite. En ik wil niet lomp zijn, maar ik moet nu naar St. Olaf. Ik wil me ervan vergewissen dat die jongens zich daar op hun gemak voelen.’

‘Ik kan u dwingen met mij mee te gaan, meneer.’

‘Met welk doel? Dat zal niets uithalen.’

Fenwick besefte dat hij gelijk had. Niets wat hij zei kon die man van gedachten doen veranderen. Hij stond op en gaf daarmee te kennen dat hij verslagen was.

‘Tot ziens, Andrew.’

Pater Peter liep naar de deur. Fenwick liep achter hem aan, schudde hem kort de hand en stapte naar buiten, de Londense avondschemering in. Na een paar stappen hield hij plotseling in en keek om, waarbij hij pater Peter erop betrapte dat deze hem nakeek. Zelfs bij het afnemende licht had hij een opmerkelijke innerlijke gloed in zijn ogen.

41

Fenwick hield een taxi aan en zei de chauffeur naar Victoria te rijden. Pas op Parliament Square kreeg hij het inzicht.

'Mijn god,' zei hij hardop.

'Is er iets, m'neer?'

'We moeten terug naar St. Olaf in Turk's Head Yard. Zo snel als u kunt.'

'Het is uw geld.'

De taxichauffeur schudde zijn hoofd, alsof hij weer eens werd bevestigd in de overtuiging dat zijn passagiers over het algemeen ontzettend stom waren, maar hij keerde behendig.

Vóór de opvang flitsten blauwe zwaailichten. Er stond een ambulance geparkeerd met de achterdeuren opengeslagen. De voordeur van het gebouw stond open en Fenwick stapte naar binnen. Rechts voor hem hoorde hij een jongen schreeuwen. Uit een soort bijgelovige angst om pater Peter wilde hij naar voren rennen, toen een knaap van niet ouder dan twaalf langs hem heen naar buiten wilde schieten. Fenwick greep hem trefzeker rond zijn middel en tilde hem van de grond.

'Waar ga jij naartoe?' vroeg hij en hij ontweek de wild rondzwaaiende vuisten. Hij herkende een van de jongens uit de kerk.

'Jij bent Reg.' Onwillekeurig verstevigde hij even zijn greep op de jongen. Hier was er tenminste één die niet opnieuw in het duister zou verdwijnen.

'Laat me los!'

'We hebben geen haast – laten we iemand gaan zoeken die hier de leiding heeft.'

Hij werkte de tegensputterende Reg naar binnen, terwijl pater Peter de hoek om kwam. Hun blikken kruisten elkaar en op dat moment lag de waarheid open en bloot tussen hen in. Maar het enige wat Fenwick zei was: 'Reg was op andere gedachten gekomen. Waar wil je hem hebben?'

'Daarbinnen.' De priester wees naar de eetkamer. 'Ik kom bij u zodra ik kan. Een van de jongens heeft een aanval van epilepsie gehad en zichzelf bezeerd. De anderen zijn erdoor van streek geraakt, maar we brengen hem naar het ziekenhuis, dan komen ze wel weer tot rust. Ik moet eigenlijk met hem meegaan.'

'Ditmaal niet, pater,' zei Fenwick zachtjes, maar met gezag. 'Stuurt u maar een ander mee.'

Fenwick ging met Reg de eetkamer binnen, om ervoor te zorgen dat hij niet de benen nam. De jongen zag er uitgeput uit, alsof hij de wereld moe was, heel anders dan op de schoolfoto, die nu vast in een dossier van een vermist persoon zat en wellicht ergens in een huiskamer aan de wand hing. Reg maakte nog steeds de indruk dat hij van plan was de benen te nemen zodra hij de kans kreeg, daarom besloot Fenwick met hem om te gaan zoals hij met Chris deed, als hij een chagrijnige bui had.

'Ik verga van de honger,' zei hij. Op het aanrecht stond een trommel met koekjes. Reg hield hem in de gaten, heen en weer geslingerd tussen opstandig zwijgen en honger. De honger won het.

'Hier.' Fenwick gaf hem de koektrommel, maar redde hem snel weer, toen er binnen een halve minuut vijf koekjes uit verdwenen.

'Dus jij bent een Arsenalfan?' Hij wees naar het kanon op Regs groezelige T-shirt, dat hem twee maten te groot was. Hij kon de vervagende blauwe plekken op de blote armen van de jongen zien en moest zich inhouden, om niet zijn armen om hem heen te slaan.

'Ja.'

'Wie vind jij de beste Arsenalspeler aller tijden?' Het was genoeg om de aandacht van de jongen te trekken, zeker toen de koektrommel weer tevoorschijn kwam.

'Thierry Henry, natuurlijk. Dat is een baltovenaar.'

'Heb je hem ooit live zien spelen?'

'Nee, alleen op tv.'

'Ik wel, een paar jaar geleden, toen ze Man United thuis versloegen. Fantastisch was dat.'

Regs ogen werden groot van nieuwsgierigheid.

'Echt waar?'

'Ja. Ken jij de buitenspelregel al?'

'Ik kijk al vanaf dat ik vijf ben,' zei Reg trots en hij stak zijn borst vooruit. 'Makkie.'

Toen pater Peter hen vond, waren de overgebleven koekjes in stukjes gebroken en lagen ze op het formica tafelblad opgesteld. Henry was een half jamkoekje. Fenwick en Reg schoten overeind toen de deur openging en de priester begon te schateren.

'Wat kijken jullie schuldig! Kom op, Reg. Neem maar mee wat er van over is en deel het met je vriend. Andrew en ik moeten praten.'

'Wij spreken elkaar nog wel, Reg,' zei Fenwick. 'Ik heb een collega die voor jou misschien een kaartje voor Highbury kan regelen. Echt hoor, ik meen het.'

Reg ging met een van de helpers mee.

Toen de deur achter hen dichtging, kwam er een uitgeputte trek op het gezicht van de priester, maar die verdween ook weer snel. In het felle lichtschijnsel kon Fenwick voor het eerst zijn gezicht goed bestuderen en staarde naar die bijzondere ogen, waar je je niet in kon vergissen.

'Heb je jezelf dat litteken toegebracht, Paul?'

De priester deed geen moeite om zijn verbazing te verbergen.

'Hoe heb je het geraden?'

'Je mooie gezicht was een vloek voor je, dus je kon onmogelijk verdwijnen als je daar niet iets aan deed. Hoe oud was je, toen je besefte dat je dat moest doen?'

Pater Peter slaakte een diepe zucht. 'Veertien; ik deed het bijna onmiddellijk. Ik haatte mijn gezicht zo erg, dat het eigenlijk heel prettig voelde, ondanks de pijn. Ik verfde mijn haar ook, maar je bleef de wortels zien en het viel bijna uit. Ik had de goedkoopste troep genomen, snap je.'

'Is dat de reden waarom je nu zo grijs bent?'

'Nee,' hij probeerde te glimlachen, 'dat heb ik van nature. Een geschenk van God toen ik twintig was; het gebeurde bijna van de ene dag op de andere.'

'Wil je het me nu vertellen?'

'En wat gaat er daarna gebeuren?' Het klonk niet bezorgd, eerder nieuwsgierig.

'Dat zou ik niet weten,' zei Fenwick. Hij had echt geen idee wat hij zou doen als hij Paul Hill zijn verklaring had afgenomen.

'Nou, je bent tenminste eerlijk. Vind je het erg als ik iets te eten voor ons maak? De keuken is daar en ik rammel. Jij ook waarschijnlijk, ondanks de koekjes.'

In de smetteloos schone keuken keken ze in de koelkast en vonden er eieren, boter en tomaten, en in de vriezer lag patat voor in de magnetron.

'Tomatenomelet en patat over vijftien minuten – is dat wat?'

'Prima,' zei Fenwick, 'dan zet ik thee voor ons.'

De priester praatte door, terwijl hij aan de slag ging.

'Hoeveel weet je al?'

'Ga er maar van uit dat ik niets weet; begin bij het begin.'

'Het begin? Nee, het is niet nodig dat je begrijpt hoe het kwam dat ik zo'n akelig, leugenachtig, pervers ventje ben geworden. Ga er maar van uit dat ik dat op mijn veertiende was. Ik geef niemand de schuld, alleen mezelf.'

Fenwick was het niet met hem eens, maar ging er niet tegen in. Met een verstikkende neuroot van een moeder en een zwakkeling van een vader, die meer met geld bezig was dan met het welzijn van zijn zoon, kon hij goed begrijpen waarom hij volmaakt, ongerept materiaal was voor de verleidingen van Bryan Taylor.

'Ik ontmoette Taylor bij de padvinderij. Hij hielp bij de groep en zei dat ik geld kon verdienen door hem te helpen in zijn zaak. Eén manier van geld verdienen leidde tot een andere.' Paul trok een gezicht alsof hij van zichzelf walgde.

'Hoe oud was je toen?'

Paul legde zijn hoofd naar achteren, alsof hij zijn schedel op zijn rug wilde laten rusten. Weer stond zijn gezicht ontzettend vermoeid, maar dat werd verdrongen door een vastberaden uitdrukking.

'Ik zal elf geweest zijn. Ik was pas bij de padvinders, dat weet ik nog. Hij had algauw in de gaten wat mijn zwakke kanten waren.' Hij brak de eieren in een kom. 'Water of melk?'

'Pardon?'

'Wil je je omelet met water of melk?'

'Eh, melk, maakt niet uit. Dank je.' Het was onrustbarend, zo kalm als Paul bleef.

'In het begin hield Bryan me voor zichzelf. Wat hij wilde was tam vlees, niet zoals... Edwards, heette hij niet zo?'

Dat was een retorische vraag. Fenwick wist heel goed dat Paul die naam nooit meer zou vergeten nu hij hem eenmaal wist.

'Maar toen wilde Bryan meer: foto's, filmpjes, noem maar op. Je had in die dagen nog geen internet, maar hij moet een fortuin hebben verdiend met afbeeldingen van mij. Na elke sessie kreeg ik vijf pond en ik vond mezelf een geluksvogel.

Zo ging het een hele tijd door. Ik was slechts een van zijn jongens, maar in tegenstelling tot de andere kreeg ik geen haar op vervelende plaatsen en ik kreeg ook niet de baard in de keel. Op een dag vertelde Bryan me dat een vriend van hem me op een foto had gezien en op mijn uiterlijk viel. Of ik hem wilde ontmoeten? Absoluut niet, zei ik. Bryan was één ding; met hem deed het er nauwelijks meer toe, maar met een andere vent, nou ja, dat was iets anders. Als je het niet erg vindt, daar ligt gesneden brood en in de koelkast staat margarine.'

Fenwick kwam gehoorzaam in beweging. Hij keek hoe de priester zorgvuldig de eieren klutste, er kruiden bij deed en daarna een scheut melk. De stille aanvaarding die van hem uitging, ontroerde hem.

'Geef mij de margarine als je klaar bent. Bedankt. Waar was ik? O ja, Bryans vriend. Uiteindelijk zei ik dat ik het voor twintig pond wel wilde doen. Dat was absoluut een fortuin, voor die tijd. Maar toen hij me achter in de stationcar onder een deken stopte, wilde ik terugkrabbelen. Het stonk er naar benzinedampen en mijn gezicht zat de hele tijd klem tegen het zadel van mijn fiets. Maar toen was het al te laat. Ik zat opgesloten.

Hij reed rondjes, zodat ik alle gevoel voor richting kwijtraakte. Toen we er aankwamen kon ik vanonder de deken grote hekken zien en hoorde ik het geknars van grind onder de wielen. Hij stelde me aan Edwards voor alsof ik koopwaar was. Die man ging echt met zijn handen over me heen, weet je, zoals mensen dat doen als ze een renpaard willen kopen. Toen zei hij dat ik moest... nou ja, dat doet er niet toe. Ik heb mijn geld verdiend en ik heb niet gehuild, niet één keer.'

Paul klutste vinnig de eieren en besteedde té veel zorg aan het snijden van boter voor in de pan.

'Is dit Edwards?' Fenwick toonde hem de foto die de vorige week door de Met was genomen.

Paul hapte naar lucht en keek snel weg. Hij knikte en greep zich aan de rand van het fornuis vast, zodat zijn knokkels wit werden.

'Was Edwards intimiderend?'

'Een sadist. Het heerlijkste vond hij het als je schreeuwde. Hij wilde tranen zien, maar dat plezier heb ik hem nooit gedaan. Eén keer heeft hij me bijna vermoord, maar Bryan hield hem tegen. Wurgseks, dat vond hij lekker, tot je geen adem meer kon halen en je het gevoel had dat je ogen uit hun kassen zouden springen.'

Hij snoof en stopte met praten, niet in staat verder te gaan.

'Hoeveel boterhammen?' vroeg Fenwick, die het brood smeerde. 'Twee, drie?'

'O... eentje maar, dank je. Ze hebben het allemaal nodig voor het ontbijt. Ik neem aan dat je de rest ook wilt horen.'

'Alleen hoe je bent verdwenen.'

'Ja, natuurlijk wil je dat horen... goed... Bryan bracht me meer dan eens naar het huis van Edwards, maar de laatste keer waren er nog twee mannen bij. Ik denk dat het ex-militairen waren; Edwards vond het in ieder geval heerlijk om hen te commanderen. Meteen toen ik hen zag, wilde ik weg. Ik vond hem al eng genoeg, maar deze twee waren echt harde kerels, jonger dan hij en erg sterk. Ik werd al bang als ik naar ze keek en ik probeerde weg te rennen, maar... ze kregen me te pakken. Ze kregen me te pakken...' Zijn stem stierf weg, zodat alleen het geluid van sissende boter in de keuken te horen was.

'Ga verder, als je kunt. Alleen de essentie.'

'Goed... de essentie.' Hij probeerde te lachen, maar het klonk triest. 'Ach ja, de essentie is dat ze me uitkleedden, me in het zwembad gooiden en me verkrachtten, de een na de ander. Ik probeerde weg te komen... Ik had een mes in mijn schooltas en ik dacht, als ik dat te pakken kan krijgen, dan kan ik om me heen slaan... of mezelf snijden. Ik wilde zo graag dood.'

Fenwick rook dat er iets stond aan te branden. Hij liep naar het fornuis en draaide het gas uit. Toen bracht hij Paul rustig naar de tafel. Hij kon de man onder zijn handen voelen beven toen hij hem op een stoel zette. Paul liet zijn hoofd in zijn handen zakken en zei niets meer. Op een gegeven moment kwam er iemand de keuken binnen, zag het tafereel en ging weer weg.

‘Kun je verder vertellen?’

Paul bleef zwijgen. Fenwick voelde zich volstrekt niet capabel voor deze taak. Hij had de speciale cursussen die ze tegenwoordig aanboden niet gevolgd, en hij was niet toegerust om met het enorme leed dat voor zijn ogen werd blootgelegd, om te gaan.

De minuten gingen voorbij en geen van beiden zei iets. Toen begon Fenwicks maag luidruchtig te knorren, wat de spanning brak.

‘Ik had je een maaltijd beloofd.’

‘Laat maar zitten. Gaat het wel met je; ben je in staat om me de rest te vertellen?’

‘Ik zal het proberen.’ De kant van zijn mond waar geen litteken zat ging omhoog in een poging om te glimlachen.

‘Daarna... toen ze met me klaar waren... kon ik nauwelijks meer lopen. Bryan was razend op hen. Het was uit de hand gelopen, snap je, en hij was bang geworden. Misschien maakte hij zich ook wel bezorgd om me.’ Paul keek opeens verbaasd. ‘Daar had ik nog niet eerder aan gedacht. Ik heb zijn gedrag altijd verklaard met het verlangen zijn eigen hachje te redden, maar wie weet?

Hij hielp me met aankleden en ze moesten me half dragen, ergens naartoe. Ik wist niets meer; het enige wat ik me kan herinneren is dat het een kelder was, donker en koud. Ik raakte bewusteloos. Het volgende dat ik me herinner is dat ik bij zijn auto stond. Ik weigerde achterin te gaan liggen bij mijn fiets, daarom zette hij me voorin, naast zich. Bryan was kwaad, maar hij nam wel geld van Nathan aan – ik bedoel van Edwards. Dat had ik eigenlijk niet mogen zien. Hij zal wel gedacht hebben dat ik té getraumatiseerd was om het in de gaten te hebben, maar dat was niet zo. Hij kreeg meer dan tweehonderd pond en hij gaf mij er twintig van. De gedachte dat hij zoveel geld aan mijn ellende verdiende, vervulde me met razernij. Hoe meer ik daaraan dacht, hoe meer het me opvrat.

We reden op de gebruikelijke manier terug, over smalle weggetjes door het bos. Voordat we bij de eerste huizen kwamen, sloeg hij van de weg af naar een open plek en droeg me op achterin te gaan liggen. Dat weigerde ik. Achteraf gezien moet ik volkomen hysterisch zijn geweest. Hij legde zijn handen op mijn schouders. Bryan had me nooit pijn gedaan, dat was zijn manier niet, maar die aanraking na alles wat er gebeurd was, maakte dat ik over de rooie ging. Ik sloeg hem en ik bleef slaan, en hij sloeg mij met de rug van zijn hand; één keer maar, maar dat was hard genoeg om mij met mijn hoofd tegen het dashboard te laten knallen.

Ik viel voorover, voor de stoel, naast mijn schooltas. En het is een cliché, maar ik weet oprecht niet hoe dat mes in mijn hand terecht is gekomen. Ik begon ermee te steken. Hij vloekte en greep me bij mijn polsen, maar ik wilde het niet loslaten. Ik dacht dat ik zou sterven als ik dat deed. We worstelden, dicht tegen elkaar aan, en toen viel ik boven op hem. Het ging per ongeluk, echt waar.'

Paul keek hem aan met zijn grote blauwe ogen en Fenwick wilde het geloven.

'Ik voelde dat het mes tegen iets stevigs aankwam en toen gaf het mee, wat het ook was, en het drong naar binnen. Ik liet los en ging naar achteren zitten. Bryan en ik staarden ernaar, naar dat idiote, bruine plastic heft dat uit zijn buik stak. Toen trok hij het eruit en het bloed spoot overal naartoe. Hij begon te schreeuwen en ik maakte dat ik uit de auto kwam.

Mijn broek en mijn blazer zaten onder het bloed, dus trok ik ze uit en gooide ze ergens heen, en toen pakte ik mijn schooltas. Bryan schreeuwde om hulp, maar daar lette ik niet op. Mijn sportkleding zat in mijn tas en die trok ik aan. Bryan startte de auto. Ik sloeg de deur dicht en liep naar achteren om mijn fiets te pakken. Ik kon hem er nog net uittrekken en de klep dichtgooien, toen hij de auto in zijn achteruit zette. Hij reed me bijna omver, maar ik ben weggefietst. Ik heb niet meer omgekeken, ik bleef gewoon doorfietsen, tot ik viel, maar ik ben niet erg ver gekomen.'

'Waar ben je naartoe gegaan?'

'Het bleek dat ik op een ruiterpad parallel aan de A23 zat. Ik kon niet lang op mijn fiets zitten, omdat ik zoveel pijn had, daarom liep ik met mijn fiets aan de hand. Het begon al donker te worden, toen ik een schuur vond en daar in slaap viel. Toen ik wakker werd, was het bijna licht en ik was bang. Ik wist niet wat ik moest doen. Ik had een man neergestoken en was weggelopen. Het was onmogelijk om naar huis te gaan.'

'Maar je wist toch wel dat je ouders je zouden vergeven? Ze hielden van je en je was onverdraaglijk getergd. Je daad heeft wel tot iemands dood geleid, maar ik betwijfel of er één jury in dit land bestaat die je zou veroordelen.'

'Dat kan best zijn, maar een kind van veertien dat doodsangsten uitstaat en een schuldig geweten heeft, denkt niet zo. Ik moest er niet aan denken dat dát... allemaal zou uitkomen. Mijn leven was verwoest. Je hebt geen idee, Andrew, hoe het vertrouwen van een kind wordt opgevreten door zelfhaat. Ik was ervan overtuigd dat ik zwaar schuldig was en voor altijd veracht zou worden en ik besloot verder te vluchten. Ik had chocola in mijn tas, mijn twintig pond en de camera die mijn ouders me voor mijn verjaardag hadden gegeven, en een paar schoolboeken.

Ik bleef op de voetpaden en zag niemand, hoewel ik een keer stemmen heb horen roepen. Toen ik bij de boerderij van Oliver kwam, kreeg ik in de gaten waar ik was. Ik wachtte tot mevrouw Anchor de deur uitging. Ze deed de achterdeur nooit op slot, dat wist ik, dus ik hoefde niet eens in te breken. Ik vulde een tas met eten en ik nam het geld mee dat ze op de schoorsteenmantel bewaarde. Toen ging ik op zoek naar kleren. Die van Oliver zouden me niet passen, maar zij was tamelijk klein, dus pakte ik twee spijkerbroeken en een paar shirts en sokken.

Ik voelde me een beetje zekerder, dus ging ik naar de badkamer om me te wassen. Ze had van die kleurshampoo – een blonde kleur – en die gebruikte ik. Ik stal ook wat zeep, een handdoek en een tandenborstel.'

'Waar ben je naartoe gegaan?'

'Naar het noorden. Ik had nog steeds erg veel pijn, dus kwam ik 's nachts maar een klein stukje vooruit. In een bosrijk gebied ergens in de North Downs zag ik die caravan. Ik moest onderdak hebben, dus brak ik in. Toen ik daar was, kwam er een oude man binnen, die daar woonde. Ik dacht dat hij kwaad op me was en de politie zou bellen, maar dat deed hij niet. Hij spoorde niet helemaal en hij was eenzaam, denk ik. Jim – zo heette hij – stond erop zijn 'speciale' maaltje voor me te koken, zoals hij het noemde: Frankfurter worstjes uit blik, die hij opbakte met maïs uit blik. Ik was zo hongerig dat ik alles opat. Dat beschouwde hij gek genoeg als een groot compliment en hij vroeg of ik wilde blijven.

Hij wilde helemaal niets van me, alleen wat gezelschap en een beetje waardering. Dat was zo verfrissend. Er was geen televisie, alleen een oude radio. Ik sliep het merendeel van de tijd. Maar op de derde dag werd Jim ziek; ik denk dat hij flink de griep had. Ik kon niet bij hem weggaan nadat hij zo goed voor me was geweest, dus bleef ik, om voor hem te zorgen. Ik liet hem veel drinken en probeerde hem ertoe te bewegen iets te eten.

De caravan stond vol met eten. Hij kocht grote voorraden in, zo bleek, dus er was ruim voldoende, maar er was weinig keus. Tot op de dag van vandaag kan ik geen maïs uit blik meer zien. Tegen het einde van de week was hij zover hersteld dat hij op kon staan en wat rondscharrelen. Op de zaterdag – twaalf dagen nadat ik was weggelopen, schat ik – ging hij het dorp in. Het was marktdag en hij wilde iets lekkers voor ons gaan halen, zei hij. Hij kwam terug met een krant.' Paul wachtte even. Zijn ogen vulden zich met tranen. '"Ben jij dat, knul, over wie ze hier schrijven?" vroeg hij. Ik kon alleen maar knikken. Ik schaamde me zo. Hij had het beste van mij gedacht, snap je, en daar stond het allemaal, al die vreselijke dingen die ze over me schreven.

Ik ben in tranen uitgebarsten en hij troostte me. Toen wilde hij dat ik me ging wassen. Hij ging op de markt nieuwe kleren en sportschoenen voor me kopen. Hij was zó aardig en hij wilde helemaal niets, niets. Terwijl ik me aankleedde, kookte hij een speciaal avondmaal voor ons, verse biefstuk, nieuwe aardappelen, tomaten uit blik en hij had ook Coca-Cola gekocht, alleen voor mij. We hadden geen van beiden veel trek, maar we aten het toch op. Daarna vroeg hij me wat ik wilde gaan doen. "Bij jou blijven," zei ik, maar hij schudde zijn hoofd. "Hoe fijn ik dat ook zou vinden, mijn jongen, dat kan niet. Je moet terug naar je ouders. Ik breng je wel." Nou, dat was wel het laatste wat ik wilde. Dus loog ik. Ik zei tegen hem dat ik het op mijn eigen manier zou doen. Hij was een goede oude man, vol vertrouwen, en hij geloofde me.

Hij waste mijn oude kleren en terwijl die bij het fornuis te drogen hingen, maakte hij boterhammen voor onderweg. Toen gingen we een wandeling in het bos maken. Hij vertelde me over zijn zoon op Cyprus, die hij jaren geleden, toen zijn diensttijd erop zat en naar Engeland terugkeerde, had achtergelaten. "Ik denk heel vaak aan hem," zei hij. "Hij moet nu een volwassen man zijn en ik loop me alsmaar af te vragen wat hij van zijn leven heeft gemaakt. Dat wens ik jouw ouders voor geen prijs toe."

Toen we terug waren in de caravan pakte ik mijn spullen in. Ik had een extra tas nodig en die bonden we achter op de fiets. Bij mijn vertrek stopte hij een envelop in mijn hand. Ik maakte hem die avond pas open. Er zat vijftig pond in, in briefjes van vijf, en een foto van Jim. Dit is hem.' Paul maakte zijn portemonnee open en haalde er een zwart-witfoto met ezelsoren uit. Hij was zo versleten, dat het gezicht verbleekt en vaag was geworden.

'Ik ben een paar jaar geleden teruggegaan, te laat, natuurlijk. De caravan was weg en toen ik er in de omgeving naar vroeg, had niemand van hem gehoord. Hij moet inmiddels overleden zijn, hij was al over de zeventig toen ik hem leerde kennen, maar als ik op straat loop, zoek ik nog steeds zijn gezicht.'

'Is dat de reden waarom je priester bent geworden?'

'Nee! Jim was een atheïst van het zuiverste water. Door pater Richard ben ik priester geworden. Ik kwam uiteindelijk in Londen terecht. Ik verfde mijn haar en de nieuwe kleren van Jim waren voldoende om er netjes uit te blijven zien. Ik zorgde ervoor dat ik alleen buiten schooltijd op pad was en hield me de rest van de tijd schuil. Zodra ik in Londen was, maakte het natuurlijk niet meer uit dat ik overdag op straat liep. Ik was gewoon ook zo'n weggelopen kind dat op straat leefde. In die tijd leek ik absoluut niet meer op mijn keurige schoolfoto. Daarbij kwam dat het ander weer was geworden. In de regen letten mensen veel minder goed op. Heb jij dat ook gemerkt?'

'Ja, je merkt het constant. Dat is in mijn werk ontzettend lastig.'

'Dat kan ik me voorstellen, maar mij hielp het. In Londen werd ik onzichtbaar, helemaal hierna.' Hij raakte zijn litteken aan. 'Ik deed wat een heleboel weglopers uiteindelijk doen: mannen van middelbare leeftijd in de buurt van Euston en King's Cross van dienst zijn. Binnen een paar maanden was ik volkomen verslaafd aan de crack en het meeste van wat ik verdiende, ging naar de dealer die ons voorzag. Tegen de tijd dat ik vijftien was, werkte ik continu, alleen maar om aan mijn dagelijkse dosis te komen en ik begon ondervoed te raken. Al het geld dat ik in handen kreeg ging op aan drugs, niet aan voedsel. Ik begon te stelen, zelfs van de liefdadigheidswinkels. Dat waren gemakkelijke doelwitten, dat dacht ik tenminste. Ik werd gepakt in een outlet van Save the Children. Ironisch, vind je niet? Die vrouw wilde absoluut de politie bellen en me laten oppakken, maar een van de klanten hield haar tegen. Dat was pater Richard. Wie weet waar ik nu zou zijn als hij niet in die winkel had gestaan – dood, vermoedelijk.

Hij bracht me regelrecht naar het ziekenhuis. Ik had bloedvergiftiging. Ik noemde mezelf Justin Smith en zei dat ik weggelopen was. Ik weigerde de naam van mijn ouders te noemen. Niemand herkende me. Toen ik werd opgenomen woog ik nog maar vijfendertig kilo en in dat beetje haar dat ik nog had, zaten blonde strepen. Ik had helemaal geen kleur meer op mijn gezicht. Als ze mijn schoolfoto naast mijn bed zouden hebben gezet, had niemand me herkend.

Ik ging bijna dood. Ik heb langer dan een maand in het ziekenhuis gelegen. Pater Richard kwam haast elke dag op bezoek en toen ik eruit mocht, wachtte hij me op. Hij vond een plekje voor me in een afkickcentrum, waar ik de afschuwelijkste maanden van mijn leven heb doorgebracht, nog erger dan in het ziekenhuis. Het is haast onmogelijk om van de crack af te komen, het is een marteling; vreselijk. Maar ik heb het overwonnen, met zijn hulp.

En toen vond pater Richard een plaats voor me in een opvangcentrum, waar ze me aanmoedigden weer naar school te gaan. Ik had heel wat in te halen, maar toen ik in dat centrum lag en besefte dat ik mezelf bijna de dood had ingejaagd, bracht die schok me weer bij mijn verstand.

De toekomst was angstaanjagender dan de dood, maar ik besloot dat niets in het leven, ook niet in mijn leven, een totale verspilling mocht zijn. Daarna raakte ik geen drugs meer aan, dronk niet meer en rookte ook niet. Ik studeerde en hielp in het opvangtehuis. Toen vroeg pater Richard of ik naar de kerk wilde gaan. Ik wist niet wat ik zeggen moest. Ik had nog steeds een straatimago, weet je, omdat ik bijna doodgegaan was en door dat litteken een harde jongen leek. Naar de kerk gaan was niet goed voor mijn reputatie, dus verzette ik me er maandenlang tegen. Maar op mijn zestiende, met Kerstmis, gaf ik eindelijk toe. Pater Richard was zó blij, dat ik de week daarna weer ging. En dat ben ik blijven doen.

Ik was geen bekeerling, zo voor de hand liggend was het niet. Het was alleen dat ik een plek had gevonden waar ik niet voortdurend werd beoordeeld. Ik rondde de middelbare school twee jaar te laat af, maar ik haalde zeven vakken en dat spoorde me aan om voor het hoogste niveau te gaan. Op mijn negentiende had ik mijn diploma's en was te oud geworden om in de opvang te blijven, maar er was een jeugdherberg van de kerk, waar ik voor kost en inwoning mee kon helpen.'

Paul zweeg. Zijn ogen stonden weer helder, hij had zijn emoties weer onder controle. Fenwick stond op en maakte nu de thee die hij bijna een uur eerder had willen zetten. Toen ze hun mokken voor zich hadden staan, vroeg hij Paul zijn verhaal af te maken. Het ging hem volstrekt niet aan, maar hij was gewoon benieuwd of Paul een waar christen was, of gewoon bereid was het te proberen, omdat hij pater Richard en de Kerk dankbaar was.

'Wat valt er nog te zeggen?' Paul nam een flinke slok thee en ging met een zucht achterover in zijn stoel zitten. 'Na mijn eindexamen besloot ik voor priester te gaan studeren.'

'Neem me niet kwalijk dat ik het vraag, maar hoe kwam het dat je een gelovige werd?'

Paul keek hem aan met een blik die dwars door zijn ziel ging.

'Ha, de vraag van de rationele mens. Je kijkt ervan op, hoeveel mensen dat vragen. Maar mijn antwoord brengt je niet verder, vrees ik. Het was heel simpel. Op een ochtend werd ik wakker en toen wist ik het. Ik wist dat God bestond en dat Hij me al een hele tijd riep, maar dat ik er doof voor was geweest. Het was alsof mijn oren opengingen en ik Zijn stem hoorde.'

Fenwick schudde zijn hoofd.

'Ik zei het al, mijn verhaal zegt je niets. Iedereen moet God op zijn eigen manier vinden, maar één ding dat helpt, is ruimte voor Hem maken in je leven.' Hij wachtte op een reactie van Fenwick, maar toen die niet kwam, glimlachte hij.

'Probeer om te beginnen eens meer dan een of twee keer per jaar naar de kerk te gaan.'

Fenwick voelde zich beschaamd. Op een bepaalde manier waren de rollen omgedraaid tijdens Pauls monoloog. Hij was als gezagsdrager de keuken ingelopen, desnoods bereid om de priester te arresteren en nu was hij bijna de beklaagde. Hij schraapte luidruchtig zijn keel en probeerde te bedenken wat hij zou zeggen, maar die moeite werd hem bespaard toen zijn telefoon ging.

'Andrew, met Nightingale. De verkeerspolitie heeft zojuist de auto van William Slant gevonden. Hij stond in het dorp, in de buurt van het huis van Edwards. Van hemzelf geen teken, maar het lijkt erop dat hij Sam naar Edwards heeft gebracht.'

'Enig teken van de jongen?'

'Nee. We hebben Edwards huis doorzocht en ook alle bijgebouwen, maar daar is hij niet. We beginnen nu de bossen te doorzoeken, maar het is donker. Als we die helemaal willen uitkammen zijn we nog minstens vierentwintig uur bezig en dat is dan alleen nog maar oppervlakkig. En Edwards praat niet, nog niet tenminste.' De walging was hoorbaar in haar stem.

'Wat is er?'

'Wat een smerige klootzak is dat!' Dit soort woorden hoorde hij niet vaak van haar. 'Hij stelde voor dat hij zijn geheugen wat William Slant betrof zou kunnen opfrissen, als wij hem van rechtsvervolging ontslaan.'

'Absoluut niet!'

'Precies, maar...' Ze stopte en hij hoorde haar diep ademhalen. 'Hij zegt dat het ritje van Slant te maken heeft met het "afwerken van een los eindje". Andrew, daarmee geeft hij praktisch toe dat Sam in groot gevaar verkeert en dat we snel moeten handelen.'

Het is al langer dan drie uur geleden dat Slant Londen heeft verlaten. We surveilleren op de snelweg, maar tot nog toe hebben we niets gevonden. Natuurlijk, Sam kan al dood zijn...'

'Daar mogen we niet van uitgaan!'

'Ik weet het.' Ze probeerde hem te kalmeren. 'Maar Edwards buigt niet. Het is zijn informatie en immuniteit tegen het leven van Sam. Dat is de ruil.'

'Lieve god!' Fenwick bedekte zijn ogen met zijn hand en probeerde na te denken. 'Zelfs nu beschouwt hij die jongen nog als zijn eigendom.'

'Quinlan stelt voor dat ik de korpschef bel – eigenlijk denkt hij dat ik dat op dit moment aan het doen ben.'

'Niet doen. Hij zal toegeven. Hij biedt misschien geen volledige immuniteit aan, maar het zal er heel dichtbij komen. Hij wil absoluut voorkomen dat hij verantwoordelijk zal worden gesteld voor de dood van Sam.'

'Daarom bel ik jou ook. Jij hebt de leiding van het onderzoek. Jij moet die beslissing nemen en als je besluit Harper-Brown te bellen, dan begrijp ik dat wel, maar...'

'Genoeg, Nightingale, laat me even nadenken. Ik moet nadenken.' Hij schudde zijn hoofd om helder te worden. 'Ik bel je over vijf minuten terug.'

Hij verbrak het gesprek en zag Paul naar hem kijken.

'Weer een vermiste jongen?'

'Misschien, maar niet als ik er iets aan kan doen. Sam Bowyer.' Hij opende zijn aktetas en liet de priester de schoolfoto zien. Hij wist niet wat hij zag.

'Dat zou ik kunnen zijn.'

'Bijna, afgezien van de ogen.'

'En is hij door Nathan, ik bedoel Edwards, misbruikt?'

'Dat is bijna zeker en nu is hij verdwenen. Een handlanger was met hem onderweg naar Edwards – denken wij – maar nu kunnen we noch hem, noch Sam vinden. Die jongen kan overal zijn. Had Nathan een favoriete plek waar hij jou naartoe bracht?'

'Het zwembad, of een slaapkamer met spiegels in zijn huis, als het slecht weer was.'

'Ze hebben zijn hele huis en terrein doorzocht; daar is de jongen niet.'

'Dan kan ik je niet helpen.'

Fenwick keek naar de secondewijzer op de klok in de eetkamer, die rond tikte. Hij moest óf Nightingale óf de korpschef bellen. Het had geen zin om het uit te stellen. Hij huiverde.

'Ik weet het, het begint hier koud te worden, het komt doordat we in de kelder zitten. Als het fornuis aanstaat is het hier aangenaam, maar...'

'Wat zei je daarnet?'

'Met het fornuis aan is het war...'

'Nee, daarvóór, over dat we in de kelder zitten.'

Paul keek hem verward aan.

'Dat is alles wat ik zei.'

'Nee, er was nog iets, dáárvoor nog.' Fenwick sprong op en begon gefrustreerd heen en weer te lopen. 'Toen je me vertelde over je laatste dag.'

'Maar dat was het zwembad en toen later, met Bryan in de auto.' Hij fronste verward zijn voorhoofd.

'En daartussenin?'

Pauls gezicht klaarde op.

'Die koude ruimte, waar ze me opsloten terwijl ze een beslissing namen over wat ze met me gingen doen.'

'Weet je zeker, dat het niet in het huis of in een van de bijgebouwen was?' Fenwick stond over hem heen gebogen, om hem aan te sporen goed in zijn geheugen te graven.

'Heel zeker. Ik herinner me nog dat we door de bossen liepen.'

'Hoe lang duurde dat?'

'Dat weet ik niet. Het is zo lang geleden...'

'Denk na, verdomde...!' Fenwick beet op zijn lip. 'Sorry, pater, dat wilde ik niet zeggen... maar het leven van die jongen staat op het spel. Het is heel, héél erg belangrijk!'

'Ik besef dat, ik wil ook helpen, maar... ik was nauwelijks bij bewustzijn.' Hij vertrok zijn gezicht van inspanning om het zich te herinneren. 'Het ging door de bossen en we kwamen uit de zon, dus ik denk dat we tussen dicht opeen staande bomen kwamen. En er was een beekje waar we langsliepen, niet breed, en stenen, bemoste stenen. Alec gleed bijna uit.' Hij keek Fenwick triomfantelijk aan. 'Ik geloof niet dat ze er zo lang over deden om me daarheen te dragen; zoek naar dat beekje, het moet er vlakbij zijn.'

'Hoe zag het eruit?'

'Ik was geblinddoekt, maar ik weet dat het van steen was en erg koud; hij gebruikte het als wijnkelder.'

'Misschien een oude ijskelder? Dat past wel bij de rest van het landgoed.'

'Misschien wel, maar de zoekers zullen de jongen niet horen als hij daarbinnen is. Het had dubbele deuren en het was een heel eind onder de grond. Het is nu misschien zelfs vervallen en dan missen ze het in het donker. Ik weet niet...'

Maar Fenwick luisterde niet meer. Hij hing al aan de telefoon en droeg Nightingale op intensief in het bos bij een beek te zoeken en daar in de buurt uit te kijken naar een of ander gebouwtje, het maakte niet uit in wat voor staat het zich bevond, en het te doorzoeken. Ze moesten er ook niet op rekenen dat de jongen hen kon horen roepen. Toen hij klaar was, zat Paul hem aan te staren. Zijn gezicht stond nu heel kalm.

'Je hebt haar de bron van je informatie niet genoemd.'

'Nee.'

'Dat had je heel gemakkelijk kunnen doen. Waarom niet?'

'Dan had ik haar een verklaring over jou moeten geven.'

Paul keek hem verwonderd aan.

'Dus je hebt nog geen beslissing genomen, Andrew. Dank je wel, ik dacht dat het onvermijdelijk was.'

'Bryan Taylor is dood.'

'Dat weet ik, als gevolg van het gevecht met mij. Ik bid dagelijks meerdere keren om vergeving.'

'Je ouders leven al een kwart eeuw met de onzekerheid van je verdwijning.'

'Dat is treurig, maar geen misdaad. Je moet begrijpen, dat als ik u zou vertellen dat ik nog leef, ze mijn werk kapot zouden maken. Mijn vader kan die wetenschap niet voor zich houden en mijn moeder is te labiel om ermee om te kunnen gaan. Zij zou hiernaartoe komen stormen met de pers in haar kielzog, het verhaal over Bryan Taylor zou uitkomen, en ik zou zomaar in de gevangenis kunnen belanden. Als het jouw keus is mij op te sluiten, is dat één ding, dan is het Gods wil, maar ik wil er niet naartoe omdat ik een moeder heb die een beetje te veel van me houdt. En je had het al over mijn grootmoeder, zij weet dat ik nog leef, daar heb ik zelf voor gezorgd.'

'Ze vertelde me dat je haar in het ziekenhuis hebt bezocht.'

'O, echt waar?' Paul was verbaasd. 'Dan vertrouwde ze je.'

'Ik geloofde haar niet.'

'Wat ironisch. Maar de avond verstrijkt, Andrew. Je bent in Sussex nodig. Wat ga je doen?'

Fenwick haalde nog net op tijd de laatste trein van Victoria naar Harlden. Hij ging in een hoekje van de stoffige coupé zitten en slaakte een diepe zucht. Het leek wel alsof hij die al zijn hele leven had onderdrukt. Hij was doodop, zowel emotioneel als lichamelijk. Eindelijk was het raadsel van Paul Hills verdwijning opgelost en dankzij zijn strategie had zijn team de man gearresteerd die achter een van de best georganiseerde pedofielennetwerken in zuidelijk Engeland zat. Ze hadden een bordeel gesloten en een aanvoerlijn van kinderpornografie opgerold, zo niet uitgeschakeld. Maar in plaats van opgetogen te zijn, stemde het succes hem treurig tot in het diepst van zijn wezen. Hij stond voor het grootste dilemma in zijn carrière.

Hij had het lot van een goed mens in handen, en hoewel hij zich terdege bewust was van zijn plicht als politieman, was die plicht volkomen strijdig met zijn gevoel voor rechtvaardigheid. Dit onverwachte conflict knaagde aan hem. Hij sloot zijn ogen en probeerde een manier te bedenken om zijn probleem op te lossen, maar het was onmogelijk. Er was geen andere optie dan een besluit te nemen over iemands toekomst en ook nog binnen het tijdsbestek van zijn thuisreis.

Zijn blik viel op zijn handen, die losjes op zijn dijbenen lagen. Even stelde hij zich voor dat hij Pauls vrijheid in zijn linkerhand hield en in zijn rechterhand het oordeel, dat de maatschappij over hem zou vellen als de waarheid ooit bekend werd. De waarheid te onthullen, zou een meesterzet zijn. Het was de bezegeling van een succesrijk onderzoek, waarin hij zich sterk had geprofileerd en het zou alle kritiek wegens zijn bezoek aan Londen de kop indrukken. Het zou ook zijn vooruitzichten op promotie verbeteren, hem misschien wel tot de meest kansrijke gegadigde maken. Onwillekeurig krulden de vingers van zijn rechterhand om, alsof hij zijn promotie zó uit de bedompte lucht kon plukken. Maar toen hij besefte hoe futiel zijn gedachten waren, kneep hij zijn vuisten dicht en ontspande ze toen langzaam. Hij zat nog steeds met hetzelfde probleem en de manier waarop hij het oploste zou van doorslaggevende betekenis in zijn leven zijn.

Rammelend begon de trein vaart te maken; hij slingerde over de wissels, flitste langs de stations die al gesloten waren voor de nacht en voerde hem naar het moment in de toekomst waarin het besluit genomen was.

Hij had zichzelf altijd beschouwd als iemand die moeilijke beslissingen kon nemen, hij vond het zelfs een van zijn sterke punten, maar nu hij werkelijk op de proef werd gesteld, realiseerde hij zich dat hij geen Salomo was. Dus deed hij wat hij altijd deed als zijn hersenen niet mee wilden werken: hij pakte zijn notitieblok en zijn pen. Boven aan een schoon vel papier schreef hij de vraag op, die sinds hij de waarheid had ontdekt, door zijn hoofd maalde: *Wanneer is een moordenaar geen moordenaar?* Confronterende woorden en ze hielpen hem niet verder. Het misdrijf dat hij had opgelost was tenslotte moord, niet een of ander licht vergrijp.

Grommend van frustratie scheurde hij het vel van zijn blocnote, maakte er een prop van en stopte hem in zijn zak, zodat zijn gedachten niet bij het afval op de grond van de coupé zouden belanden. Zijn horloge tikte de laatste minuten van de dag weg toen hij met zijn hand een nieuw vel papier gladstreek en zich voorbereidde. Een halfuur later miste hij bijna zijn station, omdat hij zo intens geconcentreerd bezig was.

Het was stil in huis toen hij naar binnen ging. Hij liet de maaltijd die in de koelkast voor hem klaarstond, links liggen en schonk een beetje whisky voor zichzelf in. Dat nam hij mee naar de studeerkamer en trok de deur achter zich dicht. Terwijl hij de computer liet opstarten, nam hij kleine slokjes uit zijn glas en las zijn aantekeningen nog eens over. Zodra hij alles had uitgetypt zou hij zich bij Nightingale voegen, die bezig was met de zoektocht naar Sam, maar eerst moest hij zijn rapport in orde maken, en hij zat te popelen om het te voltooien.

Hij tikte zijn wachtwoord in, opende het tekstverwerkingsprogramma en begon te typen. De eerste woorden kwamen melodramatisch over en hij wiste ze wel een paar keer, tot hij besloot ze toch maar te laten staan.

INGEVAL VAN MIJN OVERLIJDEN, DIENT DE BIJGESLOTEN ENVELOP GEOPEND TE WORDEN DOOR COMMISSARIS QUINLAN VAN HET POLITIEBUREAU HARLDEN, DISTRICT WEST SUSSEX, OOK INDIEN HIJ AL GEPENSIONEERD IS. INGEVAL HIJ VÓÓR MIJ KOMT TE OVERLIJDEN, MOET DEZE ENVELOP AAN INSPECTEUR LOUISE NIGHTINGALE WORDEN OVERHANDIGD, THANS EVENEENS WERKZAAM BIJ HET POLITIEBUREAU HARLDEN. INGEVAL GEEN VAN BEIDEN, OM WELKE REDEN DAN OOK, BESCHIKBAAR IS OM DEZE ENVELOP IN ONTVANGST TE NEMEN, DIENT HIJ ONGEOPEND TE WORDEN VERNIETIGD.

Nadat hij deze begeleidende tekst had ondertekend, begon hij aan het verhaal zelf. Hij typte snel. Hij deelde de opvatting van sommige van zijn collega's niet die vonden dat de rollen van de uitvoerende macht en de rechterlijke macht indien nodig, samen moesten kunnen vallen, ter bescherming van de samenleving. In zijn opinie had niemand het recht om politie, rechter en jury tegelijk te spelen. Als gevolg daarvan, merkte hij, dat hij kampte met een sterk gevoel van onzekerheid toen hij zijn bekentenis en de verdediging van zijn beslissing had voltooid.

Wat hij deed was zo atypisch voor hem, dat iets in hem de tekst wilde verscheuren, een normaal rapport wilde opstellen en het hele zaakje aan het Openbaar Ministerie overhandigen. Maar dat zou verkeerd zijn. Alleen híj had Paul Hill ontmoet, had hem met de van huis weggelopen jongens zien werken en naar Gerry's lovende woorden geluisterd. Om wat voor reden dan ook, híj was degene die de man had ontmoet, die ooit de jongen was geweest die door de hele wereld werd doodgewaand. Het zou wel van een erg opgeblazen ego getuigen, te denken dat hij uitverkoren was voor deze taak, maar het besluit dat op zijn ontdekking volgde, was hém toegevallen. En hij had het besluit genomen, niet gemakkelijk of graag, maar omdat hij geen andere keus had.

Stel dat zijn beoordeling van Paul Hill volkomen onjuist was, stel dat hij morgen, of heel binnenkort, kwam te overlijden – waardoor zijn zwijgen gegarandeerd werd – dan was het van essentieel belang dat er een verklaring achterbleef, die ervoor zorgde dat het recht zijn beloop kreeg. Maar om andere redenen kon hij, ingeval van zijn dood, niet op zomaar iedereen rekenen. Daarom liet hij zijn gedocumenteerde gesprek met Paul Hill achter in een envelop, gericht aan de mensen die hij het meest vertrouwde.

Om halfeen was hij klaar met typen. Zijn ogen brandden en de whisky had hem hoofdpijn bezorgd. Hij was net bezig de envelop aan zijn advocaat te adresseren, toen zijn mobiele telefoon ging.

'Fenwick.'

'Andrew?' Louise Nightingale klonk doodmoe, maar opgetogen. 'We hebben hem levend gevonden.'

'Godzijdank.' Zijn hoofd was inmiddels zó leeg, dat hij alleen maar opluchting kon voelen.

'Hij was op de plek die je noemde. We hadden het gebouwtje de eerste keer gemist, omdat alleen het dak boven de grond uitsteekt en het was overdekt met braamstruiken en klimop. Maar toen we bij het eind van het beekje kwamen, heb ik het zoekteam op hun schreden laten terugkeren. Je was er zó van overtuigd dat we het zouden vinden, dat ik dat risico genomen heb.'

'Dat is geweldig.'

'Ben je niet blij? Zonder jou hadden we hem nooit gevonden. Sam zou er dood zijn gegaan; hij leed nu al aan onderkoeling toen we bij hem kwamen. Je hebt zijn leven gered.'

Nee, dacht hij, Paul heeft zijn leven gered. Hij trok de laatste pagina van zijn verklaring uit de printer.

'Andrew! Wat heb je toch? Luister, we willen allemaal weten hoe je aan die informatie gekomen bent. Die heb je van de anonieme briefschrijver, hè?'

'Dat kan ik niet zeggen.'

'Je meent het niet! De korpschef zal je niet met rust laten, zelfs al zou Quinlan dat wel doen. Je moet ermee naar buiten komen. Je zou wel gek zijn om het niet te doen. Je ster is rijzende, voor de verandering; gooi het niet weg door ondoorgrondelijk te doen. Harper-Brown wordt echt ontzettend pissig, hoor. Haal het beste uit dit moment.'

'Ik heb alles gezegd wat ik erover te zeggen heb, Nightingale. Wees dankbaar dat we dit resultaat hebben; geniet van je avond, maar laat me met rust met je ondervragingen.'

'Hé – het is al goed.'

'Praat Edwards al?'

'Het is niet te geloven, zeg, die klootzak probeert nog steeds te onderhandelen. Hij heeft gevraagd of hij strafvermindering krijgt als hij schuld bekent aan kindermisbruik en toegeeft dat hij Malcolm Eagleton per ongeluk heeft gedood.'

'Wat heb je gezegd?'

'Dat het beste wat wij voor hem kunnen doen is, tegen de rechter zeggen dat hij volledig heeft meegewerkt, en dat het zijn zaak aanzienlijk zal verbeteren als hij ons de namen van de andere pedofielen noemt.'

'Goed zo.'

'Hij houdt alleen onwrikbaar vol dat hij Paul Hill niet heeft vermoord. Ik heb nog een keer met het Openbaar Ministerie gebabbeld. Zij denken dat we sterk staan wat betreft het misbruik, en een goede kans inzake Malcolm Eagletons dood, maar ironisch genoeg denken ze niet dat we genoeg bewijzen hebben om hem aan te klagen wegens de moord op Paul Hill. Met de andere aanklachten komt Edwards evengoed voor de rest van zijn leven achter de tralies, hoezeer hij ook meewerkt, maar het voelt nog steeds niet goed om Paul ongewroken te laten, vind je ook niet?'

'Soms gaan de dingen zo,' zei Fenwick voorzichtig.

'Ik sta er versteld van. Ik zou denken dat je morgenochtend meteen bij de korpschef op de stoep zou staan om extra manschappen te eisen, zodat je de zaak netjes kunt afronden.'

'Deze keer niet. Ik denk dat we genoeg hebben gedaan.'

Er viel een stilte. Hij begreep dat hij haar voor de tweede keer deze avond verrast had en misschien zou hij het haar op een dag uitleggen. Fenwick trok een postzegel van het velletje en plakte hem op de envelop die hij de volgende ochtend vroeg op de bus zou doen.

'Tja, als jij dat vindt,' zei ze uiteindelijk. 'Het zou wel een stuk eenvoudiger zijn, als we de vervolging kunnen concentreren op punten waarvan we weten dat we er een resultaat mee bereiken; tenzij je de briefschrijver hebt kunnen overhalen te praten, natuurlijk.'

'Hij heeft gepraat, maar hij kan ons niet helpen.'

'Waarom niet? Het is nodig dat je daarop aandringt, Andrew; jouw geloofwaardigheid berustte er voornamelijk op dat je hem zou vinden.'

'Dank je, dat je me eraan herinnert, maar geloof me, de verklaring van de briefschrijver zal ons niet helpen bij een aanklacht tegen Edwards voor de moord op Paul.'

'Dus je uitstapje om de moordenaar van Paul te vinden is tijdverspilling geweest,' zei ze laatdunkend.

'Nee; niets in het leven hoeft totale verspilling te zijn, Louise. Niet als wij dat niet willen.' Hij likte de envelop dicht en ging er met zijn vinger overheen om hem goed dicht te drukken.

Het bleef erg lang stil. Toen slaakte ze een diepe zucht.

'Je houdt iets voor me achter, Andrew, ik wéét het gewoon. Maar ik kan ook aan je merken dat je niet wilt onthullen wat het is. Je kunt me vertrouwen, weet je. Je kunt me altijd vertrouwen – wat het ook moge zijn.' Wat klonk dat treurig.

'Dat weet ik, Nightingale, dat weet ik heel goed. Jij bent een goede vriendin – en dat is ook de reden waarom ik je niet wil meeslepen in iets wat...' Hij wilde zeggen 'je carrière zou kunnen schaden', maar hij realiseerde zich dat ze hem dan nooit met rust zou laten. 'Laat maar. Vergeet het.' Dat klonk definitief.

'Goed. Nou, in dat geval kun je wat mij betreft naar bed gaan, voordat de hel losbreekt. Je klinkt dodelijk vermoeid, helemaal niet jezelf. Wat een dag, hè?'

'Dat kun je wel zeggen,' antwoordde hij. 'Welterusten, Louise.'

'Welterusten, Andrew, en probeer een beetje te slapen.'

'Weet je, ik denk dat ik heel goed zal slapen.'

Fenwick deed het licht uit en legde de verzegelde envelop op het tafeltje in de hal, om hem de volgende ochtend op de post te doen. Hij ging snel onder de douche om de corruptie van de stad van zich af te schrobben, tot hij helemaal roze zag. Toen zocht hij een oude pyjama op uit de tijd dat hij die nog droeg, en pakte een warme deken uit de droogkast. Op blote voeten liep hij naar de kamers van zijn kinderen.

Bess was diep in slaap. Ze lag op haar rug met haar armen wijd uitgespreid; vol vertrouwen en met een gelukkige glimlach, zelfs in haar slaap. Hij gaf haar een vluchtige kus en liep door naar de kamer van zijn zoon. Chris had zichzelf zoals gewoonlijk helemaal onder het beddengoed begraven, er was zelfs bijna geen haarlokje te zien. Fenwick ging voorzichtig naast hem boven op het dekbed liggen, drapeerde de deken over zijn benen en sloeg zijn arm om zijn zoon heen. Binnen een paar tellen sliep hij. Chris verroerde zich niet, maar toen Fenwick de volgende morgen wakker werd, met de pijn in zijn knoken van het vreemde bed, merkte hij dat Chris zich diep in slaap tegen zijn borst had opgerold. En hij glimlachte.

EPILOOG

De zaalhulpen waren bezig de laatste kerstversieringen weg te halen, toen Jeremy Maidment en Margaret Pennysmith op de derde verdieping van het ziekenhuis uit de lift stapten. Een voorbijkomende verpleegkundige herkende de majoor en onderbrak haar ferme tred om hem te begroeten.

'Majoor Maidment! Tjonge, wat fijn te zien dat u weer op de been bent. Hoe gaat het met u?'

'Ik mag niet mopperen, zuster Shah,' zei de majoor, die probeerde wat minder zwaar op zijn stevige wandelstok te leunen. Hij was drie weken geleden pas uit zijn rolstoel opgestaan en na dat korte eindje vanaf de invalidenparkeerplaats stond hij te trillen op zijn benen.

'Nou, ik ben echt blij dat ik u weer zie.'

'Zij was aardig,' vond Margaret. 'Maar waar is de Cameliazaal? Daar hebben ze Hannah naartoe verhuisd. Ga jij maar zitten, Jeremy, dan ga ik wel kijken.'

Ondanks haar artritis stapte ze bijna pittig naar de balie van de verpleegkundigen. Ze had nog steeds last van haar gewrichten en in de winter verergerde dat, maar om de een of andere reden had het de laatste tijd niet meer zoveel invloed op haar stemming. Dat komt doordat ik er niet bij stilsta, nu Jeremy me nodig heeft, dacht ze bij zichzelf.

'Wij komen mevrouw Hill bezoeken, ze ligt op de Cameliazaal,' zei ze.

'Dat is aan de rechterkant,' wees de verpleegkundige behulpzaam.

'Hoe gaat het vandaag met haar?'

Er kwam een voorzichtige trek op het gezicht van de verpleegkundige. 'U bent geen familie, zeker? Dat weet ik, want die zijn allemaal op skivakantie, en ze wil niet dat we hen bellen.'

'Maar ik ben wel een goede vriendin.' En dat was ook zo. Er was een sterke genegenheid tussen de twee vrouwen ontstaan na hun ontmoeting in de dagopvang voor bejaarden en ze waren elkaar regelmatig blijven bezoeken, totdat Hannah na Kerstmis erg achteruitging.

'Ja, ze is wakker en ze heeft vandaag een paar heldere momenten gehad,' zei de verpleegkundige, op een manier die Margaret zorgen baarde, 'maar met longontsteking zijn we natuurlijk erg voorzichtig. Het afdelingshoofd kan u misschien meer vertellen.'

Maar die was er niet. Een jonge verpleegkundige in opleiding bracht de majoor en juffrouw Pennysmith naar Hannah toe en zei onderweg geen woord. Ze lag in het bed dat het dichtst bij de balie met de bewakingsmonitoren stond en de majoor, inmiddels expert op het gebied van ziekenhuizen, hoopte dat Margaret niet in de gaten had wat dat betekende. Maar één blik op Margarets gezicht zei genoeg en hij kneep haar even in haar arm. Ze zetten allebei een glimlach op en liepen naar de patiënte toe.

Hannah Hill lag rechtop in de kussens. Ze had een doorzichtig zuurstofslangetje in haar neus en een infuus in haar arm en zag eruit als een oude lappenpop, die achteloos in een veel te groot ziekenhuisbed was neergekwakt, maar toen ze haar ogen opende en hen naar haar zag kijken, kwam er een lieve, haast kinderlijke glimlach op haar gezicht.

'Lieverd,' zei ze met haar Londense accent. Haar stem had nog maar een fractie van de kracht van vroeger, 'wat fijn dat je gekomen bent. En je hebt de majoor ook meegebracht; wat een verrassing.'

De bezoekers konden duidelijk merken dat deze korte begroeting haar al uitputte, dus begonnen zij te praten op een manier waardoor zij alleen maar hoefde te knikken of één woordje te zeggen. Op een gegeven moment kwam er een zaalhulp binnen, die Margaret aanbood te helpen met het zoeken van een vaas voor de zijden bloemen die ze had meegebracht. Ze lieten de majoor en Hannah alleen achter.

'Ik wil je iets zeggen, Jeremy... iets belangrijks, voordat ik ga.'

'Sst, zo moet u niet praten, mevrouw Hill.'

'Hannah... en geen "sst" tegen me zeggen... Ik weet wat er aan de hand is en ik vind het best.' Ze wachtte even en haalde een paar keer adem. Ze had wel een beetje kleur op haar gezicht, maar haar lippen waren bijna blauw. 'Ik heb gelezen wat je hebt gedaan... met de kleren van Paul...'

'Alsjeblieft, ik...' De majoor kon nauwelijks iets zeggen en wendde gekweld zijn hoofd af.

'Nee, luister... het is belangrijk... Wat je gedaan hebt is... dom... dat vind ik wel, maar... je verdient het niet de gevangenis in te gaan.'

'Daar moet de rechtbank over oordelen, Hannah, hoewel het erg grootmoedig van je is om dat te zeggen.'

Ook hij had goede hoop, op strafvermindering tenminste. Toen hij zijn aandeel in de hele treurige affaire had toegegeven en zich bereid had verklaard om als getuige à charge tegen Edwards op te treden, had hoofdinspecteur Fenwick om de een of andere reden bij de officier van justitie sterke argumenten ten gunste van hem ingebracht. Hij had geen idee waarom Fenwick besloten had als zijn verdediger op te treden, want de man weigerde zijn telefoontjes te beantwoorden, maar hij was hem intens dankbaar. Hij voelde zich er alleen nóg schuldiger door. En nu die lieve mevrouw Hill, die op sterven lag, hem probeerde op te beuren; dat werd hem te veel.

'Grootmoedig... hou toch op.' Ze zweeg weer en wees zwijgend naar de plastic karaf met een rietje naast haar bed. Maidment bracht het rietje naar haar lippen en hield de karaf een tijdje vast, terwijl zij een paar slokjes naar binnen probeerde te krijgen. 'Bedankt... erg... droge keel. Luister eens, ik heb het tegen Margaret gezegd, maar... zij gelooft me niet, dus zeg ik het ook maar... tegen jou.' Ze sloot even haar ogen en hij zag bezorgd hoe moeizaam haar borst op- en neerging. Na een paar minuten opende ze haar ogen weer en fixeerde hem met haar opvallende blauwe ogen. 'Mijn Paul is niet dood. Nee... kijk me niet zo raar aan... hij is niet dood.'

'Ik zou graag willen dat je gelijk had, echt, maar...'

'Die man die ze hebben gearresteerd... heeft hij gezegd... dat hij het heeft gedaan?'

'Nee, eigenlijk precies het tegenovergestelde.'

'En jij... geloof jij hem?'

'Ja.' Hij was ervan overtuigd dat Edwards, toen hij hem ermee confronteerde, de waarheid had gesproken wat betreft zijn aandeel in de dood van Paul. 'Maar er waren anderen...' Hij kon zichzelf er niet toe brengen verder te praten. Waarom zou hij haar martelen met de feiten van de moord op Paul?

'Geen gemaar... Je moet niet rondlopen met schuld... vanwege Paul... Dat is niet terecht.' Ze grinnikte, een verontrustend diep gerommel achter in haar keel. 'Doe het voor Margaret.'

De laatste woorden waren bijna onhoorbaar. De verpleegkundige die langsliep keek hem streng aan en voelde Hannahs pols.

'Dit is te opwindend voor haar. U moet meer consideratie met haar hebben, anders moet u weggaan.'

'Neemt u me niet kwalijk,' mompelde hij.

'Mijn schuld,' vormde Hannah met haar mond, maar dat scheen de verpleegkundige niet te merken.

Op dat moment keerde Margaret terug met de vaas met bloemen en gingen ze verder met het gesprek van daarvoor.

'Ik heb Jeremy zover gekregen dat hij, als dat stomme proces voorbij is en hij weer mag reizen, zijn zoon in Australië gaat bezoeken.'

'Geweldig,' grijnsde Hannah met haar ogen dicht.

'En ik hoop dat Margaret met me meegaat. Ze heeft een neef in Hongkong, weet je, misschien kunnen we onderweg een tussenstop maken.'

'Nog beter.'

'Maar het kost veel geld, ik weet niet of ik...'

Hannah sperde haar ogen open en keek haar vriendin fel aan.

'Familie is belangrijk, Hannah!'

'Mevrouw Hill?' Zuster Shah verscheen bij haar bed. 'Uw geestelijke is hier.'

'Mijn geestelijke?' Hannah trok een verbaasd gezicht, maar Jeremy en Margaret zagen dat niet, want ze stonden al op om te vertrekken.

'Laten wij dan maar gaan. Ik bel morgen weer op om te horen hoe het met je gaat en kom misschien nog even langs als je bezoek mag ontvangen.' Margaret boog zich over haar vriendin heen om haar een kus op de wang te geven, die zo zacht was als van een baby. 'Tot ziens, lieverd. God zegene je.'

Ze had tranen in haar ogen, maar ze was vastbesloten om haar stem onder controle te houden.

'Denk aan wat ik gezegd heb,' vermaande Hannah de majoor toen hij afscheid nam. 'Je familie.'

Hij maakte een buiging voor haar, te beleefd om tegen haar in te gaan. Toen ze wegliepen legde hij zijn vrije arm zorgzaam om Margarets schouder.

Ze konden de priester in de kleine wachtkamer bij de liften aan het eind van de gang zien zitten.

'Dat is toch ook wat,' zei Margaret, die haar ogen bette met een kanten zakdoekje, 'in de tijd dat ik haar gekend heb maakte ze nooit de indruk dat ze religieus was. Maar ik ben er zó blij om, helemaal nu...'

Geen van beiden had behoefte om die zin af te maken. Zuster Shah kwam voorbij toen ze langzaam naar de lift liepen.

'Tot ziens, majoor, pas goed op uzelf,' riep ze, even vrolijk als altijd.

Hij knikte naar haar.

'Majoor Maidment?' vroeg de priester, die opstond.

'Ja, pater. Neemt u me niet kwalijk, maar ken ik u?' Hij staarde beduusd in een gezicht dat hem op een onbehaaglijke manier bekend voorkwam.

'Nee, meneer, u kent me niet, maar ik wilde al een tijdje kennis met u maken. Ik geloof dat wij in Andrew Fenwick een gemeenschappelijke vriend hebben.' Hij stak zijn hand uit en Maidment pakte hem automatisch vast. 'Vergeven en vergeten, hè? Het verleden ligt achter ons.'

'Pardon?'

Maar de geestelijke was al weg, hij liep met grote passen naar de Cameliazaal.

'Waar sloeg dát in godsnaam op, Margaret?'

'Ik heb geen idee, maar hij is tamelijk jong, ondanks zijn grijze haar. Wat jammer van dat vreselijke litteken.'

Ze gingen een ogenblik in de stoelen bij de lift zitten, zodat de majoor op krachten kon komen voor het laatste eindje naar de taxi. Hij zag ontzettend op tegen de medische keuring van de volgende week, om te boordelen of hij zijn rijbewijs mocht behouden. Afhankelijk worden van de onzekerheden van het openbaar vervoer en de gunsten van vrienden was zo ver beneden zijn waardigheid, dat hij dát hoopte te vermijden.

Terwijl ze zaten te wachten tot hij weer een beetje bijgekomen was, ging de liftdeur open. Er stapte een man van voor in de dertig uit, met een knap maar sluw gezicht en een glimlach, alsof hij een geheim bezat dat hij dolgraag wereldkundig wilde maken. De majoor kwam langzaam overeind en dat trok de aandacht van de man. Zijn glimlach werd breder en kreeg iets boosaardigs.

'Ha, daar bent u,' zei hij en hij kwam op hen toelopen. 'Ik had het al bij u thuis geprobeerd, maar de buurman zei dat u hier was om een vriendin te bezoeken.'

'En wie bent u dan wel?' vroeg Maidment ijzig en hij raapte zijn energie bij elkaar om hem voorbij te lopen.

'Jason MacDonald van de *Enquirer*; u heeft misschien mijn telefoontjes ontvangen.'

'Ik heb geen behoefte om met u te praten. En wilt u nu opzij gaan, wij stonden op het punt om weg te gaan.' Hij pakte Margarets arm.

'Zoals u wilt, majoor, maar dat zou ik niet doen als ik u was.' Hij deed geen moeite om de dreiging in zijn stem te verhullen. 'Ik zou denken dat u úw kant van het verhaal ook wel wilt vertellen.'

'Ik kan helemaal niets over het aanstaande proces zeggen, dat moet u toch weten,' zei de majoor minachtend.

'O, maar het gaat helemaal niet over het proces, meneer Maidment,' grijnsde MacDonald met al zijn tanden bloot. 'Ik wil met u over uw familie praten.'

'Wat bedoelt hij, Jeremy, je familie? Wat heeft je familie ermee te maken?' Margaret pakte zijn arm steviger vast.

'Niets; die zitten veilig in Australië,' zei Maidment beslist, maar hij keek MacDonald met groeiend onbehagen aan.

'O, u bedoelt uw tweede familie; uw onwettige zoon en schoondochter.'

'Jeremy, wat zegt hij toch?'

Hij kon haar niet recht in de ogen kijken. Maidment voelde dat zijn benen het begaven en ging abrupt zitten. Margaret liet zijn arm los en vouwde zich gedwee op in een andere stoel, terwijl MacDonald boven hen uittorende. Hij kwam een stapje dichterbij, boog zijn hoofd naar Maidment toe, zodat het maar een paar centimeter van zijn gezicht was, en zei met een stem die maakte dat de mensen achter de receptiebalie zich omdraaiden: 'Ik heb wat achtergrondonderzoek gedaan voor het proces. Helaas voor u werden een paar van uw oude legermaatjes nogal loslippig toen ze iets hadden gedronken, ondanks hun jarenlange praktijkervaring. Ik sta ervan te kijken wat uw vrienden allemaal zeggen om u te beschermen, werkelijk verbazend. Dit is een prachtverhaal.'

Maidment, in een hoek gedreven door zijn woorden, keek naar MacDonald op en wachtte op het onvermijdelijke. Margaret greep zijn arm weer vast.

'Ik wil het over uw Indonesische echtgenote en haar familie hebben, majoor. Over dat meisje van vijftien, met wie u getrouwd bent, die u zwanger hebt gemaakt en in de steek hebt gelaten, zodat u kon terugkeren naar uw gezellige leventje hier. Ik weet niet of er een verjaringstermijn bestaat in het geval van bigamie, maar dat doet er nauwelijks meer toe, wanneer mijn redacteur en ik met u klaar zijn.' Speeksel vloog uit zijn mond in het oog van Maidment, die het wegveegde. 'Er is één ding waar wij allebei een broertje aan dood hebben, en dat is hypocrisie.'

'Jeremy?' Juffrouw Pennysmith liet haar hand vallen en staarde hem aan, alsof ze hem wilde dwingen het verhaal als een verzinsel af te wijzen. Maar Maidment kon alleen maar zijn hoofd schudden.

'Het spijt me zo, Margaret, het spijt me ontzettend.'

'Dus u ontkent niet dat u getrouwd bent?' vroeg MacDonald triomfantelijk. 'Mooi zo, want uw verloren gezinnetje zit bij mij op kantoor te wachten, samen met de fotograaf. Zullen we dan maar naar hen toe gaan?'

Maidment sloot zijn ogen en boog zijn hoofd. Naast zich hoorde hij een wanhopige snik van Margaret en hij besefte, dat, wát de uitkomst van het proces ook mocht zijn, dit zijn werkelijke straf was:

zijn reputatie zou onherstelbaar beschadigd worden, zijn gedrag in het verleden zou publiekelijk veroordeeld worden, maar het ergste van alles was, dat hij wellicht ook het gezelschap van de vrouw voor wie hij inmiddels een diepe genegenheid had opgevat, zou verliezen. Hij haalde diep adem en zei tegen haar: 'Ik moet nu gaan. Ga jij maar naar huis; ik bel je later wel om te proberen het je uit te leggen.'

Margaret Pennysmith barstte in tranen uit. Hij probeerde haar hand te pakken, maar ze schudde hem af.

'Goed dan,' zei hij tegen MacDonald. Hij stond op en rechtte zijn schouders. 'Laten we maar gaan.'

Achter hen, in de stilte van de Cameliazaal, zat pater Peter, die geen idee had van de vergelding die de majoor over zichzelf had afgeroepen door zijn zwijgende verdediging van het onverdedigbare. Hij concentreerde zich volledig op de kleine gestalte voor hem, nietig en kwetsbaar als een kind. Haar ogen waren gesloten, haar ademhaling ging zwaar, maar ze leek vrede te hebben. Hij was zó aan de dood gewend geraakt, dat hij maar al te goed besefte dat ze aan haar laatste reis was begonnen en hij begon zachtjes te bidden.

Een zaalhulp kwam hem een kopje thee brengen en zijn zachte bedankje maakte dat Hannah trillend haar ogen opende. Ze moest zich even oriënteren, maar toen ze hem zag, begon haar gezicht van pure vreugde te stralen.

'Paul,' zei ze met een brede glimlach.

'Oma,' fluisterde hij, bijna niet in staat iets te zeggen, maar zijn blijdschap was net zo groot. Als er een vreemde langs zou komen, zou die er niet aan twijfelen dat zij familie van elkaar waren.

'Ik had zo gehoopt dat je zou komen... Hoe wist je...?' Ze raakte buiten adem en kon niet verder spreken.

'Een vriend heeft me gebeld.'

'Een vriend?'

'Een man die Andrew heet; je hebt hem ontmoet.'

Ze schudde even met haar hoofd, om aan te geven dat de reden waarom hij haar had gevonden er niet toe deed.

'Daar ben ik blij om.'

'Ik ook, oma.'

Zo zaten ze zwijgend, terwijl hij haar hand vasthield en naar het lichte op- en neergaan van haar borst keek. Eindelijk vroeg ze: 'Blijf je bij me... je weet wel... tot het eind?'

'Natuurlijk; daarvoor ben ik gekomen.'

Haar glimlach werd dieper en ze sloot haar ogen. Om hen heen gingen de bezigheden op de zaal in hun eigen ritme door. Op zeker ogenblik trok een verpleegkundige de gordijnen om het bed dicht en kwam er nog een kopje thee. Buiten viel de avond. Hannahs ademhaling was nauwelijks meer waarneembaar. Het leek alsof ze in een diepe, diepe slaap viel. Geen wanhopig naar adem snakken, gewoon een geleidelijke overgang, bij iedere oppervlakkige ademtocht. Paul bad.

Op een gegeven ogenblik, tegen middernacht, voelde hij dat de gevolgen van de ene kop thee na de andere niet meer te negeren waren en holde hij de gang door naar het toilet. Toen hij terugkwam, had ze haar ogen wijd open en zocht ze hem. Ze bewoog snel met haar mond, alsof ze hem een belangrijke boodschap had mee te delen.

'Hier ben ik,' zei hij, 'maak je geen zorgen.'

Ze opende haar lippen en sloot ze weer, maar hij kon niet verstaan wat ze zo dringend te zeggen had.

'Sorry, wat zeg je?'

'Kom... begrafenis,' herhaalde ze. 'Lees de mis.'

'Daar kan ik niet naartoe komen, niet op de dag zelf. Het...'

Met een heel licht schudden van haar hoofd onderbrak ze wat hij zeggen wilde.

'Denk eraan...' Haar vingers grepen zijn hand vast in een verbazend stevige greep, 'familie is belangrijk.'

Haar laatste woorden waren niet meer dan een zuchtje warme lucht tegen zijn oor, maar ze zonken diep in zijn hart en bleven daar liggen, terwijl ze haar ogen sloot. En hoe vurig hij ook bad, deze last kon hij niet van zich afschudden.